WEIN

IN H.

Vertaald door *de Redactie,* boekverzorgers te Amsterdam

Jennifer Weiner

In haar schoenen

2003 Prometheus Amsterdam

Voor Molly Beth

Eerste druk januari 2003
Tweede druk april 2003

Oorspronkelijke titel *In Her Shoes*
© 2002 Jennifer Weiner
© 2003 Nederlandse vertaling Uitgeverij Prometheus en *de Redactie*,
boekverzorgers – Liesbeth Hensbroek, Catherine Smit en Ron de Heer
Omslagontwerp Mariska Cock
Omslagillustratie Masterfile
www.pbo.nl
ISBN 90 446 0240 3

I

In haar schoenen

I

'SCHATJE,' KREUNDE DE JONGEN – TED? TAD? – ZOIETS IN IEDER geval – en hij perste zijn lippen tegen haar hals, waardoor haar gezicht tegen het toilethokje werd geduwd.

Dit is belachelijk, dacht Maggie toen hij haar jurkje omhoog rukte. Maar ze had in anderhalf uur tijd vijf wodka-tonics achterovergeslagen en was op dit moment eigenlijk niet in de positie om iets belachelijk te noemen. Ze wist niet eens of ze het woord nog wel zou kunnen uitspreken.

'Je bent zo geil!' riep Ted of Tad uit terwijl hij haar jurkje over haar heupen schoof en de string ontdekte die Maggie voor de gelegenheid had aangeschaft.

'Ik wil die string. In het rood,' had ze gezegd.

'Flame-kleurig,' reageerde de verkoopster van Victoria's Secret.

'Ook goed,' zei Maggie. 'Small,' voegde ze toe, 'extra small als jullie dat hebben.' Ze keek het meisje even minachtend aan. Ze mocht dan misschien het verschil tussen rood en vlammend niet weten, maar dat deed haar, Maggie Feller, toevallig helemaal niets. Ze mocht dan haar school niet hebben afgemaakt en had dan wel geen geweldige baan – of liever, na afgelopen dinsdag, helemaal geen baan (en alle ervaring die ze had opgedaan op het witte doek bestond uit drie seconden waarin een fractie van haar linkerheup te zien was in de voorlaatste videoclip van Will Smith), en ze mocht dan nauwelijks kunnen rondkomen terwijl anderen, zoals bijvoorbeeld haar zus Rose, fluitend een topuniversiteit doorliepen en daarna nog even rechten gingen studeren, bij een advocatenkantoor kwamen te werken en luxeappartementen huurden aan

Rittenhouse Square alsof alles in het leven hun zomaar kwam aanwaaien – zij, Maggie, had iets waardevols, iets zeldzaams en kostbaars, iets wat maar weinigen bezitten en waarnaar velen smachten – een geweldig lichaam. Een lichaam dat één meter achtenzestig lang was en maar achtenveertig kilo woog. Een zonnebankbruin, gespierd lichaam, geëpileerd, geharst, soepel. Een heerlijk geparfumeerd lichaam, een lichaam dat in één woord perfect was.

Ze had een getatoeëerd madeliefje onder aan haar rug, de woorden 'born to be bad' rond haar linkerenkel en een dik, rood hart met het woord 'moeder' op haar rechterbovenarm. (Ze had nog getwijfeld of ze ook de datum van haar moeders overlijden zou laten zetten, maar om de een of andere reden had deze tatoeage meer pijn gedaan dan de andere twee samen.) Maggie had ook cupmaat D. Haar tieten waren een cadeautje van een getrouwd vriendje van twee jaar geleden en bestonden uit een zoutoplossing en plastic, maar dat deed er niet toe. 'Dit is een investering in mijn toekomst,' had Maggie gezegd, ook al keek haar vader gekwetst en verbijsterd en had Sydelle het Stiefmonster haar neusgaten opengesperd en had haar grote zus Rose gevraagd 'en wat voor soort toekomst had je daarbij in gedachten?' met die truttige stem van haar, waardoor ze eerder zeventig klonk dan dertig. Maggie luisterde niet. Maggie trok zich er niets van aan. Ze was achtentwintig en op haar tiende schoolreünie zag zij er het beste uit van alle meiden.

Alle ogen waren op haar gericht toen ze het Cherry Hill Hilton binnen wiegde in haar strakke, zwarte cocktailjurk met spaghettibandjes, op haar Christian Louboutin-naaldhakken die ze afgelopen weekend uit de kast van haar zus had gejat. Rose was dan een dik mormel geworden – ze was Maggies grote zus in meerdere opzichten – maar ze hadden wel dezelfde schoenmaat. Ze kon de blikken voelen en glimlachte. Wiegend met haar heupen, haar armbanden tinkelend om haar pols, liep ze nonchalant naar de bar. Ze zou haar vroegere klasgenoten wel even laten zien wat ze hadden gemist – het meisje dat ze hadden genegeerd, hadden gepest en achterlijk hadden genoemd, het meisje dat dicht langs de muren door de gangen van de school schuifelde in haar vaders veel te grote legerjas. Nou, Maggie was tot bloei gekomen. Laat ze maar kijken, laat ze maar kwijlen. Marissa Nussbaum en Kim Pratt en vooral die trut van een Samantha Barnett met haar grauwblonde haar en de extra kilo's vet op haar heupen sinds ze van school was. Alle cheerleaders die haar hadden veracht of genegeerd, dwars

8

door haar heen keken. Laat ze nu maar genieten van haar lichaam...
of, nog beter, laat hun sullige, kalende echtgenoten zich maar verga-
pen aan haar.

'O god!' kreunde Ted de Donderkop, terwijl hij zijn riem losmaakte.
In het hokje naast hen werd er doorgespoeld.

Maggie wankelde op haar hakken toen Ted-schuinestreep-Tad
richtte en miste, richtte en opnieuw miste, tegen haar dijen en billen
stootte. Alsof ik door een blinde slang word afgerost, dacht ze en
moest even snuiven. Ted dacht duidelijk dat ze kreunde van opwinding. 'Oké schatje! Dat vind je wel lekker, hè?' gromde hij en begon
nog harder tegen haar aan te bonken. Maggie moest een geeuw onderdrukken. Ze keek omlaag en zag met voldoening dat haar dijen – strak
en stevig van uren in de sportschool, glad als plastic van haar hars-
beurt – nauwelijks trilden, hoe ruw Ted ook stootte. En haar pedicure
was perfect. Ze was er eerst niet zeker van of deze kleur rood wel de
juiste was – niet donker genoeg, vroeg ze zich bezorgd af – maar ze had
toch goed gekozen, dacht ze, terwijl ze haar tenen bekeek die haar te-
gemoet glommen.

'Jezus Christus!' schreeuwde Ted met een mengeling van extase en
frustratie in zijn stem, alsof hij een visioen had, maar niet zeker wist
wat het betekende. Maggie had hem aan de bar ontmoet, toen ze een
halfuurtje binnen was, en hij was precies wat ze wilde: lang, blond en
gespierd, niet vet en kalend zoals al die jongens die footballgoden en
koning van het bal waren geweest op de middelbare school. En hij was
glad. Hij gaf de barkeeper voor elk rondje vijf dollar fooi, ook al was
het een open bar, ook al hoefde hij dat niet te doen. En hij vertelde
haar wat ze wilde horen.

'Wat doe jij?' had hij gevraagd. Ze had naar hem geglimlacht. 'Ik
ben artiest,' had ze gezegd. Wat waar was. Sinds een halfjaar was ze
achtergrondzangeres in een band, Whiskered Biscuit, die *thrashmetal
covers* speelde van discoklassiekers uit de jaren zeventig. Tot nu toe
hadden ze welgeteld één keer opgetreden – de markt voor thrashme-
talvertolkingen van 'MacArthur Park' was nou eenmaal niet groot.
Maggie zat alleen in de band omdat de zanger hoopte dat ze met hem
naar bed zou gaan. Maar het was in ieder geval iets – het gaf haar
droom beroemd te zijn, een ster te zijn, een beetje houvast.

'Ik heb nooit met jou in de klas gezeten,' zei hij, terwijl hij met zijn
wijsvinger over haar pols streelde. 'Anders had ik dat zeker wel onthouden.' Maggie keek omlaag, speelde met een lok van haar kastanje-

bruine haar en zat te twijfelen of ze met haar sandaaltje langs zijn kuit zou strijken of dat ze haar haar zou losmaken, zodat haar krullen over haar rug zouden vallen. Nee, ze had niet bij hem in de klas gezeten. Zij zat in de 'speciale' klas, de 'bijzondere' klas, de klas van de stumpers en de nietsnutten, waar de schoolboeken grote letters hadden en een andere vorm – iets langer en dunner – dan de boeken die de andere kinderen bij zich hadden. Ook al kaftte je ze met bruin papier en verstopte je ze in je rugzak, de andere kinderen hadden het altijd door. Nou, ze konden de tering krijgen. Allemaal. Alle mooie cheerleaders en de jongens die graag met haar voosden in de auto van hun ouders, maar de volgende maandag op school niet eens 'hoi' tegen haar zeiden, ze konden allemaal de tering krijgen.

'Christus!' riep Ted opnieuw uit. Maggie opende haar mond om te zeggen dat hij een beetje zachter moest doen, maar in plaats daarvan kotste ze de vloer onder – een heldere plas wodka-tonic, zag ze, met een paar slierten halfverteerde bami. Ze had inderdaad Chinees gegeten – wanneer? Gisteravond? Ze probeerde het zich te herinneren terwijl hij haar heupen vastgreep en haar ruw omdraaide, zodat ze met haar gezicht naar de voorkant van het wc-hokje stond, en haar heupen tegen de toiletrolhouder beukte. 'Aah!' kondigde Ted aan en kwam klaar op haar rug.

Maggie draaide zich vliegensvlug om, probeerde de plas braaksel zoveel mogelijk te mijden. 'Niet mijn jurk!' zei ze. Maar Ted stond daar maar, knipperend met zijn ogen, zijn broek op zijn knieën, zijn hand nog om zijn lul. Hij grijnsde haar dom aan. 'Dat was fantastisch!' zei hij en keek haar met half dichtgeknepen ogen aan. 'Hoe heette je ook alweer?'

Rose Feller, twintig kilometer verderop, had een geheim, een geheim dat op dit moment op zijn rug lag te snurken, iemand die het op de een of andere manier was gelukt haar strak opgemaakte bed los te woelen en drie kussens op de grond te laten vallen.

Rose steunde op haar elleboog en bekeek haar minnaar bij het licht van de straatlantaarn dat door de gordijnen naar binnen scheen, en ze glimlachte, zoet en geheimzinnig, een glimlach die geen enkele collega van haar op het advocatenkantoor Lewis, Dommel en Fenick zou hebben herkend. Ze trok haar benen op. Dit was wat ze altijd al wilde, waarvan ze haar hele leven stiekem had gedroomd: een man die naar haar keek alsof ze de enige vrouw in de kamer was, in de wereld, alsof ze de enige vrouw was die er bestond. En hij was zo knap, zelfs knapper zonder kleren dan met. Ze vroeg zich af of ze een foto zou nemen. Maar hij zou wakker worden van het geluid. En aan wie kon ze de foto laten zien? Rose gleed met haar ogen over zijn lichaam – zijn sterke benen, zijn brede schouders, zijn mond, halfopen, zodat hij beter kon snurken. Rose draaide zich op haar zij, van hem af, trok de dekens op tot haar kin en glimlachte bij de herinnering.

Ze hadden tot laat doorgewerkt aan de Veeder-zaak. Die was zo saai dat Rose wel kon huilen, behalve dan dat haar partner voor die zaak Jim Danvers was. Ze was zo verliefd op hem dat ze wel een week lang dossiers wilde doorworstelen, zolang ze maar de geur van zijn wollen pak kon ruiken, zijn eau de toilette. Het werd acht uur en daarna negen uur en eindelijk konden ze de laatste bladzijden in de envelop stoppen. Hij keek haar aan met die filmsterrenglimlach op zijn lippen en zei: 'Zullen we iets gaan eten?'

Ze gingen naar het café in de kelder van Le Bec Fin, waar ze een glas wijn dronken, wat algauw een hele fles werd. De mensen gingen naar huis, de kaarsen waren opgebrand en rond middernacht zaten ze er nog alleen, elkaar zwijgend aan te staren. Toen raakte hij haar hand aan en fluisterde: 'Weet je wel hoe mooi je bent?' Rose schudde haar hoofd, want echt, dat wist ze niet. Niemand had haar ooit verteld dat ze mooi was, behalve haar vader. Eén keer, maar dat telde niet. Als ze in de spiegel keek, zag ze een gewoon meisje, een grijze muis, een volwassen boekenwurm met een nette garderobe, maat vierenveertig, bruin haar en bruine ogen, brede, rechte wenkbrauwen en een kin die iets naar voren stak alsof ze wilde zeggen 'en wie breng je daarvoor mee?'.

Toch had ze altijd stiekem gehoopt dat iemand haar op een dag zou zeggen dat ze mooi was, een man die haar paardenstaart zou losmaken, haar bril zou afzetten en haar zou aankijken of ze Helena van Troje was. Dat was een van de hoofdredenen waarom ze geen contactlenzen droeg. En daarom leunde ze voorover, haar lichaam sidderend, en staarde ze Jim aan in afwachting van nog meer vleiende woorden. Maar Jim Danvers pakte haar hand, betaalde de rekening en leidde haar naar buiten, naar haar appartement, waar hij haar schoenen uitdeed, haar blouse afrukte, haar bedekte met kussen van haar nek tot haar buik en drie kwartier dingen met haar deed die ze de vorige week gezien had in een aflevering van *Sex and the City*.

Ze rilde van verrukking en trok het dekbed op tot haar kin. Dit kon wel eens narigheid betekenen. Naar bed gaan met een collega was tegen haar principe (een principe waaraan ze zich gemakkelijk kon houden, moest ze toegeven, want ze had nog nooit een collega meegemaakt die met haar naar bed wou). Problematischer was echter dat een relatie tussen partners en medewerkers nadrukkelijk verboden was volgens de regels van het kantoor. Ze konden hiervoor beiden op het matje geroepen worden als iemand erachter kwam. Hij zou in moeilijkheden raken. Zij zou waarschijnlijk ontslag moeten nemen. En dan zou ze weer een andere baan moeten zoeken, helemaal opnieuw moeten beginnen – solliciteren, saaie middagen en ochtenden dezelfde antwoorden opdreunen voor dezelfde vragen: Hebt u altijd al advocaat willen worden? Welke rechtsgebieden spreken u het meeste aan? In welk recht zou u zich willen specialiseren? Waarom zou u een aanvulling zijn voor ons kantoor?

Jim was anders. Hij nam het gesprek af toen zij bij Lewis, Dommel en Fenick solliciteerde. Het was een prachtige septembermiddag toen ze drie maanden geleden de vergaderzaal binnenliep. Ze had haar marineblauwe sollicitatiepakje aan en een dikke map met informatie over zichzelf en het bedrijf onder haar arm geklemd. Na vijf jaar bij Dillert McKeen was ze toe aan verandering – een iets kleiner kantoor waar ze meer verantwoordelijkheden had. Dit was haar derde sollicitatiegesprek van die week, en haar voeten, gestoken in marineblauwe pumps van Ferragamo, knelden vreselijk, maar toen ze Jim Danvers zag, waren alle gedachten aan pijnlijke voeten en andere firma's onmiddellijk verdwenen. Ze had een geijkt advocatentype verwacht: in de veertig, kalend, met bril, overdreven vaderlijk tegen een eventuele vrouwelijke collega. Maar dit was Jim. Hij stond bij het raam en toen hij zich omdraaide om haar te begroeten, kleurde het late zonlicht zijn blonde haar goud. Niks geen advocatentype, en niks geen veertiger – misschien vijfendertig, dacht Rose, en nu al partner – vijf jaar ouder dan zij en o, zo lekker. Hij was het soort man dat altijd buiten haar bereik lag – toen ze nog op de middelbare school zat, in de collegezalen, tijdens de rechtenstudie, met haar hoofd omlaag en haar cijfers hoog. Maar toen hij glimlachte, zag ze een stukje zilver tegen zijn tanden glimmen. Een brug, zag ze en haar hart sloeg even over, er was nog hoop. Hij was dus niet perfect. Er was nog wel degelijk hoop.

'Mevrouw Feller?' vroeg hij, en ze knikte, durfde niet te spreken. Hij glimlachte naar haar, liep in drie grote passen naar haar toe en schudde haar hand.

Dat was het moment dat ze het wist – met die zon achter hem en zijn hand die via de hare elektrische schokken door haar lichaam zond, rechtstreeks haar kruis in. Ze voelde iets wat ze alleen maar uit boeken kende, iets waarvan ze niet zeker wist of ze er wel in geloofde – passie. Passie zo heet en vurig als in die Harlequin-romances, passie die haar de adem benam. Ze keek naar de gladde huid van zijn nek en wilde die likken, midden in die vergaderzaal.

'Ik ben Jim Danvers,' zei hij.

Ze schraapte haar keel. Ze ademde zwaar en haar stem klonk hees, omfloerst. 'Ik ben Rose.' Shit. Wat was haar achternaam ook weer? 'Feller. Rose Feller. Hallo.'

Het ging in het begin allemaal erg langzaam tussen hen – hun blikken hielden elkaar net iets te lang vast bij de liften, een hand raakte even haar billen aan, bij drukke vergaderingen zochten zijn ogen meteen naar haar. Ondertussen probeerde ze van iedereen roddels over hem te verzamelen. 'Vrijgezel,' zei haar secretaresse. 'Een supervrijgezel,' zei een juridisch medewerker. 'Notoire hartenbreker,' fluisterde een eerstejaars medewerker in het damestoilet, terwijl ze haar lippen stiftte. 'En ik heb gehoord dat hij daar goed in is.' Rose had gebloosd, haar handen gewassen en zo snel mogelijk de ruimte verlaten. Ze wilde niet dat Jim een reputatie had. Ze wilde niet over hem praten in toiletten. Ze wilde hem voor haar alleen. Ze wilde dat hij haar steeds weer vertelde dat ze mooi was.

In het appartement boven de hare werd een toilet doorgespoeld. Jim gromde in zijn slaap. Toen hij zich omdraaide, voelde ze zijn voet tegen haar scheen. O jee. Rose gleed met haar teen over de lengte van haar kuit. Slecht nieuws. Ze had zich al een tijdje geleden voorgenomen haar benen te scheren, in ieder geval voor ze naar aerobics ging, maar ze was al drie weken niet geweest en op haar werk droeg ze panty's, en...

Jim draaide zich nog meer naar haar toe, waardoor Rose zowat op het randje van het bed kwam te liggen. Ze keek ongelukkig naar haar woonkamer, waar net zo goed een bord kon hangen met daarop: ALLEENSTAANDE VROUW, EENZAAM, EIND JAREN NEGENTIG. Op de grond lagen kleren verspreid, naast knalgele halters van tweeënhalve kilo en een Tae-Bo-video die nog steeds in cellofaan zat verpakt. Over haar loopband hingen pakken van de stomerij. Op de salontafel stond een halflege fles punch in een wijnkoeler, vier schoenendozen van Saks stonden naast de kast en een aantal stuiverromannetjes lagen naast haar bed. Een regelrechte ramp, dacht Rose en vroeg zich af hoe ze voor de ochtend haar woning zou kunnen opruimen dat het leek of er iemand woonde met een interessant leven. Was er geen winkel in de buurt die sierkussens en boekenkasten verkocht? En had ze nog tijd om iets aan haar benen te doen?

Ze pakte haar mobieltje en sloop zo zacht als ze kon naar de badkamer. Amy nam gelijk op. '"Tisser?' vroeg ze. Op de achtergrond hoorde Rose Whitney Houston jammeren – haar beste vriendin was voor de honderdste keer *Waiting to Exhale* aan het kijken. Amy was geen zwarte, maar dat betekende nog niet dat ze dat niet bleef proberen.

'Je zult het niet geloven,' fluisterde Rose.

'Heb je met iemand geneukt?'

'Amy!'

'Is dat niet zo dan? Waarom zou je me anders op dit uur bellen?'

'Nou,' zei Rose terwijl ze het licht aanknipte en haar blozende gezicht in de spiegel zag, 'weet je, dat klopt. En het was...' Ze wachtte even en maakte een sprongetje in de lucht. 'Het was zo fantastisch!'

Amy slaakte een kreet van verrukking. 'Goed gedaan, meisje! En, wie is de gelukkige?'

'Jim,' hijgde Rose. Amy gilde nog harder.

'En het was ongelooflijk!' zei Rose. 'Het was... ik bedoel, hij is zo...'

De telefoon piepte dat er een tweede lijn wachtte. Rose staarde ongelovig naar de telefoon.

'Zo-o, populaire meid,' zei Amy. 'Bel me terug!'

Rose nam het andere telefoontje aan en keek op haar horloge. Wie belde nou om één uur 's nachts? 'Hallo?' Ze hoorde harde muziek, stemmen – een café, een feestje. Ze liet zich tegen de deur omlaag zakken. Maggie. Wat een verrassing.

De stem aan de andere kant van de lijn was van een jonge, voor haar onbekende man. 'Spreek ik met Rose Feller?'

'Ja. Met wie spreek ik?'

Eh... ja, ik heet Todd.'

'Todd,' herhaalde Rose.

'Ja. En, eh, tja, ik ben hier met je zuster, zal ik maar zeggen. Maggie, toch?'

Rose hoorde op de achtergrond haar zusje dronken schreeuwen. 'Zus*je*!' Rose fronste haar wenkbrauwen en pakte een fles shampoo beet waarop stond 'speciaal voor dun, slap en futloos haar'. Ze smeet de fles in het kastje onder de wastafel, want als Jim zich zou douchen, hoefde hij niet te zien dat zij dun, slap of futloos haar had.

'Ze is, eh. Ziek, denk ik. Ze heeft behoorlijk wat gedronken,' vervolgde Todd, 'en ze, tja, ik weet eigenlijk niet wat ze aan het doen was, maar ik vond haar in de toiletten en we waren een tijdje samen en toen ging ze min of meer van haar stokje en nu is ze, eh, ze wordt nogal luidruchtig. Ze zei me wel eerst dat ik jou moest bellen,' voegde hij eraan toe. 'Voordat ze knock-out ging.'

'Wat aardig van haar,' zei Rose en gooide haar puistenzalf en een doos inlegkruisjes het kastje in. 'Waarom breng je haar niet gewoon naar huis?'

'Ik wil er liever niet in betrokken worden...'

'Zeg me eens, Todd,' zei Rose poeslief, met een stem die ze tijdens haar rechtenstudie had geoefend, een stem die ze wilde gebruiken om haar getuigen zo ver te krijgen haar de nodige informatie te geven. 'Toen jij en mijn zusje daar in het toilet waren, wat waren jullie toen eigenlijk precies aan het doen?'

Stilte aan de andere kant van de lijn.

'Nu hoef ik geen details te horen,' zei Rose, 'maar ik bedoel te zeggen dat jij en mijn zusje al lang bij elkaar betrokken zijn, om jouw woord te gebruiken. Dus waarom wees je geen echte vent en breng je haar thuis?'

'Luister, ik denk dat ze hulp nodig heeft en ik moet echt gaan... ik heb de auto van mijn broer bij me, ik moet die terugbrengen...'

'Todd...'

'Goed, is er iemand anders die ik kan bellen?' vroeg hij. 'Jullie ouders? Je moeder of zo?'

Rose' hart stopte even. Ze deed haar ogen dicht. 'Waar zijn jullie?'

'In het Cherry Hill Hilton. Op de schoolreünie.' Klik. Todd was weg.

Rose leunde tegen de badkamerdeur. Daar was het weer – haar werkelijke leven, de echte Rose. De waarheid sloeg haar keihard in het gezicht. Zij was niet degene op wie Jim verliefd kon worden. Ze was niet wie ze zelf hoopte die ze was – een vrolijke meid zonder zorgen, een gewone meid met een gelukkig, ordentelijk leven, een meisje die mooie schoenen droeg en zich nergens anders zorgen om hoefde te maken dan de vraag of de aflevering van ER deze week een herhaling was. De waarheid was te vinden op die trainingsvideoband waar ze niet eens de tijd voor had om hem uit te pakken, laat staan om erop te trainen, de waarheid bestond uit haar harige benen en haar lelijke ondergoed.

Haar zus. De waarheid was haar zus. De waarheid was Maggie, haar prachtige, chaotische, geweldig ongelukkige en verbazingwekkend onverantwoordelijke zusje. Alleen: waarom vannacht? Waarom kon Maggie haar deze ene nacht niet gunnen? 'Kut,' kreunde ze zachtjes. 'Kut, kut, kut.' En toen liep Rose terug naar haar slaapkamer, zocht haar bril, joggingbroek, laarzen en autosleutels. Ze schreef een briefje voor Jim ('Familienoodgeval, ben snel terug'), holde naar de lift en reed vervolgens de nacht in, om wéér de kastanjes voor haar zus uit het vuur te halen.

Boven de voordeur van het hotel hing nog steeds een spandoek met WELKOM! EINDEXAMENJAAR '89. Rose beende de lobby door – nepmarmer en karmijnrode vloerbedekking – naar de verlaten lounge, waar het naar rook en bier stonk. Er stonden ronde tafels met goedkope, rood-wit papieren tafelkleden waarop pompondahlia's van plastic waren gezet. In een hoek stonden een jongen en meisje te vrijen, dronken leunend tegen de muur. Rose tuurde naar het stel. Dat was Maggie niet. Ze liep naar de bar, waar een jongen in een wit overhemd glazen aan het opruimen was en waar haar zus, in een piepklein jurkje dat ongeschikt was voor november – of eigenlijk overal ongeschikt voor was – op een barkruk hing.

Rose bleef even staan om na te denken. Van een afstand zag Maggie er goed uit. Je moest dichterbij komen om haar uitgelopen make-up te zien, de stank van de drank en kots te ruiken die als een dikke wolk om haar heen hing.

De barkeeper keek Rose welwillend aan. 'Ze zit hier nu een halfuur,' zei hij. 'Ik heb haar in de gaten gehouden. Ze heeft alleen water gedronken.'

Geweldig, dacht Rose. En waar was je op het moment dat ze waarschijnlijk in de toiletten door iedereen werd gepakt?

'Bedankt,' zei ze in plaats daarvan en schudde de schouder van haar zus. Niet zachtzinnig. 'Maggie?'

Maggie opende één oog en fronste haar voorhoofd. 'Laame met rust,' zei ze.

Rose pakte het bandje van Maggies jurk beet en trok haar omhoog. Maggies billen kwamen tien centimeter de lucht in. 'Het feest is voorbij.'

Maggie stond wankelend op en schopte Rose hard tegen haar scheenbeen met een zilverkleurige sandaal. Zeg maar gerust een zilverkleurige sandaal met naaldhak van Christian Louboutin, zag Rose toen ze omlaag keek, een sandaal waar ze drie maanden voor gespaard had, die ze twee weken geleden pas had gekocht en die, dacht ze tot nu toe, nog steeds netjes in de schoenendoos zat. Een zilveren sandaal waar nu vlekken en klodders opzaten, iets kleverigs waarvan ze niet wilde weten wat het was.

'Hé, die zijn van mij!' zei Rose terwijl ze haar zus door elkaar schudde. Maggie, dacht ze, en ze voelde de bekende woede in haar opkomen. Maggie pakt *alles.*

'Flikker op!' schold Maggie en kronkelde met haar lichaam om los te komen van de stevige greep van Rose.

'Ik snap jou niet!' siste Rose, terwijl ze de bandjes van Maggies jurk vasthield. Maggie haalde uit met haar voet en schopte met haar schoenen – Rose' schoenen – tegen Rose' schenen. Maak het maar erger dan het al is, dacht Rose, terwijl ze de blauwe plekken de volgende ochtend al voor zich zag. 'Ik heb ze zelf nog niet eens aangehad!'

'Rustig aan,' riep de barkeeper, duidelijk hopend op een *catfight* tussen de twee zusjes.

Rose sloeg geen acht op hem en sleepte haar zus zowat de bar uit. Ze duwde Maggie in de passagiersstoel.

'Als je gaat overgeven,' waarschuwde Rose terwijl ze de gordel om haar zus sjorde, 'laat me dat dan op tijd weten.'

'Ik zal een telegram sturen,' murmelde Maggie. Ze graaide in haar tas naar een aansteker. 'Niets daarvan,' zei Rose, 'waag het niet hier te roken.' Ze draaide de sleutel om, deed de lichten aan en reed de verlaten parkeerplaats af, naar de snelweg, richting de Ben Franklin Bridge en Bella Vista, waar Maggie haar zoveelste appartement op rij had.

'Niet deze kant op,' zei Maggie.

'Goed,' zei Rose. Haar handen omklemden het stuur stevig uit frustratie. 'Waar gaan we heen?'

'Breng me maar naar Sydelle,' mompelde ze.

'Waarom?'

'Breng me nou maar, ja? Jezus. Ik zit toch niet in een quiz?'

'Natuurlijk niet,' zei Rose gespannen. ' Ik ben slechts je persoonlijke taxichauffeur. Een verklaring is niet nodig. Je hoeft maar te bellen en ik kom eraan.'

'Teef,' zei Maggie met dubbele tong. Haar hoofd leunde tegen de hoofdsteun en viel iedere keer naar voren of achteren als Rose een scherpe bocht maakte.

'Weet je,' zei Rose op haar meest verstandige toon, 'dat het mogelijk is naar een reünie te gaan en niet zo veel wodka te drinken dat je niet meer weet dat je op het toilet buiten kennis bent geraakt?'

'Wabbenjij, een drugsvoorlichter of zo? vroeg Maggie.

'Het is mogelijk,' vervolgde Rose, 'om er gewoon naartoe te gaan, bij te kletsen met oude vrienden, te dansen, te dineren, het bij een paar glaasjes te houden, kleding te dragen die je zelf gekocht hebt in plaats van uit mijn kast te jatten...'

Maggie opende haar ogen en staarde haar zus aan. Ze merkte de grote witte plastic haarklem op. 'Hé, 1994 belde,' zei ze. 'Het wil zijn haardracht terug.'

'Wat?'

'Heb je niet door dat niemand die dingen nog draagt?'

'Waarom vertel jij me niet wat de echt modieuze meiden dragen als ze hun dronken zus midden in de nacht moeten ophalen,' zei Rose. 'Ik zou het graag willen weten. Hebben Nicky en Paris Hilton al een kledinglijn voor ons ontworpen?'

'Laat maar,' pruttelde Maggie en staarde uit het raam.

'Ben je gelukkig zo?' vervolgde Rose. 'Elke avond aan het drinken, rondfladderend met god weet wie allemaal...'

Maggie draaide haar raampje omlaag en negeerde haar.

'Je zou weer naar school kunnen gaan,' zei Rose. 'En een betere baan kunnen krijgen.'

'En net zo worden als jij,' zei Maggie. 'Wat zou dat gezellig zijn! Geen seks in, hoe lang is het geleden Rose, drie jaar? Vier? Wanneer keek er voor het laatst een jongen naar je?'

'Er zouden genoeg jongens naar me kijken als ik jouw kleren aanhad,' reageerde Rose.

'Alsof je daar in zou passen,' sneerde Maggie. 'Jouw *been* past nog niet eens in deze jurk.'

'O ja, dat is ook zo,' zei Rose. 'Ik was even vergeten dat het hebben van maatje nul het belangrijkste in de wereld is. Want daardoor ben je duidelijk zo succesvol en gelukkig.' Ze toeterde ongeduldig tegen de auto voor haar. 'Je hebt problemen,' zei Rose. 'Je hebt hulp nodig.'

Maggie wierp haar hoofd schaterend achterover. 'En jij bent perfect, bedoel je?'

Rose schudde haar hoofd en zat te denken hoe ze Maggie de mond kon snoeren, maar toen ze een weerwoord had bedacht, leunde Maggies hoofd tegen het raam. Haar ogen waren dicht.

Chanel, de golden retriever – de hond van stiefmonster Sydelle – rende wild rond door de tuin toen Rose de oprijlaan opreed. In een slaapkamer boven ging een licht aan en even later ging het licht in de hal aan. Rose greep haar zus beet bij de bandjes van haar jurk en trok haar op haar benen.

'Ga staan,' beval ze.

Maggie wankelde onder de greep van haar zus, en stommelde de oprijlaan over tot aan de voordeur van de vreemd uitziende moderne woning van hun vader en stiefmoeder. De heggen waren gesnoeid in rare krullen, op aanwijzingen van Sydelle, en op de deurmat stond 'Welkom Vrienden!' Rose had altijd gedacht dat de mat bij het huis zat inbegrepen, want hun stiefmoeder was alles behalve gastvrij, laat staan vriendelijk. Maggie zwaaide op haar benen en boog voorover. Rose dacht dat ze moest overgeven, totdat ze zag dat Maggie een van de tegels optilde en er een sleutel onder vandaan haalde.

'Je kunt nu gaan,' zei Maggie, die tegen de deur leunde en probeerde de sleutel in het slot te krijgen. Ze zwaaide zonder zich om te draaien. 'Bedankt voor de rit, rot nu maar op.'

De voordeur vloog open en Sydelle Levine Feller stapte naar buiten, de lippen getuit, haar badjas strak om haar lijf van één meter tweeënvijftig, haar gezicht glimmend van de nachtcrème. Ondanks uren sporten en duizenden dollars aan Botox-injecties en getatoeëerde eyeliner was Sydelle Levine Feller geen mooie vrouw. Zo had ze bijvoorbeeld heel kleine, matbruine ogen. En ze had enorme neusgaten – iets waarvan Rose dacht dat de plastische chirurgen dat niet konden corrigeren, want Sydelle moest toch weten dat ze gemakkelijke een stuk salami in elk gat kwijt kon.

'Ze is dronken,' zei Sydelle, haar neusgaten wijd opengesperd. 'Wat een verrassing.' Als altijd keek ze tien centimeter links van degene die ze haar meest kwetsende opmerkingen toeslingerde, alsof ze tegen een onzichtbare omstander praatte, die het vast en zeker met haar eens zou zijn. Rose kon zich tientallen – nee honderdtallen – van deze terloops geplaatste, kattige opmerkingen herinneren die Sydelle langs háár linkeroor had uitgesproken... en die van Maggie. 'Maggie, je moet meer aandacht aan je huiswerk besteden.' 'Rose, een tweede keer opscheppen is in jouw geval echt niet nodig.'

'Er ontgaat jou ook niets, hè Sydelle?' vroeg Maggie. Rose grinnikte ondanks zichzelf en even waren ze beiden weer een team, een eenheid tegen een gezamenlijke, angstaanjagende vijand.

19

'Sydelle, ik moet mijn vader spreken,' zei Rose.

'En ik,' kondigde Maggie aan, 'moet even mijn handen wassen.'

'Laat me hem alsjeblieft even spreken. Eventjes maar,' zei Rose, zo nederig als ze maar kon. Ze keek op en zag haar vaders bril spiegelen in het slaapkamerraam. Zijn lange, dunne, licht gebogen lichaam droeg een pyjamabroek en een oud T-shirt en zijn fijne grijze haar lag dun rond de kale plek op zijn hoofd. Wanneer is hij zo oud geworden? dacht Rose. Hij zag eruit als een spook. In de jaren dat ze getrouwd waren, was Sydelle levendiger geworden – haar lippenstift werd feller van kleur, de lichte plukken in haar haar werden steeds goudkleuriger – haar vader was steeds grauwer geworden, als een foto die in de zon heeft gelegen. 'Hé pap!' riep ze. Haar vader richtte zich naar haar stem en wilde het raam opendoen.

'Lieverd, ik regel dit wel,' riep Sydelle naar het slaapkamerraam. De woorden waren lief. Hun klank echter ijskoud. Michael Feller liet zijn handen rusten op de vensterbank en Rose zag zijn gezicht voor zich, die nu vast weer die uitdrukking van verdriet en verslagenheid had. Even later ging het licht boven uit en verdween haar vader uit het zicht. 'Shit,' mompelde Rose, hoewel het haar niet verbaasde.

'Papa!' gilde Rose weer, hulpeloos.

Sydelle schudde haar hoofd. 'Nee,' zei ze. 'nee, nee, nee.'

'Deze aflevering wordt u aangeboden door het woord "nee",' zei Maggie en Rose moest lachen of ze wilde of niet, maar richtte zich vervolgens weer op haar stiefmoeder. Ze herinnerde zich de eerste dag nog dat Sydelle bij hen thuis kwam. Hun vader ging al twee maanden met haar om en had zich speciaal voor de gelegenheid gekleed. Rose herinnerde nog hoe hij aan de mouwen van zijn colbertje trok, zijn stropdas goed deed. 'Ze is erg benieuwd naar jullie,' vertelde hij Rose, die toen twaalf was, en Maggie, tien jaar oud. Rose herinnerde zich dat ze toen dacht dat Sydelle de betoverendste vrouw was die ze ooit had gezien. Ze was nog blond en droeg gouden armbanden, gouden oorbellen en glanzende gouden schoentjes. Haar haar had een coupe soleil, haar wenkbrauwen waren geëpileerd tot dunne gouden lijntjes. Haar make-up was brons- en koperkleurig; zelfs haar lippenstift had een gouden gloed. Rose was blind geweest. Het duurde een tijdje voordat ze de minder aantrekkelijke kant van Sydelle leerde kennen – de manier waarop haar mondhoeken altijd omlaag wezen, haar ogen die de kleur van een modderpoel hadden, haar neusgaten die eruitzagen als twee Lincolntunnels midden in haar gezicht.

Bij het avondeten, herinnerde Rose zich, zette Sydelle altijd de broodmand buiten haar bereik. 'Niet voor ons!' lachte ze gemaakt, op een manier waarvan Rose dacht dat ze het samenzweerderig bedoelde. 'Wij vrouwen moeten op ons figuur letten!' Ze deed hetzelfde met de boter. Toen Rose de fout maakte om een tweede keer aardappels te willen opscheppen, schudde Sydelle haar hoofd. 'De maag doet er twintig minuten over om de hersenen te laten weten dat hij vol zit,' begon ze te preken. 'Waarom wacht je niet even of je straks echt nog wel trek hebt?' Haar vader en Maggie kregen ijs toe. Rose kreeg een schaaltje druiven. Sydelle nam niets. 'Ik geef niet om zoetigheid,' zei ze. Van dat hele gedoe kreeg Rose het idee dat ze moest overgeven... overgeven en dan weer naar de koelkast sluipen voor een schaaltje ijs. Wat, als ze het zich goed herinnerde, precies was wat ze toen deed.

Nu keek ze Sydelle aan, smekend, ze wilde zo verschrikkelijk graag haar taak hier eindigen, Maggie hier achterlaten en snel naar Jim terugvliegen... als hij er nog was, tenminste.

'Het spijt me zeer,' zei Sydelle, op een manier waaruit sprak dat ze alles behalve spijt had. 'Als ze heeft gedronken, komt ze er niet in.'

'Ik heb in ieder geval niet gedronken. Laat me mijn vader nou spreken.'

Sydelle schudde opnieuw haar hoofd. 'Maggie is jouw verantwoordelijkheid niet,' declameerde ze en ratelde de speech af die ze ongetwijfeld ergens in een zelfhulpboek voor ontwrichte gezinnen had gelezen. Of, waarschijnlijker, in een brochure. Sydelle was niet echt een lezer.

'Mag ik hem even spreken?' vroeg Rose opnieuw, hoewel ze wist dat het hopeloos was.

Sydelle blokkeerde de ingang, zodat Maggie of Rose niet langs haar naar binnen konden glippen. En Maggie droeg ook niet echt positief bij aan de situatie.

'Hé, Sydelle!' zei ze met krassende stem en schoof haar zus opzij. 'Je ziet er goed uit!' Ze tuurde naar het gezicht van haar stiefmoeder. 'Je hebt iets nieuws laten doen, hè? Kin laten liften? Wangen laten opvullen? Beetje Botox? Wat is jouw geheim?'

'Maggie,' fluisterde Rose en pakte haar zusje bij de schouders beet. Ze probeerde haar telepathisch te laten zwijgen. Maar dat deed Maggie niet.

'Geweldige manier om je erfenis te besteden!' joelde ze.

Eindelijk keek Sydelle hun recht aan en niet langer in de ruimte tussen de twee meisjes. Rose kon praktisch horen wat ze dacht, namelijk dat haar dochter Marcia, over wie ze altijd snoefde, zich nooit zo zou gedragen.

Marcia – of Mijn Marcia, zoals ze doorgaans werd genoemd – was achttien en eerstejaars op Rutgers University toen Sydelle en hun vader trouwden. Mijn Marcia droeg de perfecte maat 36, wist Sydelle Rose en Maggie altijd weer te vertellen. Mijn Marcia was lid geweest van de National Honor Society en het reüniebestuur. Mijn Marcia was lid van de beste meisjessociëteit op Rutgers, was cum laude afgestudeerd, had drie jaar gewerkt als assistent van een van de toonaangevende binnenhuisarchitecten van New York, voordat ze trouwde met een dotcom-multi-multimiljonair en gracieus het moederschap op zich nam en in een opvallend huis met zeven slaapkamers in Short Hills ging wonen.

'Jullie moeten beiden weggaan,' zei Sydelle en deed de deur dicht. Maggie en Rose bleven in de kou achter.

Maggie keek naar het slaapkamerraam; misschien hoopte ze dat hun vader zijn portemonnee naar beneden zou gooien. Uiteindelijk draaide ze zich om en liep naar de oprijlaan, stopte en rukte een van Sydelles krullende hagen uit de grond, die ze vervolgens op de stoep gooide, waar hij neerkwam in een regen van zand. Rose keek toe hoe Maggie haar gejatte hoge hakken uitdeed en ze op het gras gooide.

Rose sloot haar ogen. Ze had nu in haar appartement moeten zijn, in bed met Jim. Maar in plaats daarvan stond ze hier, midden in de nacht, op een bevroren gazon in New Jersey, terwijl ze haar best deed haar zus te helpen, die niet eens geholpen wilde worden.

Maggie stak het gazon op blote voeten over en strompelde de weg af.

'En waar denk jij naartoe te gaan?' riep Rose.

'Ergens. Nergens.' Maggie sloeg haar armen om zich heen. 'Maak je niet druk om mij, ik red me wel.' Ze was al bijna bij de hoek toen Rose haar inhaalde.

'Kom op,' zei Rose ruw. 'Je kunt bij mij blijven.' Toen die woorden haar mond verlieten, gingen er bij haar vanbinnen allerlei alarmbellen rinkelen. Maggie uitnodigen bij haar te blijven was hetzelfde als onderdak geven aan een tornado, daar was ze vijf jaar geleden door schade en schande achtergekomen toen Maggie drie verschrikkelijke weken bij haar was ingetrokken. Maggie in je woning betekende dat er geld zou verdwijnen, net als je mooiste lippenstift, je favoriete oorbellen en duurste schoenen. Je auto zou dagenlang verdwenen zijn en weer op zijn plek terugkeren met een lege tank en propvolle asbakken. Huissleutels zouden verdwijnen, kleren zouden van hun hangers glijden en nooit meer worden teruggezien. Het betekende chaos en verwarring, dramatische taferelen, tranen en ruzies en gekwetst worden. Het betekende het einde van de rust waarop ze zo dwaas had gehoopt. En het was heel goed mogelijk, dacht ze met een rilling, dat dit het einde van Jim betekende.

'Kom op,' zei Rose opnieuw.

Maggie schudde haar hoofd overdreven heen en weer, als een kind dat 'nee' bedoelt.

Rose zuchtte. 'Het is alleen voor deze nacht,' zei ze. Maar toen ze haar hand op Maggies schouder legde, draaide Maggie zich fel om. 'Dat is niet zo,' zei ze.

'Wat?'

'Ik ben er namelijk weer uitgezet, ja?'

'Hoe komt dat?' vroeg Rose en kon de woorden 'deze keer' nog net inslikken.

'Ik raakte ergens in verwikkeld,' mompelde Maggie.

Ergens in verwikkeld raken, wist Rose sinds jaar en dag, was een van Maggies zinsneden waarmee ze tot uitdrukking bracht hoe de wereld haar in verwarring bracht, hoe haar leerstoornissen haar hadden gefrustreerd en verlamd. Getallen maakten haar confuus, breuken maken en een rekening sluitend krijgen waren absolute onmogelijkheden. Een recept overschrijven lukt haar niet. Als ze van A naar B moest, kwam ze meestal in K terecht, waar ze altijd een bar wist te vinden en een paar jongens om zich heen verzamelde, voordat Rose haar weer kwam ophalen.

Rose zuchtte. 'Goed. We zoeken het morgen wel uit.'

Maggie schudde haar hoofd, sloeg haar armen om haar magere lijfje heen en stond daar te bibberen. Ze had actrice moeten zijn, dacht Rose. Het was zonde dat dit talent voor dramatiek nergens anders voor diende dan dat ze er bij haar familie geld mee lospeuterde en schoenen en tijdelijk onderdak wist te krijgen.

'Ik red me wel,' zei Maggie. 'Ik wacht hier tot het licht wordt en dan...' Ze snotterde. Het kippenvel stond op haar armen en schouders. 'Ik vind wel iets.'

'Kom op nou,' zei Rose.

'Jij wilt mij niet,' herhaalde Maggie droevig. 'Niemand wil me.'

'Stap nou maar gewoon in.' Rose draaide zich om en liep naar de oprijlaan. Ze was niet in het minst verrast dat Maggie even later volgde. In het leven kun je altijd van een paar dingen op aan, en Maggie die hulp nodig had, Maggie die geld nodig had, Maggie die gewoonweg *iets* nodig had, was er daar één van.

Maggie zei niets tijdens de twintig minuten durende rit naar Philadelphia. Rose probeerde te bedenken wat ze kon doen waardoor haar zus niet zou merken dat er een advocaat zonder broek in haar bed lag. 'Jij slaapt op de bank,' fluisterde ze toen ze in haar appartement waren. Snel graaide ze het pak van Jim van de vloer. Maggie ontging niets. 'Zo zo,' zei ze lijzig. 'Wat hebben we hier?' Haar handen voelden in de bundel kleren die Rose vasthad en even later stak ze de portemonnee van Jim in de lucht. Rose probeerde hem af te pakken, maar Maggie trok hem snel weg. Daar gaan we, dacht Rose.

'Geef terug,' fluisterde ze. Maggie opende de portemonnee.

'James R. Danvers,' zei ze luid. 'Society Hill Towers, Philadelphia, advocaat en partner. Interessant.'

'Ssst!' fluisterde Rose en wierp een gealarmeerde blik op de muur waarachter James R. Danvers waarschijnlijk lag te slapen.

'1964,' las Maggie hardop verder. Rose kon de raderen praktisch horen kraken toen Maggie probeerde uit te rekenen hoe oud hij was. 'Is hij vijfendertig?' vroeg ze uiteindelijk. Rose graaide Jims portemonnee uit Maggies hand.

'Ga slapen,' siste ze.

Maggie pakte een t-shirt van de stapel kleren die over de loopband van Rose hingen en trok haar jurk over haar hoofd. 'Waag het niet te zeggen,' waarschuwde ze.

'Je bent te dun,' flapte Rose eruit, geschokt bij het zien van de vooruitstekende sleutelbeenderen van Maggie en de wervels van haar ruggengraat, vooral door het enorme verschil met haar idiote, zelf gekochte borsten.

'En jij slaapt met een getrouwde man,' reageerde Maggie. Ze trok het shirt over haar hoofd en installeerde zich op de bank.

Rose opende haar mond, maar sloot hem weer. Laat haar nu maar gaan slapen, zei ze tegen zichzelf.

'Hij ziet er wel leuk uit,' zei Maggie, en gaapte. 'Wil je me een glas water brengen en twee aspirientjes?'

Rose pakte de pijnstillers en het water en keek toe hoe Maggie de pillen wegspoelde en vervolgens haar ogen dichtdeed, zonder ook maar een bedankje. In haar slaapkamer lag Jim nog steeds zachtjes snurkend op zijn zij. Ze legde zachtjes haar hand op zijn arm. 'Jim?' fluisterde ze. Hij bewoog zich niet. Rose dacht erover naast hem te gaan liggen, de dekens over haar hoofd te trekken en morgen wel weer verder te zien. Ze keek om naar de deur, keek naar Jim en besefte dat ze dat niet kon. Ze kon niet slapen naast een naakte man terwijl haar zus in de kamer ernaast lag. Het was haar taak, en was dat altijd al geweest, om Maggie het goede voorbeeld te geven. In bed liggen met een oudere, niet helemaal vrijgezelle man die min of meer haar baas was, kon niet door de beugel. En stel dat hij weer wilde vrijen? Maggie zou het horen, of erger nog, naar binnen lopen en toekijken. En lachen.

Dus pakte ze de extra deken van het voeteneind van het bed, greep een kussen van de vloer en sloop terug naar de woonkamer. Ze nestelde zich in een fauteuil met de gedachte dat in de annalen van de romantisch geschiedenis, dit waarschijnlijk de ergste manier was waarop een nacht kon eindigen. Rose sloot haar ogen en luisterde naar Maggies ademhaling, zoals ze vroeger ook had gedaan, toen ze samen op één kamer sliepen. Toen draaide ze zich om, probeerde zich zo lang mogelijk te maken. Waarom lag zij nu niet op de bank? Waarom had ze überhaupt ja gezegd. En toen begon Maggie te praten.

'Herinner je je Honey Bun nog?'

'Ja,' zei Rose, 'die herinner ik me nog.'

Honey Bun hadden ze op een donderdag in de lente gekregen, toen Rose acht was en Maggie zes. Hun moeder had hen vroeg wakker gemaakt. 'Ssst, niets zeggen!' had ze gefluisterd en trok hun beiden hun mooiste jurkjes aan, met daarover een trui en jas. 'Het is een bijzondere verrassing!' Ze zeiden dag tegen hun vader, die nog met een kop koffie in de hand de economiepagina's van de krant doorlas, haastten zich door de keuken, waar het aanrecht vol stond met dozen chocolade en de gootsteen uitpuilde van de vuile vaat, en klommen in de stationwagen. In plaats van naar school te rijden, reed Caroline er gewoon langs, verder door.

'Mama, je hebt de afslag gemist!' riep Rose.

'Vandaag geen school, schatje,' riep haar moeder over haar schouder terug. 'Vandaag is een speciale dag!'

'Jippie!' zei Maggie, die de plek voorin had weten te bemachtigen.

'Waarom?' vroeg Rose, die naar deze schooldag had uitgekeken omdat het bibliotheekdag was en ze weer boeken mocht uitzoeken.

25

'Omdat er iets heel geweldigs is gebeurd,' zei hun moeder. Rose wist nog precies hoe haar moeder er die dag uitzag, hoe haar bruine ogen straalden; ze herinnerde de dunne turkooizen sjaal rond haar nek nog. Caroline begon steeds sneller te praten, de woorden rolden als een waterval uit haar mond en ze keek achterom terwijl ze Rose het grote nieuws vertelde. 'Het gaat om snoep,' zei ze. 'Toffee, om precies te zijn. Of eigenlijk, geen toffee. Beter dan toffee. Het is goddelijk. Hebben jullie dat ooit gehad?'

Rose en Maggie schudden hun hoofden.

'Ik las in *Newsweek* over een vrouw die kwarktaarten bakte,' ratelde Caroline door, en remde abrupt voor een stoplicht. 'En al haar vrienden waren lyrisch over die taarten en eerst kreeg ze het voor elkaar dat een buurtsupermarkt ze verkocht en toen vond ze een distributeur en nu worden haar kwarktaarten in elf staten verkocht. Elf!'

De auto's achter hen begonnen druk te toeteren. 'Mam, zei Rose. 'Het is groen.'

'O ja, natuurlijk,' zei Caroline en drukte het gaspedaal in. 'Dus gisteravond dacht ik, goed, ik kan geen kwarktaart maken, maar wel toffee. Mijn moeder maakte de beste toffee ter wereld, met walnoten en marshmallows, dus belde ik haar voor het recept. Ik ben de hele nacht opgeweest met het maken van baksels. Ik moest twee keer naar de supermarkt voor ingrediënten, maar kijk!' En ze reed plotseling het terrein van een tankstation op. Rose zag dat de vingers van haar moeder donkerbruin waren, alsof ze in de aarde had zitten wroeten. 'Hier! Proef maar!' Ze graaide in haar tas en haalde twee in vetvrij papier gewikkelde pakketjes te voorschijn. 'R en M'-Toffee, lazen ze, geschreven met eyeliner, dacht Rose.

'Ik moest natuurlijk improviseren, de verpakking veranderen we nog, maar proef maar eens en zeg dan of dit niet de lekkerste toffee is die je ooit hebt gehad!'

Rose en Maggie maakten het papiertje los. 'Verrukkelijk!' zei Maggie met volle mond.

'O, jammie,' zei Rose, terwijl ze probeerde de klont toffee, die in haar keel was blijven plakken, door te slikken.

'R en M voor Rose en Maggie!' zei hun moeder en begon weer te rijden.

'Waarom is het niet M en R?' vroeg Maggie.

'Waar gaan we naartoe?' vroeg Rose.

'Naar Lord en Taylor,' antwoordde hun moeder vrolijk. 'Ik heb natuurlijk aan supermarkten gedacht, maar ik vind dat dit eigenlijk een bijzondere specialiteit, geen kruidenierswaar, en dit hoort te liggen in delicatessenzaken en warenhuizen.'

'Weet papa hiervan?' vroeg Rose.

'We gaan hem verrassen,' zei Caroline. 'Doe jullie trui uit en kijk of jullie gezicht schoon is. We gaan op de verkooptoer, meisjes!'

Rose draaide zich op haar zij, denkend aan de rest van die dag – de beleefde glimlach van de bedrijfsleider toen haar moeder haar tas had leeggeschud op de toonbank van de afdeling zoetwaren, die nu vol lag met een twintigtal in vetvrij papier verpakte 'R en M'-Toffees (waarvan twee door Maggie in de auto in 'M en R' waren veranderd). Ze wist nog hoe hun moeder hen naar de kinderafdeling had geduwd en twee identieke moffen van konijnenbont voor hen had gekocht. Dat ze hadden geluncht in de lunchroom van Lord en Taylor, broodjes roomkaas met olijven, zonder korst, piepkleine augurkjes die net iets groter waren dan de pink van Rose, gebak met aardbeien en slagroom. Hoe mooi hun moeder eruitzag, haar roze blozende wangen, haar sprankelende ogen, haar handen fladderend als vogeltjes. Hoe haar moeder haar eigen lunch liet staan omdat ze zoveel moest vertellen over haar verkoopideeën, haar marketingplannen, hoe 'R en M'-Toffee net zo populair zou worden als Keebler of Nabisco. 'We beginnen klein, meisjes, maar iedereen moet ergens beginnen,' had ze gezegd. Maggie knikte en vertelde Caroline hoe prachtig ze eruitzag en vroeg of ze nog een broodje en gebakje mocht. En Rose zat daar maar, ze probeerde een paar happen te nemen, maar vroeg zich af of ze de enige was die doorhad dat de bedrijfsleider zijn wenkbrauwen had opgetrokken en overdreven beleefd had geglimlacht toen al die toffees op de toonbank werden uitgestort.

Na de lunch liepen ze door het winkelcentrum. 'Jullie mogen elk een cadeautje uitzoeken,' zei hun moeder. 'Wat je maar wilt. Het maakt niet uit wat!' Rose vroeg om een boek van speurneus Nancy Drew. Maggie wilde een puppy. Hun moeder aarzelde geen moment. 'Natuurlijk, een puppy!' zei ze met luide stem. Rose merkte dat andere mensen hun kant op keken – twee kleine meisjes in een feestjurkje, een vrouw in een rok met rode klaprozen en een turkooizen sjaal, lang en beeldschoon, met zes boodschappentassen in haar handen, die veel te hard praatte. 'We hadden al veel eerder een puppy moeten nemen!'

'Papa is allergisch,' zei Rose. Haar moeder hoorde haar niet, of besloot haar opmerking te negeren. Ze pakte haar dochters bij de hand en snelde met hen naar de dierenwinkel, waar Maggie een kleine, bruine cockerspaniël uitkoos. Ze noemde hem Honey Bun.

'Mama was getikt, maar je had wel lol met haar, niet?' vroeg Maggie met slaperige stem.

'Ja, zeker weten,' zei Rose, die zich nog herinnerde dat ze thuis waren gekomen, afgeladen met boodschappen en de doos met daarin Honey Bun, dat hun vader op de bank zat, nog steeds in zijn nette werkpak, wachtend op hen.

'Meisjes, naar jullie kamer,' had hij gezegd en nam Caroline bij de hand en leidde haar naar de keuken. Rose en Maggie liepen zachtjes de trap op, samen de doos met Honey Bun tillend, maar zelfs door de dichte slaapkamerdeur konden ze hun moeder horen gillen. 'Michael, het was een goed idee, het was een heel normaal zakenidee, waarom zou het niet werken, en ik heb de meisjes gewoon wat leuks gegeven. Ik ben hun moeder, ik kan doen wat ik wil, ik kan ze zo nu en dan een dagje van school houden, dat maakt niets uit, we hebben een leuke dag gehad Michael, een speciale dag, een dag die ze zich altijd zullen herinneren, en het spijt me dat ik vergeten ben de school te bellen, maar je had je geen zorgen hoeven maken, ze waren bij mij en *ik ben hun moeder ik ben hun moeder ik ben hun moeder...*'

'O nee,' fluisterde Maggie en de puppy begon te piepen. 'Hebben ze ruzie? Is het onze schuld?'

'Ssst,' zei Rose. Ze pakte de puppy op en gaf hem aan Maggie. Haar zusje zat naast haar op bed, leunde tegen haar, en ze luisterden naar het geschreeuw van hun moeder, het geluid van brekend serviesgoed, hun vaders gemompel, dat uit slechts één woord leek te bestaan: *Alsjeblieft.*

'Hoe lang hebben we de hond gehad?' vroeg Maggie. Rose woelde in haar fauteuil en probeerde het zich te herinneren.' Een dag, denk ik,' zei ze. Het kwam weer bij haar boven. De volgende ochtend was ze vroeg opgestaan om de hond uit te laten. In de gang was het donker; de slaapkamerdeur van hun ouders was dicht. Hun vader zat alleen aan de keukentafel.

'Je moeder rust uit,' zei hij. 'Kun jij voor de hond zorgen? Kun jij voor jou en Maggie ontbijt maken?'

'Natuurlijk,' zie Rose. Ze keek haar vader lang aan. 'Is mama... gaat het goed met haar?'

Haar vader zuchtte en vouwde de krant op. 'Ze is alleen moe, Rose.

Ze slaapt. Probeer zachtjes te doen en laat haar even rusten. Zorg voor je kleine zusje.'

'Dat zal ik doen,' beloofde Rose. Toen ze die dag van school thuis kwam, was de hond verdwenen. De slaapkamerdeur van haar ouders was nog steeds dicht. En nu, tweeëntwintig jaar later, hield ze zich nog steeds aan haar belofte.

'Het was echt heerlijke toffee, niet?' vroeg Maggie. In het donker klonk ze weer net als toen ze zes was – gelukkig en hoopvol, een vrolijke meid die alles wat haar moeder vertelde, wilde geloven.

'Die was inderdaad heerlijk,' zei Rose. 'Slaap lekker, Maggie.' Rose zei het op een toon waaruit bleek dat ze geen zin meer in praten had.

Toen Jim Danvers de volgende morgen zijn ogen opende, lag hij alleen in bed. Hij rekte zich uit, krabde zichzelf, stond op, sloeg een handdoek om en ging op zoek naar Rose en de badkamer.

De deur van de badkamer was op slot en hij hoorde het water stromen. Hij klopte zachtjes, verleidelijk zelfs, zag Rose voor zich onder de douche, haar huid gloeiend en sensueel, haar naakte borsten nat en ingezeept...

De deur vloog open en een meisje dat niet Rose was, stapte naar buiten.

'Wallo,' zei Jim, die 'hallo' en 'wie ben jij' tegelijkertijd wilde uitbrengen.

Het vreemde meisje was slank, met lang, roodbruin haar op haar hoofd vast gestoken, een fijn, hartvormig gezichtje en volle, roze lippen. Ze had gelakte teennagels, bruine benen die helemaal tot haar kin leken te lopen en harde tepels (hij moest het wel opmerken) die tegen de dunne stof van haar t-shirt priemden. Ze keek hem van top tot teen aan en fronste toen slaperig haar wenkbrauwen. 'Was dat ook Engels?' vroeg ze. Haar ogen waren groot en bruin en omrand met lagen eyeliner en uitgelopen mascara – harde, waakzame ogen, de kleur van die van Rose, maar op de een of andere manier heel anders.

Jim probeerde het opnieuw. 'Hallo,' zei hij. 'Is, eh, Rose er ook?'

Het onbekende meisje wees met haar duim naar de keuken. 'Daar zo,' zei ze. Ze leunde tegen de muur. Jim werd zich er opeens van bewust dat hij alleen maar een handdoek om had. Het meisje trok één been op, haar voet tegen de muur en bekeek hem langzaam.

'Jij bent de kamergenote van Rose?' probeerde hij. Hij kon zich niet meer herinneren of Rose over een kamergenote gesproken had.

Het meisje schudde haar hoofd, juist toen Rose eraan kwam, helemaal gekleed, schoenen aan en lippenstift op, met twee koppen koffie in haar hand. 'O!' zei ze en stond zo plotseling stil, dat de koffie over haar polsen en blouse spatte. 'O. Jullie hebben al kennisgemaakt?' Jim schudde zwijgend zijn hoofd. Het meisje zei niets... bleef hem maar aanstaren met die kleine, sfinxachtige glimlach.

'Maggie, dit is Jim,' zei Rose. 'Jim, dit is Maggie Feller. Mijn zusje.'

'Hallo,' zei Jim en knikt even met zijn hoofd, maar bleef zijn handdoek stevig vasthouden.

Maggie knikte terug. Daar stonden ze dan met zijn drieën, Jim ongemakkelijk in zijn handdoek, Rose met koffie druppend van haar mouwen en Maggie die van de een naar de ander keek.

'Ze is gisterenavond gekomen,' zei Rose. 'Ze was op haar schoolreünie en...'

'Ik denk niet dat hij dat allemaal hoeft te weten,' zei Maggie. 'Hij kan wachten op de *E!* voor het echte Hollywoodverhaal.'

'Sorry,' zei Rose.

Maggie snoof, draaide zich plotseling om en liep terug naar de woonkamer. Rose zuchtte. 'Het spijt me,' zei ze opnieuw. 'Het is altijd een heel drama bij haar.'

Jim knikte. 'Hé,' zei hij zachtjes, 'ik wil alles horen. Ik ben zo klaar...' zei hij en knikte naar de badkamer.

'O!' zei Rose. 'O, sorry.'

'Maak je niet druk,' zei hij fluisterend en raakte met zijn stoppelbaard haar wang en de zachte huid van haar hals. Ze beefde en het restant koffie trilde in de kopjes.

Toen Jim en Rose een halfuur later wilden vertrekken, lag Maggie weer op de bank. Onder de dekens kwamen een blote voet en gladde kuit te voorschijn. Rose wist zeker dat ze niet sliep. Ze wist zeker dat Maggie dit – die gebruinde welving van het been van haar zus, de rode teennagels – bewust zo liet zien. Ze duwde Jim snel langs de bank de deur uit. Dit was precies wat zij zelf wilde doen, dacht ze: wakker worden als een flirtende Hollywoodster, slaperig maar betoverend, sexy met haar ogen knipperend, de vergenoegde glimlach. En nu was opeens Maggie die sexy, betoverende vrouw, terwijl zij, Rose, druk in de weer was met koffie inschenken.

'Moet je vandaag werken?' vroeg hij. Ze knikte.

'Werken op zaterdag,' mijmerde hij. 'Ik was vergeten hoe het is om medewerker te zijn.' Hij kuste haar bij de voordeur gedag – een vluchtig, zakelijk kusje – en keek in zijn portemonnee voor zijn parkeerkaart. 'Hé,' zei hij fronsend, 'ik zou zweren dat er nog honderd dollar in zat.'

Maggie, dacht Rose, terwijl ze een briefje van twintig uit haar eigen portemonnee haalde. Maggie, Maggie, Maggie, die me altijd laat betalen.

2

OCHTEND. ELLA HIRSCH LAG ALLEEN IN HET MIDDEN VAN HAAR
tweepersoonsbed en ging na waar ze last van had, welke pijntjes haar
vandaag weer kwelden. Ze begon bij haar zwakke linkerenkel, ging
door naar haar bonzende rechterheup, stond even stil bij haar ingewanden, die zowel leeg als in de knoop voelden en ging verder omhoog, voorbij haar borsten die elk jaar meer verschrompelden, naar
haar ogen (de staaroperatie afgelopen maand was een succes geweest)
en haar haar, dat tegen het modebeeld in lang was en in een warme,
kastanjebruine kleur was geverfd – het enige waar ze ijdel in was.
Niet slecht, niet slecht, dacht Ella, en zwaaide eerst haar linker-,
toen haar rechterbeen uit bed. Ze liet haar voeten even op de koele tegelvloer rusten. Ira, haar echtgenoot, wilde geen tegels – 'te hard!' zei
hij, 'te koud!' En dus hadden ze vloerbedekking genomen. Beige. De
dag na sjiwwe had ze de telefoon gepakt en twee weken later was de
vloerbedekking verdwenen en had ze haar geliefde tegels – roomkleurige marmertegels die glad aanvoelden onder haar voeten.
  Ella zette haar handen op haar heupen, boog even voor- en achterover, nog een keer en kwam licht kreunend overeind. Het was de maandag na Thanksgiving en Golden Acres, 'een oord voor gepensioneerde,
actieve senioren', was ongewoon rustig, omdat de meeste actieve senioren de feestdagen bij hun kinderen en kleinkinderen doorbrachten.
Ella had ook Thanksgiving gevierd, op haar eigen bescheiden manier.
Ze had een kalkoensandwich als avondeten gemaakt.
  Ze trok haar sprei recht en dacht aan wat ze deze dag zou doen: ontbijten, dat gedicht afmaken, dan de pendelbus naar de bushalte nemen

en vervolgens de bus naar haar wekelijkse vrijwilligerswerk in het dierenasiel. Dan zou ze thuis een middagdutje doen en misschien een uurtje of twee lezen – ze was halverwege een boek met korte verhalen van Margaret Atwood, de versie voor slechtzienden. Het avondeten kwam altijd vroeg ('vier uur is voor de late eters,' had ze iemand eens horen grappen, en dat was grappig, want het was waar) en 's avonds had het clubhuis een filmvoorstelling.

Het was een vergissing geweest om hierheen te verhuizen. Florida was het idee geweest van Ira. 'Een nieuwe start,' had hij gezegd en hij had de brochures op de keukentafel uitgespreid. Het licht liet zijn kale achterhoofd, zijn gouden horloge en zijn trouwring glimmen. Ella had nauwelijks een blik op de glanzende foto's van zandstranden, branding en palmbomen geworpen, op de witte gebouwen met liften en rolstoelhellingen en douches met ingebouwde roestvrijstalen steunen. Ze had alleen maar gedacht dat Golden Acres of welke willekeurige gemeenschap van dit soort dan ook, een goede plek was om zich te verschuilen. Geen voormalige vrienden en buren meer die haar bij het postkantoor of de groenteboer aanspraken, een welgemeende hand op haar onderarm legden en zeiden: 'Hoe gaat het nu met jullie beiden? Hoe lang is het nu geleden?' Ze was bijna gelukkig, bijna hoopvol, toen ze hun huis in Michigan voor de verhuizing leeghaalden.

Ze had niet geweten, kon niet raden, had nooit kunnen bedenken dat het in zo'n oord voor gepensioneerden juist om kinderen ging. Dat hadden ze in de brochures niet laten zien, dacht ze verbitterd – dat er in elke woonkamer waar ze kwam, overal waar je maar keek, foto's van kinderen, kleinkinderen, achterkleinkinderen ingelijst stonden. Dat elk gesprek uiteindelijk weer neerkwam op dat kostbaarste geschenk van alles. 'Mijn dochter is gek op die film.' 'Mijn zoon heeft precies dezelfde auto gekocht.' 'Mijn kleindochter gaat studeren.' 'Mijn kleinzoon zegt dat die senator een oplichter is.'

Ella zonderde zich af van de andere vrouwen. Ze zorgde ervoor dat ze het druk had. Het dierenasiel, het ziekenhuis, Tafeltje-Dek-je, in de bibliotheek helpen de boeken in de kasten te zetten, goederen prijzen in de kringloopwinkel, de column schrijven voor het weekblad van Golden Acres.

Op deze ochtend zat ze aan de keukentafel met een kopje dampende thee voor zich. Het zonlicht stroomde door de ramen binnen, liet haar tegelvloer glanzen. Ze pakte haar schrijfblok en pen. Ze zou het gedicht afmaken waaraan ze vorige week begonnen was. Niet dat ze nou een goede dichter was, maar Lewis Feldman, de redacteur van de *Golden Acres Gazette*, was radeloos bij haar gekomen nadat de vorige dichter zijn heup gebroken had. Haar deadline was woensdag, maar ze wilde de dinsdag vrijhouden om het gedicht na te kijken en eventueel te verbeteren.

'Alleen omdat ik oud ben,' had ze als titel bedacht. 'Alleen omdat ik oud ben,' was de eerste regel. 'Omdat ik niet zo snel meer loop, omdat mijn haar grijs is, omdat ik elke dag een dutje doe...'

Verder was ze nog niet gekomen. Ze nam voorzichtig een slokje van haar thee en dacht na. Alleen omdat ze oud was... tja, en?

'Ik ben niet onzichtbaar', schreef ze in grote blokletters. Toen streepte ze dat weer door. Het was niet waar. Ze voelde zich onzichtbaar – alsof ze toen ze zestig was geworden, op de een of andere manier was uitgegumd en al zestien jaar niet meer echt bestond. Echte mensen – jonge mensen – keken dwars door haar heen. Maar het was niet makkelijk om te rijmen op 'onzichtbaar'.

Daarom schreef ze: 'Ik mag er zijn.' 'Zijn' is vast makkelijker... maar ja, wat rijmde daarop? 'Cake bakken vind ik fijn?' 'Varkensvlees is niet rein?' 'Ook al moet ik aan de lijn?'

Ja! 'Lijn' was goed. De mensen van Golden Acres konden zich daarmee identificeren. Vooral, dacht ze met een glimlach, haar bijnavriendin Dora, die samen met haar in de kringloopwinkel werkte. Al Dora's kleren hadden een elastische taille, en ze bestelde altijd slagroom bij het dessert. 'Ik heb zeventig jaar van mijn leven gelet op wat ik at,' zei ze altijd, terwijl ze een grote hap warm appelgebak of kwarktaart nam. 'Mijn Mortie is niet meer, dus waarom zou ik me er nog druk over maken?'

'Ik mag er zijn. Ook al moet ik aan de lijn, ik ben er nog steeds', schreef Ella. 'Ik heb oren om de klanken van het leven te horen...'

Wat waar was, mijmerde ze. Behalve dan dat de klanken van het leven op Golden Acres, als ze eerlijk was, bestonden uit de continue verkeersdreun, de sirene van de ambulance en mensen die met elkaar bekvechten omdat iemand zijn kleding niet uit de gemeenschappelijke droger aan het eind van de gang heeft gehaald. Niet bepaald dichterlijke muziek.

'Het aangename geruis van de oceaan', schreef ze. 'Kinderen die lachen. De klank van zon en geluk.'

Zo. Dat was goed. Dat van de oceaan was zelfs mogelijk – Golden Acres lag anderhalve kilometer van de kust. Je kon er met de pendelbus komen. En 'de klank van zon en geluk'. Lewis zou dat mooi vinden. Voor Lewis in Golden Acres woonde, leidde hij een keten van ijzerhandels in Utica, in de staat New York. Hij vond het uitgeversvak – 'dagbladeren', noemde hij het – veel leuker. Hij had altijd een rood potlood achter zijn oor, alsof hij elk moment opgeroepen kon worden om even een pakkende kop te verzinnen. Ella sloeg haar schrijfblok dicht en nam een slokje thee. Ze keek op de klok. Het was pas halfnegen, maar het werd al warm. Ze stond op en liep naar de badkamer, denkend aan de dag die ze nog voor zich had en de week erna. Onderweg naar de badkamer kon ze duidelijk horen waarover ze had geschreven: het gelach van kinderen. Jongens, aan het geluid te horen. Ze hoorde hen schreeuwen en hun sandalen die over de vloer klepperden terwijl ze door de gangen renden, de kleine, bliksemsnelle hagedisjes achterna. Het zijn de kleinkinderen van Mavis Gold, dacht ze. Mavis had gezegd dat ze bezoek verwachtte. 'Ik heb er een! Ik heb er een!' riep een van de jongens uitgelaten. Ella sloot haar ogen. Ze kon naar buiten gaan en hun vertellen dat ze niet bang hoefden te zijn, dat de hagedisjes banger waren van hun onhandige, zweterige jongenshanden en jongensvingers, dan dat zij voor de hagedisjes hoefden te zijn. Ze kon hun zeggen dat ze niet zo moesten schreeuwen, voordat meneer Boehr van 6b naar buiten kwam en begon te brullen dat hij last had van slapeloosheid.

Maar in plaats daarvan wendde ze haar hoofd af van het raam, nog voordat ze de luxaflex had geopend en naar de jongens had gekeken. Kinderen deden pijn... zelfs nu het meer dan vijftig jaar geleden was dat haar eigen dochter een kind was, en meer dan twintig jaar dat ze haar kleindochters voor het laatst had gezien.

Ella perste haar lippen op elkaar en liep resoluut naar de badkamer. Ze zou daar niet weer over beginnen. Ze zou niet meer denken aan de dochter die verdwenen was of aan de kleinkinderen die ze nooit zou leren kennen, aan het leven dat van haar weggenomen was, weggesneden als een tumor, zonder ook maar een litteken achter te laten dat ze kon koesteren, dat haar herinneringen levend hield.

3

ROSE FELLER WAS ER STEEDS MEER VAN OVERTUIGD DAT HAAR BAAS gek was geworden. Natuurlijk, iedereen vond zijn baas gek. Al haar vrienden – nou ja, Amy – hadden dezelfde klachten: de onredelijke eisen, de onverschillige manier waarop je behandeld werd, de tik op je billen als je baas weer dronken op het bedrijfsfeestje rondliep.

Maar nu, nu ze met de rest van het bedrijf de vergaderzaal in liep voor de wekelijkse peptalk die Don Dommel op vrijdagmiddag had ingevoerd, kreeg Rose weer sterk het idee dat een van de oprichters van het bedrijf niet slechts excentriek of zonderling was, zoals men wel eens liefkozend over machtige mannen sprak, maar dat hij, werkelijk waar, helemaal gek was geworden.

'Mensen!' bulderde de persoon in kwestie en gaf met zijn vuist een klap op een PowerPoint-tabel van de gedeclareerde uren van de firma. 'We *moeten* het *beter* doen dan *dit! Dit!*,' vervolgde hij, 'is *goed,* maar niet *geweldig.* En met het talent dat we in huis hebben, is zelfs *geweldig niet goed genoeg!* We moeten de trede van middelmatigheid *verbrijzelen* en *Ollie op* naar uitmuntendheid!'

'Huh?' mompelde de medewerker rechts van Rose. Hij had kroezend, rossig haar en zijn bleke huid, licht als taptemelk, was het teken dat hij zijn minimum aantal declarabele uren haalde en daardoor niet veel buiten kwam. Simon Nogwat, dacht Rose.

Rose haalde haar schouders op en liet zich in een stoel vallen. Hoeveel advocatenkantoren hadden eigenlijk van deze peppraatjes? dacht ze. Hoeveel medewerkers hadden vorig jaar een op bestelling gemaakt skateboard met de woorden DOMMEL LAW erop gekregen, in plaats van het gebruikelijke vakantiegeld? Hoeveel managers hielden wekelijks toespraken die vrijwel alleen uit sportmetaforen bestonden, afgesloten met de luide tonen van 'I believe I can fly'? Hoeveel advocatenkantoren hadden een herkenningsmelodie? Niet veel, dacht Rose zuur.

Is Ollie een persoon of een ding?' hield Simon vol. Rose haalde opnieuw haar schouders op en hoopte net als elke vrijdagmiddag, dat Dommel zijn priemende ogen niet op haar liet vallen. Don Dommel was altijd al een atleet, wist Rose. Hij doorliep de jaren zeventig al hardlopend, testte zijn pijngrens in de jaren tachtig, toen hij zelfs een paar triatlons deed, voordat hij zich halsoverkop in de heerlijke nieuwe wereld van de extreme sporten stortte, en zijn advocatenkantoor met zich meesleurde. Nadat hij de vijftig allang gepasseerd was, besloot hij dat de conventionele sport, hoe zwaar ook, gewoon niet voldoende was. Don Dommel wilde niet alleen fit zijn, hij wilde scherp zijn en hip, radicaal en cool. Don Dommel wilde een drieënvijftig jaar oude advocaat zijn op een skateboard. Don Dommel zag hier kennelijk geen tegenstrijdigheid in.

Hij kocht twee speciaal gemaakte skateboards en vond een min of meer dakloos kind die in Love Park leek te wonen en hem wel les wilde geven (strikt genomen werkte hij in de postkamer, maar niemand had daar ook maar een dreadlock van hem gezien). Hij stelde een houten helling op in de parkeergarage van de firma en bracht er zijn lunchtijd door, zelfs nadat hij zijn pols had gebroken, zijn stuitje had gekneusd en met zijn been trok en hij door de gangen van het kantoor strompelde als een travestiet die dog niet goed in zijn rol zat.

En het was niet genoeg dat hij zelf een stadsrebel wilde worden. Don Dommel wilde dat de hele firma zijn ideeën overnam. Toen Rose op een vrijdag haar postvakje opende, was daar een nylon jack ingelegd. Op de achterkant stond haar achternaam, eronder stond '*I Can Fly!*' 'Wel ja,' had Rose tegen haar secretaresse gezegd. 'Ik kan nauwelijks lopen als ik geen koffie heb gehad. Maar de jacks waren verplicht. In een e-mail voor het hele kantoor stond dat alle medewerkers dat elke vrijdag moesten dragen. De week erna, nadat ze met tegenzin het jack over haar hoofd had getrokken, had Rose haar koffiebeker in de koffieautomaat gezet, maar kwam erachter dat die automaat, net als alle watermachines en frisdrankmachines, alleen nog maar het sport-

37

drankje Gatorade schonken. Een drankje dat, toen Rose het de laatste keer controleerde, geen cafeïne bevat. Wat betekende dat je er helemaal niets aan had.

Dus nu zat ze op een stoel midden in de derde rij met haar jack over haar jasje, nippend van de sportdrank, vurig wensend dat ze koffie had.

'Dit wordt belachelijk,' mompelde ze in zichzelf, toen Dommel weer afzag van het aangekondigde onderwerp ('Effectieve Getuigenissen' wist Rose zich te herinneren) en die verving door een video met hoogtepunten van de skater Tony Hawk.

'Pst,' zei Simon uit zijn mondhoeken, toen Dommel heftig tekeerging tegen een ineenkrimpende eerstejaarsstagiair. ('JIJ DAAR! GELOOF JIJ DAT JE KUNT ZWEVEN?')

Rose keek hem even vluchtig aan. 'Pst? Zei je werkelijk pst? Zitten we in een detectiveroman?'

Simon trok zijn wenkbrauwen op een overdreven geheimzinnige manier op en opende een bruine papieren zak. De neusvleugels van Rose begonnen te trillen bij de geur van koffie. Het water liep haar in de mond. 'Wil je ook wat?' fluisterde hij.

Ze aarzelde even, keek om zich heen, dacht aan de etiquette die ze zou breken door uit de beker van iemand anders te drinken, maar besloot toen dat als ze geen cafeïne zou krijgen, ze de rest van de dag een nerveus, waardeloos wrak zou zijn. Ze boog haar hoofd en nam een gulzige slok.

'Dank je,' fluisterde ze. Hij knikte, net toen Don Dommel zijn withete blik op hem liet rusten.

'JIJ DAAR!' bulderde Dommel. 'WAT IS JOUW DROOM?'

'Twee meter tien zijn,' antwoordde Simon zonder aarzeling. Achter in de zaal steeg een gelach op. 'En basketballen voor de Philadelphia 76'ers.' Het gelach zwol aan. Don Dommel keek hem vanaf het podium verward aan, alsof zijn publiek van trouwe medewerkers plotseling in ezels waren veranderd. 'Misschien niet als middenvelder. Ik neem genoegen met een verdedigende rol,' vervolgde hij. 'Maar als dat niet lukt...' hij stopte even en keek op naar Don Dommel, 'neem ik er genoegen mee een goede advocaat te zijn.'

Rose giechelde. Don Dommel opende zijn mond, maar sloot hem weer. Toen begon hij over het podium heen en weer te strompelen. '*Dat*!' schreeuwde hij uiteindelijk, '*dat* is de *instelling* die ik zoek. Ik wil dat *ieder* van *jullie* aan het *werk* gaat en *nadenkt* en net als deze jongeman *voor de winst gaat*!' eindigde Dommel. Rose had haar jack al over haar jasje uitgetrokken en in haar tasje gepropt voordat hij was uitgesproken.

'Hier,' zei Simon en bood haar zijn kop koffie aan. 'Ik heb nog meer in mijn kantoor, als jij deze wil.'

'O, dank je,' zei Rose en nam de beker aan terwijl ze nog steeds de gezichten afspeurde naar die van Jim. Ze zag hem bij de receptie. 'Waar ging dat in godsnaam over?' vroeg ze.

'Waarom loop je niet even mee naar mijn kantoor, dan kunnen we het erover hebben,' zei hij, zodat omstanders het konden horen. Hij lachte haar veelbetekenend toe. Hij sloot de deur en nam haar in zijn armen.

'Mmm, ruik ik daar een antisportdrankje?' vroeg hij en kuste haar.

'Verklik het niet,' zei Rose en kuste hem ook.

'Nooit,' gromde hij en tilde haar op (o god, dacht Rose, als hij maar niet door zijn rug gaat!) en zette haar op zijn bureau. 'Jouw geheimen,' zei hij terwijl hij haar hals kuste, 'zijn veilig,' en nu gleden zijn lippen omlaag naar haar decolleté en zijn handen waren druk bezig met haar knoopjes, 'bij mij.'

4

OM ELF UUR 'S OCHTENDS WERD MAGGIE FELLER WAKKER. ZE OPEN-
de haar ogen en strekte haar armen boven haar hoofd. Rose was weg.
Dat was goed, dacht Maggie, en ze liep naar de badkamer en dronk een
liter water. Ze vervolgde haar diepteonderzoek van de woning, begon
met het medicijnkastje. De plankjes ervan stonden zo vol dat het er
alles van weg had dat haar zus een verschrikkelijke medische ramp
voor Philadelphia verwachtte en dat zij de enige was die voor Florence
Nightingale moest spelen en de hele stad moest redden.

Er stonden flesjes met pijnstillers, dozen met maagtabletten, een
enorme pot met Pepto Bismol tegen diarree en maagstoornissen, een
gezinsdoos met verband en een door het Rode Kruis goedgekeurde
EHBO-doos. Verder zag ze een middel tegen menstruatiepijn en Ibu-
profen, neussprays tegen verkoudheid, hoestsiroop, tabletten tegen
verkoudheid en tampons. Deze vrouw maakte goed gebruik van haar
kortingsbonnen van de drogist, dacht Maggie terwijl ze de snelver-
banden, de multivitaminen, de calciumtabletten, de tandzijde, de
ontsmettingsalcohol en waterstofperoxide, de benzoylperoxide (dat
alleen op recept verkrijgbaar is) en vier tandenborstels in hun verpakking inspecteerde. Waar was de eyeliner? De rouge en de camouflage-
stift die haar zus zo vreselijk hard nodig had? Maggie kon niets vinden, behalve één enkele lippenstift die half op was. Er stond wel
make-upremover – een grote pot Pond's – maar geen make-up. Waarom was dat? Dacht Rose dat iemand misschien wel eens 's nachts
haar appartement zou kunnen binnendringen, haar zou vastbinden,
haar gezicht zou opmaken en dan weer zou vertrekken?

En bovendien was er geen enkele condoom te vinden of een tube zaaddodende pasta, hoewel er wel een ongeopende doos met een antiviraal middel stond – dus als haar celibataire zus plots een vaginale infectie mocht krijgen, was ze er klaar voor. Waarschijnlijk was het in de aanbieding, snoof ze, en drukte een flesje pijnstillers achterover. In de badkamer stond ook geen weegschaal, viel Maggie op. Wat geen verrassing was, gezien het verleden van Rose met badkamerweegschalen. Toen ze nog tieners waren, had Sydelle een gelamineerde tabel in de badkamer opgehangen. Elke zaterdagochtend stond Rose op de weegschaal, met gesloten ogen en een uitdrukkingsloos gezicht, terwijl Sydelle haar gewicht opschreef en vervolgens op de klep van het toilet ging zitten om Rose te ondervragen wat ze de hele week had gegeten. Zelfs nu kon Maggie haar stiefmoeders overdreven zoete stem horen. 'Heb je salade gehad? Maar wat voor dressing zat daar dan op? Was het vetvrij? Weet je dat zeker? Rose, ik doe dit alleen om je te helpen. Ik heb het beste met je voor.'

Ja, natuurlijk, dacht Maggie. Alsof Sydelle ooit belangstelling had voor iemand anders dan zichzelf of haar dochter. In de slaapkamer trok Maggie een joggingbroek van haar zus aan en ging door met haar inventarisatie, Informatie verzamelen, zoals zij het noemde.

'Je bent een heel slimme meid,' zei mevrouw Fried altijd op de lagere school. Mevrouw Fried, met haar grijze krullen en indrukwekkende voorgevel, met haar brillenkoord van kralen en haar gebreide vestjes, had Maggie van de eerste tot de zesde klas lesgegeven in 'verrijking', zoals dat eufemistisch werd genoemd (maar wat de kinderen kenden als 'speciaal onderwijs'). Ze was een aardige grootmoederfiguur die al die jaren Maggies bondgenoot was. 'Jij bent deels zo slim omdat je altijd een manier weet te vinden om het probleem op een andere manier op te lossen. Dus als je niet weet wat een woord betekent, wat doe je dan?'

'Raden?' giste Maggie.

Juffrouw Fried glimlachte. 'Er via de context achterkomen, zou ik het willen noemen. Het gaat erom oplossingen te vinden. Oplossingen waar jij iets mee kunt.' Maggie had geknikt, voelde zich blij en gevleid, wat ze niet vaak had in de klas. 'Stel je voor dat je op weg bent naar het stadion voor een concert, maar je komt in de file terecht. Zou je dan naar huis gaan? Niet naar het concert gaan? Nee,' zei mevrouw Fried, nog voor Maggie haar kon vragen om welk concert het ging, zodat ze kon beslissen of het de moeite waard was. 'Je probeert een an-

41

dere route te vinden. En daar ben je slim genoeg voor.' Maggie leerde behalve de betekenis van een woord te achterhalen uit de context ook van mevrouw Fried alternatieve strategieën om cijfers op te tellen als ze ze niet kon vermenigvuldigen, de betekenis van een alinea te achterhalen door de onderwerpen te omcirkelen en de werkwoorden te onderstrepen.

In de jaren na school had Maggie zelf een paar nieuwe strategieën bedacht, zoals Informatie, wat je kon definiëren als: dingen te weten komen over mensen waarvan zij niet wilden dat je die wist, of waarvan zij niet verwachten dat je die wist. Informatie kwam altijd van pas en doorgaans was er gemakkelijk aan te komen. Door de jaren heen had Maggie stiekem creditcardrekeningen, dagboeken, rekeningafschriften en oude foto's bestudeerd. Op school ontdekte ze een exemplaar van *Forever* onder Rose' matras. Rose had bijna al haar zakgeld voor een jaar aan haar gegeven toen ze besloot dat het haar niets kon schelen als Maggie haar ouders vertelde dat ze ezelsoren had gevouwen in de bladzijden met seksscènes.

Maggie sloop naar het bureau van haar zus. Daar lagen de gasrekening, elektriciteitsrekening, telefoonrekening en kabelrekening netjes bij elkaar gehouden met een paperclip, de retourenveloppen al voorzien van postzegel en adresetiket. Er lag een bon van Tower Records, waarop ze las dat Rose een cd had gekocht (en, erger nog, er het volle pond voor had betaald) met de *greatest hits* van George Michael. Maggie stopte de bon in haar zak, ervan overtuigd dat die nog van pas zou komen, ook al wist ze niet hoe. Een kassabon van Saks voor een paar schoenen. Driehonderd en twaalf dollar. Da's netjes. Een rooster van de sportschool, zes maanden oud. Niet verwonderlijk. Maggie sloot de la en ging naar de kledingkast van Rose, waarvan de inhoud haar vast en zeker zou deprimeren.

Maggie schoof de hangers één voor één snel opzij, en schudde met haar hoofd. De kleuren van de kleding liepen uiteen van zwart naar bruin. Met hier en daar een grijze trui voor de lol. Saai, saai, saai. Saaie pakjes op een rij en onelegante truien, een vijftal rokken met een lengte tot aan het dikste deel van Rose' kuit, alsof ze die speciaal had uitgezocht om haar benen zo dik mogelijk te laten lijken. Maggie had haar kunnen helpen. Maar Rose wilde geen hulp. Rose dacht dat haar leven prima was. Rose dacht dat alleen anderen problemen hadden.

Ooit, toen ze nog kleine meisjes waren, dachten mensen dat ze tweeling waren, met hun paardenstaarten en dezelfde bruine ogen en die uitdagende, vooruitstekende kin van hen. Nou, daar was nu niets meer van over. Rose was misschien een paar centimeter langer, en minimaal 20 kilo zwaarder, misschien wel meer – het was Maggie opgevallen dat de huid onder Rose' kin slapper werd, het begin van die verschrikkelijke onderkin. En Rose gaf daar niets om. Haar haar, op schouderlengte, zat altijd in een slordig knotje of in een paardenstaart, of erger nog, opgestoken met een van die plastic haarclips die al ruim vijf jaar niet meer in de mode waren. Maggie kon zich niet voorstellen waar Rose die klemmen nog vandaan wist te halen – waarschijnlijk in van die dollarstores – ze had er in ieder geval meer dan zat, ook al gooide Maggie er elke keer als ze bij Rose was een paar in de prullenbak.

Maggie ademde diep in, duwde het laatste jasje opzij en begon aan wat ze voor het laatst had bewaard: de schoenen van haar zus. Het duizelde haar wat ze zag, net als altijd. Ze werd er misselijk van, als een klein kind dat te veel had gesnoept. Rose, dikke, luie, amodieuze Rose, Rose, die zich nooit scrubde of een vochtinbrengende crème gebruikte of haar nagels lakte, had het op de een of andere manier voor elkaar gekregen om absoluut de prachtigste schoenen ter wereld te bezitten, tientallen paren. Ze had flatjes en schoenen met naaldhakken en hooggehakte Mary Janes, suède instappers zo boterzacht dat je ze tegen je wang wilde wrijven, een paar sandaaltjes van Chanel die uit niet veel meer bestonden dan een smalle leren zool en gouden bandjes. Er stonden kniehoge Gucci-laarzen in glimmend zwart, geelbruine enkellaarzen van Stefan Kelian, een paar helrode, handgestikte cowgirllaarzen met handgestikte jalapeñopepers langs de rand. Er stonden veterschoenen van Hush Puppies in frambozenrood en limoenkleur, Sigerson Morrison-flatjes en muiltjes van Manolo Blahnik. Er stonden instappers van Steve Madden en, nog steeds in hun doos, een paar schoenen met heel kleine naaldhakken van Prada, witte, met margrieten op de neus geappliqueerd. Maggie hield haar adem in en schoof ze om haar voeten. Ja hoor, ze pasten perfect, al de schoenen van Rose pasten haar altijd perfect.

Het was niet eerlijk, dacht ze terwijl ze op de Prada's de keuken in liep. Wanneer zou Rose zulke schoenen nou dragen? Wat had het voor zin? Ze fronste haar wenkbrauwen en opende een kastje. Volkoren Totaal. All-Bran van Kellogg's. Rozijnen en zilvervliesrijst. Jezusmina, dacht ze, en trok haar neus op. Was het de Nationale Week van de Gezonde Darm? En waar lagen de Fritos, Cheetos, Doritos? Niets van de zo belangrijke Ito-schijf van vijf. Ze doorzocht de vriezer, zag de vegetarische hamburgers en de bakken natuurlijk bereid sorbetijs met hele stukken fruit – een doos Ben & Jerry's New York Superfudge Chunk, nog in zijn bruine papieren zak. IJs gaf haar zus altijd troost, dacht Maggie, die een lepel pakte en terug naar de bank liep. Er lag een deel van de krant in drieën gevouwen in het midden van de salontafel, met een rode pen ernaast. Maggie tuurde door haar wimpers. De advertenties van vandaag, natuurlijk. Wat attent haar grote zuster Rose. Dat is me ook wat, dacht ze. Dat zei mevrouw Fried altijd. Wanneer er ook maar iets mis ging in de klas – een blik verf dat omviel, een boek dat zoek was – sloeg mevrouw Fried haar armen over elkaar, schudde zo met haar hoofd dat haar brillenkoord rinkelde, en zei: dat is me ook wat!

Maar zelfs mevrouw Fried had dit niet kunnen voorspellen, dacht Maggie, terwijl ze met de ene hand ijs naar binnen lepelde en met de andere advertenties omcirkelde. Zelfs mevrouw Fried had niet kunnen voorzien dat de ondergang van Maggie Feller zo snel zou komen. Maggie had het gevoel of ze ergens tussen haar veertiende en zestiende van een klif was gesprongen en nog steeds aan het vallen was.

De lagere school viel nog wel mee, herinnerde ze zich terwijl ze de bladzijden snel omsloeg en steeds sneller begon te eten (ze had niet door dat ze een druppel ijs met chocola en walnoot op een schoen liet vallen). Ze moest dan wel drie keer per week tijdens middagpauze naar 'verrijking', maar dat had haar niet erg gedeerd, want ze was nog steeds de mooiste, grappigste meid van haar klas, het meisje met de leukste kleding, de fraaiste Halloweenkostuums die ze zelf maakte, met de leukste ideeën om in de pauze te doen. En nadat haar moeder was gestorven en ze naar New Jersey waren verhuisd, als haar vader aan het werk was en Sydelle naar de een of andere vrijwilligerscommissie en Rose, uiteraard, naar de schaakclub of het debatteerteam was, had zij het huis voor haar alleen en een drankenkast tot haar beschikking. Ze was populair. Rose was de oen, de sul, de loser. Rose droeg de enorm grote, dikke brillenglazen, Rose had roos op haar schouders, Rose was het meisje dat door iedereen werd uitgelachen.

Als ze haar ogen dichtdeed, zag ze weer een bepaalde schoolpauze voor zich. Zij zat in de vierde klas en Rose in de zesde. Maggie was aan het hinkelen met Marissa Nussbaum en Kim Pratt, toen Rose zonder op te letten dwars door een spel trefbal liep, met haar neus in een boek. 'Hé, ga es aan de kant!' schreeuwde een van de oudere jongens, een zesdeklasser. Rose keek op en leek in de war. Aan de kant Rose, dacht

Maggie zo hard ze kon terwijl Kim en Marissa zenuwachtig begonnen te giechelen. Rose bleef in hetzelfde tempo doorlopen. Een andere grote jongen pakte de bal en gooide die naar haar, zo hard hij kon, kreunend van de inspanning. Hij wilde haar lichaam raken, maar hij richtte niet goed en raakte Rose op haar achterhoofd. Haar bril vloog door de lucht. Haar boeken vlogen uit haar armen en ze wankelde. Rose struikelde over haar voeten en viel plat op haar gezicht. Maggies hart sloeg over. Haar adem stokte in haar keel. Ze stond als aan de grond genageld, ze stond stokstijf stil, net als de groep jongens uit de zesde, die elkaar ongemakkelijk hadden aangekeken, alsof ze twijfelden of dit nog steeds grappig was, of ze dit meisje echt pijn hadden gedaan en daarvoor in moeilijkheden konden komen. En toen begon er één – hoogstwaarschijnlijk Sean Perigini, de grootste jongen van de zesde – te lachen. En toen lachten ze allemaal, alle zesdeklassers, en daarna alle kinderen die het hadden gezien. Rose begon natuurlijk te huilen en veegde met een bloedende hand het snot van haar gezicht. Ze graaide rond naar haar bril.

Maggie had daar gestaan – een deel van haar wist dat ze dit niet moest toestaan, maar een ander deel van haar dacht, boosaardig: laat Rose het lekker zelf uitzoeken. Zij is de loser. Ze heeft er zelf om gevraagd. En daarbij kwam dat zij niet degene was die dingen weer in orde maakte. Dat was Rose. Daarom bleef ze staan kijken, voor haar gevoel ondraaglijk lang, tot Rose haar bril had gevonden en hem opzette. Een van de glazen was gebarsten. *O nee.* Toen Rose overeind krabbelde en haar boeken opraapte, zag Maggie het gebeuren. Haar zus scheurde precies over haar achterste uit haar broek en allemaal konden ze haar onderbroek zien, haar Holly Hobbie-ondergoed, waardoor iedereen begon te wijzen en nog harder begon te lachen. O god, dacht Maggie die zich misselijk voelde worden, waarom moest Rose uitgerekend vandaag die onderbroek aan?

'Dit zal je moeten betalen!' schreeuwde Rose tegen Sean Perigini terwijl ze haar gebroken bril omhooghield. Ze had waarschijnlijk niet eens in de gaten dat iedereen haar ondergoed kon zien. Er werd nog harder gelachen. Rose speurde het schoolplein af, langs het trefbalspel, langs de kinderen op de schommels en het klimrek, langs de grote kinderen, de vijfde- en zesdeklassers gierend van de lach, totdat ze eindelijk Maggie zag, die tussen Kim en Marissa stond op het kleine stukje gras naast het bloembed, dat met stilzwijgende goedkeuring gereserveerd was voor de populairste meisjes. Rose staarde Maggie aan en

Maggie kon duidelijk de haat en ellende in haar ogen lezen. Alsof Rose bij haar stond en het haar toeschreeuwde. *Je moet haar helpen,* fluisterde een stem in haar. Maar Maggie bleef daar maar staan kijken en hoorde de andere kinderen lachen. Ze dacht dat dit de vervelende consequentie was van het feit dat zij de mooiste mocht zijn.

Ze was veilig, dacht Maggie fel, toen ze zag dat Rose haar gezicht afveegde, haar boeken oppakte en, de spottende opmerkingen en het gelach en het gejoel van 'Hol-ly! Hob-bie!' waarmee een paar vijfdeklasmeisjes waren begonnen, negerend, langzaam de school binnen liep. Zij zou nooit door een trefbalspel lopen en ze zou al helemaal nooit een onderbroek dragen met daarop een poppetje. Zij was veilig, dacht ze, toen Rose de deuren openduwde en naar binnen ging – ongetwijfeld naar de hoofdmeester. 'Denk je dat het een beetje met haar gaat?' had Kim gevraagd en Maggie had haar hoofd fronsend geschud. 'Ik denk dat ze is geadopteerd,' had ze geantwoord en Kim en Marissa hadden gegiecheld en Maggie had ook gelachen, hoewel dat voelde alsof ze kiezels had ingeslikt.

En daarna veranderde alles. Zo snel als een trefbal die door de lucht vloog en haar onverwacht tegen haar hoofd raakte. Wanneer gebeurde het? Op haar veertiende, aan het eind van het schooljaar, toen ze naar *high school* moest, was haar leven ingestort.

Het was begonnen met een standaard 'beoordelingstest'. 'Niets om je zorgen over te maken!' zei de opvolgster van mevrouw Fried in een zogenaamd opgewekte stem. De nieuwe 'verrijkingslerares' was lelijk, met dikke lagen make-up en een wrat naast haar neus. Ze had tegen Maggie gezegd dat ze zo lang mocht doen over de test als nodig was. 'Je kunt het best!' Maar toen Maggie naar het papier staarde met de lege hokjes die zij met potlood moest invullen, voelde ze de moed in haar schoenen zinken; ze wist dat ze het niet kon. 'Je bent een slimme meid,' had mevrouw Fried haar tig keer verteld. Maar mevrouw Fried was hier niet, zij was op de lagere school. High school zou anders worden. En die test – 'alleen voor het archief! de uitslag blijft vertrouwelijk!' – had haar op de een of andere manier laten struikelen en had alles verpest. Ze mocht de score niet zien, maar haar lerares had de test op het bureau laten liggen en Maggie had er even in gekeken. Eerst probeerde ze de woorden op hun kop te lezen, maar uiteindelijk greep ze het papier en draaide het om, zodat ze het kon lezen. De woorden waren een klap in haar gezicht. 'Dyslectisch,' stond er. 'Leerstoornis.'

Er had net zo goed kunnen staan: 'Je bent dood,' dacht Maggie, want dat betekenden de woorden eigenlijk.

'Maggie, nu niet meteen hysterisch worden,' had Sydelle die avond gezegd, nadat de leraren hadden gebeld om over de 'vertrouwelijke' uitslag te praten. 'We zorgen ervoor dat je goede bijlessen krijgt!'

'Ik heb geen bijlessen nodig,' had Maggie woedend gezegd, terwijl ze de tranen in haar voelde opkomen.

Rose, die in een hoek van Sydelles wit-op-witte woonkamer een verfomfaaid exemplaar van *Waterschapsheuvel* zat te lezen, keek op van haar boek en zei: 'Het zou kunnen helpen, weet je.'

'Hou je kop!' De lelijke woorden waren zo uit haar mond gevlogen. 'Ik ben niet stom, Rose, dus hou jij nou maar gewoon je kop!'

'Maggie,' had hun vader gezegd, 'niemand zegt dat je stom bent...'

'Op die test stond dat ik stom ben,' zei Maggie. 'En weet je? Het kan me niets schelen. En waarom heb je het tegen haar gezegd?' vroeg ze, terwijl ze naar Sydelle wees. 'En tegen haar?' ging Maggie door, met haar vinger wijzend naar Rose. 'Heb ik geen recht op enige geheimhouding?'

'We willen gewoon graag helpen,' had Michael Feller gezegd en Maggie ging tekeer dat ze geen hulp nodig had, dat het haar niet kon schelen wat die stomme test zei, dat ze slim was, zoals mevrouw Fried altijd zei. Nee, ze had geen bijles nodig, nee, ze wilde niet naar een particuliere school, ze had vrienden, in tegenstelling tot sommige mensen van wie ze de naam niet zou noemen, ze had vrienden en ze was niet stom, wat die test ook uitwees, en bovendien, ook al was ze stom, ze was liever stom dan lelijk zoals die vierogige daar in de hoek. Zelfs als ze wél stom was, was dat niet erg, het was geen probleem, ze zou het wel redden.

Maar dat was niet zo. Op high school gingen haar vriendinnen de zware studieprogramma's volgen en werd Maggie naar speciale klassen met remedial teachers gestuurd, waar geen vriendelijke mevrouw Fried was die haar vertelde dat ze niet stom was of achterlijk, dat haar hersenen gewoon een beetje anders werkten en dat ze wel trucjes zouden verzinnen die haar zouden helpen met leren. Hier kreeg ze de onverschillige leraren – de opgebrande oudere die gewoon met rust gelaten wilden worden, zoals mevrouw Cavetti, die scheefzittende pruiken en te veel parfum droeg, of juffrouw Leary, die hen in de les altijd liet lezen en dan zelf fotoalbums ging inplakken met foto's van haar kleinkinderen.

Maggie had het snel door – de ergste leraren kregen de ergste kinderen als straf, omdat ze slechte leraren waren. De ergste kinderen kregen de ergste leraren als straf omdat ze arm waren – of stom. Wat in deze chique stad vaak over één kam werd geschoren. Goed, dacht Maggie, als zij de straf was van iemand, zou ze dat spel verdomde goed meespelen. Ze nam haar boeken niet meer mee naar school en sleepte voortaan een enorme make-updoos met zich mee. Ze haalde de lak van haar nagels tijdens de les, deed een nieuwe kleur op tijdens het multiple-choiceproefwerk, nadat ze alle vragen met dezelfde letter had beantwoord: A in de ene les, B in de andere. Multiple-choicetesten was het enige wat deze leraren konden bedenken. 'Maggie, kom jij even voor het bord,' zei een van die waardeloze docenten bijvoorbeeld. Maggie schudde dan haar hoofd, haar ogen nog steeds op de make-upspiegel gericht. 'Sorry, gaat niet,' riep ze dan en wapperde met haar handen. 'Mijn nagellak moet drogen.'

Eigenlijk zou ze voor alles moeten zijn gezakt, ze zou steeds moeten zijn blijven zitten. Maar de docenten lieten haar steeds overgaan – waarschijnlijk omdat ze haar het volgende jaar niet wéér in de klas wilden hebben. En haar vriendinnen raakten elk schooljaar verder van haar verwijderd. Ze probeerde het een tijdje, en Kim en Marissa ook, maar uiteindelijk werd de kloof te groot. Zij speelden hockey, zij zaten in de studentenraad, zij volgden lessen ter voorbereiding op de eindexamens en gingen naar open dagen van universiteiten, en zij bleef achter.

In het een na laatste jaar van school besloot Maggie dat als de meisjes van plan waren haar te negeren, de jongens dat in ieder geval niet zouden doen. Ze ging haar haar hoog opgestoken dragen en haar decolleté werd voller doordat ze kanten push-up-bh's ging dragen, onder doorschijnende kleding. Op haar eerste schooldag van dat jaar droeg ze een heel lage spijkerbroek die haar heupen nauwelijks bedekte, hooggehakte, zwartleren laarzen en een kanten bustier van een postorderbedrijf onder het legerjasje dat ze van haar vader had gepikt. Lippenstift, nagellak, genoeg oogschaduw om een muur mee te beschilderen, een arm vol zwartrubberen armbandjes en strikken van brede stroken stof in haar haar. Ze keek het allemaal af van Madonna, van wie ze idolaat was, Madonna, die net grote bekendheid kreeg met haar videoclips op MTV. Maggie verslond elk artikel dat maar over haar te vinden was – elk interview, elke persoonsbeschrijving van haar in de krant – en was verbaasd over de overeenkomsten die zij hadden. Ze hadden allebei geen moeder meer. Ze waren allebei beeldschoon, allebei getalenteerde danseressen die van jongs af aan tapdans- en jazzdanslessen hadden gevolgd. Ze waren beiden door het leven gehard en hadden sex-appeal te over. De jongens kwamen als bijen op de honing op Maggie af, kochten sigaretten voor haar, nodigden haar uit voor feestjes waar geen ouders bij waren, vulden haar glas bij, hielden haar hand vast, belandden met haar in een slaapkamer, of op de achterbank van een auto als het laat was.

Het duurde even voor Maggie doorhad dat die jongens nooit belden, of haar meevroegen naar dansavonden, of haar zelfs maar begroetten in de gangen. Ze huilde erom – 's nachts, als Rose sliep, als niemand haar kon horen – tot ze besloot niet meer te huilen. Niemand was haar tranen waard. En ze zouden er allemaal spijt van krijgen, over een jaartje of tien, als zij beroemd was en zij helemaal niets waren, vastgeroest in deze stomme stad, dik en lelijk en onbemind, en al helemaal niet speciaal.

Dat was dus high school. Als een gebeten hond rondhangend in de buurt van de populaire meisjes en jongens, met alleen herinneringen aan de tijd dat ze nog geliefd en geprezen was. Feesten in de weekeinden in huizen van mensen van wie de ouders niet thuis waren. Bier en wijn, joints of pillen en iedereen was dronken en uiteindelijk bedacht ze dat het gemakkelijker was als zij ook dronken was, als alles een beetje onscherp werd langs de randen en ze in de ogen van anderen kon zien wat ze wilde dat ze zag.

En Rose... tja, Rose had niet bepaald de metamorfose ondergaan uit de film *The Breakfast Club*. Ze had haar bril niet weggedaan, was niet naar een goede kapper geweest, de aanvoerder van het footballteam werd niet verliefd op haar. Maar Rose was met kleine beetjes veranderd. Ze had bijvoorbeeld geen last meer van roos, dankzij het feit dat Maggie niet al te subtiel grote flessen Head & Shoulders in de badkamer zette. Ze droeg nog steeds haar bril, kleedde zich nog steeds als een studiebol, maar op een gegeven moment kreeg zij een paar vrienden en leek zich er niets van aan te trekken dat de mooie meisjes haar nog steeds uitlachten, haar negeerden en haar af en toe nog Holly Hobbie noemden. Rose leerde op het hoogste niveau, Rose haalde alleen maar tienen. Maggie wilde die zaken het liefste afdoen als tekens dat haar zus in sociaal opzicht hopeloos was, ware het niet dat de prestaties van Rose er wel degelijk toe begonnen te doen.

'Princeton!' had Sydelle keer op keer gezegd, toen Rose in haar laatste jaar zat en ze de brief had ontvangen waarin stond dat ze daar geaccepteerd was. 'Nou Rose, dat is een hele prestatie!' Ze had zowaar het lievelingskostje van Rose gekookt: gebraden kip en koekjes en honing, en ze had helemaal niets gezegd toen Rose nog een tweede keer opschepte. 'Maggie, je bent vast heel erg trots op je zus!' had ze gezegd. Maggie had alleen met haar ogen gerold alsof ze wilde zeggen 'wat kan mij het schelen'. Alsof Princeton zo bijzonder was. Alsof Rose de enige was die geslaagd was in het leven, ondanks het feit dat ze geen moeder meer had. Nou, Maggie had ook geen moeder meer, maar kreeg ze daar extra punten voor? Nee hoor, zij niet. Zij kreeg alleen maar vragen. 'Kunnen we van jou grote dingen verwachten?' Nou het was wel duidelijk dat dat niet zou gebeuren, dacht Maggie, terwijl ze een rode cirkel zette om een advertentie voor serveersters in een 'druk, goedlopend restaurant in het stadshart'. Zij had het lichaam, Rose had de hersenen, en inmiddels leek het erop dat hersenen belangrijker waren.

Rose studeerde af aan Princeton toen Maggie een flauwe poging deed een paar trimesters aan de plaatselijke academie te volgen. Rose zat al op Law School terwijl Maggie pizza's serveerde, babysitter was en huizen schoonmaakte, gestopt was met de opleiding voor barkeepster omdat de docent probeerde zijn tong in haar oor te stoppen na de les over martini's maken. Rose was onopvallend, en dik, en ging truttig gekleed en tot vanochtend wist Maggie niet dat zij ooit een vriendje had gehad, behalve misschien voor tien minuten tijdens haar rechtenstudie. En toch was zij degene met een geweldig appartement (nou ja, het had een geweldig appartement kunnen zijn als Maggie het had mogen inrichten), zij had geld en vrienden, zij was degene voor wie men respect had. En deze kerel, Jim Dinges, was schattig op een soort sullige manier en Maggie wilde er wat onder verwedden dat hij ook nog rijk was.

Het was niet eerlijk, dacht Maggie terwijl ze terugliep naar de keuken. Het was niet eerlijk dat hun moeder was gestorven. Het was niet eerlijk dat ze haar handjevol goede jaren al had opgebruikt op de middelbare school en dat ze nu in de schaduw van haar zus leefde, gedoemd om toe te kijken hoe Rose alles kreeg wat ze wilde en zij, Maggie, helemaal niets. Ze frommelde de lege ijsdoos in elkaar, pakte de krant op om weg te gooien, toen plotseling haar oog op iets viel. Het was het magische woord 'auditie'. Maggie liet de ijsdoos vallen en las de advertentie aandachtig. 'MTV Kondigt Audities Aan Voor VJ's' las ze. Haar opwinding steeg, maar ook de paniek bekroop haar: wat als ze het had gemist? Ze liep de advertentie zo snel mogelijk door. Eén december. Open inschrijving. In New York. Ze kon erbij zijn! Ze zou Rose vertellen dat ze een sollicitatiegesprek had, wat min of meer waar was, en Rose zou haar geld lenen voor een treinkaartje en voor kleren. Ze had nieuwe kleren nodig. Ze moest iets nieuws kopen, dat zag ze meteen. Niets van wat ze nu in de kast had, was ook maar een beetje geschikt hiervoor. Maggie vouwde de krant zorgvuldig op en rende naar de kast van haar zus om te kijken welke schoenen ze naar de Big Apple zou dragen.

5

LEWIS FELDMAN LEIDDE MEVROUW SOBEL ZIJN KANTOOR BINNEN –
een omgebouwd berghok met de woorden *Golden Acres Gazette* op de
deur gesjabloneerd – en sloot de deur achter hen.
'Dank u voor uw komst,' zei hij en pakte het rode potlood achter
zijn oor vandaan. Hij ging aan het bureau zitten. Mevrouw Sobel nam
plaats op een stoel, sloeg haar benen over elkaar en vouwde haar handen in haar schoot. Ze was een kleine vrouw met blauw haar en een
blauw, wollen vest aan en blauwe aderen op haar handen. Hij glimlachte bemoedigend naar haar. Ze knikte onzeker.
'Laat me beginnen te zeggen dat ik u dankbaar ben voor uw hulp,'
zei hij. 'We zaten werkelijk met de handen in het haar.' Wat klopte
– sinds de vorige restaurantcriticus van de *Gazette*, de Noshing Gour-
met, een hartaanval had gehad waarbij hij met het gezicht in zijn omelet was beland, plaatste Lewis alleen nog maar oude recensies en de
bewoners werden onrustig – om niet te zeggen moe van alweer een
recensie over Rascal House.
'Ik ben erg blij met uw eerste poging,' zei hij, terwijl hij de overdruk
op zijn bureau legde, zodat mevrouw Sobel kon zien hoe haar recensie
eruit kwam te zien. 'Italiaans restaurant verzoekt de smaakpapillen'
luidde de kop, onder een tekening van een knipogend vogeltje – de
Vroege Vogel uiteraard – met een worm in zijn bek. 'Ik heb alleen een
paar suggesties,' zei Lewis, waarop mevrouw Sobel wederom aarzelend knikte. Hij zette zich schrap – een ijzerhandel drijven was bij
lange na niet zo moeilijk als tweewekelijks aan het hoofd staan van de
fragiele ego's van gepensioneerde vrouwen – en begon te lezen.

'Het Italiaanse restaurant Mangiamo is gevestigd in het winkelcentrum, aan de Powerline Road, naast het gebouw waar voorheen Marshall's zat en tegenover de yoghurtijssalon. Het lijkt misschien gemakkelijk bereikbaar, maar mijn man Irving had grote moeite met de bocht naar links.' Mevrouw Sobel knikte opnieuw, dit keer iets zelfverzekerder. Lewis las door.

'Het restaurant heeft rode vloerbedekking en witte tafellakens met daarop kleine kaarsjes. De airconditioning staat heel hoog, dus u kunt maar beter een trui meenemen als u naar Mangiamo gaat. De minestrone smaakte niet zoals ik hem maak. Er zaten kidneybonen in, waar zowel ik als Irving niet om geef. De caesar's salade was goed, maar er zit ansjovis in, dus als u allergisch bent voor vis, kunt u beter de salade van het huis nemen.' Nu leunde mevrouw Sobel geestdriftig naar voren, aldoor knikkend, terwijl ze de woorden zachtjes meefluisterde.

'Als voorgerecht wilde Irving de kip met parmezaan, hoewel hij kaas niet verdraagt. Ik nam de spaghetti met gehaktballetjes, omdat ik dacht dat Irving die misschien wel lustte. En wat bleek: de kip was te hard voor zijn gebit, dus hij nam mijn gehaktballetjes, die zacht waren.' Lewis keek mevrouw Sobel aan, die voorover leunde met glimmende ogen.

'Kijk, wat ik bedoel te zeggen,' zei hij, terwijl hij zich afvroeg of Ben Bradlee van de *Washington Post* en William Shawn van *The New Yorker* ooit zulke problemen tegen het lijf waren gelopen, 'is dat we moeten proberen objectief te blijven.'

'Objectief,' herhaalde mevrouw Sobel.

'We willen de mensen vertellen hoe het is om bij Mangiamo te eten.'

Ze knikte weer, maar de geestdrift had plaatsgemaakt voor verwarring.

'Dus als u over de bocht naar links verhaalt en hoe moeilijk het was die te nemen, of als u schrijft dat hun soep niet zo wordt gemaakt als die van u...' Voorzichtig, Lewis, zei hij tegen zichzelf, terwijl hij zijn potlood pakte en die weer veilig achter zijn oor stopte. 'Dat is natuurlijk allemaal heel erg interessant, en zeer goed geschreven, maar andere mensen hebben misschien niet zoveel aan die dingen, zij willen dit lezen om te kijken of ze naar dat restaurant willen.'

Nu ging mevrouw Sobel rechtop zitten, trillend als een rietje van verontwaardiging. 'Maar dit is allemaal waar!' zei ze.

'Natuurlijk zijn die dingen waar,' sprak Lewis vergoelijkend. 'Ik vraag me alleen af of ze nuttig zijn. Zoals bijvoorbeeld de airconditioning, dat mensen daarvoor hun trui moeten meenemen. Dat is een erg, heel erg nuttig gegeven. Maar het deel over de soep... niet elke lezer kan de soep van het restaurant in de context van uw soep plaatsen.' En toen glimlachte hij, hopend dat de glimlach zou werken. Hij dacht van wel. Zijn vrouw Sharla – zijn Sharla zaliger, nu twee jaar geleden overleden – zei altijd dat hij overal mee wegkwam vanwege zijn glimlach. Hij was niet knap, dat wist hij. Hij had een spiegel en hoewel zijn ogen niet meer zo goed waren, kon hij wel zien dat hij meer op de acteur Walter Matthau leek dan op Paul Newman. Zelfs zijn oorlellen hadden rimpels. Maar de glimlach deed het nog. 'Ik weet zeker dat elke soep minder lekker is dan uw soep.'

Mevrouw Sobel snoof. Maar ze keek al heel wat minder beledigd. 'Waarom neemt u dit niet mee naar huis en kijkt u er nog even naar. Probeer uzelf af te vragen of de dingen die u opschrijft...' hij dacht even na, 'mevrouw en meneer Rabinowitz kunnen overhalen daar te eten of niet.'

'O, de Rabinowitzes zouden daar nooit naartoe gaan,' zei mevrouw Sobel. 'Meneer Rabinowitz is erg krenterig.' En toen (Lewis zat nog achter zijn bureau, geheel in verlegenheid gebracht) pakte ze haar tas en vest en haar recensie en marcheerde met opgeheven hoofd de deur uit, langs Ella Hirsch, die net naar binnen wilde gaan.

Lewis merkte tot zijn opluchting op dat Ella noch beefde, noch knikte. Ze was niet half zo oud of fragiel als mevrouw Sobel. Ze had helderbruine ogen en rossig haar dat ze in een staart droeg en hij had haar nog nooit in polyester broek gezien, een kledingstuk dat de meeste vrouwelijke bewoners van Golden Acres droegen.

'Hoe gaat het?' vroeg ze.

Lewis schudde zijn hoofd. 'Ik weet het eerlijk gezegd niet zeker.'

'Dat klinkt niet al te best,' zei ze en overhandigde hem haar gedicht, netjes getypt en ook op een diskette bewaard. Zou hij ook verliefd zijn geworden op Ella als ze niet de beste schrijver van *Golden Acres Gazette* was? Waarschijnlijk wel, dacht Lewis. Alleen had hij het idee dat zij niet in hem geïnteresseerd was. De keren dat ze samen koffie hadden gedronken – op zijn initiatief – en ideeën bedachten voor nieuwe verhalen, leek ze het naar haar zin te hebben, maar ze leek het net zo prima te vinden als ze weer naar huis ging.

'Dank je,' zei hij, en legde haar gedicht in zijn postvakje. 'Heb je nog plannen voor het weekeinde?' vroeg hij op zo'n nonchalant mogelijke manier.

'Morgenavond ben ik in de soepinrichting en ik moet ook nog twee boeken inspreken voor de blinden,' zei ze. Het klonk beleefd, dacht Lewis, maar hij beschouwde het wel als een afwijzing. Zou ze een van die boeken hebben gelezen die alle vrouwen rond het zwembad elkaar een paar jaar geleden uitleenden, dat boek over hoe je je niet zo gemakkelijk moest laten versieren als vrouw zijnde, dat boek waardoor de 86-jarige mevrouw Asher de hoorn op de haak gooide, terwijl hij met haar telefonisch een tekst aan het bewerken was, nadat zij plots had gezegd dat zij een uniek persoon was en dat zij daarom niet langer met mannen aan de telefoon kon zitten?

'Goed, bedankt voor het gedicht. Je bent de enige die de deadline heeft gehaald. Zoals gewoonlijk,' zei Lewis. Ella glimlachte flauwtjes en liep naar de deur. Misschien kwam het door zijn uiterlijk, dacht hij sip. Sharla had hem ooit een bulldogkalender gegeven op een van hun trouwdagen die ze samen in Florida hadden gevierd, en hij had haar ervan verdacht dat zij hem hiermee iets wilde duidelijk maken. Ze had hem een dikke smakkerd gegeven en gezegd dat hoewel hij het als model nooit ver zou schoppen, zij toch van hem hield.

Lewis schudde zijn hoofd in de hoop die herinneringen van zich af te schudden en pakte het gedicht van Ella. 'Alleen omdat ik oud ben', las hij en glimlachte toen hij de regel 'Ik ben niet onzichtbaar' las. Hij besloot dat hij het nog een keer moest proberen bij Ella.

6

ROSE FELLER LEUNDE OVER DE TAFEL. 'ONDER HET GEBRUIKELIJKE
voorbehoud van alle rechten natuurlijk, confrère?' vroeg ze.
De raads-
man van de tegenpartij – een man met een grauw gelaat in een be-
treurenswaardig groengrijs pak – knikte, ook al durfde Rose er wat
onder te verwedden dat hij niet wist wat 'het gebruikelijke voorbehoud' betekende, net zomin als zij. Maar elk getuigenverhoor waar zij
ooit bij was, begon wanneer de advocaat van de eisende partij zei
'onder het gebruikelijke voorbehoud van alle rechten' en dus zei zij
dat ook maar.

'Goed, als iedereen zover is, kunnen we beginnen,' zei ze zelfverzekerd, hoewel dat meer schijn dan werkelijkheid was. Het klonk of
ze al honderden getuigenverhoren had geleid, in plaats van slechts
twee. 'Ik ben Rose Feller en ik ben advocaat bij Lewis, Dommel en
Fenick. Vandaag representeer ik de Veeder Trucking Company en
Stanley Willet, de thesaurier van Veeder, die hier aanwezig is en links
van mij zit. Dit is de getuigenverklaring van Wayne LeGros...' en ze
wachtte even en keek naar de getuige, in de hoop dat hij zou laten
merken dat ze zijn naam goed uitsprak. Wayne LeGros keek haar niet
aan. 'Wayne LeGros,' vervolgde ze, nadat ze besloten had dat hij er wel
iets van zou zeggen als ze zijn naam verkeerd uitsprak. 'De directeur
van Majestic Construction. Meneer LeGros, wilt u beginnen met uw
naam en adres?'

Wayne LeGros, klein, in de vijftig, met kort, grijs haar en een grote,
zware ring om een dikke vinger, slikte duidelijk hoorbaar. 'Wayne Le-
Gros,' zei hij luid. 'Ik woon in Tasker Street 513. In Philadelphia.'

'Dank u,' zei Rose. Eigenlijk had ze medelijden met de man. Zij had nog nooit een getuigenverklaring hoeven afleggen, behalve tijdens haar rechtenstudie, als oefening, maar ze wist zeker dat het geen pretje was. 'Kunt u ons zeggen wat uw functie is?'

'Directeur. Majestic,' zei de spraakzame meneer LeGros.

'Dank u,' zei Rose opnieuw. 'Goed, ik neem aan dat uw advocaat u heeft uitgelegd waarom we hier zijn. Om informatie te verzamelen. Mijn cliënt beweert dat u hem...' ze wierp snel een blik op haar aantekeningen, 'achtduizend dollar bent verschuldigd voor de lease van materieel.'

'Kiepauto's,' hielp LeGros.

'Inderdaad,' zei Rose. 'Kunt u ons zeggen hoeveel kiepauto's waren geleasd?'

LeGros sloot zijn ogen. 'Drie.'

Rose schoof een papier over de tafel. 'Dit is een kopie van de lease-overeenkomst die u en Veeder hebben getekend. De gerechtssecretaris heeft dit al gemerkt als Bewijsstuk E 15A.' De gerechtssecretaris knikte. 'Mag ik u vragen de delen voor te lezen die ik heb gemarkeerd?'

LeGros ademde diep in en tuurde naar de pagina. 'Er staat dat Majestic ermee akkoord gaat tweeduizend dollar per week te betalen voor drie kiepauto's.'

'Is dat uw handtekening?'

LeGros bekeek de kopie aandachtig. 'Jep,' zei hij uiteindelijk. 'Dat is de mijne.' Hij klonk een beetje geprikkeld en schoof de ring van zijn vinger en draaide die rond op de vergadertafel.

'Dank u,' zei Rose. 'Goed, was dit project in Ryland voltooid?

'De school? Ja.'

'En is Majestic Construction betaald voor het werk?'

LeGros knikte. Zijn advocaat trok zijn wenkbrauwen naar hem op. 'Ja,' zei LeGros. Rose schoof een ander vel papier over tafel. 'Dit is Bewijsstuk E B – een kopie van uw factuur aan de Ryland School Board, gemarkeerd met 'betaald'. Is die rekening betaald?'

'Ja.'

'Dus u bent betaald voor het werk dat u voor het project hebt geleverd?'

Hij knikte weer. Zijn advocaat keek hem weer boos aan. Weer volgde 'ja'. In het halfuur dat volgde, liep Rose samen met LeGros nauwgezet een stapel gestempelde facturen en berichten van het incassobureau door. Het was nou niet bepaald een Grisham-thriller, dacht ze

57

terwijl ze voortzwoegde, maar als ze geluk had, zou dit voldoende zijn om de zaak te klaren.

'Dus het werk in Ryland is afgemaakt en u hebt uw onderaannemers betaald?' recapituleerde Rose.

'Ja.'

'Behalve Veeder.'

'Zij hebben hun deel gekregen,' mompelde hij. 'Ze zijn voor andere zaken betaald.'

'Neem me niet kwalijk?' vroeg Rose beleefd.

'Andere zaken,' herhaalde LeGros. Hij boog zijn hoofd. Draaide zijn ring rond. 'Zaken die ze aan andere bedrijven waren verschuldigd. Zaken die ze mijn vervoerscoördinator verschuldigd waren,' zei hij bits. 'Waarom vraag je hem niet naar mijn vervoerscoördinator?'

'Dat zal ik zeker doen,' beloofde Rose. 'Maar dit is uw verklaring. Het gaat nu om uw verhaal.'

LeGros staarde weer naar beneden, naar de ring, naar zijn handen.

'Hoe heet uw vervoerscoördinator?' spoorde ze voorzichtig aan.

'Lori Kimmel,' mompelde LeGros.

'En waar woont zij?'

Hij keek stuurs omlaag. 'Op hetzelfde adres als ik. Fifth Street en Tasker Street.'

Rose voelde haar hart tekeergaan. 'Zij is uw...'

'Mijn vriendin,' zei LeGros, met een blik die zei 'heb je daar problemen mee?'. 'Vraag het hem,' zei hij en wees met zijn duim naar Stanley Willet. 'Vraag hem,' herhaalde hij. 'Hij weet er alles van.'

De advocaat van LeGros legde een hand op zijn onderarm, maar LeGros hield zijn mond niet. 'Vraag hem maar eens naar de overuren die ze heeft gewerkt! Vraag hem eens waarom ze nooit betaald heeft gekregen! Vraag hem eens hoe dat ging, toen zij het bedrijf verliet en hij zei dat hij haar vakantiedagen en ziekteverzuim zou betalen, en dat nooit deed!'

'Kunnen we even een onderbreking inlassen?' vroeg de advocaat van LeGros. Rose knikte. De gerechtssecretaris trok haar wenkbrauwen op. 'Natuurlijk, zei Rose. 'Vijftien minuten.' Ze leidde Willets haar kantoor binnen en LeGros en zijn advocaat trokken zich terug op de gang.

'Waar gaat dit allemaal over?'

Willets haalde zijn schouder op. 'De naam komt me bekend voor. Ik zou even kunnen rondbellen...'

Rose wees met haar hoofd naar haar telefoon. Van getuigenverhoren werd ze zenuwachtig en van zenuwen moest ze plassen, en... 'Mevrouw Feller?' Het was de advocaat van LeGros. 'Kan ik u even spreken?' Hij trok haar de vergaderzaal binnen. 'Luister,' zei hij. 'We willen de zaak graag schikken.'
'Wat is er gebeurd?'
De advocaat schudde zijn hoofd. 'Je kunt het zelf wel bedenken, lijkt me. Zijn vriendin werkte vroeger voor jouw cliënt. Zover ik weet, is ze weggegaan zonder kennisgeving en dacht ze dat ze nog recht had op haar vakantiedagen en ziekteverlof. Veeder had gezegd dat ze die kon vergeten en ik denk dat mijn cliënt meende dat hij Veeder in rekening kon brengen wat zij van het bedrijf tegoed zou hebben.'
'Dat wist je niet?'
De advocaat haalde zijn schouders op. 'Ik heb deze zaak pas twee weken geleden toegewezen gekregen.'
'Dus hij...' Rose liet in haar stem suggestie doorschemeren.
'Betaalt het terug. Alles.'
'Inclusief rente. Dit speelt al drie jaar,' zei Rose.
De advocaat van LeGros rilde. 'Eén jaar rente,' zei hij. 'We zullen nu gelijk een cheque uitschrijven.'
'Ik moet eerst even overleggen met mijn cliënt,' zei Rose. 'Ik zal voorstellen dat hij het aanbod aanneemt.' Haar hart bonkte als een bezetene, het bloed klopte in haar aderen. Victorie! Ze had zin om een rondedansje te maken. Maar ze keerde terug naar Stan Willets, die haar diploma's aan het bekijken was.
'Ze willen schikken,' zei ze.
'Goed,' zei hij zonder zich om te draaien. Rose slikte haar teleurstelling weg. Natuurlijk was hij niet zo opgewonden als zij, zevenduizend dollar was niets voor hem. Maar toch! Ze kon nauwelijks wachten om Jim te vertellen hoe goed ze het gedaan had! Ze somde de voorwaarden snel op. 'Ze willen vandaag nog een cheque uitschrijven, waardoor u geen tijd kwijt bent met achter het geld aanjagen. Ik stel voor dat we hun voorwaarden aannemen.'
'Prima,' zei hij, zijn ogen nog steeds op de ingelijste diploma's gericht. 'Schrijf het op, en stuur het naar me op.' Eindelijk draaide hij zich naar haar om. 'Interessant allemaal.' Hij lachte dunnetjes. 'Smoor ze in het papier, niet?'
'Precies,' stemde Rose in, terwijl de moed haar in de schoenen

zonk. Ze was briljant geweest! Goed, misschien niet briljant op een opzichtige manier, maar bekwaam. Uiterst bekwaam. Potverdorie, ze had elk kattebelletje weten te traceren, elke rekening, elk stukje papier waaruit het gelijk van haar cliënt bleek! Ze bracht Stan Willets naar de liften, ging gauw terug naar haar kantoor en toetste het doorkiesnummer van Jim in.

'We hebben een schikking getroffen,' zei ze blij. 'Zevenduizend dollar plus een jaar rente.'

'Goed gedaan,' zei hij vergenoegd. Vergenoegd en afwezig. Ze hoorde zijn muis op de achtergrond klikken. 'Kun je een memo voor me schrijven?'

Alsof hij ijskoud water over haar had gegooid. 'Natuurlijk,' zei ze. 'Ik zal het deze middag nog doen.'

Jims stem werd milder. 'Gefeliciteerd,' zei hij. 'Ik weet zeker dat je geweldig was.'

'Ik heb ze onder het papier bedolven,' zei Rose. Ze kon Jim horen ademen en hoorde andere stemmen op de achtergrond.

'Wat zei je?'

'Niets.' Ze legde de hoorn op de haak zonder dag te zeggen. Onmiddellijk verscheen er een bericht op haar beeldscherm. Van Jim. Ze klikte het open.

'Het spijt me dat ik niet verder met je kon praten,' stond er. En – haar hart maakte een sprongetje toen ze verder las – 'kan ik vanavond langskomen?'

Ze typte haar antwoord in – JA! – en liet zich toen in haar stoel vallen, stralend, tevreden, en vond dat alles nu eindelijk eens goed liep in haar leven. In haar werk was ze geslaagd. Het was vrijdagavond en ze zou niet alleen zijn. Ze had een man die van haar hield. Goed, ze had ook een zusje die op haar bank sliep, maar dat zou niet voor eeuwig zijn, dacht ze, en ze begon de memo te typen.

De euforie duurde tot vier uur 's middags, het blije gevoel tot zes uur en tegen de tijd dat het negen uur was en Jim nog niet verschenen was, voelde Rose zich ellendig. Ze ging naar de badkamer, waar haar o zo behulpzame zusje een artikel uit *Allure* aan de spiegel had geplakt: 'De mooiste wenkbrauwen van het seizoen!' luidde de kop. En er lag een pincet op de wastafel.

'Goed,' zei Rose tegen haar zelf. 'Ik snap de hint.' Nu zou Jim – als hij nog kwam – haar in ieder geval aantreffen met perfect geëpileerde wenkbrauwen. Rose tuurde naar zichzelf in de spiegel en besloot dat haar leven gemakkelijker was geweest als ze een ander soort meisje was geweest. Niet echt anders, maar beter, mooier, gepolijster, iets dunner dan ze nu was. Maar ze had natuurlijk geen enkel idee hoe ze iemand anders kon zijn dan wie ze was. Niet dat ze dat nooit had geprobeerd.

Toen ze dertien was, verhuisden Rose en Maggie Feller naar de woning van Sydelle. 'Dat is gewoon eenvoudiger!' zei Sydelle zoetjes. 'Ik heb genoeg ruimte.' Het huis was een modern misbaksel van vier slaapkamers, geschilderd in een effen, felwitte kleur en viel uit de toon in een straat vol koloniale huizen, alsof er een ruimtevaartuig was geland in de doodlopende straat. Het huis van Sydelle – en Rose had er altijd al zo over gedacht – had enorme ramen en vreemde hoekjes en vreemd gevormde kamers (de eetkamer was net geen rechthoek, een slaapkamer was net geen vierkant). De kamers stonden vol glazen tafels, meubels van glas en metaal met puntige hoeken en overal spiegels, inclusief een spiegelmuur in de keuken waarop elke vingerafdruk te zien was, elke diepe ademhaling – en die elk hapje die iemand stiekem in de keuken nam, registreerde. Bovendien had elke badkamer een weegschaal, ook het toilet op de benedenverdieping, en op de koelkast zaten magneten die met dieet te maken hadden. De magneet die Rose zich het beste herinnerde was een koe die tevreden gras at, met daaronder de woorden 'Dikke koe! Ben je alweer aan het eten?' Elk glimmend, spiegelend oppervlak, elke magneet en elke weegschaal leken samen te spannen met Sydelle; alsof ze wilden zeggen dat Rose onbekwaam was, niet vrouwelijk, niet mooi genoeg, en veel te dik.

De week dat ze verhuisden had Rose haar vader om geld gevraagd. 'Heb je iets speciaals nodig?' vroeg hij terwijl hij haar bezorgd aankeek. Rose vroeg nooit om geld, ze nam altijd genoegen met de vijf dollar zakgeld dat ze elke week kreeg. Maggie was degene die hem regelmatig om geld vroeg – zij wilde barbiepoppen, een nieuw broodtrommeltje, geurende *magic markers* en glitterstickers en een poster van Rick Springfield voor aan de muur.

'Schoolspullen,' zei Rose. Hij gaf haar tien dollar. Ze ging naar de drogist en kocht een klein, gelinieerd boekje met een paarse kaft. De rest van het schooljaar schreef ze daarin op wat vrouwen deden. Het was haar geheime project. Sydelle, wist ze, zou haar met plezier vertellen wat vrouwen deden en niet deden, wat ze zeiden, droegen en, het belangrijkste, wat ze aten, maar Rose wilde er zelf achterkomen. Nu ze daarop terugkeek, nam ze aan dat ze toen het vage idee had dat zij in haar jeugd op de een of andere manier de relevante informatie in zich had moeten opnemen... en het feit dat ze dit niet had gedaan, en dat Sydelle het als haar taak zag uitspraken te doen over huid en calorieën tellen, was een aanklacht tegen haar moeder. Waardoor Rose alleen maar vastbeslotener werd om het zelf uit te zoeken. 'Nagels rond, niet recht!' schreef ze op... of 'geen stomme moppen!' Ze wist haar vader zover te krijgen dat hij haar een jaarabonnement gaf op *Seventeen* en *Young Miss* en ze spaarde haar zakgeld om het boek *Hoe word je populair* te kunnen kopen, een pocketboek waarvoor in beide tijdschriften reclame werd gemaakt. Ze had de pagina's net zo nauwkeurig bestudeerd als een talmoedstudent die de heilige schrift uit zijn hoofd moest leren. Ze observeerde docenten, buren, haar zusje, zelfs de dames met hun haarnetjes in de cafetaria en probeerde te achterhalen hoe meisjes en vrouwen behoorden te zijn. Het was als een wiskundevraagstuk, hield ze zichzelf voor, en als ze dat eenmaal had opgelost, als ze wist wat de vergelijking was van schoenen plus kleding plus kapsel plus de juiste persoonlijkheid (en uiteraard, als ze erachter was gekomen hoe ze de juiste persoonlijkheid kon benaderen), zouden de mensen haar wel aardig vinden. Dan zou ze populair zijn, net als Maggie.

Natuurlijk was het op een ramp uitgelopen, dacht ze terwijl ze de condens van haar adem van de spiegel veegde en dichterbij leunde om haar lippen te stiften. Al haar plannen en notities waren voor niets geweest. Populair zijn was een code die ze niet kon kraken, een probleem dat geen oplossing kende. Hoeveel bladzijden ze ook volschreef, hoe vaak ze zich ook indacht dat ze samen met Missy Fox en Gail Wylie in de schoolkantine zat, haar tasje over de stoelleuning, haar cola-light en zakje wortelen voor haar, het was nooit gelukt.

Op school gaf ze niet meer om kleding, make-up, haar en nagels. Ze las de adviezen en verhalen in de tijdschriften niet meer, die bepaalden hoe je met een jongen moest praten of hoe een wenkbrauw er precies moest uitzien. Ze gaf de hoop op dat ze ooit mooi of populair zou zijn en hield zich alleen nog maar bezig met schoenen. Schoenen, redeneerde ze, konden nooit verkeerd worden gedragen. Er bestonden geen variabelen bij schoenen, geen kraagjes die omhoog of juist naar beneden gedragen moesten worden, geen manchetten die je kon oprollen of juist niet, geen sieraden of kapsel die je kleren konden maken of breken (dat laatste was bij Rose voornamelijk het geval). Schoenen waren schoenen waren schoenen, en zelfs als ze die bij de verkeerde outfit droeg, kon ze die niet verkeerd dragen. Haar voeten zagen er altijd goed uit. Ze kleedde zich als een populair meisje, van de enkels tot de tenen, zelfs al was ze boven de enkels nog steeds een loser.

Het was niet meer dan natuurlijk dat ze bijna dertig was en nog steeds niets wist over mode en stijl, behalve dan de voordelen van nubuck boven suède, of de vorm van de hakken van dit seizoen. Rose zuchtte en keek door haar wimpers. Ongelijk. 'Shit,' zei ze en pakte de pincet weer. De deurbel ging.

'Ik kom eraan!' klonk Maggies zangerige stem.

'Nee hè,' zei Rose. Ze rende snel de badkamer uit, duwde haar zus opzij, die haar terugduwde.

'Jezus, wat héb jij!' riep Maggie terwijl ze over haar schouder wreef.

'Ga toch aan de kant!' zei Rose en pakte haar portemonnee, greep er een paar biljetten uit en duwde die in Maggies handen. 'Ga weg! Ga naar de film of zo!'

'Het is elf uur,' zei Maggie.

'Ga dan naar een nachtvoorstelling!' zei Rose en gooide de deur open. En daar stond Jim, vaag ruikend naar eau de cologne en sterker nog naar whisky, met een bos rozen in zijn hand. 'Hallo dames,' zei hij.

'O, mooi!' zei Maggie en nam de bloemen aan. 'Rose, zet ze even in een vaas,' zei ze en gaf de rozen aan haar zus. 'Mag ik je jas aannemen?' vroeg ze aan Jim.

Jezus! Rose knarsetandde en liep naar de keuken. Toen ze terugkwam in de woonkamer zaten Maggie en Jim naast elkaar op de bank. Het zag er niet naar uit dat Maggie van plan was weg te gaan... en, bemerkte Rose, het geld dat ze haar had gegeven was in het niets opgelost. 'Zo Jim!' zei Maggie opgewekt terwijl ze naar hem overhelde zodat hij in haar gevulde decolleté kon kijken, 'hoe gaat het met je?'

'Maggie,' zei Rose, die zichzelf in evenwicht probeerde te houden op de armleuning, de enige overgebleven plaats op de bank, 'had jij geen plannen?'

Haar zus glimlachte boosaardig naar haar. 'Nee hoor, Rose,' zei ze.

7

OP MAANDAGOCHTEND SPRONG MAGGIE DE BUS UIT, ZWAAIDE haar rugzak over haar schouder en baande zich behendig een weg door Port Authority Bus Terminal. Het was halftien en de audities waren om negen uur begonnen. Ze had er eerder willen zijn, maar ze had niet kunnen kiezen tussen de karamelkleurige, lederen laarzen van Nine West (met daarboven de spijkerbroek met rechte pijp) en de Mary Janes van Stuart Weitzman (met kokerrok en netkousen). Ze liep de hoek om van Forty-Second Street en de moed zonk haar in de schoenen. Er stonden minstens duizend mensen voor de MTV-studio's. De stoep was tot op elke centimeter bezet net als het kleine stuk gras midden op Broadway.

Maggie hield een meisje met een cowboyhoed op aan. 'Ben jij hier voor de audities?' Het meisje trok een zuur gezicht. 'Ik wás hier voor de audities. Maar ze hebben de eerste drieduizend binnengelaten en tegen ons gezegd dat we naar huis moesten gaan.'

De moed zonk Maggie zo nodig nog verder in haar schoenen. Dit ging niet goed. Dit ging helemaal niet goed!

Ze liep zo snel als haar hoge hakken haar konden dragen door de massa en zag uiteindelijk een gekweld kijkende vrouw met een walkietalkie en een jas met het gele MTV-logo op de rug staan. Zelfvertrouwen, zei Maggie tegen zichzelf en tikte de vrouw op haar schouder.

'Ik kom hier voor de auditie,' kondigde ze aan.

De vrouw schudde haar hoofd. 'Sorry schat,' zei ze zonder van haar klembord op te kijken. 'De deuren zijn gesloten.'

Maggie graaide in haar tasje, pakte het door haar ontvreemde flesje pijnstillers en zwaaide dat voor het gezicht van de vrouw heen en weer. 'Ik heb medische problemen,' zei ze.

De vrouw keek op en trok een wenkbrauw op. Maggie deed haar vingers over het etiket, maar was niet snel genoeg. 'Aspirines?' 'Ik heb ernstige krampen,' verkondigde Maggie. 'En ik neem aan dat u bekend bent met de gehandicaptenwet.'

Nu staarde de vrouw haar nieuwsgierig aan.

'U mag mij niet discrimineren vanwege een niet goed functionerende baarmoeder,' zei Maggie.

'Meen je dit nu werkelijk?' mopperde de vrouw. Maar Maggie kon zien dat ze eerder geamuseerd dan geïrriteerd was.

'Luister, geef me nou gewoon een kans,' smeekte ze. 'Ik kom helemaal uit Philadelphia!'

'Er zijn hier mensen die helemaal uit Idaho komen.'

Maggie rolde met haar ogen. 'Idaho! Hebben ze daar wel kabel? Luister,' vervolgde ze, 'ik heb uitvoerige voorbereidingen getroffen om hier te komen.'

De vrouw trok haar wenkbrauwen op.

'Misschien vind je het interessant om te weten,' ging Maggie door, 'dat ik op een zeer intiem deel van mijn anatomie het MTV-logo heb laten harsen?'

Eén gekmakende seconde dacht Maggie dat de vrouw haar daadwerkelijk ging vragen om het te laten zien. Maar in plaats daarvan lachte ze, schreef iets op haar klembord en wenkte naar Maggie. 'Ik ben Robin. Volg me maar,' zei ze. Toen ze zich had omgedraaid, maakte Maggie een sprongetje in de lucht, klakte haar hakken tegen elkaar en gaf een gilletje van blijdschap. Ze had het gered! Nou ja, ze had het deels gered, dacht ze terwijl ze achter Robin aansnelde. Nu was het slecht een kwestie van de jury imponeren en dan was ze binnen.

De gangen in het gebouw waren zo nodig nog voller dan de trottoirs. Er stonden jongens met vlechtjes en bandana's en spijkerbroeken die tot op de grond hingen, die zachtjes in zichzelf stonden te rappen, prachtige meiden in minirokken en laag uitgesneden topjes die zich optutten in een spiegeltje. Maggie zag dat de meesten nog begin twintig waren en vulde op het formulier dat Robin haar had gegeven in dat ze pas drieëntwintig was.

'Waar kom jij vandaag?' vroeg een meisje voor haar, een lang, mager meisje dat zich had uitgedost als Ginger Spice.

'Philadelphia,' zei Maggie, die besloot dat vriendelijk zijn geen kwaad kon. 'Ik ben Maggie.'

'Ik ben Kristy. Ben je zenuwachtig?' vroeg het meisje.

Maggie ondertekende haar formulier met een sierlijk gebaar. 'Niet echt. Ik weet eigenlijk niet eens wat ze willen dat we doen.'

'Dertig seconden in een camera praten,' zei Kristy en zuchtte. 'Ik wou dat we mochten optreden of zo. Ik dans al sinds mijn vierde. Ik kan tapdansen en jazzdansen, en ik kan zingen. Ik heb een monoloog uit mijn hoofd geleerd...'

Maggie slikte. Ze had ook danslessen gehad – twaalf jaar lang – maar geen acteerlessen en het enige wat ze uit haar hoofd had geleerd was het adres van Rose, zodat MTV zou weten waar ze de bloemen naartoe konden sturen als zij de auditie had gewonnen. Kristy ging met haar vingers door het haar. 'Ik weet het niet,' mompelde ze terwijl ze haar haar op haar hoofd drapeerde en het vervolgens weer over haar schouders liet vallen. 'Omhoog of los?'

Maggie bekeek Kristy eens goed. 'Wat dacht je van een Audrey Hepburn-rol? Wacht maar even,' zei ze en rommelde in haar rugzak op zoek naar een haarborstel, haarlak, haarspeldjes en elastiekjes. De rij schoof een paar centimeter op. Tegen de tijd dat Maggie vooraan stond, was er drie uur verstreken en had ze Kristy's haar gedaan, haar opnieuw opgemaakt, goudglinsterende oogschaduw opgedaan bij de achttienjarige Kara en aan Latisha, die achter haar in de rij stond, de Nine West-laarzen van Rose uitgeleend.

'Volgende!' riep de verveelde jongen achter de camera.

Ze ademde diep in, voelde zich helemaal niet zenuwachtig, voelde zich alleen maar vreselijk zelfverzekerd, voelde de warme, overweldigende vreugde toen ze in het piepkleine hokje met blauwe vloerbedekking stapte, onder de gloeiend hete lampen. Achter de cameraman grijnsde Robin en stak haar duimen omhoog.

'Vertel maar hoe je heet,' zei ze.

Maggie glimlachte. 'Ik ben Maggie May Feller,' zei ze, haar stem laag en helder. God, ze kon zichzelf op de monitor boven haar hoofd zien! Ze keek er vluchtig naar – ja hoor, daar was ze! Op tv! En ze zag er geweldig uit!

'Maggie May?' vroeg Robin.

'Mijn moeder heeft me vernoemd naar het liedje,' zei Maggie.

Robin liet haar ogen over Maggies formulier glijden. 'Hier staat dat je serveerster bent geweest.'

'Dat klopt,' zei Maggie en maakte haar lippen vochtig. 'En ik denk dat ik daardoor ervaring heb om met popsterren te werken.'

'Hoe bedoel je?' vroeg Robin.

'Nou, als je kunt omgaan met corpsballen die een wafelgevecht houden, kun je iedereen aan,' zei Maggie. 'En als je serveerster bent, ontmoet je allerlei mensen: er zijn meisjes die zich aan een bepaald dieet moeten houden vanwege weet ik het welke allergie.' Ze verhief haar stem tot een verwaande sopraan. 'Zitten hier pinda's in?' Wat geen probleem is, behalve als ze alles navragen. Inclusief hun ijsthee. Er zijn kieskeurige vegetariërs, veganisten, Zone-lijners, diabetici, macrobioten, macrobiotische Zone-diabetici met hoge bloeddruk die geen zout mogen...' En ze had de smaak te pakken, sloeg geen acht op de lampen, negeerde de concurrentie, sloeg zelfs geen acht op Robin en de vent met het honkbalpetje. Er waren alleen zij en de camera, zoals het altijd al had moeten zijn. 'En als je ooit ijskoffie in iemands kruis hebt moeten gooien omdat hij probeerde zijn fooi in je decolleté te stoppen, nou, dan word je heus niet bang van Kid Rock.'

'Van wat voor muziek hou je?' vroeg Robin.

'Alle soorten,' zei Maggie. Ze likte haar lippen en schudde haar haar naar achteren. 'Madonna is mijn favoriet. Afgezien van dat yogagebeuren. Ik snap daar helemaal niets van. Ik ben zelf ook zangeres, in de band Whiskered Biscuit...'

De jongen achter de camera begon te lachen.

'Misschien ken je het nummer "Lick me where I'm pink"?' vroeg Maggie. 'Dat is binnenkort een hit.'

'Kun je een stukje voor ons zingen?' vroeg de cameraman.

Maggie straalde. Dit was waar ze al zo lang op had gehoopt. Ze pakte haar borstel uit haar tas en gebruikte die als microfoon, schudde met haar hoofd en jammerde: *'Lick me where I'm pink! Pour yourself a drink! Don't wanna hear your problems, what am I, your fucking shrink!'* Ze vroeg zich even af of ze wel 'fuck' op MTV mocht zeggen, maar nam aan dat dat waarschijnlijk niet erg was.

'Is er nog iets wat we van je moeten weten, Maggie?' vroeg Robin.

'Alleen dat ik klaar ben voor prime time,' zei Maggie. 'En als veejay Carson Daly ooit nog eens vrijgezel wordt, jullie mijn nummer hebben.' Ze blies de camera een handkusje toe en stak vervolgens spottend haar tong uit, zodat haar piercing voor de camera te zien was.

'Hartstikke goed joh! fluisterde Kristy. En Latisha stond te klappen

67

en Kara stak haar duimen omhoog en Robin snelde het hokje uit, naar de rij, tikte Maggie op haar schouder, glimlachte en trok haar een gang in waar een tiental mensen stond te wachten. 'Gefeliciteerd,' fluisterde ze. 'Je gaat door naar de tweede ronde.'

'Waar zeg je dat je bent?' zei Rose snauwend.

'Ik ben in New York!' gilde Maggie in haar mobieltje. 'MTV houdt audities voor vj's en raad eens wie er tot de tweede ronde is gekomen?' Het viel stil aan de andere kant van de lijn. 'Je zei dat je een sollicitatiegesprek had,' zei Rose uiteindelijk.

Maggies gezicht werd rood. 'Wat denk je dat dit is?'

'Een hopeloze zaak,' zei Rose.

'God, kun je niet eens blij zijn voor me?' Het meisje naast haar, een amazone van ruim één meter tachtig in een leren *catsuit* keek haar chagrijnig aan. Maggie keek chagrijnig terug en ging in een hoekje van de wachtkamer staan.

'Ik ben pas blij als je een baan hebt.'

'Ik kríjg ook een baan!'

'O, je weet zeker dat MTV jou aanneemt? En wat betalen ze?'

'Veel,' zei Maggie knorrig. Eerlijk gezegd wist ze niet wat ze eventueel zou verdienen... maar dat moest veel zijn. Het was voor televisie, niet? 'Meer dan jij verdient. Weet je wat ik denk? Ik denk dat je jaloers bent.'

Rose zuchtte. 'Ik ben niet jaloers. Ik wil gewoon dat je dat idee van beroemd worden uit je hoofd zet en een baan gaat zoeken, in plaats van je geld verspillen en naar New York te gaan.'

'En net zo worden als jij,' zei Maggie. 'Nee dank je wel.' Ze stopte de telefoon weer in haar tas en keek woedend naar de grond. Die enorme trut van een Rose! Waarom had ze toch gedacht dat haar zus blij voor haar zou zijn, of onder de indruk dat ze zich zo die audities had binnengekletst en iedereen versteld had doen staan? Nou, dacht ze, terwijl ze haar lippenstift in haar tasje zocht, ze zou de Grote Kankerzus eens even wat laten zien. Ze zou die auditie winnen, de baan krijgen en de volgende keer dat Rose haar zag, zou op televisie zijn, wereldberoemd en beeldschoon.

'Maggie Feller?'

Maggie ademde diep in, bracht nog wat lippenstift aan en was er klaar voor om haar droom te verwezenlijken. Dit keer werd ze een grotere zaal ingeleid, waar drie verblindende lampen vanaf een hoge stellage op haar schenen. Robin glimlachte Maggie toe en wees naar de televisie.

'Heb je wel eens gelezen vanaf een teleprompter?' vroeg Robin. Maggie schudde haar hoofd.

'Het is heel gemakkelijk,' zei ze en liet het zien. Ze liep naar een met afplaktape aangegeven x op de vloer en richtte zich tot het beeldscherm. 'En dan nu!' las ze luid en enthousiast. 'De nieuwste single van de Spice Girls! En blijf van de afstandsbediening af, want binnen nu en een uur zien jullie Britney Spears!'

Maggie staarde naar de televisie. De woorden rolden omlaag over het scherm, verdwenen uit beeld en kwamen toen zo snel weer boven aan het scherm terecht, dat Maggie onmiddellijk misselijk werd. Ze kon lezen. Ze kon prima lezen. Alleen niet zo snel als anderen. En niet als de woorden zo snel bewogen!

Ze besefte dat Robin haar zat aan te staren. 'Oké?'

'O, natuurlijk!' zei Maggie. Ze liep met knikkende knieën naar de x. 'En dan nu,' fluisterde ze zachtjes in zichzelf. Ze schudde haar haar naar achteren en maakte haar lippen vochtig met haar tong. De lampen schenen op haar, genadeloos als vuur. Ze voelde zweet langs haar haarlijn. 'Begin maar wanneer je klaar bent,' riep de cameraman.

'En dan nu,' begon Maggie met een zelfvertrouwen dat ze niet voelde. De woorden begonnen over het scherm te rollen. 'De nieuwste single van de Spice Girls! En...' – o, shit – 'Singel,' fluisterde ze. 'Singél' zei ze hardop. Ze vroeg zich verwilderd af, misschien wel voor de miljoenste keer in haar leven, waarom woorden toch niet werden gespeld zoals je ze uitsprak. De cameraman lachte, alleen niet op een aardige manier. Ze tuurde naar het scherm, bad met hart en ziel of ze het volgende dan toch alsjeblieft goed mocht oplezen. A B. Iets met een B en een Y. Wat? 'Boyz II Men?' ze giste. 'Ja. Motown Philly is weer terug! En...'

De cameraman keek haar nieuwsgierig aan. Net als Robin. 'Voel je je wel goed?' vroeg ze. 'Kun je het scherm wel goed zien? Wil je het nogmaals proberen?'

'En dan nu!' zei Maggie veel te hard. Alstublieft God, dacht ze zo hard ze kon. Ik zal nooit meer om iets vragen, maar laat me dit nu toch alstublieft goed doen. Ze staarde naar het scherm, deed haar uiterste best terwijl de b's veranderden in d's en de w's op hun kop kwamen te staan. 'We hebben heel veel goede muziek, direct na deze commercial...' en nu waren de woorden veranderd in onbegrijpelijke hiëroglyfen en Robin en de cameraman staarden haar aan met een blik die ze maar al te goed van hun gezicht af kon lezen. Medelijden.

'En dan nu, dezelfde stomme shit die we gisteren ook voor jullie draaiden,' snauwde Maggie en draaide op haar hakken om – Rose' hakken – en liep al struikelend naar de deur, sloeg haar handen voor haar gezicht. Ze rende de wachtkamer door, waarbij ze bijna Madam Catsuit omverliep en baande zich een weg door de gang. Ze kon nog net horen hoe Robin zei: 'Volgende!' en 'Laten we opschieten mensen, er zijn er nog veel die aan de beurt moeten komen.'

8

DAAR STOND LEWIS FELDMAN, EEN BOEKET TULPEN IN DE ENE
hand, een doos bonbons in de andere en een gevoel van angst zwaar
als een winterjas op zijn schouders. Werd dit nou nooit gemakkelijker? vroeg hij zich af terwijl hij diep inademde en naar de deur van
Ella Hirsch keek.
'Het ergste wat ze kan zeggen is "nee",' zei hij tegen zichzelf. Hij
pakte de tulpen nu met zijn linkerhand beet en hield de bonbons rechts
en keek naar zijn broek, die gekreukeld was, ondanks zijn verwoede
pogingen in het washok, en boven een van de zakken een verdachte
vlek had, alsof er een pen was gaan lekken – wat waarschijnlijk precies
het geval was geweest, dacht Lewis ontstemd.
Van een 'nee' zou hij niet doodgaan, zei hij tegen zichzelf. Als de
kleine hartaanval die hij drie jaar geleden had gehad hem niet kon
doden, zou de afwijzing van Ella Hirsch dat ook niet kunnen. En er
zwom genoeg vis in de zee, vissen die zo het water uitsprongen, zijn
boot in, voordat hij ook maar aas aan de vishaak had kunnen bevesti-
gen. Maar hij was niet geïnteresseerd in Lois Ziff, die twee weken na
de begrafenis van Sharla langskwam met een cake en een extra knoop-
je van haar blouse open, waardoor 6 centimeter meer te zien was van
haar gerimpelde decolleté. Hij was ook niet geïnteresseerd in Bonnie
Begelman, die vorige maand een enveloppe onder zijn deur door had
geschoven met daarin twee bioscoopkaartjes en een briefje waarin
stond dat ze graag met hem meeging 'wanneer hij er klaar voor was'.
In de dagen na Sharla's overlijden, in de weken dat hij dagelijks bezoek
moest verdragen van wat hij de Ovenschotelbrigade noemde – tien-

tallen vrouwen met bezorgde gezichten en Tupperware, had hij niet gedacht dat hij er ooit aan toe zou zijn, ook al had zij hem haar zegen gegeven. 'Vind weer iemand,' had ze hem gezegd. Ze was voor de laatste keer in het ziekenhuis, dat wisten ze allebei, hoewel ze dat niet tegen elkaar hadden gezegd. Hij hield haar hand vast, de hand zonder infuusnaald, en leunde voorover om het dunne haar van haar voorhoofd te strijken. 'Sharla, laten we ergens anders over praten,' zei hij. Ze had haar hoofd geschud en hem aangekeken, in haar blauwe ogen de bekende twinkeling – een twinkeling die hij weinig meer gezien had sinds de dag dat hij thuis was gekomen en haar stilletjes op de bank had aangetroffen. Hij had haar aangekeken en wist het, zelfs voordat ze haar hoofd had opgeheven, zelfs voordat zij het hem had gezegd. *Het is terug. De kanker is teruggekomen.*

'Ik wil niet dat je alleen bent,' zei ze. 'Ik wil niet dat je in zo'n onaangename weduwnaar verandert. Je zult te veel natrium binnenkrijgen.'

'Is dat het enige waarover je je zorgen maakt?' plaagde hij. 'Mijn natriumgehalte?'

'Zulke mannen worden vervelend,' zei ze. Haar ogen gleden langzaam dicht. Hij hield het rietje tegen haar lippen, zodat ze kon drinken. 'Intolerant en knorrig. Ik wil niet dat jou dat overkomt.' Haar stem viel weg. 'Ik wil dat je iemand vindt.'

'Heb je al iemand in gedachten?' plaagde hij. 'Is jou al iemand opgevallen?'

Ze gaf geen antwoord meer. Hij dacht dat ze in slaap was gevallen – de oogleden dicht, haar magere borst die langzaam steeg en daalde onder de verse verbanden – maar ze zei nog iets anders tegen hem. 'Ik wil dat je gelukkig bent,' zei ze, bij elk woord opnieuw naar adem happend. Hij boog zijn hoofd, bang dat wanneer hij zijn vrouw zou aankijken, van wie hij drieënvijftig jaar hield, hij zou gaan huilen en niet meer kon stoppen. Hij bleef bij haar bed zitten en hield haar hand vast en fluisterde in haar oor hoeveel hij van haar hield. Toen ze doodging, dacht hij dat hij nooit naar een andere vrouw zou willen kijken. De buurvrouwen met hun cake en decolletés deden hem niets. Niemand had zijn aandacht getrokken – tot nu toe.

Niet dat Ella hem aan Sharla herinnerde – in ieder geval fysiek niet. Sharla was klein, en toen ze ouder werd, werd ze alleen maar kleiner.

Zij had ronde, blauwe ogen en kortgeknipt, blond haar, een te grote neus en een te grote kont, die haar vaak deed wanhopen, en zij hield van koraalrode lippenstift en namaakjuwelen: kettingen van gekleurde glazen kralen, hangers in haar oren die glitterden als ze bewoog. Ze deed hem herinneren aan een klein, exotisch vogeltje met iriserende veren en een hoog, zoetgevooisd stemmetje. Ella was anders. Ze was groter, met fijne gelaatstrekken – een scherpe neus, een krachtige kaaklijn en lange, kastanjebruine lokken die ze vaak opstak, ook al hadden alle vrouwen in Golden Acres kort haar. Ella deed hem een beetje denken aan Katharine Hepburn – een joodse Katharine Hepburn, niet zo koninklijk als zij, of zo angstaanjagend, maar een Hepburn die zich verloren had in een geheime melancholie.

'Hepburn,' mompelde hij. Hij schudde zijn hoofd om zijn eigen dwaasheid en beklom de treden. Hij wou dat zijn overhemd niet zo gekreukeld was. Hij wou dat hij een hoed had.

'Zeg, hallo!'

Lewis schrok zo, dat hij een sprongetje in de lucht maakte. Het was niet Ella.

'Mavis Gold,' zei de vrouw. 'En waar ga jij zo gekleed naartoe?'

'O, gewoon...'

Mavis Gold klapte in haar handen, waardoor haar gebruinde bovenarmen juichend meedeinden. 'Ella!' fluisterde ze – zo luid dat de auto's op de snelweg het waarschijnlijk konden horen, dacht Lewis. Ze gleed met een vingertop goedkeurend over een tulp. 'Ze zijn prachtig. Je bent een echte heer.' Mavis straalde, kuste hem op de wang en veegde met een duim haar lippenstift weg. 'Toi toi toi!'

Hij knikte, haalde diep adem, schoof weer met de cadeautjes en trok aan de tuimelaar van de bel. Hij probeerde te horen of er een radio of televisie aanstond, maar hoorde niets anders dan de snelle voetstappen van Ella op de vloer.

Ze deed de deur open en keek hem verbijsterd aan. 'Lewis?'

Hij knikte, niet in staat te praten. Ze droeg een blauwe spijkerbroek, eentje met pijpen tot halverwege haar kuiten, een witte blouse los over haar broek en geen schoenen. Haar voeten waren bloot, lang en bleek, prachtig gevormd, met nagellak in paarlemoer. Vanwege haar voeten wilde hij haar kussen. Maar hij kon alleen maar slikken.

'Hallo,' zei hij. Zo. Dat was een begin.

Er verscheen een rimpel tussen Ella's wenkbrauwen. 'Was het gedicht te lang?'

'Nee, nee, het gedicht was prima. Ik ben hier omdat... tja, ik vroeg me af of...'

Kom op ouwe! zei hij in zichzelf. Hij had een oorlog meegemaakt, hij had zijn echtgenote begraven, hij had toegekeken hoe zijn oudste zoon een Republikein werd met een bumpersticker van de rechtse radiopresentator Rush Limbaugh achter op zijn busje. Hij had ergere dingen overleefd dan dit. 'Zou je een keer met mij uit eten willen?' Hij zag al voordat het gebeurde dat ze van plan was nee te schudden. 'Ik... ik denk het niet.'

'Waarom niet?' zei hij luider dan zijn bedoeling was.

Ella zuchtte. Lewis maakte van deze korte stilte gebruik: 'Is 't goed als ik binnenkom?' vroeg hij.

Ze keek aarzelend terwijl ze de deur verder opende en hem binnenliet.

Zij had haar appartement niet zo vol als de meeste andere mensen in Golden Acres, die hadden geprobeerd om al hun bezittingen uit hun hele leven in de kleine woninkjes van de enclave te proppen. Het appartement van Ella had beige tegelvloeren, roomkleurige muren, een witte bank waarvan Lewis vond dat die in theorie leuker was dan in de praktijk, zeker als je kleinkinderen had, want die hielden van druivensap.

Hij ging aan de ene kant van de bank zitten. Ella zette zich aan de andere kant, terwijl ze zenuwachtig probeerde haar blote voeten uit het zicht te houden.

'Lewis,' begon ze.

Hij stond op.

'Ga alsjeblieft niet weg. Laat me het uitleggen,' zei ze.

'Ik ga niet weg, ik ga een vaas pakken,' zei hij terug.

'Wacht,' zei ze, verontrust bij het idee dat hij in haar spullen ging snuffelen. 'Ik doe het wel.' Ze snelde de keuken in en pakte een vaas uit een kastje. Lewis vulde die met water, deed de tulpen erin, ging terug naar de woonkamer en zette de vaas op de salontafel.

'Zo,' zei hij. 'Als je van plan bent "nee" te zeggen, zul je elke dag met een schuldgevoel naar deze tulpen kijken,' zei hij.

Even leek het of er een glimlach op haar gezicht verscheen... maar die was snel weer verdwenen, alsof hij het zich had verbeeld.

'Het zit namelijk zo,' begon ze.

'Wacht even,' zei hij. Hij maakte de doos bonbons open en haalde de kaart waarop de bonbons stonden beschreven, eruit. 'Jij mag eerst,' zei hij.

Ze wuifde de doos weg. 'Nee echt, ik kan niet...'

Hij zette zijn bril op en vouwde de kaart open. 'De donkere choco-ladehartjes hebben een hart van kers,' las hij voor. 'En die ronde zijn van noga.'

'Lewis,' zei ze resoluut. 'Je bent een leuke man en...'

'Maar,' zei hij. 'Ik hoor een "maar" komen.' Hij stond weer op, ging naar de keuken en zette water op. 'Waar is je nette servies?' riep hij.

'O,' zei ze en snelde naar hem toe.

'Maak je niet druk,' zei hij, 'Ik zet alleen maar een kopje thee voor ons.'

Ella keek hem aan, vervolgens naar de ketel. 'Goed,' zei ze en pakte twee kopjes met daarop de Broward County Public Library van een plank. Lewis deed de theezakjes in de koppen, vond de suikerpot (vol zakjes zoetjes) en zette die op tafel, naast een fles lactosevrije melk.

'Ben je altijd al zo handig?' vroeg ze.

'Nee,' zei hij. Hij opende de koelkast, vond een citroen achter in haar groentela en sneed die in plakjes terwijl hij doorpraatte. 'Maar toen mijn vrouw ziek werd, wist ze... eh... ze wist het gewoon. Dus leerde ze het me.'

'Mis je haar?' vroeg Ella.

'Iedere dag,' zei hij. 'Ik mis haar iedere dag.' Hij zette haar kopje op een schotel en bracht die naar de tafel. 'En jij?'

'Ik heb jouw vrouw nooit ontmoet, dus ik kan niet zeggen dat ik haar mis...'

'Een grapje!' Hij klapte en ging naast haar zitten. Hij bekeek de tafel. 'Ik vind dat er nog iets mist,' zei hij. Hij opende de vriezer van Ella. 'Mag ik?'

Ze knikte een beetje verbijsterd. Hij rommelde erin en vond een doos die hij onmiddellijk herkende als een bevroren taart van Sara Lee. Sharla was daar altijd dol op. Hij was regelmatig 's nachts wakker geworden en had haar aangetroffen voor de televisie, terwijl ze naar *infomercials* keek en een stuk ontdooide cake at. Meestal was dat na afloop van een van haar grapefruit-en-tonijndiëten. Ze kwam dan weer naar bed met een schuldige glimlach en een mond die proefde naar boter. 'Kus me,' fluisterde ze dan, terwijl ze haar nachtjapon uit-deed. 'Laten we een paar van die slechte calorieën verbranden.'

Hij gaf de cake aan Ella. 'Oké?'

Ze knikte en zette de cake in de magnetron. Lewis nipte van zijn thee en keek toe hoe ze bezig was. Haar heupen leken echt, dacht hij

75

en lachte in zichzelf over het feit dat hem zoiets opviel. Adam, zijn kleinzoon, had hem bij zijn laatste bezoek verteld dat hij kon zien of een vrouw echte borsten had of niet en Lewis had besloten dat hij hetzelfde talent had wat heupen betrof.

'Waar lach je om?'

Hij haalde zijn schouders op. 'Mijn kleinzoon.'

Haar gezicht vertrok. Maar ze herstelde zich zo snel, dat hij niet zeker was of hij het goed had gezien, die wanhoop in haar gezicht. Hij wilde haar hand vasthouden en vragen wat er scheelde, wat haar zo'n pijn deed dat ze zo verstarde. Hij had zijn handen al over de tafel uitgestrekt, toen hij merkte dat ze omlaag keek, alsof er net een kakkerlak uit de cake was gekropen.

'Wat is er?'

Ze wees naar de manchetten van zijn overhemd. Lewis keek ook. De ene manchet miste een knoop en de andere was versleten en had een bruinige kleur.

'Heb je die verbrand?' vroeg Ella.

'Ik denk het,' zei Lewis. 'Ik ben niet zo goed in strijken.'

'O,' zei Ella. 'Ik zou...' Ze hield plots haar mond en streek met een hand door haar haar, blozend. Lewis greep zijn kans, een bootje op de woeste golven, en liet die niet meer los.

'Het mij kunnen leren?' vroeg hij nederig. Vergeef me, Sharla, dacht hij, en bedacht dat hij de aanwijzingen die zij voor hem had achtergelaten, de dozen en flessen met hun etiketten 'voor bonte was', 'voor witgoed' en 'in de droger', zou moeten verstoppen.

Ella aarzelde. 'Tja,' zei ze. De magnetron piepte. Lewis pakte de cake eruit. Hij sneed een plak af voor Ella en toen een voor hemzelf.

'Ik begrijp dat het een zware taak is,' zei hij, 'en ik weet hoe druk je het hebt. Maar nadat mijn vrouw is overleden, heb ik gemerkt hoe onbeholpen ik soms ben. Vorige week heb ik nog lopen denken of het niet gemakkelijk is om gewoon elke maand nieuwe kleren te kopen...'

'Nee, dat moet je niet doen!' zei Ella. 'Ik help je wel.' Hij kon zien dat ze niet gemakkelijk tot dat besluit was gekomen, dat er een strijd in haar woedde, dat haar plichtsbesef en gevoel voor medeleven in gevecht waren met haar sterke, onverklaarbare wens om alleen te zijn.

'Wacht, ik pak even mijn agenda.'

Haar agenda bleek een tien centimeter dik boekwerk te zijn vol roosters, krabbels en pijlen en vol telefoonnummers en Post-it-briefjes. 'Eens kijken,' zei Ella, terwijl ze aandachtig elke bladzijde doornam. 'Op woensdagen ben ik in het ziekenhuis...'

'Is er iets ernstigs met je?'

'Nee hoor, ik wieg baby's,' zei Ella. 'Donderdag werk ik in het dierenasiel, daarna in het verpleegtehuis, vrijdag is Tafeltje-Dek-je...'

'Zaterdag?' vroeg Lewis. 'Niet om je bang te maken, maar ik ben bijna door mijn ondergoed heen.'

Ella maakte een geluid achter in haar keel, dat veel weg had van een lach.

'Zaterdag,' stemde ze toe.

'Goed,' zei hij. 'Vijf uur? Dan neem ik je daarna mee uit eten.'

Hij was de deur uit voordat ze iets wist terug te zeggen en toen hij fluitend de gang op liep, verbaasde het hem niets dat hij Mavis Gold tegenkwam, die beweerde dat ze op weg was naar het washok, ondanks het feit dat ze geen was bij zich had.

'Hoe ging het?' fluisterde ze. Hij stak zijn duimen omhoog en glimlachte toen ze in haar handen klapte. Toen ging hij snel naar huis om inkt op zijn broeken te knoeien en knopen van zijn favoriete overhemd te trekken.

9

'OKÉ,' RIEP ROSE VANAF HAAR STOEL VOOR DE COMPUTER. 'JE NAAM heb ik. Voor het adres mag je mijn adres gebruiken.' Haar vingers vlogen over het toetsenbord. 'Doel?'

'Een baan vinden,' zei Maggie die op de bank lag met op haar gezicht een dikke laag smurrie, een poriën reducerend masker, had ze haar zus uitgelegd.

'Als we nu eens invullen "een baan in de detailhandel"?' vroeg Rose.

'Ook goed,' zei Maggie en zette de tv aan. Het was zaterdagochtend, vijf dagen na haar beschamende auditie, en MTV kondigde juist de winnares van de vj-wedstrijd aan: een mooie, vrolijke brunette met een piercing in haar wenkbrauw. 'En dan nu, de nieuwste single van de Spice Girls!' snaterde het meisje. Maggie zapte snel verder.

'Hé,' zei Rose. 'Ik probeer je te helpen. Kun je misschien even je aandacht hierbij houden?'

Maggie maakte een snuivend geluid en zette de tv uit.

'Werkervaring,' las Rose op.

'Wat?'

'Je weet wel, je andere baantjes. Je wilt toch niet zeggen dat je nog nooit een cv hebt ingevuld?'

'Natuurlijk wel,' zei Maggie. 'Zo vaak. Net zo vaak als jij naar de sportschool gaat.'

'Andere baantjes,' herhaalde Rose.

Maggie staarde verlangend naar de sigaretten in haar tas, maar als ze er een zou opsteken, begon Rose vast weer te preken over longkanker of te zeiken over 'mijn huis mijn regels'. 'Oké,' zei ze en sloot haar

78

ogen. 'T.J. Maxx,' begon ze. 'Zes weken. Van oktober tot vlak voor Thanksgiving.' Ze zuchtte. Ze vond die baan echt leuk. En ze deed het goed.

Toen ze bij de paskamers werkte, was dat voor haar niet slechts een kwestie van plastic labels uitreiken aan klanten en hun de paskamer wijzen, maar nam ze de kleding aan, leidde ze de klanten naar de kamertjes, hield ze het hokje voor hen open en hing de kleding netjes aan een haakje, zoals ze dat altijd bij de chique warenhuizen en boetieks in het centrum deden. En als de vrouwen dan het pashokje uitkwamen en zich van alle kanten voor de driestandenspiegel bekeken, nog even een riem aantrokken of een shirt uit hun broek haalden, stond Maggie voor hen klaar, deed suggesties, vertelde hun eerlijk (maar tactisch) wanneer een kledingstuk niet zo mooi stond en haalde toen snel een andere maat of kleur uit de rekken, of een geheel ander kledingstuk, iets totaal anders, iets waarvan ze nooit hadden gedacht dat ze zoiets zouden dragen, maar waarin Maggie wel iets creatiefs zag. 'Je bent een schat!' zei een dame ooit, een slanke, lange vrouw met zwarte haren, die alles stond, maar er vooral geweldig uitzag in de kleding die Maggie voor haar had uitgezocht: een zwart jurkje met een perfecte zwartleren tas, zwarte pumps met open hiel en een gouden schakelriem die ze uit de uitverkoopbak had gevist. 'Ik ga de manager vertellen hoe goed je mij hebt geholpen!'

'Waardoor kwam dat?' vroeg Rose.

Maggie hield haar ogen dicht. 'Ik heb ontslag genomen,' mompelde ze. Wat er werkelijk was gebeurd, was wat meestal met haar banen gebeurde – alles liep voorspoedig tot ze ergens tegen aanliep. Er was altijd wel wat. In dit geval was het de kassa. Ze scande een coupon voor 10 procent korting, maar de kassa sloeg het niet aan. 'Kun je dat dan niet handmatig doen?' vroeg de klant. Maggie had haar fronsend aangekeken en naar het totaalbedrag gestaard. Honderdtweeënveertig dollar. Dus 10 procent was... Ze beet op haar lip. 'Veertien dollar!' zei de vrouw. 'Kom op zeg!' Waarna Maggie langzaam haar rug rechtte, de manager oppiepte en de volgende klant begon te helpen met een lieve glimlach.

'Kan ik u helpen?'

'Hé!' zei de vrouw-van-10-procent. 'Je bent nog niet klaar hier!'

Maggie negeerde haar en de volgende klant legde haar truien en broeken op de balie. Maggie opende een plastic tas. Ze wist wat er ging komen. De vrouw zou haar voor stommerd uitmaken. En dat zou Maggie nooit pikken. Ze wilde hier niet eens zijn. Haar talenten werden verspild bij de kassa, zij kon haar tijd beter besteden bij de paskamers, waar ze mensen daadwerkelijk kon helpen, in plaats van als een robot de scanner te bedienen.

De cheffin kwam aangesneld, de kassasleutels rammelend tegen haar borst. 'Wat is het probleem?'

De vrouw van de 10 procent korting wees naar Maggie. 'Ze kon mijn kortingscoupon niet aanslaan.'

'Maggie, wat is het probleem?'

'Het lukte niet,' mompelde Maggie.

'Goed, 10 procent,' zei de chef. 'Veertien dollar!'

'Sorry,' mompelde Maggie starend naar de vloer, terwijl de klant met haar ogen rolde. Toen haar dienst erop zat en de cheffin had gezegd dat ze een rekenmachine kon gebruiken en dat ze altijd om hulp kon vragen, had Maggie haar polyester shirt uitgetrokken, haar naamplaatje op de grond gegooid en was de deur uitgelopen.

'Goed,' zei Rose. 'Maar als ze... zeg maar dat je die baan niet uitdagend genoeg vond.'

'Prima,' zei Maggie en staarde naar het plafond, alsof de hoogtepunten van haar carrière daar te lezen waren, een winkel-en-snackbarversie van de Sixtijnse kapel. 'Voor T.J. Maxx heb ik bij The Gap gewerkt, en daarvoor bij Pomodoro Pizza en dáárvoor bij Starbucks in Walnut Street en ik heb ook bij The Limited gewerkt – nee, wacht, dat klopt niet, ik werkte eerst bij Urban Outfitters en daarvoor bij Limited, en...'

Rose was als een bezetene aan het typen.

'Bij Banana Republic,' ging Maggie door. 'Bij Macy's op de afdeling accessoires, de afdeling parfum, bij Cinnabon, Chik-Fil-A, Baskin-Robbins...'

'En dat restaurant? The Canal House?'

Maggie rilde. Alles ging van een leien dakje in het Canal House tot Charles, de manager op zondagen, zich steeds met haar bemoeide. 'Margarét, de zoutvaatjes zijn niet bijgevuld.' 'Margarét, je moet de hulpkelner even helpen.' Ze vertelde steeds weer dat ze geen Margaret heette – gewoon Maggie – maar hij negeerde haar een maand lang, tot ze een plannetje had bedacht om wraak te nemen. Op een nacht in mei waren zij en haar toenmalige vriendje het dak op gegaan en hadden de c van de naam losgewrikt. De volgende dag kwamen tientallen vrouwen op hun paasbest brunchen vanwege moederdag in het Anal House.

'Ik heb daar ontslag genomen,' zei Maggie. Voor ze mij konden ontslaan, dacht ze.

'Goed,' zei Rose, die naar het beeldscherm tuurde. 'We moeten een beetje gaan selecteren.'

'Wat jij wilt,' zei Maggie en liep naar de badkamer, waar ze de klei van haar gezicht waste. Haar werkervaring was niet je van het, maar wat dan nog? dacht ze woedend. Dat betekende nog niet dat ze geen harde werker was! Dat betekende nog niet dat ze het niet probeerde! Haar zus bonkte op de deur. 'Maggie, ben je bijna klaar? Ik moet nog douchen.'

Maggie sloeg een handdoek om haar haar, een andere rond haar lichaam en liep terug naar de bank, knipte de tv weer aan en ging voor de computer zitten. Terwijl Rose onder de douche stond, sloeg Maggie haar cv op, opende een nieuw document en begon een lijstje te typen voor Rose. *Regelmatig bewegen (aerobics en halters). Regelmatig gezichtsbehandelingen nemen. Meedoen aan het afslankprogramma van Jenny Craig (ze doen een special!),* typte ze grinnikend en ze voegde een artikel toe over de operatie van Carnie Wilson, de dochter van Brian Wilson, die veel te dik was. Ze nam een sigaret tussen haar lippen en sloop de deur uit, nadat ze de lijst had uitgeprint en op de stoel van Rose had neergelegd en het artikel ('Ster verliest de helft van haar gewicht!') op het scherm had gezet, zodat Rose dat als eerste zag als ze thuiskwam van haar werk.

'Doe de deur achter je op slot!' riep Rose uit haar slaapkamer. Maggie negeerde haar. Als zij zo slim was, kon ze haar eigen deur wel afsluiten, dacht ze, en liep de gang in.

'Advocaat?' De jongen met baard staarde Rose aan. 'Hé, hoe noem je zes advocaten op de bodem van de oceaan?'

Rose haalde haar schouders op en keek reikhalzend naar de voordeur van Amy, in de hoop dat Jim eraan kwam.

'Een goed begin!' bulderde de jongen.

Rose knipperde met haar ogen. 'Ik snap 'm niet,' zei ze.

Hij staarde haar aan, er niet zeker van of ze hem voor de gek hield.

'Ik begrijp het niet. Ik bedoel, waarom zitten die advocaten op de bodem van de oceaan. Zijn ze aan het snorkelen of zo?'

Nu keek de jongen werkelijk ongemakkelijk. Rose fronste haar voorhoofd. 'Wacht… zijn ze op de bodem van de oceaan omdat ze zijn verdronken?'

'Eh, ja,' zei de jongen, die met een nagel het etiket van zijn biertje aan het lospeuteren was.

'Oké,' zei Rose langzaam. 'Dus er liggen zes dode, verdronken advocaten op de bodem van de zee...' Ze wachtte even en keek de jongen verwachtingsvol aan.

'Het was maar een grap,' zei hij.

'Maar ık begrijp niet wat er zo lollig aan is,' zei ze.

De jongen deed twee stappen achteruit.

'Wacht,' zei Rose. 'Wacht! Je moet dit eerst aan me uitleggen!'

'Ik ben even... eh,' zei de jongen. Hij liep zijwaarts naar de bar. Amy keek haar bestraffend aan en schudde met haar hoofd. Ze vormde de woorden 'stoute meid' met haar lippen, haar wijsvinger opgeheven. Rose haalde haar schouders op. Ze was doorgaans niet zo gemeen en humeurig, maar Jim was zo laat – en Maggie bivakkeerde al drie weken in haar appartement.

Rose keek haar beste vriendin toegenegen aan en bedacht dat in ieder geval één van hen sinds de ellendige brugklas was veranderd. In de derde klas was Amy één meter tachtig lang en woog ze misschien niet meer dan 55 kilo en de jongens in haar klas noemden haar bonenstaak – kortweg Stakie. Maar Amy had geen moeite met haar slungelige lijf. Nu leken haar knokige polsen kostbare juwelen en haar fijne botten van haar gezicht en heupen leken ongewone kunstwerken. Op de universiteit droeg ze dreadlocks, maar na haar afstuderen knipte ze rigoureus haar haar af en verfde het donkerrood. Ze droeg strakke zwarte topjes en lange, zwarte spijkerbroeken en ze zag er schitterend uit. Exotisch, mysterieus en sexy, zelfs als ze haar mond opende en haar vette Jersey-accent te horen was. Amy had altijd minstens een vriendje of vijf, ex-vriendjes en potentiële vriendjes, die in de rij stonden om haar op pizza te trakteren en naar haar te luisteren als ze een uiteenzetting gaf over de hiphopmuziek in Amerika.

Bovendien was ze scheikundige – een vak dat bij onbekenden die ze op feestjes ontmoette in ieder geval altijd wel een paar vragen opriep – terwijl Rose advocaat was, waarop ze meestal twee soorten reacties kreeg: zoals net van meneer Advocatenmop, of het soort reactie dat zo uit de mond zou komen van de lange, bleke jongen met bril, die net naast haar op de bank was gaan zitten, terwijl ze zo lekker in haar eentje met een schaal kaaszoutjes zat.

'Amy zei dat je advocaat was,' begon hij. 'Weet je, ik zit zelf met een juridisch probleem.'

Natuurlijk, dacht Rose, een glimlach om haar lippen. Ze keek naar de klok. Bijna elf uur. Waar bleef Jim nou toch?

'Kijk, het gaat om een boom,' zei de jongen. 'Die groeit op mijn grond, begrijp je? Maar de bladeren vallen vooral in de tuin van mijn buurman...'

Ja, ja, ja, dacht Rose. En jullie zijn beiden te lui om die klotebladeren op te harken. Of buurman heeft de boom omgehakt zonder jouw toestemming. En in plaats van met elkaar te overleggen over de boom, zoals normale mensen doen, of, god verhoede, zelf een advocaat in de arm te nemen, wil je je beklag bij mij doen.

'Neem me niet kwalijk,' mompelde Rose. Ze onderbrak de jongen midden in zijn relaas en wrong zich tussen de mensen door op zoek naar Amy, die ze in de keuken vond. Amy leunde tegen de koelkast, een glas wijn in haar hand, hoofd achterover, en lachte om wat de jongen bij haar zei.

'Hé Dan,' teemde Amy. 'Dit is mijn vriendin Rose.'

Dan was lang, donker en verrukkelijk. 'Aangenaam,' zei hij. Rose lachte flauwtjes en hield haar tasje – met daarin haar mobieltje – stevig vast. Ze moest Jim spreken. Hij was de enige die haar kon troosten en aan het lachen kon krijgen, en haar ervan kon overtuigen dat het leven niet zinloos was en dat de wereld niet vol zat met moppen tappende idioten en proces-zieke boomeigenaars. Waar was hij?

Ze ging een eindje van Dan vandaan staan en voelde in haar tasje.

'Vergeet dat maar,' zei Amy streng. 'Niet achteraan jagen. Dat doet een dame niet. Weet je nog? Mannen willen graag jagen, prooidieren willen dat niet.' Amy pakte het mobieltje uit de hand van Rose en verving die door een lepel met een gleuf erin. 'Knoedels,' zei ze en duwde Rose in de richting van het fornuis, waar een pan kokend water opstond.

'Wat heb jij eigenlijk tegen Jim?' vroeg Rose

Amy staarde naar het plafond en keek Rose weer aan. 'Het gaat me niet om hem, maar om jou. Ik maak me zorgen om je.'

'Waarom?'

'Ik ben bang dat je meer in de relatie steekt dan hij. Ik wil niet dat je gekwetst wordt.'

Rose opende haar mond, maar sloot hem weer snel. Hoe kon ze Amy ervan overtuigen dat Jim net zoveel in hun relatie stopte als zij, als Jim er niet eens was? En er was nog iets, iets wat in haar achterhoofd bleef rondspoken, iets wat te maken had met die avond dat hij

83

zo laat bij haar kwam, met zijn armen vol bloemen. Hij rook toen naar whisky en rozen en vaag naar iets anders. Parfum? dacht ze, maar bande die gedachte snel uit en zei in gedachten 'nee'.

'En is hij niet je baas?'

'Niet echt,' zei Rose. Jim was net zomin haar baas als de andere partners op kantoor. Wat betekende dat hij toch wel een beetje haar baas was. Rose moest slikken, bewaarde die gedachte ergens ver weg in haar achterhoofd en stoomde een portie garnalenknoedels. Toen Amy zich omdraaide, pakte ze haar tas, liep snel door de gang, die met Afrikaanse maskers was versierd, en sloot zich op in de badkamer op de benedenverdieping. Ze toetste het nummer van Jim in. Geen gehoor. Ze toetste haar eigen nummer in. Misschien had hij het verkeerd begrepen en was hij bij haar langsgegaan in plaats van naar Amy.

'Hallo?'

Verdorie. Maggie. 'Hoi,' zei Rose. 'Ik ben het. Heeft Jim gebeld?'

'Nee hoor,' zei Maggie.

'Oké, als hij nog belt, zeg hem dan... zeg hem dat ik hem later wel zie.'

'Ik ben er dan waarschijnlijk niet meer. Ik sta op het punt weg te gaan,' zei Maggie.

'O,' zei Rose. Ze wilde van alles vragen: Waar naartoe? Met welke vrienden? Met wiens geld? Ze hield zich met moeite in. Als ze vragen ging stellen, zou Maggie alleen maar boos worden en een boze Maggie op stap had hetzelfde effect als een geladen geweer geven aan een tweejarige.

'Sluit je af als je weggaat,' zei ze.

'Doe ik.'

'En doe alsjeblieft mijn schoenen uit,' zei Rose.

Er volgde een pauze. 'Ik heb geen schoenen van jou aan,' zei Maggie.

Tuurlijk niet, omdat je ze net uitdeed, dacht Rose. 'Veel plezier,' zei ze in plaats daarvan. Maggie beloofde dat dat wel zou lukken. Rose gooide koud water in haar gezicht en hield haar polsen onder de kraan. Ze keek in de spiegel. Haar mascara was uitgelopen. Haar lippenstift was verdwenen. En ze zat op een feestje knoedels te stomen, alleen. Waar was hij nou toch?

Rose opende de deur en probeerde zich langs Amy te wurmen, die in de deuropening stond met haar armen over haar knokige borst geslagen. 'Heb je hem gebeld?' vroeg ze.

'Wie?' vroeg Rose.

Amy lachte. 'Je bent nog steeds even slecht in liegen als toen die keer dat je verliefd was op Hal Ruhnquist.' Ze pakte een servetje en veegde de mascara onder de ogen van Rose weg.

'Ik was nooit verliefd op Hal Lindquist!'

'Ja ja. Je schreef zeker alleen maar elke dag in je wiskundeschrift precies op wat hij aanhad omdat je voor het nageslacht wilde vastleggen wat Hal Lindquist in 1984 droeg.'

Rose lachte om zichzelf. 'Vertel eens, welke jongen op dit feest is nu jouw scharrel?'

Amy trok een gezicht. 'Niet vragen. Het had Trevor moeten zijn.'

Rose probeerde zich te herinneren wat Amy haar over Trevor had gezegd. 'Is hij hier?'

'Zeker niet!' zei Amy. 'Moet je horen – we gingen uit eten.'

'Waar?' vroeg Rose plichtmatig.

'Bij Tangerine. Heerlijk. En we zitten daar, de lichten zijn gedempt en de wijn staat gekoeld. De kaarsen branden en ik heb nog geen couscous geknoeid en dan vertelt hij me waarom het met zijn vorige vriendin was stukgelopen. Hij had klaarblijkelijk een nieuwe hobby.'

'Wat voor hobby?'

'Poep,' zei Amy met een strak gezicht.

'Wat?'

'Je hebt me wel verstaan. Ontlastende materialen.'

'Je meent het,' zei Rose geschokt.

'Ja joh, dát is pas shit,' zei Amy met stalen gezicht. 'En daar zat ik dus, werkelijk totaal geschokt. Je begrijpt dat ik geen hap meer door mijn keel kreeg en de rest van de avond moest ik alle mogelijke moeite doen om geen wind te laten, anders dacht hij misschien dat ik met hem flirtte...'

Rose begon te lachen.

'Kom op,' zei Amy. Ze stopte het servet in haar zak en duwde Rose een biertje in haar hand. 'Meng je in het feestgedruis.'

Rose ging terug naar de keuken, verwarmde een dipsausje voor de artisjokken, vulde het crackermandje aan en praatte met een van de aanbidders van Amy, hoewel ze na dat gesprek geen flauw benul meer had waar ze het over hadden gehad. Ze verlangde naar Jim – die, gezien de feiten, niet naar haar verlangde.

85

10

JIM DANVERS DEED ZIJN OGEN OPEN EN DACHT HETZELFDE WAT HIJ iedere ochtend dacht: vandaag zal ik goed zijn. Leid mij niet in verzoeking, reciteerde hij, terwijl hij het scheerapparaat over zijn kaaklijn bewoog, zichzelf streng aankijkend in de badkamerspiegel. Ga weg van mij, Satan, zei hij terwijl hij zijn broek aantrok. Het probleem was echter dat Satan overal was. De verleiding lag om elke hoek. Daar bijvoorbeeld, leunend tegen de muur, wachtend op de bus. Jim liet het gaspedaal van zijn Lexus terugkomen en bekeek de blondine in haar strakke spijkerbroek eens goed. Hij vroeg zich af hoe haar lichaam eruitzag onder haar dikke winterjas, hoe ze zich in bed bewoog, hoe ze rook, hoe ze klonk en wat er voor nodig was om daar achter te komen.

Stop, beval hij zichzelf, kappen nu, en zette de radio aan. Howard Stern vulde de auto met zijn lekkere stem, wijs en alwetend. 'Zijn die echt, schatje?' vroeg hij aan het sterretje van die ochtend. 'Echte siliconen,' giechelde zij. Jim moest slikken en zocht de klassieke zender op. Het was zo oneerlijk. Al vanaf het moment dat een gênante natte droom in de derde nacht van een scoutingkamp bij hem op twaalfjarige leeftijd de puberteit had ingeluid, had hij de wildste dromen over vrouwen, als een uitgehongerde man op een onbewoond eiland met culinaire tijdschriften. Over blondines, brunettes en roodharigen, over lenige meisjes met kleine borstjes en over kleine, veerkrachtige mollige meisjes, zwarte meisjes, Latino's, Aziatische, blanke, jonge, oude en alles daartussenin en zelfs, God sta hem bij, over een leuk ogend meisje met beugels om haar benen, die hij had gezien bij de tv-marathon van Jerry Lewis – in zijn fantasiewereld was Jim Danvers een werkgever die niet discrimineerde.

En hij kreeg ze nooit, die meisjes. Niet op zijn twaalfde, toen hij klein en gezet was en altijd buiten adem. Niet op zijn veertiende, toen hij nog steeds klein was en niet langer gezet, maar dik en zijn gezicht volgens dokter Guberman vol zat met de ernstigste vorm van acne die hij ooit had gezien. Op zijn zestiende groeide hij vijftien centimeter, maar het kwaad was al geschied en zijn bijnaam Puddinkje Walvis volgde hem helaas naar de universiteit. Daarna volgde de klassieke vicieuze cirkel – hij voelde zich ellendig vanwege zijn gewicht. Hij at om zijn ellende te vergeten, at pizza en dronk bier, wat hem alleen maar dikker maakte, waardoor hij de vrouwen alleen maar nog meer afstootte. Hij verloor zijn maagdelijkheid in het laatste jaar aan een prostituee die hem van top tot teen bekeek, en erop stond dat zij bovenop ging. 'Niet om het een of ander, schat,' had ze gezegd, 'maar ik denk dat er anders iemand aansprakelijk zal worden gesteld.'

Law School zou anders gaan, dacht hij terwijl hij luisterde naar de geruststellende klanken van Bach. Hij was nog langer geworden en na de gênante tien minuten met de prostituee was hij gaan hardlopen, de route die Rocky door de straten van Philadelphia liep (hoewel hij er vrijwel zeker van was dat zelfs Rocky in het begin niet veel verder was gekomen dan drie straten, voordat hij moest stoppen om op adem te komen). Hij verloor gewicht. Zijn huid herstelde zich en liet slechts vage, maar interessante littekens na, en hij liet zijn tanden rechtzetten. Wat nog restte was een fnuikende verlegenheid, een verlammend gebrek aan eigendunk. Toen hij een twintiger was en langzaamaan opklom bij Lewis, Dommel en Fenick, had hij altijd het gevoel dat wanneer hij vrouwen hoorde lachen, ze om hem lachten, of hem uitlachten.

En toen veranderde alles op de een of andere manier totaal. Hij herinnerde zich de avond nog dat hij partner was geworden. Hij was samen met drie andere collega's die ook partner waren geworden op weg naar een Ierse pub in Walnut Street. 'Het is Nanny Night,' had een van hen gezegd. Hij had Jim een veelbetekenende knipoog gegeven. Wat was Nanny Night? Maar Jim kwam er snel genoeg achter. De pub puilde uit van de Ierse meisjes, blauwogige Zweedse meisjes, Finse meisjes met vlechtjes. Allerlei zangerige accenten waren te horen boven de bar van mahonie met koper. Jim was sprakeloos toen hij al dat prachtigs zag. Hij stond in een hoekje en dronk champagne en bier lang nadat zijn collega's naar huis waren gegaan. Hij staarde hulpeloos naar de giechelende meiden die over hun rekening klaagden. Op weg naar het toilet botste hij tegen een roodharige schoonheid met sproeten en twinkelende blauwe ogen op. 'Rustig aan!' zei ze lachend, terwijl hij 'sorry' mompelde. Ze heette Maeve en ze kreeg hem uiteindelijk mee naar haar tafeltje. 'Een partner!' kirde ze tegen haar goedkeurend kijkende vriendinnen. 'Gefeliciteerd!' En op de een of andere manier kwamen ze in zijn appartement terecht, waar ze een aangename zes uur met elkaar in bed doorbrachten, waarin nog nooit twee lijven tegelijk hadden gelegen. Hij likte haar sproeten, vulde zijn handen met het knapperende vuur van haar haar.

Daarna werd hij een slet. Ook al klonk dat raar bij een man, maar iets anders kon hij het niet noemen. Hij was geen Don Juan of Romeo en hij was ook geen dekhengst. Hij was een slet, die elke fantasie uit zijn gefrustreerde puberteit in de praktijk bracht in een stad die plotseling vol goedgehumeurde meisjes van rond de twintig was, die net zo erg verlangden naar een wilde stoeipartij zonder verplichtingen als hij. Hij was een hoek omgeslagen en ergens terechtgekomen waar wat hij was (en wat hij verdiende) veel belangrijker was dan hoe hij eruitzag. Of zijn uiterlijk moest verbeterd zijn. Of de woorden 'ik ben een partner' klonken voor vrouwen precies hetzelfde als 'doe je slipje uit'. Hij had er geen verklaring voor, maar opeens waren er kinderjuffrouwen en studenten en secretaressen, barmeisjes en babysitters en serveersters, en hij hoefde er niet eens voor naar de kroeg om ze te vinden. Op kantoor was een zekere juridisch medewerker die het niet erg vond om over te werken, de deur van zijn kamer achter hem te sluiten en alles uit te doen behalve haar lila kanten behaatje en een paar open schoenen met veters die ze tot rond haar kuiten had geregen, en...

Hou op, zei Jim tegen zichzelf. Het was ongehoord. Het was beschamend. Het moest afgelopen zijn. Hij was vierendertig en partner. Hij had zichzelf het laatste anderhalve jaar volgepropt op het gewillige-lijvenbanket en dat zou toch genoeg moeten zijn. Denk aan de risico's, beval hij zichzelf. Ziekten! Hartzeer! Boze vaders en vriendjes! De drie jongens die gelijk met hem partner waren geworden, waren al lang getrouwd en twee van hen waren al vader en hoewel er nooit met zo veel woorden over werd gerept, was het duidelijk dat zij het soort leven hadden gekozen die de goedkeuring van de firma wegdroeg. Huisje-boompje-beestje, met misschien in het geheim een discrete afleiding, dat was hoe het hoorde, niet deze wilde weekeinden met meisjes van wie hij de achternaam vaak niet eens wist. Zijn collega's waren inmiddels niet meer zo vol ontzag over zijn escapades, maar eerder geamuseerd. En het zou niet lang meer duren, vreesde Jim, dat ze ervan zouden walgen.

En toen was Rose er. Zijn geheime liefde. Jim werd er week van als hij aan haar dacht. Rose was nou niet bepaald het knapste meisje dat hij ooit had gehad, ook niet het meest sexy. Ze kleedde zich als een gefrustreerde bibliothecaresse, en onder sexy lingerie verstond ze een katoenen slip met bijpassende katoenen beha, maar toch, ze had iets wat voorbijging aan de hitte onder zijn riem en rechtstreeks zijn hart raakte. De manier waarop ze naar hem keek! Alsof hij de eerste man ter wereld was, de enige man in de kamer. Alsof hij een van de jongens was die op de omslag van haar liefdesromannetjes stonden, alsof hij zijn witte paard had gestald bij een parkeermeter in Walnut Street en zich door de dikke doornhagen een weg baande om haar te redden. Het verbaasde hem dat het kantoor nog niet doorhad wat ertussen hen speelde, ook al was dat tegen de regels. Maar misschien was hij blind. Misschien was iedereen er allang achter. En toch, hij werd honderd keer per dag in verleiding gebracht haar hart te breken.

Lieve Rose. Ze verdiende beter, dacht Jim, terwijl hij zijn Lexus in de parkeergarage van het kantoor reed. En voor haar zou hij zijn uiterste best doen om goed te zijn. Hij had zijn geile secretaresse al verruild voor een moederfiguur van in de zestig, die rook naar hoestsnoepjes, en hij was al drie weken niet meer uitgegaan. Ze was goed voor hem, zei hij tegen zichzelf, terwijl hij de lift nam naar zijn kantoor. Ze was scherpzinnig en slim en vriendelijk, ze was het soort meisje met wie hij oud zou kunnen worden, met wie hij de rest van zijn leven kon slijten. En voor Rose zou hij op het goede pad blijven, beloofde hij plechtig, terwijl hij naar de drie kwebbelende secretaresses keek die de lift binnenkwamen. Hij snoof nog één keer de geur op van hun verschillende parfums, moest flink slikken en keek de andere kant op.

11

'WAAROM MOETEN WE DIT STEEDS DOEN?' VROEG MAGGIE TOEN ZE
in de passagiersstoel ging zitten. Deze vraag stelde ze elke keer als ze
naar de thuiswedstrijd van het footballteam gingen. Ze gingen nu al
bijna twintig jaar lang één keer per jaar, dacht Rose en het antwoord
bleef steeds hetzelfde.

'Omdat onze vader een erg beperkte man is,' zei ze en reed richting
het stadion. 'Ben je warm genoeg gekleed? Je weet toch dat we tégen
Tampa spelen, we gaan niet náár Tampa.' Maggie had voor de gelegenheid een zwarte catsuit aangetrokken, zwarte laarzen met dikke hakken en een kort leren jasje met een kraag van nepbont. Rose daarente-
gen droeg een muts, sjaal, wanten en een lange, gele gewatteerde jas.

'Je lijkt op een matras waarop iemand heeft geplast,' zei Maggie.

'Dank je voor de mededeling,' zei Rose. 'Doe je gordel om.'

'Ja hoor,' antwoordde Maggie en haalde een heupflesje uit een van
haar kleine zakken te voorschijn. Ze nam een slok en hield het Rose
voor. 'Abrikozenbrandewijn,' zei ze.

'Ik ben aan het rijden,' zei Rose en perste haar lippen stijf op elkaar.

'En ik ben aan het drinken,' zei Maggie giechelend. Haar zusjes lach
deed Rose denken aan alle andere footballwedstrijden die ze hadden
gezien sinds haar vader in een lichtelijk ondoordachte poging om aan
te tonen dat hij een betrokken vader was in 1981 de eerste seizoens-
kaartjes had gekocht.

'We haten football,' had Maggie hem gezegd met de absolute over-
tuiging van een achtjarige die dacht dat ze alles al wist. Hun vader had
een bleek gezicht gekregen.

'Dat is niet zo!' had Rose gezegd en had haar zus in haar arm geknepen.

'Auw!' zei Maggie.

'Eerlijk?' vroeg hun vader.

'Nou ja, we vinden er op televisie niet zo heel veel aan,' zei Rose, 'maar we willen graag eens een echte wedstrijd zien!' Ze kneep haar zus nogmaals, voor het geval zij iets anders zou gaan beweren. En dat was dat. Elk seizoen, van september tot januari, gingen ze met zijn drieën naar een thuiswedstrijd van de Eagles. Maggie legde gewoonlijk haar kleding dagen van tevoren klaar, handschoenen met nepbont en mutsen met pompons eraan en één keer minicheerleaderlaarsjes met kwastjes eraan, als Rose het zich goed herinnerde. Rose smeerde de boterhammen – pindakaas en jam, en ze stopte die in een broodtrommel, die samen met een thermoskan warme chocolademelk meeging. Op de koudste dagen namen ze dekens mee en dan zaten ze met zijn drieën dicht tegen elkaar, likten de pindakaas van hun stijve vingers, terwijl hun vader bij elke tackle en slechte bal vloekte, vervolgens schuldig naar zijn dochters keek en zei: 'Sorry voor mijn taalgebruik.'

'Sorry voor mijn taalgebruik,' mompelde Rose. Maggie keek haar nieuwsgierig aan, nam toen weer een slok van haar brandewijn en zakte onderuit in haar stoel.

Hun vader en Sydelle stonden hen op te wachten bij het loket. Michael Feller had een spijkerbroek aan, een sweater van de Eagles en een donsjas in de kleuren van het team, zilver en groen. Sydelle had haar gebruikelijke blik vol ijzige ontevredenheid op haar gezicht, naast de dikke laag make-up. Ze droeg een enkellange nertsmantel.

'Maggie! Rose!' riep hun vader en gaf hun de kaartjes.

'Meisjes,' zei Sydelle en kuste de lucht vijf centimeter rechts van hun wang, waarna ze haar lippen opnieuw stiftte. Rose volgde haar stiefmoeder naar hun plaatsen. Terwijl ze naar het geklak van Sydelles hakken op het beton luisterde, vroeg Rose zich af – en niet voor het eerst – waarom haar stiefmoeder in hemelsnaam met haar vader was getrouwd. Sydelle Levine was rond haar vijfenveertigste gescheiden van haar man die effectenmakelaar was en haar voor zijn secretaresse had verlaten. Zeer cliché, maar Sydelle was de vernedering te boven gekomen, misschien ook omdat haar echtgenoot maar al te graag met een hoge alimentatie was ingestemd (Rose kon zich voorstellen dat hij dacht dat zelfs een miljoen dollar per jaar een lage prijs was die hij moest betalen om de rest van zijn leven van Sydelle af te zijn). Michael

Feller was acht jaar jonger, een klein directeurtje bij een niet al te grote bank. Hij was niet arm, maar zou nooit rijk worden. Bovendien nam hij bagage met zich mee: zijn overleden echtgenote, zijn dochters. Wat was de aantrekkingskracht geweest? Ze besteedde uren van haar jeugd om dat uit te vogelen, nadat haar vader en Sydelle Levine elkaar in de hal van Beth Shalom hadden ontmoet (Sydelle kwam daar voor een liefdadigheidsdiner van vijfhonderd dollar per couvert en Michael had daar net een bijeenkomst van Ouders Zonder Partner gehad). 'Seks!' had Maggie giechelend gezegd. En het moest gezegd, hun vader was objectief gezien een knappe man. Maar Rose was er niet zeker van. Ze dacht dat Sydelle haar vader niet alleen knap had gevonden, of een goede partij, maar hem ook had beschouwd als haar ware liefde, haar tweede kans. Rose had altijd geloofd dat Sydelle echt van hem had gehouden – in ieder geval in het begin. En Rose durfde te wedden dat haar vader niets meer zocht dan een reisgenoot – en natuurlijk een surrogaatmoeder voor Maggie en Rose, gezien Sydelles succes met Mijn Marcia. Michael Feller had de liefde van zijn leven al gevonden – en begraven in Connecticut. En elke week leek Sydelle een beetje meer teleurgesteld – en een beetje gemener tegen de dochters van Michael Feller.

Het was triest, dacht Rose en ging zitten, haar muts ver over haar oren getrokken en haar sjaal dicht rond haar hals. Triest, en dat zou waarschijnlijk niet meer veranderen. Sydelle en haar vader hoorden nu bij elkaar, hoe ongelukkig Rose en Maggie daar ook van werden en hoe beroerd ze ook van elkaar werden.

'Ook wat?'

Rose schrok ervan en draaide zich naar haar zus, die haar benen op de stoel voor haar had gelegd en het flesje abrikozenbrandewijn voor haar heen en weer bewoog. 'Nee dank je,' zei Rose en draaide zich naar haar vader. 'Hoe is het ermee?' vroeg ze.

'Och, wat zal ik zeggen,' zei hij. 'Het werk houdt me bezig. Mijn Vanguard 500-fonds heeft een verschrikkelijk kwartaal gedraaid. Ik – *rennen, eikel!*'

Rose draaide zich naar Sydelle. 'En hoe gaat het met jou?' Rose probeerde elke keer als ze naar de wedstrijd gingen, aardig te zijn tegen haar stiefmoeder.

Sydelle streek met haar vingers over haar nertsmantel. 'Mijn Marcia is haar huis aan het opknappen.'

'Wat leuk,' zei Rose en probeerde enthousiast te klinken.
Sydelle knikte. 'We gaan naar een kuuroord,' vervolgde ze. 'In februari,' zei ze en wierp een betekenisvolle blik op het middenrif van Rose. 'Weet je dat toen ze ging trouwen, Mijn Marcia een Vera Wang in maatje 34 kocht en...'

'Ze het moest laten innemen,' zei Rose in zichzelf, tegelijk met Maggie, die de woorden hardop zei.

Sydelle kneep haar ogen samen. 'Ik weet niet waarom je zo graag grof wilt zijn.'

Maggie negeerde haar en hield haar hand op voor haar vaders verrekijker, want de cheerleaders kwamen het veld op. 'Dik, dik, oud, dik,' becommentarieerde ze. 'Haar niet goed geverfd, oeps! lelijke neptieten, oud, dik, oud...'

Michael Feller zwaaide naar de bierverkoper. Sydelle greep zijn arm en trok die omlaag. 'Ornish!' siste ze.

'Wat zeg je?' vroeg Rose.

'Ornish,' zei Sydelle. 'We volgen het dieet van Dean Ornish. Plantaardig.' Ze wierp opnieuw een blik opzij, ditmaal op de heupen van Rose. 'Misschien is het ook iets voor jou.'

Ik ben in de hel beland, dacht Rose somber. De hel is een wedstrijd van de Eagles, waar het op de tribunes altijd ijskoud is en het team altijd verliest en mijn familie krankzinnig is.

Haar vader tikte haar op de schouder en klapte zijn portemonnee open. 'Wil je warme chocolademelk voor ons halen?' vroeg hij.

Maggie leunde naar hen toe. 'Kan ik ook wat geld krijgen?' Toen tuurde ze naar de portemonnee. 'Wie is dat?'

'O,' zei hun vader gegeneerd, 'dit artikel heb ik uitgeknipt. Ik wilde het aan Rose geven...'

'Pap,' zei Rose. 'Dat is Lou Dobbs van CNN.'

'Inderdaad,' zei haar vader.

'Jij hebt een foto van Lou Dobbs in je portemonnee?'

'Geen foto,' zei Michael Feller. 'Een artikel. Over de voorbereiding op je pensioen. Het is een goed stuk.'

'Heb je foto's van ons in je portemonnee?' vroeg Maggie en greep ernaar; haar vader trok zijn hand te laat terug. 'Of alleen maar Lou Dinges?' Ze bladerde door de foto's. Rose keek mee. Er waren schoolfoto's van haar en Maggie uit de zesde en vierde klas. Een foto van Michael en Caroline op hun trouwdag – een spontane foto, waarbij Caroline haar onderlip naar voren houdt om haar sluier van haar voorhoofd te blazen en Michael haar aanstaart. Er was geen foto van Michael en Sydelle, viel Rose op. Ze vroeg zich af of Sydelle dat wist. Aan haar ijzige gezichtsuitdrukking en de manier waarop haar kleine oogjes strak voor zich uit staarden, nam ze aan van wel.

'Kop op, *birds*!' schreeuwde een man in de rij achter hen in het oor van Rose, waarna hij een harde boer liet. Rose stond op en liep naar de holle, tochtige hal waar ze voor zichzelf een kop waterige chocolademelk kocht en een hotdog op een klef broodje. Ze werkte de hotdog in vier grote happen naar binnen. Toen leunde ze tegen de reling en plukte wat kruimeltjes van haar sjaal. Ze rekende uit hoeveel minuten het nog duurde voor het acht uur was, als ze met Jim uit eten ging. Hou vol, zei ze tegen zichzelf en ging terug naar haar plaats, haar chocolademelk in de hand.

12

'MEVROUW LEFKOWITZ?' ELLA KLOPTE HARD OP DE ALUMINIUM deur. Ze balanceerde een dienblad met lunch op haar heup. 'Hallo?' 'Loop naar de hel!' hoorde ze aan de andere kant van de deur. Ella zuchtte en bleef kloppen. 'Het middageten!' riep ze zo opgewekt als ze maar kon. 'Rot op!' gilde mevrouw Lefkowitz – die helaas van haar beroerte herstelde in de week dat Golden Acres gratis kabel kreeg. Op de gratis kabel was onder meer een optreden van de *stand-up comedian* Margaret Cho geweest. Mevrouw Lefkowitz noemde Ella sindsdien altijd Ass Master, waarbij ze elke keer weer uitgelaten lachte. 'Ik heb soep,' riep Ella. Het was even stil aan de andere kant van de deur. 'Crème of champignon?' vroeg mevrouw Lefkowitz hoopvol. 'Spliterwten,' bekende Ella. Weer was het stil, en toen vloog de deur open. Daar stond mevrouw Lefkowitz, één meter zevenenveertig lang, haar witte haar in de war. Ze droeg een roze sweater en bijpassende joggingbroek en gebreide, roze met witte pantoffels – de kleding van een baby, dacht Ella en probeerde haar lachen in te houden, terwijl haar laatste Tafeltje-Dek-je-cliënt van die dag woedend naar haar keek. 'Spliterwten zijn verschrikkelijk,' zei mevrouw Lefkowitz. Haar linkermondhoek hing een beetje en ze hield haar linkerarm in een vreemde hoek, strak tegen haar lichaam. Ze keek Ella hoopvol aan. 'Misschien kun jij champignoncrèmesoep voor me maken?' 'Hebt u dat in huis?' vroeg Ella.

95

'Zeker, zeker,' zei mevrouw Lefkowitz en schuifelde naar de keuken. Haar kleine figuurtje verdronk in al dat roze garen. Ella liep achter haar aan, zette het dienblad op de keukentafel. 'Sorry dat ik tegen je schreeuwde. Ik dacht dat je iemand anders was.'

Wie dan? wilde Ella vragen. Voorzover ze wist, was ze de enige die mevrouw Lefkowitz wel eens opzocht, buiten haar artsen en de thuishulp die hier drie keer per week kwam.

'Mijn zoon,' zei mevrouw Lefkowitz uit zichzelf. Ze draaide zich naar Ella toe met een blik Campbell's soep in haar rechterhand.

'Zegt u tegen uw zoon dat hij kan...' Ella kreeg het niet voor elkaar de woorden uit te spreken. 'Opduvelen?'

'Die kinderen van tegenwoordig,' zei mevrouw Lefkowitz zelfgenoegzaam.

'Het is toch aardig dat hij u komt opzoeken,' zei Ella en goot de gestolde, grijze massa in een steelpannetje.

'Ik heb tegen hem gezegd dat hij niet moest komen,' zei mevrouw Lefkowitz. 'Maar hij reageerde met: "Ma, je hebt de dood in de ogen gezien." Ik zei: "Ik ben zevenentachtig jaar. Wat wil je dan? Club Med?"'

'Toch is het lief van hem dat hij op bezoek komt.'

'Onzin,' zei mevrouw Lefkowitz. 'Hij komt alleen voor de zon. Ik ben een goed excuus voor hem,' zei ze met trillende lip. 'Raad eens waar hij op dit moment is. Op het strand. Waarschijnlijk naar de meisjes in bikini aan het gluren en bier aan het drinken. Ha. Hij wist niet hoe gauw hij hier weg moest.'

'Het strand klinkt goed,' zei Ella al roerende.

Mevrouw Lefkowitz ging voorzichtig op een eettafelstoel zitten en wachtte tot Ella haar stoel aanschoof. 'Dat zal wel,' zei ze. Ella zette de soepkom voor haar neer. Mevrouw Lefkowitz deed haar lepel in de soep en bracht die vervolgens naar haar mond. Haar pols beefde en ze knoeide soep op haar sweater. 'Shit,' zei ze met een klein stemmetjes waaruit verslagenheid sprak.

'Hebt u al plannen voor het avondeten?' vroeg Ella terwijl ze mevrouw Lefkowitz een servet gaf en de soep overgoot in een mok.

'Ik heb gezegd dat ik zou koken,' zei ze. 'Kalkoen. Hij houdt van kalkoen.'

'Ik zou kunnen helpen,' zei Ella. 'Misschien kunnen we een schotel maken met verschillende sandwiches. Dat eet lekker makkelijk.' Ze stond op en zocht pen en papier zodat ze een lijstje kon maken. 'We kunnen een borststuk kopen en kalkoen en cornedbeef... koolsalade en aardappelsalade, als hij dat lekker vindt...'

Mevrouw Lefkowitz glimlachte met de ene helft van haar mond.

'Ik nam altijd die salade met karwijzaad en als we klaar waren met eten, vond ik altijd een klein hoopje karwijzaad op zijn bord. Hij klaagde er nooit over... hij pikte ze er gewoon allemaal tussenuit en at ze niet op.'

'Mijn dochter deed dat met rozijnen. Ze haalde die overal tussenuit,' zei Ella. Mevrouw Lefkowitz keek haar vinnig aan. Ella's stem stierf weg.

Mevrouw Lefkowitz bracht een lepel soep naar haar mond en leek niet door te hebben dat Ella niets meer zei. 'Dus we gaan boodschappen doen?' zei ze.

'Natuurlijk,' zei Ella, die zich bukte om de afwas in de vaatmachine te zetten. Lewis kwam haar vanavond oppikken. Ze zouden naar de film gaan. Hoe lang zou het duren voordat hij vragen ging stellen? 'Heb jij kinderen?' 'Heb je kleinkinderen?' 'Waar wonen die?' 'Wat is er gebeurd?' 'Zie je hen niet meer?' 'En waarom dan niet?'

'Natuurlijk.'

13

'DAAR BEN JE WEER!' ZEI MAGGIE.
Rose was afgemat. Het was een verschrikkelijk dag geweest. Ze had
dertien uur gewerkt en de deur van Jims kantoor was voor iedereen
gesloten geweest.

In de kleine woonkamer van haar appartement waren alle lampen
aan, er hing een geur alsof er in de keuken iets stond aan te branden
en Maggie, gekleed in een korte, rode pyjamabroek en een rood T-shirt
waarop in zilveren letters stond SEX KITTEN, hing zappend op de bank.
Een kom verschroeid uitziende magnetronpopcorn stond midden op
tafel, naast een kom opgewarmde diepvriesmaïs, twee selderiesten-
gels en een pot pindakaas. Dit was wat Maggie onder een uitgebalan-
ceerde maaltijd verstond.

'Hoe gaat het met de banenjacht?' vroeg Rose, terwijl ze haar jas
ophing en naar de slaapkamer liep. Haar bed was bezaaid met de hele
inhoud van haar kledingkast, leek het wel.

'Wat is dit! Wat is er gebeurd?'

Maggie liet zich op de hoop kleding vallen. 'Ik heb besloten je kleren uit te zoeken.'

Rose staarde naar de wirwar van bloezen en jasjes en broeken, nu
net zo'n grote puinhoop als Maggies bagage in de woonkamer. 'Waarom doe je dit?' zei ze. 'Blijf van mijn spullen af!'

'Rose, ik probeer je te helpen,' zei Maggie beledigd. 'Ik dacht dat dat
wel het minste is wat ik kan doen, na al jouw vrijgevigheid.' Ze staarde naar de vloer. 'Het spijt me dat ik je zo heb laten schrikken,' zei ze.

Rose opende haar mond, maar sloot hem weer. Dit was haar zus ten

98

voeten uit – juist op het moment dat je haar wel kon vermoorden, haar op straat wilde gooien, wilde eisen dat ze jouw geld terugbetaalde en je kleren en schoenen teruggaf, zei ze iets dat als een vishaak in je hart bleef steken.

'Prima,' mompelde ze. 'Als je alles maar weer opruimt als je klaar bent.'

'Je hoort elk halfjaar je kleding uit te zoeken,' zei Maggie. 'Dat heb ik in *Vogue* gelezen. En jij bent duidelijk achter op schema geraakt. Ik heb een stonewashed-spijkerbroek gevonden,' zei ze met een huivering. 'Maar geen zorgen. Die heb ik weggegooid.'

'Je had die aan een liefdadigheidsinstelling moeten geven.'

'Alleen omdat iemand arm is,' verklaarde Maggie, 'hoeft ze er nog niet onmodieus bij te lopen.' Ze hield Rose de kom maïs voor. 'Hapje?'

Rose pakte een lepel en at van de maïs. 'Hoe weet je wat ik draag en wat niet?'

Maggie haalde haar schouders op. 'Nou, soms is dat heel duidelijk. Zoals die broek van Ann Taylor, maatje tweeënveertig?'

Rose wist welke ze bedoelde. Die had ze vier jaar geleden in de uitverkoop gekocht en paste die toen net, hoewel ze wel eerst een week alleen maar zwarte koffie en Slim-Fast had gehad. Daarna hing hij maar in de kast, een stil verwijt, een herinnering aan wat er mogelijk was als ze de schouders eronder zette en geen frites meer at, of pizza of... eigenlijk alles wat ze lekker vond. 'Je mag hem hebben,' zei ze.

'Hij is veel te groot. Maar misschien kan ik hem laten innemen,' zei Maggie en keek weer naar de televisie.

'Wanneer hang je alles weer terug?' vroeg Rose, die zich al op die berg kleren zag slapen.

'Ssst!' zei Maggie en wees naar de tv, waar een kleine bonk rood geverfd metaal een blauw ding bedreigde waaruit een ronddraaiende blad stak.

'Wat is dit?'

'Televisie,' antwoordde Maggie en strekte een been voor haar uit, die ze dan weer zus en dan weer zo draaide, zodat ze haar kuit kon inspecteren. 'Dat is een kastje met plaatjes, en die plaatjes vertellen een heerlijk verhaal!'

Rose dacht erover om haar portemonnee te pakken. Dit is een salarisstrookje, zou ze zeggen terwijl ze het ter inspectie aan haar zus gaf. Dat is geld waard, dat je verdient als je een baan hebt. Maggie nam een slok van de open fles champagne naast haar. Rose opende haar mond om te vragen waar ze die vandaan had, maar realiseerde zich toen dat het de fles was die iemand aan haar had gegeven toen ze advocaat was geworden en die al die tijd achter in haar koelkast had gelegen.

'Hoe smaakt de champagne?' vroeg Rose.

Maggie nam nog een slok. 'Heerlijk,' zei ze. 'Nu goed opletten. Kijk en luister. In dit programma, *BattleBots*, gaat het om jongens die robotten bouwen...'

'Dat is een leuke hobby,' zei Rose, die altijd probeerde om Maggie te stimuleren achter de juiste mannen aan te lopen.

Maggie maakte een afwijzend gebaar. 'Het zijn engerds. Zij bouwen deze robotten en de robotten vechten tegen elkaar en de winnaar krijgt... iets. Ik weet alleen niet precies wat. Kijk, daar is mijn favoriet,' zei ze wijzend op een soort miniatuurvuilniswagen met een puntige staaf erop gelast. 'Dat is Doninator,' zei ze.

'Dominator,' verbeterde Rose.

'Nee, nee,' zei Maggie. 'De jongen die hem heeft gemaakt heet Don, dus vandaar Doninator.' De camera draaide naar een bleke, slungelige jongen met een honkbalpetje waarop DONINATOR te lezen stond. 'Hij is al drie ronden ongeslagen,' zei Maggie toen er een tweede robot in beeld rolde. Deze was felgroen en leek op een flitsende versie van een kruimeldief. 'Grendel,' zei de presentator.

'Goed,' zei Maggie. 'Jij moedigt Grendel aan.'

'Waarom?' vroeg Rose, maar de wedstrijd begon. De twee robotten stonden tegenover elkaar, maar scheurden plots als gekken over de betonnen vloer.

'Kom op Doninator!' schreeuwde Maggie, terwijl ze enthousiast met de fles champagne zwaaide. Ze keek haar zus aan.

'Hup Grendel,' zei Rose. Maggies robot snelde dichterbij. De puntige staaf steeg op en op en schoot toen bliksemsnel omlaag, doorboorde Grendel, terwijl Maggie in haar handen klapte en hem schreeuwend aanmoedigde.

'Wauw! Dat scheelde niet veel,' zei Maggie.

De robotten gingen weer tegenover elkaar staan.

'Kom op, Doninator. LAAT NIETS VAN HEM HEEL!' bulderde Maggie.

Rose barstte in lachen uit toen ze zag hoe een wiel met punten aan de voorkant van Grendel begon rond te draaien. 'O, pas op... daar kom ik aan!'

Nu naderde Grendel zijn tegenstander. De Doninator hief zijn staaf op en doorkliefde zijn tegenstander opnieuw.

'Yo!' juichte Maggie.

De twee robotten zaten nu aan elkaar vast. Grendel kronkelde alle kanten op, niet in staat zich van de staaf los te wrikken. 'Kom op... kom op...' mompelde Rose. Grendels wiel tolde rond, de vonken vlogen ervan af. De Doninator verhief zijn puntige staaf voor de genadeslag, maar Grendel zoefde ervandoor.

'HUP GRENDEL!' schreeuwde Rose en sprong overeind. 'Ja! JAA!' Maggie pruilde toen ze Grendel op zijn tegenstander zag afkomen, zijn neus onder de veel grotere Doninator stak en hem op zijn rug wierp.

'Neeee,' jammerde Maggie toen de robot van Rose steeds opnieuw over de hare reed, totdat er van haar robot niet veel meer over was dan een hoopje geplette onderdelen en brokstukken.

'Oké dan. JA!' zei Rose en schudde haar vuist in de lucht. 'Zo mag ik het zien!' schreeuwde ze, net als ze de mannen had horen roepen bij de footballwedstrijd als er een belangrijke touch-down was gescoord. Toen draaide ze zich om naar haar zus, ervan overtuigd dat Maggie zou meesmuilen, haar zou laten merken dat Rose zich maar aanstelde. Alleen was dat niet zo. Maggie straalde met rode wangen, hield haar hand op voor een high five en lachte terwijl ze haar zus de fles champagne aanreikte. Rose aarzelde, maar nam toen een slok.

'Zullen we pizza bestellen?' bood Rose aan. Ze zag de rest van de avond al voor haar: pizza en pyjama's en verse popcorn, zij met zijn tweetjes op de bank onder een deken tv aan het kijken.

Toen meesmuilde Maggie wel... maar slechts een beetje. En haar stem was bijna vriendelijk. 'Nu leef je pas echt, hè?' vroeg ze. 'Je zou vaker uit moeten gaan.'

'Ik ga genoeg uit,' zei Rose. 'Jij zou wat vaker binnen moeten blijven.'

'Ik ben genoeg binnen,' zei Maggie en stond gracieus op. Ze trippelde de slaapkamer binnen en kwam een paar minuten later weer terug in een verschoten stretchspijkerbroek met de taille op haar heupen, een rood topje dat een arm helemaal bloot liet en handgestikte, rode cowboylaarzen. De handgestikte, rode cowboylaarzen van Rose, gekocht tijdens een weekeindje New Mexico, waar Rose een congres had gehad over verzekeringsrecht. 'Dat vind je toch niet erg, hè?' zei Maggie die haar tasje en sleutels pakte. 'Ik zag ze in je kast. Ze zagen er zo eenzaam uit.'

'Nee hoor,' zei Rose. Ze keek haar zus aan en vroeg zich af hoe het zou zijn om zo slank en mooi door het leven te gaan; hoe het zou zijn om altijd aangestaard te worden door mannen, met goedkeurende blikken, met regelrechte lust in hun ogen. 'Veel plezier.'

'Ik heb altijd plezier,' zei Maggie en verdween door de deur, Rose achterlatend met de popcorn, de dode champagne, de chaos van kleren op haar bed. Ze knipte de televisie uit en begon met opruimen.

14

'KAN IK U HELPEN?' VROEG ELLA. HET WAS DONDERDAGMIDDAG, DE dag dat Ella als vrijwilligster in de kringloopwinkel werkte waar ze een paar aangename, meestal ongestoorde uren doorbracht met het uitzoeken van zakken met kleding en het prijzen van meubels en serviesgoed.

Een jonge vrouw met een feloranje legging aan en een T-shirt met vlekken liep door het gangpad dat was versierd met slingers van plastic dennentakken en goud- en zilverfoelie, vanwege de naderende feestdagen. 'Lakens,' zei de vrouw en beet zenuwachtig op haar lip. Ella zag een vage blauwe plek op haar wang. 'Ik ben op zoek naar lakens.'

'Nou, dan hebt u geluk,' zei Ella. 'We hebben toevallig net een lading van Bullocks binnengekregen. Met kleine foutjes natuurlijk, maar ik heb nog niets ernstigs aan ze ontdekt, behalve dat de kleuren een beetje... nou ja, dat ziet u zo zelf wel.'

Ze liep kwiek het gangpad in, gekleed in haar zwarte broek en witte blouse met daarop haar naamplaatje gespeld. 'Hier zijn ze,' zei Ella en wees naar de lakens. Het waren er tientallen, voor tweepersoonsbedden of voor lits-jumeaux. Ze waren turkoois en knalroze, maar ze waren nieuw. 'Ze kosten vijf dollar per stuk. Hoeveel hebt u er nodig?'

'Eh, twee voor een lits-jumeaux.' De vrouw pakte de pakketjes en draaide ermee in haar handen. 'Hoeveel kosten de kussenslopen?'

'Nou,' zei Ella. 'De hele set kost vijf dollar.'

De vrouw leek opgelucht en pakte een stel kussenslopen en liep naar de kassa. Ze pakte een vijfdollarbiljet uit haar zak en drie verfrommelde biljetten van één dollar. Toen ze haar zakken doorzocht op zoek naar kleingeld en de muntstukjes voorzichtig op de toonbank legde, stopte Ella de lakens in een tas.

'Het is goed zo,' zei ze.

De vrouw keek haar aan. 'Weet u dat zeker?'

'Het is goed zo,' herhaalde Ella. 'Pas goed op uzelf en kom nog eens terug... we krijgen steeds weer nieuwe spullen binnen.'

De vrouw glimlachte – beleefd, dacht Ella – en liep de deur uit, haar slippers klepperend op het trottoir. Ella keek naar haar rug en wou dat ze tegelijk met de lakens een paar handdoeken in de tas had kunnen stoppen. Ze zuchtte en voelde zich gefrustreerd. Net als met Caroline – Ella wilde altijd meer doen, alles voor haar dochter regelen, achter haar aan blijven lopen, met telefoontjes, kaartjes, brieven, met geld, met beloftes van vakanties en dagtochtjes, steeds weer hetzelfde bedoelend op allerlei verschillende manieren: *laat me je helpen*. Maar Caroline wilde niet geholpen worden, want hulp aannemen betekende toegeven dat ze het niet alleen af kon. En kijk eens wat daarvan was gekomen.

De deur zwaaide open en Lewis liep de winkel binnen met een stapel kranten onder zijn arm.

'Vers van de pers!' zei hij. Ella probeerde te glimlachen en keek naar haar gedicht. 'Ik ben niet onzichtbaar', las ze. Niet onzichtbaar, dacht ze droevig. Alleen verdoemd.

Lewis keek aandachtig naar haar. 'Wil je nog gaan lunchen?' vroeg hij en toen ze knikte en de kassa sloot, bood hij haar zijn arm aan. Ze liep de straat op, de hitte in, terwijl ze wenste dat ze alles anders had aangepakt. Ze wou dat ze een gesprek was begonnen, dat ze had gevraagd of de vrouw misschien hulp nodig had en ze wilde dat ze een oplossing voor de vrouw had bedacht. En, dacht ze, ze wou dat Lewis er nooit achter zou komen wat voor iemand ze eigenlijk was. Zij had het onderwerp kinderen nog niet ter sprake gebracht en hij had er tot nu toe nog niet naar gevraagd... maar ooit zou hij dat doen, en wat dan? Wat kon ze zeggen? Wat kon ze anders zeggen dan dat ze een moeder was geweest, dat ze geen moeder meer was en dat dat haar schuld was? Hij zou haar aanstaren, er geen wijs uit worden en ze zou het niet goed kunnen uitleggen, hoewel ze wist dat het waar was. Ze kon het maar niet van zich afzetten. Haar fout. En hoezeer ze ook haar best deed dat goed te maken, hoeveel goede dingen ze ook probeerde te doen, ze zou dat met zich meedragen tot haar dood.

15

'ER IS IEMAND VOOR JE,' ZEI DE SECRETARESSE VAN ROSE. ROSE KEEK
op van haar computer en zag haar zusje, schitterend in een zwartleren
broek, een klein spijkerjasje en de rode cowboylaarzen van Rose, haar
kantoor binnen lopen.
'Goed nieuws!' zei Maggie stralend.

Laat het alsjeblieft een baan zijn, bad Rose. 'Wat is er?'

'Ik heb een sollicitatiegesprek gehad! Bij een geweldige, nieuwe
kroeg!'

'Geweldig!' zei Rose en probeerde net zo enthousiast te zijn als
Maggie. 'Dat is goed nieuws! Wanneer weet je of je het geworden
bent?'

'Dat weet ik niet zeker,' zei Maggie, die boeken en mappen uit
Rose' koffertje haalde en weer teruglegde. 'Misschien na de feestdagen.'

'Maar is het nu juist op die dagen niet het drukste?'

'Jezus Rose, dat weet ik niet!' Maggie pakte de plastic pop van het
bureau op, Xena, Warrior Princess – een verjaardagscadeautje van
Amy – en zette die op zijn kop. 'Kun je misschien proberen een beetje blijer voor me te zijn?'

'Tuurlijk,' zei Rose. 'En heb jij al geprobeerd mijn kleding terug te
hangen?' De afgelopen nachten was de stapel van haar bed naar de
vloer verhuisd, maar nog niet in de kast beland.

'Ik heb een begin gemaakt,' zei Maggie en liet zich in de stoel tegenover Rose' bureau vallen. 'Dat komt allemaal in orde! Het is niet
zo'n probleem.'

'Nee, voor jou natuurlijk niet,' zei Rose.

'Wat wil je daarmee zeggen?'

Rose stond op. 'Ik bedoel dat je bij me woont zonder huur te betalen, je nog geen baan hebt...'

'Ik zeg je net, ik heb een gesprek gehad!'

'Ik heb niet het idee dat je genoeg je best doet.'

'Dat doe ik wel!' schreeuwde Maggie. 'Wat weet jij daar nou van?'

'Ssst!'

Maggie gooide de deur dicht en keek haar zus dreigend aan.

'Zo moeilijk kan het niet zijn om een baan te vinden!' zei Rose. 'Ik zie overal vacaturebordjes voor de ramen! Elke winkel, elk restaurant...'

'Ik wil niet meer in een winkel werken. Ik wil niet meer in de bediening.'

'Wat wil je eigenlijk wel?' vroeg Rose. 'Een beetje lanterfanten als een prinsesje, wachtend op een telefoontje van MTV?'

Maggie kreeg een rood gezicht alsof ze was geslagen. 'Waarom ben je zo gemeen?'

Rose beet op haar lip. Dit hadden ze al vaker meegemaakt, of eigenlijk, Maggie had dit al vaker gedaan... met haar vader, met goedbedoelende vriendjes, een bezorgde docent of baas. Verschillende mensen, dezelfde stappen. Maggie kon precies inschatten wanneer Rose haar excuses zou aanbieden. En een tel voordat Rose haar mond opende, het moment waarop ze de lucht inademde en de woorden 'het spijt me' met haar lippen vormde, begon Maggie weer te praten.

'Ik doe erg mijn best,' zei ze en sloeg haar handen voor haar ogen. 'Ik doe mijn uiterste best. Het is niet gemakkelijk voor mij, Rose, weet je dat? Het is niet voor iedereen zo gemakkelijk als voor jou.'

'Dat weet ik,' zei Rose zachtjes. 'Ik weet dat je je best doet.'

'Ik probeer het. Elke dag opnieuw,' zei Maggie. 'Ik ben geen klaploper. Ik zit niet de hele dag een beetje medelijden met mezelf te hebben. Ik ga op zoek naar een baan... elke... dag. En ik weet dat ik nooit advocaat word, zoals jij...'

Rose maakte een protesterend geluid. Maggie riep iets luider.

'... maar dat betekent niet dat ik maar een beetje zit te niksen. Ik doe mijn best, Rose, ik doe vreselijk mijn b-b-b-best...'

Rose liep naar haar toe om haar te knuffelen. Maggie verstijfde.

'Goed,' zei Rose. 'Goed, maak je niet druk. Je vindt heus wel een baan...'

'Dat is altijd nog gelukt,' zei Maggie en veranderde op slag van een huilerige Renée Zellweger in een vastberaden Sally Field. Ze droogde haar tranen, snoot haar neus, rechtte haar rug en keek haar zus aan. 'Het spijt me,' zei Rose. 'Het spijt me werkelijk heel erg.' Ze vroeg zich vertwijfeld af waarvoor ze nu precies haar excuses aanbod. Het was nu meer dan een maand geleden. Er was nog nergens uit gebleken dat Maggie van plan was weg te gaan.

Haar kleding en toiletspullen, cd-hoesjes en aanstekers lagen overal in Rose' appartement, dat met de dag kleiner leek te worden, en gisterenavond had Rose haar vinger gebrand aan een goedje in een pan dat op hete karamel leek, maar Maggies wenkbrauwenwas bleek te zijn. 'Luister,' zei ze hulpeloos, 'heb je al gegeten? We kunnen uit eten gaan, misschien naar de film of zo...'

Maggie wreef in haar ogen en tuurde naar haar zus. 'Weet je wat we zouden moeten doen? Laten we uitgaan. Echt uitgaan. Naar een disco of zo.'

'Ik weet het niet,' zei Rose. 'Je moet altijd zo lang in de rij staan voor je daar binnen bent. En dan is het er zo rokerig en lawaaiig...'

'Kom op nou. Voor één keertje. Ik zal je helpen met je kleding...'

'Goed dan,' zei Rose onwillig. 'Ik geloof dat er in een van die gelegenheden in Delaware Avenue een feestje van het bedrijf wordt gehouden.'

'Wat voor feestje?' vroeg Maggie.

Rose doorzocht haar post en vond de uitnodiging. 'Een cocktailparty voor de feestdagen,' las ze voor. 'Hapjes, drankjes, gratis spelletjes. Misschien kunnen we daar naartoe gaan.'

'Om te beginnen,' zei Maggie. Ze deed de deur open en stapte het kantoor uit. 'Laten we gaan!'

In het appartement van Rose viste Maggie een zwart topje en een zwarte rok uit de stapel naast het bed. 'Ga douchen,' zei ze, 'en denk aan de vochtinbrengende crème!'

Toen Rose de badkamer uitkwam, had Maggie haar gigantische make-updoos geopend en een rij producten klaargezet. Twee soorten foundation, drie verschillende camouflagestiften, een vijftal oogschaduw- en rougedoosjes, borsteltjes voor de ogen, de wangen, de lippen... Rose ging op het toilet zitten en voelde zich duizelig.

'Waar komt dit allemaal vandaan?' vroeg ze.

'Overal en nergens,' zei Maggie en sleep een grijs oogpotlood.

Rose keek weer naar de doos. 'En hoeveel heeft dat niet allemaal gekost?'

'Geen idee,' zei Maggie die het gezicht van haar zus met vlugge, zelfverzekerde streken insmeerde met een lotion. 'Maar hoeveel het ook was, het was het helemaal waard. Wacht nou maar eventjes!' Rose zat stil als een fotomodel. Maggie had alleen al voor haar oogleden vijftien minuten nodig. Ze werd onrustig toen Maggie foundation op de rug van haar hand mengde, die opbracht, een paar passen achteruit deed om het resultaat te bekijken, poeder aanbracht en rouge. Rose was verveeld geraakt tegen de tijd dat Maggie de wimperkruller te voorschijn haalde en het lippenpenseel pakte, maar ze moest toegeven, het effect was... gewoonweg overweldigend.

'Ben ik dat?' vroeg ze toen ze zichzelf in de spiegel bekeek, de nieuwe schaduwen onder haar jukbeenderen bewonderde en haar ogen zag glinsteren onder de gouden en crèmekleurige oogschaduw die Maggie had aangebracht.

'Is het niet geweldig? Ik wil je elke dag wel opmaken,' zei Maggie. 'Je moet dan echter wel eerst een serieuze huidverzorgingskuur gaan volgen. Je móet echt scrubben,' zei ze op dezelfde toon als een ander zou zeggen: 'Je móet het brandende gebouw verlaten.' Ze hield een zwarte rok en top in de ene hand, een paar schoenen in de andere. 'Hier, pas dit eens aan.'

Rose wurmde zich in de rok en het zwarte topje met de laag uitgesneden hals. De kleding was strakker dan wat ze doorgaans droeg...

'Ik weet het niet,' zei ze terwijl ze zichzelf dwong in de spiegel te kijken, zonder steeds naar haar gezicht te staren. 'Vind je niet dat ik er een beetje...' Het woord 'ordinair' lag op haar lippen. Haar benen leken langer dan normaal en slank in de zwarte kousen en ze had een behoorlijke decolleté. Maggie was tevreden.

'Je ziet er geweldig uit!' zei ze en sprenkelde wat uit haar geliefde fles Coco op Rose. Twintig minuten later was Rose' haar opgestoken, zaten haar voeten in een paar zwarte, suède schoenen met hak en waren ze de deur uit.

'Dit feestje is waardeloos,' zei Maggie die van haar dirty martini slurpte.

Rose trok aan haar laag uitgesneden hals en tuurde naar de mensen. Ze kon niet veel zien zonder haar bril, maar Maggie wilde natuurlijk niet dat ze die op had. 'Jongens flirten niet met brildragende meisjes!' had ze zangerig gezegd, waarna ze bleef doordrammen over de juiste laserbehandelingen, die nieuwslezers en fotomodellen ook hadden gehad.

Ze waren in Dave & Buster, een veredelde instuif voor volwassenen, gelegen aan de alles behalve pittoreske oever van de Delaware River, waar het advocatenkantoor de halfjaarlijkse feestavond voor jonge medewerkers hield. Op het naamplaatje van Rose, dat naast haar prachtige decolleté hing, stond IK BEN ROSE FELLER en daarachter tussen haakjes PROCESRECHT. Maggie had in eerste instantie opgeschreven IK BEN AAN HET DRINKEN, maar Rose wilde niet dat ze die opspeldde. Nu stond er IK BEN MONIQUE, wat Rose deed wanhopen, maar ze vond het de moeite van een ruzie niet waard.

Het was er vergeven van de jonge advocaten, die aan het netwerken waren en biertjes dronken van ambachtelijke brouwerijen en toekeken hoe Don Dommel en zijn dreadlocksprotégé hun trucs lieten zien op de Virtuele Groene Helling. Tegen een muur van de zaal was een buffet klaargezet, ze meende groenten en dipsausjes te zien en een roestvrijstalen pan met gebakken dingetjes, maar Maggie had haar daar weggetrokken. 'Meng je tussen de anderen!' had ze gezegd.

En nu porde Maggie haar in de zij en wees naar een vlek in de vorm van een man bij het tafelvoetbalspel. 'Wie is dat?' wilde ze weten.

Rose tuurde naar de man. Ze kon alleen maar zien dat hij blond was en brede schouders had. 'Weet het niet,' zei ze.

Maggie gooide haar haar naar achteren. Maggie zag er vanzelfsprekend ongelooflijk uit. Maggie droeg de zwarte leren broek die volgens Rose minstens tweehonderd dollar had gekost, want zij had de bon op het aanrecht gevonden, en een klein, zilverkleurig haltertopje met blote rug. Ze had haar haar recht omlaag geföhnd – waar ze bijna een uur mee bezig was geweest – en droeg aan haar slanke polsen rijen zilveren armbandjes. Maggie droeg lichtroze lippenstift, dikke lagen mascara en langs haar ogen een zilverkleurig lijntje. Ze zag eruit als een bezoeker uit de toekomst, of anders uit een televisieshow.

'Nou,' kondigde ze aan, 'ik ga met hem praten.' Ze ging met haar vingers door haar kastanjebruine haar, dat in een perfect gladde, rechte lijn hing, trok een gezicht naar Rose, vroeg of ze lippenstift op haar tanden had en mengde zich onder de mensen. Rose trok weer aan haar shirt. Haar voeten deden pijn, maar Maggie had geen tegenspraak geduld over de schoenen.

'Wie mooi wil zijn, moet pijn lijden,' had ze gezegd, terwijl ze twee passen achteruit deed om haar zus te bekijken voordat ze zich hardop afvroeg of Rose geen panty met corrigerend broekje had die haar wat meer steun zou geven.

Rose tuurde naar de andere kant van de zaal, waar haar zus de niets vermoedende jurist zou inpakken door met haar armbanden te rinkelen en haar haar naar achteren te gooien. Toen bewoog ze voorzichtig richting het buffet, keek een keer schuldig achterom en schepte een bordje vol met saus, crackers, worteltjes, kaas en een lepel gebakken wat-dan-ook. Ze vond een tafeltje in een hoekje, schopte haar schoenen uit en begon te eten.

Een andere vlek in de vorm van een man – deze keer kort en bleek, met wilde rode krullen – kwam op haar af. 'Rose Feller?' vroeg hij. Rose slikte en knikte, terwijl ze probeerde zijn naamkaartje te lezen.

'Simon Stein,' zei de man. 'We zaten naast elkaar bij het peppraatje.'

'Aha,' zei Rose en probeerde zo te knikken dat hij zou denken dat ze hem herkende.

'Ik heb je koffie gegeven,' zei hij.

'O ja, natuurlijk!' zei Rose, die het zich weer herinnerde. 'Je hebt mijn leven gered! Dank je!'

Simon knikte bescheiden. 'Dus wij worden elkaars reisgenootjes,' zei hij.

Rose staarde hem aan. Het enige reisje dat ze zou maken was voor een wervingsdag bij de Universiteit van Chicago Law School op maandag. Zij alleen, met Jim.

'Ik val in voor Jim Danvers,' zei Simon. Rose voelde haar hart ineenkrimpen.

'O,' zei ze.

'Hij had het druk en vroeg me of ik niet wilde gaan.'

'O,' zei Rose opnieuw.

'Zeg, woon jij in Center City? Dan kun je met mij meerijden naar de luchthaven.'

'O,' zei Rose voor de derde keer, maar voegde er een woord aan toe ter variatie: 'Prima.'

Simon leunde naar haar toe. 'Zeg,' zei hij, 'je speelt niet toevallig softbal?'

Rose schudde haar hoofd. Die ene keer dat ze met het spel had kennisgemaakt, was tijdens de gymles op school, toen ze door een bal werd geraakt op haar borst. En dat was helemaal niet 'soft'.

'We hebben namelijk een team. "Verzoek Afgewezen",' zei Simon, alsof hij niet gezien had dat zij met haar hoofd had geschud. 'Een ge-

mengd team. Alleen hebben we te weinig vrouwen. We moeten ver-
stek laten gaan als we er niet een paar weten te vinden.'
'Sorry,' zei Rose.
'Het is een eenvoudig spel,' zei Simon. Rose bedacht dat hij waarschijnlijk een strafpleiter was. De mannelijke strafpleiters beten zich
doorgaans als een terriër in hun zaak vast. 'Lekker bewegen, frisse
lucht...'
'Zie ik eruit alsof ik beweging en frisse lucht nodig heb?' vroeg ze
en keek toen spottend naar zichzelf. 'Laat maar.'
Simon Stein ging door met zijn pleidooi. 'Het is gezellig. Je ont-
moet veel mensen.'
Ze schudde haar hoofd. 'Nee echt, je wilt mij niet in je team. Ik ben
hopeloos.'
Een vrouw kwam bij hen staan en haakte haar arm in die van
Simon. 'Schat, kom je een potje poolbiljart met me spelen?' koerde ze.
Rose rilde even. Dit was het meisje dat ze Vijfennegentig noemde,
omdat 1995 het jaar was dat ze aan Harvard afstudeerde, iets wat ze
elke keer als ze met Rose praatte, vermeldde.
'Rose, dit is Felice Russo,' zei Simon.
'We kennen elkaar,' zei Rose. Felice streek met een hand over Si-
mons haar, dat daar volgens Rose echt niet netter van ging zitten. Op
dat moment kwam Maggie terug, met rode wangen en een sigaret in
haar hand.
'Waardeloos feestje,' kondigde ze aan, en keek rond. 'Stel me eens
voor.'
'Maggie, dit zijn Simon en Felice,' zei Rose. 'We zijn collega's.'
'O,' zei Maggie en inhaleerde diep van haar sigaret. 'Geweldig.'
'Wat een prachtige armband,' zei Felice wijzend naar Maggies pols.
'Is het inheems?'
Maggie staarde haar aan. 'Hè? Ik heb het in South Street ge-
kocht.'
'O,' zei Felice. 'Ik moest denken aan dat boetiekje in Boston waar
ze ook van dit soort sieraden hadden. Toen ik er op de universiteit zat,
heb ik daar wel eens wat gekocht.'
Daar gaan we weer, dacht Rose.
'Ik ben één keer in Boston geweest,' zei Maggie. 'Een vriendin van
me zat op Northeastern University.'
Drie... twee... een...
'O echt?' zei Felice. 'In welk jaar? Ik zat op Harvard...'

III

Rose grijnsde. En verbeeldde ze het zich nou, of moest Simon Stein ook lachen?

'Kom we gaan zitten,' zei hij, en ze verhuisden naar een cocktailtafeltje met dunne pootjes. Felice kakelde nog steeds over Cambridge in de winter. Maggie nam grote slokken martini. Rose dacht verlangend aan het buffet.

'Dus je denkt er nog even over?' vroeg Simon, 'over het softballen?'

'O eh... vooruit,' zei ze.

'Het is echt gezellig,' zei hij.

'Vind je ook niet?' zei Felice. 'Op de universiteit speelde ik squash. Dat hebben niet veel scholen natuurlijk...'

En nu wist ze het zeker. Simon Stein rolde wel degelijk met zijn ogen.

'We gaan ook naar happy hour,' zei hij.

'O ja?' vroeg Rose beleefd. 'Waar?'

Terwijl Simon een hele trits kroegen opnoemde waar Verzoek Afgewezen was geweest, waren Maggie en Felice over televisie aan het praten.

'O, de Simpsons. Ik vind de Simpsons geweldig! Weet je nog,' vroeg Felice, terwijl ze voorover leunde alsof ze een belangrijk geheim wilde vertellen, 'van die aflevering over de moeder van Homer, dat ze een vals rijbewijs had?'

'Nee,' zei Simon.

'Nee,' zei Rose.

'Ik houd niet van tekenfilms,' zei Maggie.

Felice sloeg er geen acht op.

'Het adres op het rijbewijs was Bow Street 44, waar in het echt het humoristische magazine Harvard Lampoon gevestigd is!'

Maggie staarde Felice een poosje aan en boog zich toen naar haar zus. 'Weet je,' fluisterde ze niet bepaald zachtjes, 'ik denk dat Felice op Harvard heeft gezeten.'

Simon begon te hoesten en nam een grote slok van zijn biertje. 'Een momentje,' mompelde Rose en pakte haar zus bij de pols en sleepte haar naar de deur.

'Niet aardig,' zei Rose.

'Hou op, zeg!' zei Maggie. 'Dat is toch precies wat ze wil horen? En waar slaat dat op 'ik zat op de universiteit van Boston'? Iedereen weet dat dat Harvard is, toch? Waarom zegt ze dat dan niet gewoon?'

'Omdat ze een snob is, maar dat niet wil laten merken,' zei Rose.

'O, geweldig van haar,' zei Maggie. 'Je vindt haar vast het einde.'
'Niet echt,' zei Rose. 'Ze is akelig.'
'Akelig!' schaterde Maggie. Ze trok haar zus naar de uitgang. 'Kom op, laten we weggaan van deze akeligheid.'
'Naar huis?' vroeg Rose hoopvol.
Maggie schudde haar hoofd. 'Naar iets veel leukers.'

Later – veel, veel later – zaten de zusjes tegenover elkaar in het International House of Pancakes. Ze waren naar een club geweest. En toen naar een disco die nog later open was. En toen naar een *afterparty*. En toen, of ze moest zich vreselijk vergissen of last hebben van door wodka opgeroepen hallucinaties, was er karaoke. Ze schudde haar hoofd om helder te worden, maar ze herinnerde het zich goed: ze stond op het podium, haar schoenen al lang uitgeschopt, vals te jammeren op 'Midnight train to Georgia' van Gladys Knight and the Pips, terwijl Maggie achter haar stond te dansen, haar eigen persoonlijke Pip.
'He's leaving...' zong Rose improviserend.
'All aboard! All aboard! All aboard!' zong Maggie op de achtergrond.
O god, dacht Rose en zakte onderuit in haar stoel. Geen wodka meer, zei ze streng tegen zichzelf. Ze beet op haar lip toen ze dacht aan de reden dat ze zo dronken was geworden. Jim, die hun reisje naar Chicago afzegde, haar achterlatend met Simon Stein. 'Ik denk dat jij meer om hem geeft dan andersom,' had Amy gezegd en het leek er nu verdomd veel op dat ze gelijk had. Wat had ze verkeerd gedaan? Hoe kon ze hem terugwinnen?
'Weten de dames het al?' vroeg een verveeld uitziende serveerster met haar pen in de aanslag.
Rose liet haar vinger over de kaart glijden alsof het braille was. 'Pannenkoekjes graag,' zei ze uiteindelijk.
'Welke?' vroeg de serveerster.
'Zij wil die van karnemelk,' zei Maggie die de kaart uit de handen van Rose pakte. 'Ik ook. En graag twee grote jus d'orange en een kan koffie alsjeblieft.'
De serveerster liep weg.
'Ik wist niet dat je kon zingen!' zei Maggie toen Rose begon te hikken.
'Ik zing niet,' zei Rose, 'ik procedeer.'
Maggie leegde vier zakjes zoetjes in haar koffiekop die net door de serveerster was gebracht. 'Was het niet lachen?'

'Lachen,' herhaalde Rose. Ze hikte weer. De eyeliner en mascara die Maggie die avond zo zorgvuldig had aangebracht, waren uitgelopen. Ze zag eruit als een wasbeer. 'Wat ben je nu eigenlijk van plan?' vroeg ze.

'Waarmee?' vroeg Maggie.

'Met je leven,' zei Rose.

Maggie fronste haar voorhoofd. 'Nu weet ik weer waarom we nooit samen uitgaan. Je hebt een paar spritzers op en begint alweer over een tienstappenplan om mijn leven te veranderen.'

'Ik wil alleen maar helpen,' zei Rose. 'Je hebt een doel nodig.'

De serveerster bracht de borden en een kan warme stroop.

'Wacht,' zei Rose. Ze keek de serveerster dronken aan. 'Hebben jullie vacatures?'

'Ik dacht het wel,' zei de serveerster. 'Ik zal een aanmeldingsformulier geven als ik de rekening kom brengen.'

'Vind je niet dat je een beetje overgekwalificeerd bent?' vroeg Maggie. 'Ik bedoel, universiteit, meester in de rechten... wil je echt alleen maar pannenkoeken serveren?'

'Nee joh, ik niet, maar jij,' zei Rose.

'O, je wilt dat ik pannenkoeken ga serveren,' zei Maggie.

'Ik wil dat je íets doet,' zei Rose, grote gebaren makend. 'Ik wil dat je meebetaalt aan de telefoonrekening. En me misschien af en toe wat geld geeft voor de boodschappen.'

'Ik eet nooit iets!' zei Maggie, wat niet helemaal waar was. Ze at niet veel – een muffin hier, wat melk met cornflakes daar. Maar veel kostte het niet. En het was nou ook weer niet zo dat Rose het niet kon betalen. Ze had de bankafschriften van haar zus gezien, natuurlijk in chronologische volgorde bewaard in een manillamap waarop stond 'bankafschriften'. Toch kon ze het zich voorstellen dat Rose door de keuken liep met zo'n gele, juridische blocnote en dingen opschreef als: *Eén Oriëntaalse kip van Lean Cuisine! Een half glas sinaasappelsap! Twee pakken magnetronpopcorn! Drie theelepels zout!*

Maggie voelde haar gezicht warm worden. 'Ik zal je geld geven,' zei ze bits.

'Je hebt helemaal geen geld,' zei Rose.

'Dan zorg ik dat ik wat krijg,' zei Maggie.

'Wanneer?' vroeg Rose. 'Wanneer zal deze speciale gebeurtenis plaatsvinden?'

'Ik heb een sollicitatiegesprek.'

'Wat mooi is, maar dat is nog geen baan.'

'Krijg de tering. Ik ga ervandoor,' zei Maggie en smeet haar servet op tafel.

'Blijf zitten,' zei Rose vermoeid. 'Eet je ontbijt. Ik ga naar het toilet.'

Rose ging weg. Maggie ging weer zitten en prikte in haar eten. Ze at niets. Toen de serveerster met het formulier kwam, gapte Maggie een pen uit de tas van haar zus, en twintig dollar uit haar portemonnee, en vulde de naam van Rose op het formulier in, vinkte alle hokjes aan met werktijden dat ze beschikbaar was en bij ruimte voor aanvullingen voegde ze toe 'Ik doe alles!' Toen gaf ze het formulier terug aan de serveerster, goot bosbessensiroop over de pannenkoeken van haar zus, die dat helemaal niet lekker vond, en wandelde het restaurant uit.

Rose kwam terug en keek verbaasd naar haar geruïneerde ontbijt.

'Je vriendin is vertrokken,' zei de serveerster.

Rose schudde langzaam haar hoofd. 'Ze is mijn vriendin niet, ze is mijn zus,' zei ze. Ze betaalde de rekening, trok haar jas aan, trok een gezicht van de pijn in haar voeten vol blaren en liep strompelend de deur uit.

16

'NEE, DANK JE,' ZEI ELLA EN HIELD HAAR HAND OP HAAR WIJN-glas. Het was hun eerste avondje uit eten, hun eerste officiële af-spraakje waarmee ze uiteindelijk instemde nadat Lewis weken zijn best had gedaan, en ze hadden een hele fles wijn besteld, wat een ver-gissing bleek. Het was jaren geleden – misschien wel tien jaar – dat ze wijn had gedronken, en die was natuurlijk meteen naar haar hoofd gestegen.

Lewis zette de fles neer en veegde zijn mond af. 'Ik heb een hekel aan de feestdagen,' zei hij op een toon alsof hij net vertelde dat hij niet van artisjokken hield.

'Wat zeg je?' vroeg ze.

'De feestdagen,' zei hij. 'Ik kan er niet tegen. Al jaren niet.'

'Hoe komt dat?'

Hij schonk zichzelf nog een half glas wijn in. 'Omdat mijn zoon me niet opzoekt,' zei hij kortaf. 'De enige reden waarom oudjes nog fijne feestdagen hebben.'

'Hij komt nooit?' vroeg Ella aarzelend. 'Ben je... is er...'

'Hij brengt de feestdagen bij zijn schoonfamilie door,' zei Lewis en uit de manier waarop hij dat zei, maakte Ella op dat dit een pijnlijk onderwerp was. 'Hij zoekt me in februari op, als de kinderen school-vakantie hebben.'

'Nou, dat is vast gezellig,' zei Ella.

'Heel gezellig,' zei Lewis. 'Ik verwen de kleinkinderen verschrik-kelijk. En ik kijk er altijd naar uit, maar toch blijven de feestdagen naar.' Hij haalde zijn schouders op, alsof hij wilde zeggen dat het nou ook weer niet het ergste in de wereld was, maar Ella wist dat het moeilijk moest zijn, alleen zijn.

'En jij?' vroeg Lewis. Ze wist dat die vraag zou komen, want hoe aardig hij ook was en hoe goed ze ook met elkaar overweg konden, ze kon die vraag niet voor eeuwig vermijden. 'Vertel me eens over jouw familie.'

Ella maande zichzelf tot kalmte, dwong zichzelf om niet haar schouders gespannen op te trekken of haar vuisten te ballen. Ze wist dat dit zou komen. Het was heel gewoon. 'Tja,' begon ze. 'Mijn man, Ira, was docent aan de universiteit. Economische geschiedenis was zijn vakgebied. We woonden in Michigan. Hij is vijftien jaar geleden overleden. Hartaanval.' Zo zei je dat in Golden Acres als je partner was overleden: naam, functie, hoe lang hij al was overleden en waardoor – in algemene bewoordingen (de dames schroomden bijvoorbeeld niet om 'kanker' te fluisteren, maar het woord 'prostaat' kregen ze niet over hun lippen).

'Had je een goed huwelijk?' vroeg Lewis. 'Ik weet dat het mij niet aangaat...' en keek Ella hoopvol aan.

'Het was...' begon ze, terwijl ze met haar mes speelde. 'Het was een huwelijk zoals dat toen ging, denk ik. Mijn man werkte, ik deed het huishouden. Koken, schoonmaken, gastvrouw spelen...'

'Wat voor iemand was Ira? Waar hield hij van?'

Het vreemde was dat Ella zich dat nauwelijks kon herinneren. Het enige wat in haar opkwam was 'genoeg'. Ira was aardig genoeg, slim genoeg, verdiende genoeg, zorgde goed genoeg voor haar en Caroline. Hij was een beetje gierig ('spaarzaam' noemde hij het) en meer dan een beetje ijdel (Ella kreeg weer de kriebels als ze aan zijn kale hoofd dacht, dat hij bedekte met een lange lok haar, ook op latere leeftijd nog), maar hij was bovenal... genoeg.

'Hij was aardig,' zei ze, wat maar half waar was, dacht ze. 'Hij onderhield ons goed,' voegde ze toe, zich ervan bewust hoe ouderwets dat klonk. 'Hij was een goede vader,' besloot ze, hoewel dat niet helemaal waar was. Ira – met zijn studieboeken en krijtgeur – wist niet wat hij met Caroline aan moest. Prachtige, fragiele, vreemde, woedende Caroline, die op haar eerste dag van de peuterzaal per se haar tutu aan wilde en op achtjarige leeftijd had aangekondigd dat ze alleen nog maar prinses Maple Magnolia genoemd wilde worden. Ira nam haar mee vissen, naar honkbalwedstrijden, en wilde waarschijnlijk stiekem dat hun enig kind een zoon was geweest, of in ieder geval een normaal meisje.

'Dus je hebt kinderen?' vroeg Lewis.

Ella ademde diep in. 'Ik had een dochter, Caroline. Ze is overleden.' Oké, daar was de naam en haar overlijden, maar verder niets: hoe Caroline was, wanneer ze dood was gegaan en waardoor dat kwam. Lewis legde zachtjes zijn hand op de hare. 'Het spijt me,' zei hij. 'Ik kan me niet voorstellen hoe dat moet voelen.'

Ella zei niets, ze wist niet hoe ze dat gevoel moest omschrijven. Moeder zijn van een dood kind was erger dan alle clichés zeiden. Het was het allerergste. Het was zo erg, dat ze alleen in stukjes en brokken aan de dood van Caroline kon denken, en dan nog maar met mondjesmaat, een handjevol herinneringen, de ene nog pijnlijker dan de andere. Ze herinnerde de gladde mahoniehouten doodskist, koud en stevig onder haar hand. Ze kon de gezichten zien van de dochters van Caroline, gekleed in hun donkerblauwe jurkjes, het donkerbruine haar in identieke paardenstaarten, en hoe de oudste dochter de hand van haar zusje vasthield toen ze naar de kist liepen, en hoe de jongste huilde en de oudste niet. 'Zeg mama maar gedag,' hoorde Ella de oudste met schorre stem zeggen, en het jongere zusje schudde haar hoofd en huilde. Ze herinnerde zich nog dat ze daar stond, geheel leeg, alsof een reuzenhand alles uit haar had weggenomen – haar ingewanden, haar hart – en ze er nog wel hetzelfde uitzag, maar geheel niet meer dezelfde was. Ze wist nog dat Ira haar ondersteunde alsof ze kreupel was, of blind, zijn hand om haar elleboog. Hij hielp haar de auto in, de auto uit, de trappen op van de rouwkamer. Maar bovenal – het ergste van alles – herinnerde ze zich haar kleinkinderen, hun bruine ogen en hun paardenstaarten, de manier waarop de oudste, Rose, Maggie probeerde te troosten. Ze hebben geen moeder, dacht ze, en die gedachte was als een bom die in haar hoofd afging. Zij had haar dochter verloren, wat een verschrikkelijke tragedie was, maar deze meisjes hadden een moeder verloren. En dat was vele malen erger.

'We moeten verhuizen,' had ze die avond tegen Ira gezegd, nadat hij haar in de stoel in hun hotelkamer had geholpen. 'We verkopen het huis en huren een appartement...'

Hij stond naast het bed, poetste zijn bril met het uiteinde van zijn stropdas en keek haar vol medelijden aan. 'Denk je niet dat dat de put dempen is nadat het kalf is verdronken?'

'Put!' had ze geschreeuwd. 'Kalf! Ira, onze dochter is dood! Onze kleinkinderen hebben geen moeder! We moeten helpen! We moeten hier in de buurt zijn!'

Hij had haar aangekeken... en toen zei hij, de enige keer in haar leven dat ze hem op een vooruitziende blik had betrapt: 'Misschien wil Michael wel in zijn eentje voor hen zorgen.'

Of ze kon verder teruggaan in de tijd. Ze kon hem vertellen dat het de avond van het telefoontje regende en dat ze dagen later thuiskwam en de telefoon uit elkaar haalde: het mondstuk opendraaide, de draad die de hoorn met de telefoon verbond loshaalde, de draaischijf eraf wrikte, de bodem losschroefde en het binnenwerk eruit haalde, de telefoon die haar het verschrikkelijke nieuws had gebracht, kapotmaakte, er vervolgens naar keek, zwaar ademend en dacht: je kunt me geen pijn meer doen, kunt me geen pijn meer doen. Ze kon hem vertellen dat dit haar vijf minuten lang kalmeerde, totdat ze opeens voor de stoffige werktafel van Ira stond in de kelder, zijn hamer in haar hand, en de onderdelen van de telefoon in duizenden stukjes mepte; dat ze haar eigen handen tot puin wilde slaan als straf, omdat ze had geloofd wat ze wilde geloven: dat Caroline de waarheid had verteld, dat ze haar medicijnen nam, dat ze gelukkig was, en gezond, dat alles goed was.

Lewis keek haar aan. 'Gaat het?'

Ella ademde diep in. 'Ja hoor,' zei ze zwakjes. 'Prima.'

Lewis bekeek haar aandachtig, stond op en hielp Ella overeind. Toen ze eenmaal op haar benen stond, hield hij een warme hand om haar elleboog en leidde haar naar de uitgang. 'Laten we een eindje gaan wandelen,' zei hij.

17

MAGGIE FELLER BRACHT DE ZONDAGMIDDAG DOOR IN HET POST-
moderne paleisje van Sydelle, en speelde Informatie. Ze was die ochtend met een kater wakker geworden van de telefoon. 'Rose, telefoon!' kreunde ze, maar Rose gaf geen antwoord. En Sydelle de Verschrikkelijke bleef maar volhouden, totdat Maggie eindelijk opnam en afsprak dat ze langs zou komen om haar spullen uit haar slaapkamer te halen. 'We hebben de ruimte nodig,' zei Sydelle. Steek het in je neus, dacht Maggie. Jullie hebben ruimte zat. 'En waar moet ik alles dan laten?' vroeg ze. Sydelle had gezucht. Maggie kon haar stiefmoeder al voor zich zien: dunne lippen samengeknepen tot een dun lijntje, haar neusvleugels opengesperd, lokken van pasgeverfde blonde haren stijfjes bewegend als ze haar hoofd schudde. 'Je kunt je spullen in de kelder zetten, lijkt me,' zei Sydelle op een manier alsof ze net haar eigenzinnige stiefdochter toestemming had gegeven om een achtbaan in haar voortuin te zetten.

'Dat is heel gul van je,' zei Maggie sarcastisch. 'Ik kom vanmiddag wel langs.'

'Dan zijn we op cursus,' had Sydelle gezegd. 'Macrobiotisch koken.' Alsof Maggie ernaar had gevraagd. Maggie nam een warme douche, pakte de sleutels van Rose' auto en reed naar New Jersey. Het huis was leeg, op de idiote hond Chanel na (die Rose altijd 'Kappen!' noemde) en die als gewoonlijk tekeerging alsof ze een inbreker was en vervolgens tegen haar been begon op te rijden. Maggie duwde de hond naar buiten en zeulde een halfuur lang dozen naar de kelder, waarna ze nog een uur overhad voor Informatie.

Ze begon met het bureau van Sydelle, maar vond niets interessants – een paar rekeningen, stapels briefpapier, een vel met fotootjes van Mijn Marcia in haar trouwjurk – en begon met de inspectie van de veel boeiender inloopkast in de slaapkamer van haar vader en stiefmoeder, waar ze al eerder een van de mooiste vondsten had gedaan: een juwelendoosje van bewerkt hout. De doos was leeg, op een stel gouden oorringen na en een armband met kleine gouden schakels. Die waren van haar moeder, dacht ze, want ze wist waar Sydelle haar sieraden bewaarde. Ze dacht erover de sieraden in haar zak te steken, maar deed dat toch maar niet. Misschien keek haar vader nog af en toe naar deze spullen, en dan zou hij erachter komen dat ze weg waren en Maggie vond het geen prettig idee dat hij de sieradendoos zou pakken en er dan niets in zou aantreffen.

Ze begon bij de eerste plank. Een stapel belastingteruggaven met een elastiek erom. Ze bladerde die door en legde de stapel terug. De cheerleadertrofeeën van Mijn Marcia. Maggie stond op haar tenen, reikte over de rijen zomershirts van haar vader en zomerjurkjes van Sydelle en voelde met haar vingers over de bovenste plank. Ze voelde alleen maar stof, totdat haar vingers tegen iets stootten – een schoenendoos leek het.

Maggie pakte de doos van de plank – hij was roze, zag er oud en versleten uit. Ze veegde het stof van het deksel, droeg de doos de kast uit en ging op bed zitten. Hij was niet van Sydelle want Sydelle plakte etiketten op haar schoenendozen met daarop een beschrijving van de schoenen die erin zaten (de meeste heel erg duur, met pijnlijke puntige neuzen). Bovendien droeg Sydelle een smalle schoenmaat zevenendertig en in deze doos zat volgens het etiket ooit een paar roze balletschoentjes van Capezio, kindermaat tweeëndertig. Kinderschoentjes. Maggie haalde het deksel eraf.

Brieven. De doos zat vol brieven, minstens twintig. Of eigenlijk waren het kaarten, in gekleurde enveloppen, en de eerste die ze eruit haalde was aan haar geadresseerd, mejuffrouw Maggie Feller, op hun oude adres, het driekamerappartement waar ze woonden voordat ze naar Sydelle verhuisden. Op de poststempel stond '4 augustus 1980', verzonden rond haar achtste verjaardag (een geweldig feest was dat, herinnerde ze zich, ze waren wezen bowlen en hadden pizza en ijs gegeten). In de linkerbovenhoek stond het adres van de afzender. De kaart kwam van iemand met de naam Ella Hirsch, die woonde in Golden Acres, wat dat ook mocht zijn, in Florida.

Hirsch, dacht Maggie terwijl haar hart sneller ging kloppen bij dit mysterie. Hirsch was de meisjesnaam van haar moeder. Ze pakte een kaart midden uit de stapel en maakte de envelop open. Na bijna twintig jaar liet de lijm gemakkelijk los. Het was een verjaardagskaart, een kaart voor kleine kinderen met een roze verjaardagstaart en gele kaarsjes op de voorkant. GEFELICITEERD! stond er. En aan de binnenkant, onder de voorgedrukte EEN HEEL FIJNE DAG GEWENST! las ze: 'Lieve Maggie, ik hoop dat het goed met je gaat. Ik mis je heel erg en zou graag eens iets van je willen horen.' Daaronder stond een telefoonnummer en 'Oma', met tussen haakjes 'Ella Hirsch'. Ook zat er een briefje van tien in, dat Maggie in haar zak stopte.

Interessant, dacht Maggie en stond op. Ze liep naar het slaapkamerraam en keek op straat of ze Sydelles auto al zag aankomen. Maggie wist dat ze een oma had, ze kon zich nog vaag herinneren dat ze op iemands schoot zat – de geur van bloemig parfum en een zachte wang tegen de hare – terwijl haar moeder een foto maakte. Ze kon zich ook vaag dezelfde vrouw herinneren op de begrafenis van haar moeder. Wat er met de foto gebeurd was, liet zich raden. Toen ze introkken bij Sydelle, waren alle sporen en bezittingen van haar moeder spoorloos verdwenen. Maar wat was er met haar oma gebeurd? Ze herinnerde zich nog dat ze op haar eerste verjaardag in New Jersey aan haar vader had gevraagd waar oma Ella was. Of haar oma haar nog iets had gestuurd. Er was een schaduw over het gezicht van haar vader gegleden. 'Het spijt me,' had hij gezegd – dat dacht Maggie tenminste. 'Ze kan niet komen.' En haar volgende verjaardag had ze dezelfde vraag gesteld en een ander antwoord gekregen. 'Oma Ella zit in een tehuis.'

'Wij toch ook?' had Maggie gezegd, die niet begreep wat haar vader bedoelde.

Maar Rose snapte het wel. 'Niet een huis als het onze,' zei ze terwijl ze haar vader aankeek, die tegen haar knikte. 'In een huis voor oude mensen.' En dat was dat. Maar toch, tehuis of niet, hun oma had deze kaarten gestuurd. Dus waarom hadden Maggie en Rose ze nooit ontvangen?

Ze vroeg zich af of alle kaarten hetzelfde waren, en pakte er nog een van de stapel. Deze was uit 1982 en geadresseerd aan Rose Feller. Op deze stonden gelukwensen voor een fijne Chanoeka, de kaart was weer ondertekend met: 'Ik hou van je, ik mis je, ik hoop dat het goed met je gaat, liefs, oma (Ella).' En opnieuw een biljet, van twintig dollar dit keer, die zich bij het tientje voegde in Maggies zak.

Oma. Ella, dacht ze. Wat was er gebeurd? Haar moeder was gestorven en er was een begrafenis geweest. Haar oma was daar vast en zeker bij geweest. Toen waren ze verhuisd, van Connecticut naar New Jersey, binnen een maand na de dood van haar moeder, en hoe Maggie ook haar best deed, ze kon zich niet herinneren dat ze haar oma daarna ooit nog had gezien, of van haar had gehoord.

Ze had haar ogen nog steeds dicht toen ze de garagedeur hoorde en weer wakker werd geschud. De deuren van de auto werden dichtgeslagen. Ze stak de kaart voor Rose in haar zak en sprong op.

'Maggie?' riep Sydelle. Maggie hoorde hakken op de keukenvloer tikken.

'Bijna klaar,' riep Maggie terug. Ze zette de doos terug op de plank en liep naar beneden, waar haar vader en Sydelle de tassen vol spruitjes en granen uitpakten.

'Blijf eten,' bood haar vader aan en kuste haar op haar wang toen Maggie haar jas wilde aantrekken. 'We maken...' hij stopte even en gluurde in een van de tassen.

'Quinoa,' zei Sydelle zo Spaans mogelijk: *Kienwha!*

'Nee dank je,' zei Maggie en knoopte langzaam haar jas dicht, terwijl ze toekeek hoe haar vader de boodschappen opruimde. Ze vond het moeilijk te geloven dat hij ooit knap was geweest. Maar ze had foto's van hem gezien toen hij jong was, voordat zijn haarlijn was teruggeweken naar het midden van zijn schedel en zijn gezicht rimpelig was geworden en die berustende blik had gekregen. Maar soms, als ze hem van achteren zag, of als hij op een bepaalde manier bewoog, zag ze zijn schouders en de vorm van zijn gezicht en zag ze daarin iemand die knap genoeg was geweest dat een prachtige vrouw als haar moeder van hem kon houden. Ze wilde haar vader over de kaarten vragen, maar niet waar Sydelle bij was, want ze wist dat het Stiefmonster dan onmiddellijk zou vragen wat Maggie in hun kast te zoeken had.

'Hé papa,' begon ze. Sydelle liep naar de voorraadkast met haar armen vol blikken soep van hetzelfde merk als Rose in haar keuken bewaarde: superflauw, gemaakt van natuurlijke ingrediënten, zoutloos en smakeloos. 'Zullen we deze week een keer gaan lunchen?'

'Prima,' zei haar vader – op hetzelfde moment dat Sydelle vroeg: 'Hoe gaat het met werk zoeken, Maggie?'

'Uitstekend!' zei ze opgewekt. Trut, dacht ze.

Sydelle trok haar koraalrode lippen in een vrolijke nepglimlach. 'Dat vind ik fijn te horen,' zei ze, draaide zich van Maggie weg en liep weer naar de voorraadkast. 'Je weet dat we alleen het beste voor je willen, Maggie, en we hebben ons zorgen gemaakt...' Maggie greep haar tasje. 'Ik moet gaan,' zei ze. 'Druk druk druk!' 'Bel me!' zei haar vader. Maggie wuifde kort en stapte in de auto van Rose, waar ze de kaart en het geld te voorschijn haalde om zich ervan te vergewissen dat ze er nog waren, dat ze het niet verzonnen had, dat er stond wat ze dacht dat er stond. Oma. Rose wist wel hoe ze dit moesten oplossen. Maar toen Maggie terugkwam, was Rose haar koffer aan het inpakken. 'Ik moet naar kantoor om een resumé af te maken. Ik ben laat thuis en vertrek morgen vroeg. Zakenreis,' zei ze op haar bazige toon, zichzelf heel belangrijk voelend, terwijl ze heen en weer liep met haar pakken en laptop. Nou, als Rose weer terug was, zouden ze de koppen bij elkaar steken en het Mysterie van de Verdwenen Grootmoeder gaan ontrafelen.

18

OP MAANDAGOCHTEND STOND SIMON STEIN IN DE LOBBY VAN HET
appartementencomplex waar Rose woonde. Hij had een kakibroek aan
en dito schoenen, een Lewis, Dommel en Fenick-poloshirt met het
logo van het kantoor op zijn borst en een Lewis, Dommel en Fenick-
honkbalpet. Rose haastte zich de lift uit en liep hem straal voorbij.
'Hé!' zei Simon zwaaiend.
'O,' zei Rose. 'Hoi.' Het was een slecht begin van de dag geweest.
Toen ze het kastje onder de wastafel opende om haar tampons te pakken, trof ze een lege doos aan met slechts één lege huls. 'Maggie!' had
ze gegild. En Maggie, die nog sliep, had uiteindelijk haar tasje doorzocht en als troost een maandverband naar haar gegooid. 'Waar zijn
mijn tampons-super?' had Rose kwaad gevraagd. Maggie had alleen
haar schouders opgetrokken. Rose zou op het vliegveld andere moeten
kopen, als ze zich maar even van Simon Stein kon verlossen, en...
'... er echt naar uit,' zei Simon, die invoegde op de 195.
'Sorry?'
'Ik zei dat ik ernaar uitkijk,' zei hij. 'Jij niet?'
'Och, ja hoor,' zei Rose. Maar ze zag helemaal niet uit naar dit reisje. Ze had er wekenlang van gedroomd alleen met Jim te zijn, in een
stad waar niemand hen kende, ver weg van iedereen van kantoor. Ze
zouden ergens romantisch gaan dineren... of misschien alleen roomservice bestellen. Binnen blijven. Elkaar beter leren kennen. En nu zat
ze opgescheept met Simon Stein, de allesweter.
'Denk je dat wij zijn uitgekozen omdat we het goede voorbeeld zijn
voor jonge medewerkers, of omdat ze van ons afwilden?' vroeg ze.

'Nou,' zei Simon, terwijl hij de parkeerplaats opreed voor lang parkeren, 'ze hebben mij gekozen vanwege het goede voorbeeld. Jou zijn ze liever kwijt dan rijk.'

'Pardon?'

'Grapje,' zei hij en lachte ondeugend naar haar. Weerzinwekkend, dacht Rose. Volwassen mannen zouden niet ondeugend mogen kijken. Ze waren drie kwartier te vroeg bij de gate. Perfect, dacht Rose en liet haar tassen op een stoel vallen. 'Zeg, ik ga even naar de kiosk,' zei ze en was opgelucht toen Simon knikte en zei dat hij op haar spullen zou passen.

Het was idioot, dacht ze, maar ze was niet iemand die zomaar een doos Kotex-maandverband boven op haar sla en kalkoenfilet kon leggen in de supermarkt en zonder een spier te vertrekken bij de kassa kon staan terwijl een tiener haar boodschappen scande. Zeker niet. Haar tampons kocht ze altijd bij dezelfde winkel, waar ze in de gangpaden bleef dralen tot ze zeker wist dat er geen rij stond en ze een vrouwelijke kassier had. Ze wist dat het nergens op sloeg (dat hadden Amy en Maggie haar vaak genoeg duidelijk gemaakt), maar om de een of andere reden vond ze het gênant die dingen te kopen. Waarschijnlijk omdat haar vader zó overstuur was geraakt toen ze voor het eerst ongesteld werd, dat hij haar drie uur lang in de badkamer had laten zitten, terwijl ze een prop wc-papier vol bloed in haar handen vasthield, wachtend op Sydelle, die na haar jazzdansclubje een doos maandverband moest halen. Maggie had geduldig aan de andere kant van de deur gewacht en zelfs geprobeerd om een *People* onder de deur te schuiven.

'Wat is er aan de hand?' had ze gevraagd.

'Ik ben een vrouw geworden,' had Rose geantwoord vanaf de rand van het bad. 'Jippie.'

'O,' zei Maggie. 'Nou, gefeliciteerd.' En Rose herinnerde zich nog dat Maggie zelfs een taart voor haar had gebakken, met chocolade en 'gefeliciteerd Rose' erop. Oké, hun vader was te gegeneerd geweest om een hap te eten en Sydelle had onaardige geluiden gemaakt over het vet wat erin zat, maar het was aardig geweest van Maggie.

In het vliegtuig stopte ze haar tas in de bagageruimte boven haar hoofd, deed haar gordel om en staarde uit het raam, kauwend op de gemengde noten. Ze probeerde haar knorrende maag te negeren en dacht dat als ze niet zo overdreven lang met die notitie voor Jim was bezig geweest, of zich bezig had moeten houden met Wat Heeft Maggie Nu Weer Gejat, ze tijd had gehad een broodje te kopen. Simon had inmiddels een klein nylonzakje onder zijn stoel te voorschijn gehaald. Hij deed met een zwierig gebaar de rits ervan open.

'Hier,' zei hij.

Rose keek naar links en zag dat hij een broodje met zaadjes erop vasthield.

'Negen granen,' zei hij. 'Van Le Bus. Ik heb er ook een van elf granen, als je negen niet genoeg vindt.'

Ze keek hem nieuwsgierig aan, accepteerde het broodje, dat nog steeds warm was en verrukkelijk smaakte. Even later tikte hij haar op de arm en bood haar een stuk kaas aan.

'Wat is dit allemaal?' vroeg ze uiteindelijk. 'Heeft je moeder je lunchpakket ingepakt?'

Simon schudde zijn hoofd. 'De lunchpakketjes van mijn moeder leken nergens op. Zij is niet bepaald een ochtendmens. Toen we kind waren, stommelde zij elke ochtend de trap af...'

'Stommelde?' vroeg Rose, en bereidde zich voor op een vervelend verhaal van Simon over het alcoholprobleem van zijn moeder.

'Ze is onder de beste omstandigheden nog niet gracieus, maar vooral niet als ze nog half slaapt. Ze stommelt dus de trap af en pakt een goedkoop witbrood en vleeswaren die ze in de aanbieding heeft gekocht en haalt het pondspak margarine te voorschijn.' Rose zag zijn moeder voor zich, in een sjofele nachtjapon en op blote voeten, staand voor het aanrecht, bezig met dit door haar zo verafschuwde karweitje.

'Ze smijt zes boterhammen op het aanrecht en besmeert die met de margarine, of althans, dat probeert ze, want de margarine was altijd zo koud, dat die niet smeerbaar was. Het brood ging dan kapot en je had dan van die sandwiches met klonten boter ertussen en daar deed ze dan die goedkope vleeswaren op...' Simon deed dit met zijn handen na, 'en dan kwakte ze daar de andere boterham op en schoof de sandwich in een zakje, stopte dat in een bruine papieren zak, samen met wat gekneusd fruit en een handjevol pelpinda's. En dat was ons middageten. En dat,' besloot hij terwijl hij een brownie uit zijn tas toverde en de helft aan Rose aanbood, 'verklaart wie ik ben.'

'Wat bedoel je?'

'Als je opgroeit in een gezin waar niemand om eten geeft, zul je zelf uiteindelijk ook niet om eten geven, of juist te veel.' Hij sloeg zichzelf op zijn buik. 'Je raadt al welke kant ik ben opgegaan. Hoe zag jouw schoollunch eruit?'

'Dat hing ervan af,' zei Rose.

'Waarvan?'

Rose beet op haar lip. Haar schoollunches vielen in drie categorieën. De vrolijke lunches van haar moeder waren heel bijzonder: dubbele boterhammen van de korst ontdaan, de worteltjes geraspt en in staafjes van gelijke dikte gesneden, de appel gewassen en een papieren servetje onderin de zak, soms met vijftig cent erbij voor een ijsje en een briefje met 'trakteer jezelf maar van mij'. En dan had je nog de minder bijzondere lunches. De korsten zaten nog aan het brood. De worteltjes waren niet geraspt – één keer had haar moeder een hele wortel in Rose' tas gestopt, met het groen er nog aan. Ze vergat het servet, het melkgeld, soms zelfs de hele boterham. Een keer was Maggie naar haar toegekomen in de hal. Ze keek ontdaan. 'Kijk,' had ze gezegd en liet Rose zien dat er in haar lunchzakje vreemd genoeg niets anders zat dan het chequeboek van haar moeder. Rose keek in haar eigen zakje en trof een verkreukelde leren handschoen aan.

'We kregen vooral warme lunches,' zei ze tegen Simon. Wat waar was. Twee jaar maakte haar moeder de lunch klaar, de tien jaar daarna bestonden uit lunches van magnetronpizza en gehaktbrood, de maaltijden van Lean Cuisine (van Sydelle) en gemengde salade, die Rose meestal afsloeg.

Simon zuchtte. 'Ik zou een moord hebben gedaan voor een warm middagmaal. Hoe dan ook,' zei hij met een vrolijk gezicht, 'denk je dat het gezellig wordt?'

'Weet je nog hoe jij was als eerstejaars rechtenstudent?'

Simon dacht even na. 'Onuitstaanbaar,' zei hij.

'Precies. Ik ook. Dus ik denk dat we veilig kunnen aannemen dat de overgrote meerderheid van deze kinderen net zo stierlijk vervelend zijn als wij waren.' Ze sloot haar ogen, ademde diep en hoopte dat Simon haar met rust zou laten. Ze was opgelucht toen hij dat deed.

De eerste kandidate knipperde niet-begrijpend met haar ogen en herhaalde de vraag van Simon. 'Mijn doelen?' vroeg ze. Ze zag er abominabel jong en fris uit in haar zwarte pakje en keek Rose en Simon aan met de bedoeling assertief te lijken, maar leek eerder bijziend. 'Over vijf jaar wil ik op jullie plek zitten.'

Alleen dan met een betere hygiënische bescherming, dacht Rose. De afgelopen tien minuten had ze het gevoel dat de tampon van het vliegveld zijn werk niet goed deed.

'Vertel ons eens waarom je geïnteresseerd bent in Lewis, Dommel en Fenick,' hielp Simon haar op weg.

'Nou,' begon ze zelfverzekerd, 'ik ben erg onder de indruk van uw firma's inzet voor pro-Deowerk...'

Simon keek even naar Rose en vinkte toen iets af op het papier waarop ze de scores bijhielden.

'... en ik sta achter het idee van de partners dat er evenwicht moet zijn tussen werk en gezinsleven...'

Simon vinkte weer iets af.

'En,' eindigde de jonge vrouw, 'Boston lijkt me een geweldige stad om in te werken.'

Rose en Simon keken elkaar verbijsterd aan. *Boston?*

De kandidate keek hen onzeker aan. 'Daar is zoveel te doen! En de stad heeft zo'n rijke historie!'

'Dat is waar,' zei Simon, 'maar wij zijn gevestigd in Philadelphia.'

De vrouw snakte naar adem. 'O,' zei ze.

'In Philadelphia is ook van alles te doen,' zei Rose, die zich kon voorstellen dat zij deze vergissing als rechtenstudent misschien ook had gemaakt – je bereid je op zo veel gesprekken voor, dat alle bedrijven in elkaar overliepen en één grote, gezinslievende, pro-Deovoorstander vormden.

'Vertel ons eens over jezelf,' vroeg Rose aan de roodharige jongen die tegenover haar zat.

Hij zuchtte. 'Goed,' begon hij, 'ik ben vorig jaar getrouwd.'

'Wat leuk,' zei Simon.

'Nou,' zei de jongen bitter, 'maar gisteravond zei ze dat ze me gaat verlaten voor onze docent staatsrecht.'

'O jee,' mompelde Rose.

'"Hij is mijn scriptiebegeleider," vertelde ze me. Goed, ik was niet achterdochtig. Zou jij achterdochtig zijn geweest?' vroeg hij en keek Simon en Rose aan.

'Eh,' zei Simon. 'Ik ben niet getrouwd.'

De rechtenstudent kroop verder weg in zijn pak. 'Jullie hebben mijn cv,' zei hij. 'Als jullie belangstelling hebben, weten jullie waar ik te vinden ben.'

'Ja,' fluisterde Simon, toen de jongen de kamer verliet en de volgende kandidaat binnenkwam, 'in de bosjes buiten de woning van de docent met een nachtkijker en een jampotje om in te pissen.'

'Ik ben rechten gaan studeren uit walging,' begon de brunette met dunne lippen. 'Herinneren jullie je nog de zaak van de hete McNugget?'

'Nee,' zei Rose.

'Niet echt,' zei Simon.

De rechtenstudente schudde haar hoofd en keek hen geringschattend aan. 'Een dame gaat naar een drive-in-McDonald's en bestelt McNuggets. Ze krijgt de McNuggets vers uit de frituur. Ze zijn heet. De vrouw neemt een hap van een McNugget, brandt haar lippen, doet McDonald's een proces aan omdat het bedrijf verzuimd heeft haar te melden dat de McNuggets gevaarlijk heet zijn, en wint honderdduizenden dollars. Ik vond dat weerzinwekkend.' Ze keek hen dreigend aan, ter onderstreping van haar walging. 'Zulke uitspraken scheppen proceskanker, waarmee Amerika steeds meer geïnfecteerd wordt.'

'Weet je, mijn oom had daar ook last van,' zei Simon droevig. 'Proceskanker. Er is weinig tegen te doen.'

De vrouw keek hen woedend aan. 'Ik meen het serieus!' zei ze. Onzinnige rechtszaken zijn een enorm probleem voor het beroep van jurist.' Simon knikte. Rose moest een geeuw onderdrukken toen de vrouw een kwartier lang voorbeelden gaf over zaken, beslissingen en voetnoten, tot ze plots opstond en haar rok gladstreek.

'Goedendag,' zei ze en marcheerde de deur uit.

Rose en Simon keken elkaar aan en barstten in lachen uit.

'Hemeltje lief,' zei Rose.

'En de winnaar is,' zei Simon, 'de Hete McNugget. Zo noemen we haar. Afgesproken?'

'Ik weet het niet,' zei Rose. 'Wat vond je van die jongen die met consumptie praatte? Of juffrouw Boston?'

'Ik had de neiging om te zeggen dat ze Boston niets aan zou vinden, omdat het niet echt een universiteitsstad is, maar ze zag er niet uit alsof ze tegen een stootje kon,' zei hij. 'Ook ben ik nalatig geweest, want we hebben niemand gevraagd wat ze van alternatieve sporten vinden. We hebben niet eens gevraagd of ze gewoon autoreden of als een gek.' Hij schudde zijn hoofd in valse wanhoop. 'Ik denk niet dat we zo naar Philadelphia kunnen terugkeren.'

'Die jongen van die ex-vrouw zag eruit alsof hij een snowboard in zijn garage had staan.'

'Ja,' zei Simon, 'naast zijn kruisboog. En wat vond je van die blonde?'

Rose beet op haar lip. 'Die blonde' was de een na laatste kandidate geweest. Middelmatige cijfers en geen noemenswaardige ervaring, maar ze was beeldschoon. 'Ik denk dat sommige partners haar wel zouden waarderen,' zei Simon droog. Rose huiverde. Bedoelde hij Jim? 'Hoe dan ook,' zei Simon, die zijn papieren in de onvermijdelijke Lewis, Dommel en Fenick-map stopte. 'Waar zullen we gaan eten?' 'Roomservice,' zei Rose en stond op. Simon keek ontzet. 'O nee, niets daarvan, we moeten ergens uit eten gaan! Chicago heeft geweldige restaurants!' Rose keek hem naar ze hoopte vriendelijk aan. 'Ik ben erg moe,' zei ze, wat waar was. Ook had ze krampen. En ze wilde in haar hotelkamer zijn voor Jim, die haar had beloofd te bellen, nu hij niet was meegegaan. Was telefoonseks moeilijk? vroeg ze zich af. Zou zij het kunnen zonder te klinken als een van die smerige reclames laat op de avond, of alsof ze voorlas uit de Clinton/Lewinsky-verklaringen?

'Dan moet je het zelf maar weten,' zei Simon. Hij stak zijn hand op bij wijze van groet, stopte de map in een draagtas van Lewis, Dommel en Fenick (volwassen mannen, dacht Rose, zouden geen draagtassen moeten gebruiken) en ging ervandoor. Rose spoedde zich naar haar hotelkamer, naar de telefoon, naar Jim.

19

MAGGIE SPRAK MET ZICHZELF AF DAT ZE EEN BAAN ZOU HEBBEN
voordat Rose terugkwam uit Chicago. Als ze een baan had, dacht ze,
zou Rose blij zijn en dan had ze vast wel zin om zich bezig te houden
met de Zaak van de Verdwenen Grootmoeder. Dus liet ze het baantje
als barvrouw schieten en vertrok ze met haar stapel cv's. Binnen een
dag had ze een baantje in de wacht gesleept bij de Elegant Paw, een opzichtige hondenkapsalon om de hoek van het appartementencomplex
waar Rose woonde, in een straat met twee Franse bistro's, een sigarenbar, een boetiekje en een cosmeticawinkel, genaamd Kiss and Make Up.
'Hou je van honden?' vroeg Bea de manager, die een overall aan had
en een Marlboro zonder filter rookte, terwijl ze een Shih Tzu aan het
föhnen was.
'Zeker weten,' had Maggie gezegd.
'En je houdt zo te zien ook van kappen,' zei Bea, die naar Maggies
strakke spijkerbroek en nog strakkere truitje keek. 'Het gaat vast
goed. Jij wast de honden, knipt hun nagels en snorharen, borstelt hun
vacht en föhnt ze. Je verdient zeven dollar per uur,' voegde ze eraan
toe. Ze pakte de Shih Tzu bij zijn staart en halsband op en stopte hem
in de plastic mand.
'Prima,' zei Maggie.
Bea gaf haar een schort, een fles babyshampoo van Johnson's en
knikte met haar hoofd in de richting van een groezelig uitziende poedel. 'Je weet het van de anaalklieren?'
Maggie staarde haar aan, in de hoop dat ze haar verkeerd had verstaan. 'Pardon?'

Bea glimlachte. 'De anaalklieren,' herhaalde ze. 'Ik zal het je laten zien.' Maggie had gekeken, en moest zowat kokhalzen toen Bea de staart omhooghield. 'Zie je dit?' Ze wees naar het bedoelde gebied. 'Knijpen.' Ze deed het voor. De geur was weerzinwekkend. Maggie dacht dat ze moest overgeven. Zelfs de poedel leek gegeneerd. 'Moet ik dat bij elke hond doen?' vroeg ze. 'Alleen de honden waarbij het nodig is,' zei Bea. Alsof dat enige troost bood. 'En hoe weet ik welke het nodig hebben?' drong Maggie aan. Bea lachte. 'Je moet kijken of ze gezwollen zijn,' zei ze. Maggie rilde, maar slikte even en ging aarzelend op haar eerste hond af.

Na acht uur had Maggie zestien honden gewassen en zestien verschillende soorten hondenhaar op haar trui.

'Goed gewerkt,' zei Bea, die goedkeurend knikte, terwijl ze een zuurstokroze bandana om de nek van een Shetlandse herdershond knoopte. 'Trek de volgende keer andere schoenen aan. Zonder hak, gympen bijvoorbeeld. Heb je zulke schoenen?'

Nou nee, dat had ze niet, maar Rose waarschijnlijk wel. Maggie strompelde de straat op, stopte haar rode handen in haar zakken. Ze had het huis vanavond in ieder geval voor zich alleen, dacht ze blij. Ze zou popcorn maken en een drankje inschenken, en er zou geen zus zijn die klaagde dat de muziek te hard stond of dat ze te veel parfum droeg, die irritante vragen stelde over waar ze naar toe ging, of wanneer ze weer terug zou zijn.

Maggie tuurde naar de plek in de straat waar de auto van Rose had gestaan... een plek waar op dit moment alleen een bevroren plas lag en een paar dode bladeren.

Oké, misschien was het een andere plek, dacht Maggie, die zichzelf tot kalmte maande. Haar hart ging als een gek tekeer. Pine Street. Ze had hem echt in Pine Street geparkeerd. Ze liep naar het stopbord bij een van de Franse bistro's, stak op de hoek de straat over, liep de straat af, langs de sigarenbar en Kiss and Make Up, die beiden al gesloten waren, liep van straatlantaarn naar straatlantaarn, van verlicht straatdeel tot verlicht straatdeel, maar nee, geen auto.

Ze liep tot de hoek en weer terug, onder de straatverlichting die versierd was met gouden kerstkransen, en voelde de ijzige kou in haar nek. Het was echt Pine Street, dat wist ze zeker... alleen, wat als ze zich vergiste? Rose zou het dan helemaal met haar hebben gehad, besefte Maggie. Ze zag al voor zich hoe haar zus thuiskwam uit Chicago en erachter kwam dat haar auto was verdwenen. Ze zou Maggie het huis hebben uitgezet en naar Sydelle gestuurd, voordat Maggie het had kunnen uitleggen. En liep haar leven niet altijd zo? Eén stap vooruit, twee achteruit. Een auditie bij MTV, maar afgaan door de teleprompter, een baan vinden en erachter komen dat de auto is gestolen. Je voet tussen de deur zetten en de deur maait je tenen eraf. Kut, dacht ze, terwijl ze in kringetjes rondliep. Kut, kut, kut!

'Hebben ze jou ook te pakken?' Een man in een leren jas liep op haar af. Hij wees met zijn duim naar het bord dat Maggie nog niet had gezien. 'Straatschoonmaak,' zei hij, en schudde zijn hoofd. 'Vroeger gaven ze je gewoon een bon, maar dat hielp niet, dus zijn ze vorige week met de wegsleepactie begonnen.'

Shit. 'Waar slepen ze de auto's naartoe?'

Naar een speciaal terrein,' zei hij en haalde zijn schouders op. 'Je zou met me kunnen meerijden, maar...' en hij keek zo bedroefd naar de plek waar zijn auto waarschijnlijk had gestaan, dat Maggie wel moest lachen. 'Kom met me mee,' zei hij. Ze keek naar hem, probeerde zijn gezicht te bekijken, maar het was donker en hij had de capuchon van zijn jas op. 'Ik drink even een pilsje terwijl ik op mijn maat wacht en dan rijdt hij ons erheen. Heb je cheques bij je voor de boete?'

'Eh...' zei Maggie. 'Is een creditcard ook goed?'

De man haalde zijn schouders op. 'Daar komen we dan wel achter,' zei hij.

De man heette Grant en zijn maatje Tim, en één biertje werden er al snel drie, plus een Irish coffee waaraan Maggie nipte terwijl ze met haar schouders meebewoog op de muziek en probeerde niet steeds op de klok te kijken. Ze voerde haar gebruikelijke handelingen uit. Benen over elkaar slaan, lippen natmaken, een lok haar rond een vinger wikkelen. Gefascineerd kijken, maar toch ook mysterieus. Opkijken van onder je wimpers, alsof de man de boeiendste man is die je ooit hebt gezien, alsof wat hij zegt het interessantste is wat je ooit hebt gehoord. Tuit de lippen als een model voor panty's of push-up-bh's. Speel met je roerstokje. Kijk ze aan, en sla je oogleden vervolgens verlegen neer. Maggie kon dit slapend. En de mannen hadden natuurlijk niets door. Mannen hadden dat nooit door.

'Hé, Monique, wil je mee naar een feestje, als we de auto's terughebben?'

Ze gaf een mechanisch knikje, haalde heel eventjes haar schouders op en sloeg haar benen weer over elkaar. Grant legde zijn hand op haar knie, schoof zijn hand omhoog naar haar dij. 'Je bent zo zacht,' zei hij. Ze leunde heel eventjes naar hem toe, keerde zich toen weer af. Naar voren, en weer terug. 'Laten we eerst de auto's ophalen. Dan zien we wel weer,' zei ze. Ze wist dat ze zodra ze de auto had, onmiddellijk naar huis zou gaan. Ze was moe en wilde gewoon de auto terughebben, een douche nemen, en in het bed van haar zus in slaap vallen.

Het was al na tienen toen ze eindelijk opstonden en hun jassen aantrokken. Grant hield zijn hand naar haar uit. Maggie slaakte een stille zucht van opluchting en glimlachte liefjes toen hij haar van de barkruk hielp en in de wagen van Tim. Ze waren op de snelweg, gingen de snelweg af, gingen de snelweg weer op, waren ergens in het zuiden van Philadelphia, dacht Maggie, hoewel ze niets herkende. Uiteindelijk draaide Tim een lange weg vol bochten en zonder verlichting in. Maggie voelde een koude vinger in haar ribben porren, terwijl de mannen lachten en met de radio meezongen en een fles deelden. Dit zou wel eens vervelend kunnen worden, dacht ze. Waar was ze? Wie waren deze mannen? Hoe kon ze zo dom zijn?

Ze probeerde een plan te bedenken, toen Tim plotseling een scherpe bocht naar rechts maakte en ze langs een terrein vol auto's hobbelden, omgeven door een spookachtig hekwerk.

'We zijn er,' zei hij. Maggie tuurde de duisternis in. Er stonden auto's en auto's en auto's... rijen dik, uitgebrande sloopauto's en glimmende nieuwe modellen, en daar, helemaal vooraan, stond de kleine zilverkleurige Honda van Rose. En helemaal achteraan zag ze de schaduw van wachthonden – Duitse herders, dacht Maggie – die langzaam langs het hek liepen.

Tim opende de deur en kauwde op een halve rol pepermuntjes, leek het wel. 'Het kantoor is die kant op,' zei hij en wees naar een gebouwtje waaruit licht scheen. 'Komen jullie mee?'

Maggie keek nogmaals. Het hek was open. Ze kon zo naar haar auto lopen, instappen en hem door de poort rijden. Ze liet zich van de stoel op de grond zakken. 'Ik ga mijn auto halen,' kondigde ze aan.

'Ja, natuurlijk. Daarom zijn we hier,' zei Tim.

Maggie beet op haar lip. De waarheid was dat haar rijbewijs een halfjaar geleden was verlopen en ze die steeds was vergeten te verlengen. En ze was niet verzekerd. Rose had gezegd dat ze bij Rose op de verzekering kon, en Maggie was ook van plan geweest dat te doen, maar ze had er niet meer aan gedacht. Dus ook al was de auto verzekerd, zij had zelf geen verzekering. Wat nou als Rose erachter kwam dat Maggie niet eens een geldig rijbewijs had?

Ze ging stevig staan. Het was zo koud dat haar wangen pijn deden, zo koud dat de binnenkant van haar neus bevroor. Haar hele lichaam had kippenvel. En toen begon ze te lopen, alsof ze op hete kolen liep. Niet te langzaam en niet te snel.

'Hé!' riep Grant, 'hé!' Ze voelde dat hij in beweging kwam en ze had door wat hij van plan was, alsof er plots een film voor haar ogen was gaan draaien. Eerst zouden ze de auto's halen, dan teruggaan naar de bar, waar een biertje al snel drie, vier of vijf biertjes werden. Dan zouden ze zeggen dat ze niet kon rijden, voorstellen om mee te gaan naar hun appartement om even bij te komen, koffie te drinken. En het appartement zou stinken naar vieze was en zweetoksels en er zouden pizzadozen op het aanrecht liggen en vuile afwas in de gootsteen. Wil je een film kijken? zouden ze vragen en dat zou dan een pornofilm zijn en er zou een fles van de een of andere sterke drank rondgaan en een van hen zou haar aankijken. 'Hé schatje,' zou hij zeggen, een doffe grijns om zijn lippen, 'hé, schatje, hé lieverd, waarom ontspan je niet wat? Waarom kom je niet hier zitten?'

Toen begon Maggie te rennen.

'Hé!' schreeuwde Grant nogmaals. Hij klonk behoorlijk boos, alsof hij nog iets te goed had en alleszins van plan was dat te krijgen ook. Ze kon hem achter haar horen hijgen, terwijl haar voeten haar zo snel als ze konden over de bevroren grond droegen. Er schoot haar een verhaal te binnen, het verhaal van Atalanta die niet wilde trouwen, Atalanta die van de goden een wedstrijd moest lopen om de gouden appel, Atalanta die sneller rende dan alle mannen, die de race zou hebben gewonnen als ze niet in de val was gelopen. Nou, niemand zou haar in de val laten lopen.

A-ta-lan-ta, A-ta-lan-ta, gingen haar voeten, en haar adem ging sneller. Ze was er bijna, bijna, ze was zo dichtbij dat als ze haar vingers zou uitstrekken, ze de chauffeursdeur zou kunnen aanraken. Maar Grant greep haar om haar middel en tilde haar op.

'Waar ga jij naartoe,' hijgde hij in haar oor met zure en natte adem,' waar ga jij zo snel naartoe?' Hij glipte met zijn hand onder haar trui.

'Hé!' gilde ze, en spartelde met haar benen, maar hij hield haar van zich af en lachte. Er huilde een hond in de verte. Tim kwam op hen af gerend. 'Kom op man, zet haar neer,' zei hij.

136

'Laat me los!' gilde Maggie.

'Nog niet,' zei Grant die met zijn hand over haar borsten ging. 'Wil je niet eerst wat lol hebben met ons, voordat je weggaat?'

O god, dacht Maggie. O nee. Ze herinnerde zich nog die avond lang geleden, ze zat nog op school, het was tijdens een feestje in de grote achtertuin van iemand. Ze had bier gehad, wiet gerookt en daarna had iemand haar een glas met een kleverig bruin drankje gegeven en dat had ze ook leeggedronken en alles was een beetje wazig geworden. Ze sloeg een jongen aan de haak en ze lagen op het gras, achter een boom, zijn broek open, haar trui omhoog en ze had opgekeken en er hadden twee andere jongens gestaan, hadden hen aangekeken, blikje bier in de hand. Ze stonden op hun beurt te wachten. En op dat moment besefte Maggie hoe glibberig haar eigen macht was, hoe snel die weg kon vloeien, als een mes in het zeepsop, hoe gemakkelijk die haar kon snijden. Ze strompelde overeind en maakte overtuigend klinkende kokhalsgeluiden. 'Misselijk,' bracht ze uit, en ze was het huis in gerend met haar hand voor haar mond en had zich in de badkamer verscholen tot vier uur 's ochtends, toen iedereen knock-out was gegaan of naar huis was. Maar wat kon ze nu doen, nu er geen badkamer was, geen feest om in te verdwijnen, en niemand om haar te redden?

Maggie schopte zo hard ze kon en voelde haar voet in de dij van Grant belanden. Hij hapte naar adem en ze wrong zich uit zijn greep.

'Wat is dit verdomme!' schreeuwde ze terwijl Grant haar nors aankeek en Tim naar de grond staarde. 'Wat is dit verdomme?!?!' herhaalde ze.

'Opgeilster,' zei Grant.

'Eikel,' jouwde Maggie. Haar handen beefden zo erg dat ze de sleutels tot twee keer toe liet vallen voordat ze de auto kon openmaken.

'Daar moet je voor betalen,' zei Tim en liep langzaam naar haar toe, met zijn handen in de lucht. 'Ze hebben je kenteken... ze sturen je een bon en laten je allerlei boetes betalen...'

'Rot op,' zei Maggie. Blijf uit mijn buurt. Mijn zus is advocaat. Ze zal je aanklagen voor mishandeling.'

'Zeg,' zei Tim, 'het spijt me. Hij heeft te veel gedronken...'

'Rot op,' zei Maggie. Ze startte de auto en deed de grote lichten aan. Grant hield zijn armen voor zijn ogen. Maggie voerde het toerental van de motor op en dacht even hoe geweldig het zou zijn om plankgas te geven en hem te overrijden. Maar ze haalde diep adem, greep het stuur stevig vast en reed de poort uit.

20

NORMAAL GESPROKEN ZOU DE TELEFOONREKENING HET BEGIN EN
het einde zijn geweest, de druppel die de emmer deed overlopen. Maar
Maggie was niet normaal, hielp Rose zichzelf herinneren. Maggie was
haar zus. Normaal gesproken was haar telefoonrekening ongeveer
veertig dollar per maand. Maar toen ze thuiskwam na de twee dagen
in Chicago (de vlucht was vertraagd, haar bagage was zoek geraakt, de
luchthaven bloedheet en vol met kerstreizigers) en de telefoonrekening op het aanrecht vond, was ze met stomheid geslagen dat die meer
dan driehonderd dollar bedroeg. Oorzaak: een tweehonderd en zevenentwintig dollar kostend telefoongesprek naar New Mexico.
  Ze beloofde zichzelf plechtig dat ze Maggie er niet meteen mee zou
confronteren zodra haar zus binnen zou komen. Ze zou Maggie haar
jas laten ophangen, haar schoenen laten uitdoen en dan tussen neus
en lippen door zeggen dat de telefoonrekening was gekomen en vragen
of Maggie misschien een nieuw vriendje in Albuquerque had. Maar
toen ze naar de slaapkamer liep om haar tas uit te pakken, zag ze dat
haar hele garderobe nog steeds op de grond lag en haar bed onopge-
maakt was, wat betekende dat Maggie in haar bed had geslapen. En
haar schoenen had gedragen, dacht Rose. En van haar verdomde pap
had gegeten, als ze pap in huis had gehad.
  Rose zat kokend van woede op de bank tot na middernacht, toen
Maggie binnendrentelde, ruikend naar de vloer van een kroeg, met
iets wat onder haar jas zat te kronkelen.
  'Je bent er!' zei Maggie.
  'Ja, inderdaad,' zei Rose. 'Net als de telefoonrekening,' zei ze, toen

Maggie haar schoenen in een hoek uitschopte en haar tas op de bank liet vallen.

'Ik heb iets voor je meegebracht!' zei Maggie. Ze had een rode kleur en enorme pupillen en rook naar whisky. 'Twee dingen, om precies te zijn,' zei ze terwijl ze twee vingers in de lucht stak en haar jas met een sierlijk gebaar opende. 'Honey Bun Twee!' kondigde ze aan, en een klein, bolvormig bruin hondje viel op de grond. Het had natte bruine ogen en een bruinleren halsband en een koppie dat eruitzag alsof iemand het met een koekenpan had ingeslagen.

Rose keek ernaar. 'Maggie... wat is dat?'

'Honey Bun Twee,' herhaalde Maggie, die naar de keuken liep. 'Mijn cadeau aan jou!'

'Ik mag hier geen honden hebben!' Ondertussen was het bruine hondje het appartement doorgerend en stond nu voor haar salontafel met een blik op zijn gezicht als een douairière die niet tevreden is met haar hotelkamer.

'Je moet hem terugbrengen,' zei Rose.

'Goed, goed,' zei Maggie, die de woonkamer weer binnenkwam. 'Ze is toch maar op bezoek.'

'Waar komt ze dan vandaan?'

'Van mijn nieuwe baan,' zei Maggie. 'Ik ben nu een hondenkapster bij de Elegant Paw.' Ze lachte spottend naar haar zus. 'Ik ben werknemer. Ben je nu tevreden?'

'We moeten het hebben over de telefoonrekening,' zei Rose, die haar voornemen om kalm en redelijk te blijven al was vergeten. 'Heb jij naar New Mexico gebeld?'

Maggie schudde haar hoofd. 'Ik denk het niet.'

Rose hield de rekening onder haar neus. Maggie staarde ernaar. 'O ja.'

'O ja, wat?'

'Ik heb mijn tarotkaarten laten lezen. Maar god, dat was maar een halfuurtje of zo! Ik had niet gedacht dat dat zoveel zou kosten.'

'Je tarotkaarten,' herhaalde Rose.

'Dat was vlak voor de audities,' mompelde Maggie. 'Ik moest weten of het een gunstige dag was voor een nieuwe baan.'

'Ongelooflijk,' zei Rose tegen het plafond.

'Rose, moeten we daar per se nu over praten?' vroeg Maggie. 'Ik heb een zware avond gehad.'

'Waarmee?' vroeg Rose.

'Niets. Laat maar,' zei Maggie. 'Ik kan wel voor mezelf zorgen. En ik betaal je de telefoonrekening terug.'

'Maggie, vertel me nou wat er aan de hand is!'

'Waarom?' riep Maggie over haar schouder vanuit de badkamer. 'Het maakt jou toch niets uit!'

'Dat is niet waar!' zei Rose. Het hondje keek haar nogmaals aan, liet een minachtend gesnuif horen en klauterde op de bank, waar het in een kussen begon te graven. 'Hou daarmee op!' riep Rose. De hond sloeg geen acht op haar, groef verder in het kussen, totdat het de juiste vorm voor hem had, krulde zich op en viel in slaap.

'Wat is er nou gebeurd!' gilde Rose. Geen antwoord. De badkamerdeur bleef gesloten en ze kon de douche horen lopen en het hondje horen snurken. 'Wat was de andere verrassing voor me?' vroeg Rose. Geen antwoord. Ze stond bij de badkamerdeur met de telefoonrekening in haar hand, maar draaide zich met weerzin om. Morgenochtend, beloofde ze zichzelf.

Alleen begon de volgende ochtend met iets wat routine was geworden in het appartement van Rose: een telefoontje over een rekening.

'Hallo, ik ben op zoek naar Maggie Feller,' begon zo'n telefoontje. 'U spreekt met Lisa van Lord en Taylor.' Of Karen van Macy's, of Elaine van Victoria's Secret. Vandaag was het Bill van the Gap. Als Rose 's avonds thuiskwam, knipperde het lampje van het antwoordapparaat altijd: Strawbridge's, Bloomingdale's, Citibank, American Express.

'Maggie!' riep Rose. Haar zus lag opgerold op de bank en de hond lag opgerold op een kussen op de vloer – een kussen dat nu een patroon van kwijl had. 'Telefoon!'

Maggie draaide zich niet om en deed haar ogen niet open – ze strekte alleen een arm uit naar de telefoon. Rose duwde die in haar hand en ging naar de badkamer. Ze hoorde nog net de stem van Maggie toen ze de deur dichtdeed. Een woedende stem die hoger en hoger werd: 'Ja,' en 'Nee,' en 'Ik heb al lang een cheque gestuurd!' Toen ze de douche uitkwam waren haar zus en de hond vertrokken. Geen briefje. Geen kans om opnieuw over de telefoonrekening te beginnen, of te vragen wanneer Maggie van plan was de berg kleding in haar slaapkamer op te ruimen of te vragen wat nou toch die tweede verrassing van haar was.

Rose nam de lift naar de hal en stak de straat over. Ze hoopte dat haar auto nog op dezelfde plek stond als waar ze hem voor haar reisje naar Chicago had neergezet. En ja hoor, daar stond-ie, praktisch op dezelfde plek. De goden zij dank, dacht ze, en schoof achter het stuur. Plots tikte een oude man tegen het raampje, waarvan ze zo schrok dat ze een gilletje slaakte.

'Dat zou ik niet doen als ik u was,' zei hij.

'Hè?' zei Rose.

'Wielklem,' zei hij. Rose stapte uit en liep naar de passagierskant. Inderdaad, een felgele wielklem zat aan het voorwiel bevestigd, samen met een feloranje briefje. 'Wetsovertreder?' las Rose. Maggie, dacht ze. Dit is Maggies schuld. Ze keek op haar horloge, zag dat ze genoeg tijd had om naar boven te rennen voor een verklaring van Mejuffrouw Maggie. Ze stormde terug de hal in ('Iets vergeten?' riep de portier haar achterna), duwde op het liftknopje, keek woedend in het spiegelplafond terwijl de lift omhoogging en liep half hollend terug naar haar appartement. 'Maggie!' riep ze. Geen antwoord. De douche stond aan. 'Maggie!' schreeuwde Rose terwijl ze op de badkamerdeur bonsde. Geen antwoord. Rose voelde aan de deurklink. De deur was niet op slot. Ze stormde de badkamer binnen, van plan het douchegordijn open te rukken, ook al was haar zus naakt, en een verklaring te eisen. Ze zette een stap in de stomerige badkamer en hield toen in. Ze kon het silhouet van haar zus zien door het plastic douchegordijn. Haar rug was naar de deur gekeerd en haar voorhoofd leunde tegen de tegels. En – nog erger – ze kon horen wat Maggie zei. Eén woord, keer op keer hetzelfde woord.

'Stom... stom... stom... stom...'

Rose stond doodstil. Maggie deed haar denken aan een duif die ze ooit zag. Ze was op weg naar de WaWa-verswinkel op de hoek en struikelde bijna over de duif, maar in plaats van haar bang aan te kijken, had de duif Rose aangestaard met zijn kleine, rode met haat vervulde ogen. Ze viel bijna, maar toen ze zich weer herstelde, zag ze wat het probleem was. Een pootje van de duif van ernstig verminkt. Het beestje hupte op zijn goede poot rond, met de verwonde poot tegen zijn lijfje gedrukt.

Rose had even gedacht dat ze het beestje moest helpen. 'O,' had ze gezegd, en ze had haar hand uitgestoken, denkend... ja, wat dacht ze? Dat ze het vieze diertje zou oppakken en het naar de dierenarts zou brengen? De vogel had haar eenvoudigweg boos aangekeken, voordat het weghupte met een verschrikkelijk pathetische, gekwetste waardigheid.

Maggie was net zo, dacht Rose. Zij was ook gekwetst, maar dat kon je niet zeggen, je kon geen hulp bieden, kon niets zeggen waaruit bleek dat je wist dat Maggie pijn had of gekwetst was, dat er dingen waren die ze niet begreep, of alleen kon oplossen.

Rose ging stilletjes de badkamer uit en sloot zachtjes de deur. *Maggie*, dacht ze met een mengeling van medelijden en woede in haar hart. Ze liep terug naar de lift, door de hal, de zon in en pakte een taxi op de hoek. De auto, dacht ze. De telefoonrekening. De schuldeisers. De hond. De kleren op de vloer, de make-up overal op het aanrecht, de enveloppen met 'laatste aanmaning' in haar brievenbus. Rose sloot haar ogen. Dit moest ophouden. Maar hoe?

21

ELLA HAD ZAND IN HAAR SCHOENEN. ZE TROK ZE UIT EN WREEF
haar voetzolen voorzichtig over de vloer van de auto, om de korrels
weg te wrijven, voordat ze haar schoenen weer aantrok.

Lewis keek haar aan toen ze voor een rood verkeerslicht stonden.
'Gaat het?' vroeg hij.

'Ja,' zei Ella, en glimlachte ter bevestiging. Ze waren laat uit eten
gegaan ('laat' betekende na zevenen) en daarna naar een concert – niet
in het clubhuis van Golden Acres, maar in een heuse club, in Miami,
en Lewis had haar door de warme, zoet ruikende nacht gereden.
Nu Lewis door de poort van Golden Acres reed, vroeg Ella zich af
wat er zo meteen zou gebeuren. Als ze jonger was geweest, had ze
waarschijnlijk de afspraakjes geteld (zes tot nu toe), uitgerekend hoe
lang ze elkaar al kenden en tot de slotsom gekomen dat Lewis waarschijnlijk iets wilde. Zestig jaar geleden zou zich zichzelf voorbereiden
op een halfuur flikflooien op de achterbank, voordat ze thuis moest
zijn en het feest weer voorbij was. Maar wat kon er nog gebeuren op
haar leeftijd? Na wat zij allemaal had meegemaakt? Ze had gedacht dat
haar hart dood was – een verwelkte stengel, niet in staat ook maar iets
te voelen, niet in staat weer tot bloei te komen. Dat had ze na Carolines dood altijd gedacht. Maar nu...

Lewis parkeerde de auto voor zijn gebouw. 'Wil je nog mee naar
boven komen? Voor een kop koffie?'

'O jee, dan ben ik de hele nacht wakker,' zei ze en giechelde als een
dom schoolmeisje. Ze stonden zwijgend in de lift. Ella dacht dat ze de
dingen misschien verkeerd geïnterpreteerd had. Misschien wilde hij

haar alleen maar mee hebben om thee te drinken en haar lastig te vallen met foto's van zijn kleinkinderen. Of, wat waarschijnlijker was, zocht hij slechts een vriend, een luisterend oor, iemand die zijn verhalen over zijn gestorven vrouw wilde aanhoren. Van seks was vast geen sprake. Hij gebruikte waarschijnlijk medicijnen, net als iedereen die Ella kende. Maar als hij nu Viagra had? Ella beet op haar lip. Ze stelde zich waarschijnlijk aan. Ze was achtenzeventig jaar. Wie wilde haar nu nog het bed in krijgen; alles aan haar hing, ze had rimpels, levervlekken.

Lewis keek haar nieuwsgierig aan toen hij zijn deur opende. 'Het lijkt of je met je gedachten mijlenver weg bent,' zei hij.

'O, ik...' begon Ella, niet zeker wat ze zou zeggen toen ze hem naar binnen volgde. Zijn appartement was veel groter dan het hare en terwijl de hare op de parkeerplaats en de snelweg erachter uitkeek, had zijn appartement uitzicht op zee.

'Ga zitten,' zei hij. Ella ging op de bank zitten en voelde een rilling van – van wat? Angst? Opwinding? Hij had nog geen lichten aangedaan.

Hij kwam terug en ging naast haar zitten, gaf haar een warme kop thee. Toen stond hij weer op en deed de luxaflex open en Ella zag het water schitteren in het maanlicht. Ze zag de golven op het lichte zand rollen. En de ramen waren zo groot en ze voelde zich zo dicht bij het water, het was alsof...

'Het is alsof je op een schip bent!' zei ze. En dat was het. Hoewel ze in geen jaren op een schip was geweest, was dit precies hoe dat voelde. Ze kon bijna de beweging voelen, de deining op de golven die haar de zee opvoeren, ver weg van wat ze kende, ver weg van haarzelf. En toen Lewis haar hand pakte, voelde dat zo goed als wat ze zich ook maar kon herinneren, zo goed en natuurlijk als de bewegingen van de golven die het strand oprollen.

22

'ZE MÓET MIJN HUIS UIT,' ZEI ROSE TEGEN AMY. ZE ZATEN IN EEN
hoek van de Marathon Grill ijsthee te drinken en op hun lunch te wachten. Rose had een taxi naar haar werk genomen en daar de hele ochtend
aan de telefoon gezeten met de Philadelphia Parking Authority om te
proberen erachter te komen wat er met haar auto was gebeurd en hoeveel
het zou kosten om het allemaal op te lossen. Ze had een blik op de klok
geworpen en gekreund, want ze was nog steeds niet aan haar werk toegekomen. Ze had naar haar appartement gebeld. Maggie had niet opgenomen. Rose had een kort bericht achtergelaten: 'Maggie, bel me op kantoor als je dit hoort.' Om één uur had ze nog niets gehoord, dus had Rose
met Amy afgesproken om een salade te eten en een plan te bedenken.

'Weet je nog dat ze een keer een week bij me is geweest? Weet je nog
dat ik dat een hel vond? Weet je nog dat ik toen zwoer dat nooit meer
te doen?'

Amy knikte meelevend. 'Ja, dat weet ik nog.'

Rose huiverde. Ze wist ook nog dat Amy was langsgekomen om een
film te kijken en er de volgende dag was achtergekomen dat ze twee lippenstiften miste en veertig dollar.

'Luister,' zei Amy. 'Je bent een goede zus voor haar geweest. Je bent
meer dan geduldig geweest. Heeft ze al een baan?'

'Ze zegt van wel.'

'Ze zegt van wel,' herhaalde Amy. 'En betaalt ze je huur? Betaalt ze
mee aan boodschappen? Aan wat dan ook?'

Rose schudde van nee. Ze pakte haar vork op, maar legde die weer
terug. 'Wat moet ik toch doen?'

'Schop haar de straat op,' zei Amy met haar mond vol spinazie. 'Zeg haar dat ze moet gaan.'

'En waarheen?'

'Niet jouw probleem,' zei Amy. 'Kijk, ik weet dat het hard klinkt, maar Maggie zal niet verhongeren op straat. En ze is niet jouw verantwoordelijkheid. Je bent haar zuster, niet haar moeder.'

Rose beet op haar lip. Amy zuchtte. 'Het spijt me,' zei ze. 'Het spijt me voor je dat Maggie zo'n probleemgeval is. En Sydelle zo'n nachtmerrie. Het spijt me van je moeder. Maar Rose, wat jij hier nu probeert... dat gaat niet lukken. Je kunt haar moeder niet zijn.'

'Ik weet het,' mompelde Rose. 'Ik weet alleen niet wat ik moet doen. Ik bedoel, ik weet wat ik moet doen, maar ik weet niet hóe ik dat moet doen.'

'Zeg mij na: Maggie, je moet vertrekken,' zei Amy. 'Serieus. Ze gaat naar haar vader en Sydelle en als ze daar niet overtuigd wordt om het rechte pad in te slaan tot ze genoeg geld heeft voor een eigen plek, dan zal ze dat nooit doen. Je kunt haar wat geld geven – en let op: ik zeg "geven" en niet "lenen". Ik zal je helpen als je dat wilt.'

'Dank je,' zei Rose en stond op. 'Ik moet gaan.'

'Net als Maggie,' zei Amy. 'Je moet een beetje op jezelf letten.' Rose knikte triest. 'Bel me als je hulp nodig hebt. Bel me als je iets nodig hebt. Laat me weten hoe het gaat.'

Rose beloofde dat ze dat zou doen en ging terug naar kantoor. Ze controleerde of ze nog berichten had en hoorde de hoge, koeionerende stem van Sydelle: 'Rose bel ons alsjeblieft. We moeten iets aan je zus doen.'

Dus misschien was haar zus daar. Rose ademde diep in en belde Sydelle. 'Ik ben het, Rose,' zei ze. 'Zeg, heb jij Maggie vanochtend gezien?'

'Sinds afgelopen weekend niet meer,' zei Sydelle die meteen doorging te vertellen wat de recentste en schandelijkste misdragingen van Maggie waren.

'Weet je dat wij om acht uur 's ochtends gebeld worden door schuldeisers?'

'Ik ook,' zei Rose.

'Nou, kun je daar niets aan doen?' eiste Sydelle. 'Jij bent advocaat, kun je ze niet zeggen dat het verboden is naar ons te bellen? Schat, je vader kan er niet tegen...'

Rose wilde zeggen dat zij er ook niet tegen kon – dat niets wat Maggie deed ooit goed was voor een ander dan Maggie zelf – maar ze hield haar mond en zei dat ze zou doen wat ze kon. Ze hing op en belde weer naar huis. Nog steeds geen antwoord. Nu werd ze ongerust. Misschien was Maggie aan het werk. 'Tuurlijk,' dacht ze zuur. En misschien kwam de jury zo langs om haar tot Miss America te kronen. Rose logde in op haar computer en checkte haar e-mail. Een berichtje van een partner die kortaf vroeg wanneer Rose klaar was met de opzet van haar resumé. Een groeps-e-mail van Simon Stein met de titel 'Voorseizoensbijeenkomst Softbal' die Rose meteen verwijderde zonder te lezen.

Ze stond op en begon door haar kantoor te ijsberen. Ze moest Jim zien, dacht ze. Ze moest hem nu zien. Ze moest hem zien of hij haar nu wel of niet wilde zien. Ze keek omlaag en zag met ontzetting dat ze twee totaal verschillende zwarte mocassins aanhad – een logische consequentie als haar zus elke schoen van haar maar overal liet rondslingeren. *Maggie!* dacht ze woedend en ze liep snel de gang op, langs de secretaresse van Jim ('Hé! Hij zit aan de telefoon Rose!') en zijn kantoor binnen.

'Rose? Wat is er aan de hand?' vroeg hij toen hij de telefoon neerlegde en de deur achter zich sloot.

Rose staarde naar haar verschillende schoenen. Wat er aan de hand was, was dat haar appartement een zooitje was, haar leven in het honderd liep, ze tweehonderd dollar aan parkeerbeheer schuldig was, een hond illegaal bij haar woonde en ze zichzelf overduidelijk niet meer kon kleden. Ze wilde dat hij haar vasthield, haar hoofd in zijn handen nam en haar zou zeggen dat zij beiden nog maar aan het begin stonden en dat het begin misschien wat moeizaam ging vanwege Maggies aanwezigheid, maar dat ze binnenkort weer samen zouden zijn.

'Hé,' zei Jim, die haar naar de leren stoel voor zijn bureau leidde, de stoel voor cliënten, de lage Eames-stoel waarin je achterste naar achteren kantelde, zodat hij hoe dan ook altijd groter was dan jij.

Rose bleef staan en zuchtte diep. Samenvatten, zei ze tegen zichzelf. 'Ik mis je,' zei ze.

Jim keek schuldig. 'Het spijt me, Rose,' zei hij, 'maar het is hier een gekkenhuis.'

Rose had het gevoel dat ze in een achtbaan zat en het wagentje net op het hoogste punt was gekomen, ze voelde de wereld onder zich wegglijden. Zag hij dan niet dat zij hem nodig had?

Hij sloeg zijn armen om haar schouders, maar hield zijn lichaam op afstand. 'Hoe kan ik helpen?' mompelde hij. 'Wat kan ik doen?'

'Kom vanavond langs,' zei ze en drukte haar lippen tegen zijn nek, hoewel ze wist dat ze precies dat deed wat vrouwen onder geen enkele omstandigheid mochten doen, namelijk smeken. 'Ik moet je zien. Alsjeblieft!'

'Het kan laat worden,' zei hij. 'Rond acht uur of zo.'

'Acht uur?' zei ze hoopvol. 'Het geeft niet als je laat bent. Ik wacht op je.' Ik wacht voor eeuwig, dacht ze en ging zijn kantoor uit. Zijn secretaresse keek haar kwaad aan.

'Je kunt niet zomaar binnenlopen,' zei de secretaresse. 'Ik moet je aankondigen.'

'Het spijt me,' zei Rose, die het idee had dat ze de hele dag niets anders deed dat haar excuses aanbieden. 'Echt. Het spijt me.'

23

DE TELEFOON VAN ROSE GING OPNIEUW. MAGGIE SLOEG ER GEEN
acht op. Ze liet haar handdoek op de vloer van de woonkamer vallen
en liep de douche in. Het was de derde keer dat ze ging douchen deze
ochtend. Maggie had in de drie dagen na haar ongelukkige ontmoeting
met het voortvarende duo Grant en Tim al vele keren gedoucht, tien,
twintig, dertig minuten lang haar huid met een natuurspons gescrubd,
haar haar gewassen tot het piepte. En nog steeds voelde ze zich vies.
Vies en woedend. Al die weken op de bank van Rose, en wat had dat
haar opgeleverd? Geen geld. Geen man. Geen foto's voor haar portfolio.
Niets, niets, niets. Alleen maar eikels die haar op parkeerterreinen las-
tigvielen of ze niets was. Of ze eigenlijk niet echt was.
   Ze hoorde de stem van haar zus op het antwoordapparaat. 'Maggie,
ben je daar? Neem op als je er bent. Ik moet echt met je praten. Maggie...'
   Ze wikkelde zichzelf in een handdoek, veegde de damp van de spiegel, negeerde de rinkelende telefoon, negeerde de stem van haar zus op
het antwoordapparaat en keek naar zichzelf. Wapen Numero Een was,
als altijd, haar lichaam. Beter dan een pistool, scherper dan een mes. Ze
zou die kerels vinden. Ze zou de stad afstropen tot ze hen gevonden
had, in een bar of in de bus. Ergens. Ze zou op hen af lopen, hoofd omhoog, borst naar voren, en ze zou glimlachen. Glimlachen was het
moeilijkste deel, maar ze wist zeker dat ze het zou kunnen. Ze was
tenslotte actrice. Ze was een ster. Ze zou glimlachen en haar hand tussen de schouderbladen van Tim leggen en vragen hoe het met hem
ging. Ze zou van haar drankje nippen, lippenstift op het glas achterlaten en haar knie langs de zijne laten glijden. Ze zou naar voren leunen

en fluisteren dat ze het die avond hartstikke leuk vond, dat ze er spijt van had dat ze was weggerend en zouden ze het misschien nog eens over kunnen doen? Waren ze vanavond vrij? En dan zouden ze haar naar hun appartement brengen. En dan kwam Wapen Numero Twee. Misschien een mes. Een pistool, als ze daar aan kon komen. Iets wat hun blijvende schade zou bezorgen, iets wat hun zou laten zien dat er met haar niet te spotten viel.

De telefoon ging weer. 'Maggie, ik weet dat je er bent. Wil je alsjeblieft opnemen? Ik heb net met de mensen van parkeerbeheer gesproken en ze zeggen dat de auto weggehaald is van hun terrein en nu staan er allemaal boetes open...'

Maggie negeerde de telefoon en zette de stereo hard – Axl Rose die 'Welcome to the jungle' zong. *'Do you know where you are?'* krijste hij. Ze schoof haar voeten in de nieuwste aanwinst van Rose, een paar kniehoge zwarte leren laarzen die haar kuiten omspanden. Laarzen van tweehonderd dollar, en haar zus kon die kopen zonder daarover na te denken, want met Rose ging er nooit iets mis. O nee. Rose zou niet struikelen over de teleprompter, Rose zou nooit aan de verkeerde kant van de straat parkeren, Rose zou geen eikels ontmoeten die haar op donkere terreinen aanrandden en Rose zou al helemaal nooit een baan hoeven aannemen waarbij ze de konten van honden moest uitknijpen. Rose had alles, Maggie had niets. Helemaal niets.

Op haar laarzen na liep ze naakt rond van de slaapkamer naar de woonkamer, naar de keuken en weer terug, het hondje achter haar aan. Ze hoorde het gekraak van de zolen op de hardhouten vloer, rook het leer, en de zeep en het zweet van haar lichaam. Ze zag een rode mist. Ze zag het mes. Ze zag zichzelf in de spiegel toen ze langs de badkamer liep, gloeiend en nat en heerlijk – een slimme vermomming, een bloem met romige kroonbladeren op lange stelen. Niemand die haar aankeek zou vermoeden wat ze werkelijk was.

De intercom zoemde. De hond jankte. 'Maak je geen zorgen,' zei Maggie en trok een T-shirt over haar hoofd. Ze overwoog nog even of ze een broekje zou aantrekken, maar ach, wat zou het? Het was acht uur – te vroeg voor Rose om al thuis te zijn en haar weer de les te lezen. Het was waarschijnlijk gewoon die eikel van hiernaast die kwam zeggen dat de muziek zachter moest.

Ze deed de lichten uit en deed de deur open, haar ogen fel, van plan om iemand eens even de waarheid te zeggen. Daar stond het vriendje van Rose voor haar.

'Rose?' zei hij en tuurde naar haar in het donker. En Maggie lachte – eerst een kort gegiechel, maar de lach zwol aan vanuit haar keel als een gif, alsof ze achteruit overgaf. Zij was Rose niet. Zij zou Rose nooit zijn. Ze miste de vaardigheden van haar zus, de gemakkelijke successen van haar zus. Zij zou nooit degene zijn die raad gaf, die zich overal mee bemoeide, die anderen opjutte en zat te vitten en regels instelde en goedkoop medeleven toonde, doorspekt met ongeduld. Rose. Ha! Ze gooide haar hoofd in haar nek en lachte. 'Niet echt,' zei ze uiteindelijk.

Hij bekeek haar van top tot teen, zijn ogen bleven rusten op haar laarzen, op haar blote dijbenen, op haar borsten. 'Is Rose thuis?' vroeg hij.

Maggie schudde van niet en glimlachte uitdagend. Er vormde zich een plan in haar hoofd. Wraak, dacht ze, terwijl het bloed tegen haar slapen klopte. Wraak. 'Wil je misschien binnen op haar wachten?' vroeg ze. Jim keek haar aan, zijn ogen gleden over haar lichaam en Maggie kon zowat zijn gedachten lezen. Zij was Rose, alleen een verbeterde versie, digitaal geperfectioneerd; Rose, alleen duizend keer beter.

Hij schudde zijn hoofd. Maggie leunde onbeschaamd tegen de deurpost.

'Laat me raden,' zei ze honend. 'Je wilt opklimmen van gehakt naar filet.'

Jim schudde opnieuw zijn hoofd en staarde haar nog steeds aan.

'Of misschien,' vervolgde Maggie, 'wil je ons beiden. Is dat het? Een zussensandwich?'

Hij staarde haar aan, probeerde woedend te kijken, maar ze kon zien dat hij dat wel een aantrekkelijk idee vond.

'Nou, dan moet je even wachten,' zei Maggie. 'Ik ben de enige thuis.' Ze pakte de zoom van haar shirt, trok het shirt over haar hoofd en maakte haar rug hol, zodat haar borsten zijn borstkast bijna raakten. Hij kreunde. Ze deed een klein stapje naar voren, kwam dichter bij hem te staan. Zijn handen omsloten haar borsten en ze zoog aan zijn hals met haar hete, gretige mond.

'Nee,' fluisterde hij, hoewel zijn armen al om haar lijf geslagen waren.

'Zeg,' zei zij, en sloeg een bloot been om hem, drukte zich tegen hem aan.

'Zeg wat?'

En nu tilde ze haar andere been zo dat ze als een slang om hem kronkelde, en hij kreunde toen hij haar optilde en haar naar binnen bracht. 'Zeg geen nee.'

Tegen de tijd dat ze terug was in haar appartementencomplex was het bijna negen uur. De lift was propvol. Rose drong naar binnen en probeerde het verstikkende parfum van de vrouw naast haar niet te veel in te ademen. Ze rekende er niet meer op dat Jim kwam; hij had vast gebeld om te zeggen dat hij later kwam. Of, gezien de vreselijke dag die ze had gehad, hij had gebeld om af te zeggen. Of hij had nog helemaal niet gebeld.

'Ik zweer het je, of ik word gek, of er is een hond in het gebouw,' zei de vrouw in het algemeen.

Rose staarde naar haar voeten.

'Ik weet niet wie er zo onachtzaam kan zijn om hier een huisdier te houden,' vervolgde de vrouw. 'Sommige mensen zijn daar allergisch voor.'

Rose staarde wanhopig naar het schermpje die de nummers van de verdiepingen aangaf. Derde verdieping. Nog dertien.

'Sommige mensen zijn ongelooflijk,' ging de vrouw verder. 'Hun maakt het allemaal niets uit! Als ze de regels horen, zeggen ze: "O, nou, die regels zijn voor andere mensen. Niet voor mij. Want ik ben *speciaal.*"'

Uiteindelijk stapte de naar parfum stinkende vrouw de lift uit en kwam Rose bij haar verdieping aan. Ze liep de gang door en hoopte dat haar zus thuis zou zijn. Ze nam haar speech door. *Maggie, we moeten praten. De hond moet weg. De telefoontjes moeten ophouden. Ik wil mijn appartement terug. Ik wil mijn schoenen terug. Ik wil mijn leven terug.*

Ze draaide de sleutel in het slot om, opende de deur en liep het pikdonker binnen. Ze hoorde stemmen, gegiechel, het gejank van de hond.

'Maggie?' riep ze. Er lag een stropdas over de bank. O geweldig, dacht ze somber. Nu neemt ze ook al jongens mee naar mijn appartement. En wie weet wat ze met hen op mijn bed doet. 'Maggie!' gilde ze en liep de slaapkamer in. En daar lag haar zus, op bed, compleet naakt, op Rose' nieuwe laarzen van Via Spiga na, balancerend boven Jim Danvers.

'O nee,' zei Rose. Ze stond daar, keek, probeerde te begrijpen wat ze zag. 'Nee,' fluisterde ze. Maggie liet zich op het bed vallen en rekte zich loom uit, zodat haar zus haar slanke rug kon zien, haar perfecte kleine kont, haar lange, gladde benen die uit de zwartleren laarzen staken, voordat ze Jims T-shirt van de vloer raapte en dat over haar hoofd trok en de kamer uit paradeerde, de hal in, alsof het een catwalk was, alsof er een publiek van duizend man zat, met flitslichten en schrijfblokken, die allemaal op haar zaten te wachten. Jim keek Rose wanhopig beschaamd aan en trok de deken op.

Rose sloeg haar hand voor haar mond, draaide zich om en rende naar de badkamer, waar ze in de wastafel overgaf. Ze liet het water lopen tot ze de restanten van haar lunch had weggespoeld. Toen gooide ze water in haar gezicht, duwde haar haar naar achteren met natte, trillende handen en liep de slaapkamer weer in. Jim had zijn boxershort aan en haastte zich om zijn kleren aan de trekken.

'D'r uit,' zei ze.

'Rose,' zei hij en reikte naar haar handen.

'Eruit en neem haar mee. Ik wil jullie geen van beiden ooit meer zien.'

'Rose,' zei hij.

'Eruit! Eruit! Eruit!' Ze hoorde haar stem in een hoge gil overslaan. Ze zocht iets om naar hem te gooien – een lamp, een kaars, een boek. Haar hand greep een fles massageolie, met sandelhoutgeur. Open, zonder dop. Ongetwijfeld nog niet zo lang geleden gebruikt, en betaald met haar eigen creditcard, weer een rekening die haar zus nooit zou betalen. Ze gooide de fles zo hard als ze kon, wenste dat die van glas was, dat hij zou breken en hem zou verwonden. Maar de fles kaatste onschuldig van zijn schouder en rolde op de vloer, onder het bed. Er begon olie uit te lopen.

'Het spijt me,' mompelde Jim zonder haar aan te kijken.

'HET SPIJT ME,' praatte Rose hem na. 'O, het spijt je, hè? En dat maakt het zeker weer goed?' Ze keek hem bevend aan. 'Hoe kón je? Hoe kón je?'

Ze rende via de woonkamer, waar Maggie op de bank zat te zappen, naar de keuken. Ze scheurde een vuilniszak af en begon die te vullen met alles wat ze maar kon vinden dat van hen was. Ze greep de aansteker en sigaretten van Maggie van de salontafel en smeet die in de zak. Ze pakte het koffertje van Jim en gooide het zo hard als ze kon tegen de muur en hoorde een bevredigend gekraak toen er van binnen iets brak. Ze liep naar de badkamer en pakte Maggies kousen en bh's, zwart en crèmekleurig synthetische satijn dat over de rail van het douchegordijn hing, en smeet ze de zak in. Ze liep terug naar de slaapkamer waar Jim zijn broek aandeed. Rose negeerde hem, greep Maggies werkboek met 'vijftig grote cv's'. Haar nagellak en nagellakremover, haar tubetjes en doosjes en potjes rouge, foundation, mascara, haarmousse, haar piepkleine topjes en strakke spijkerbroeken en namaak-Doc Martens van Payless. 'Eruit, eruit, eruit,' mompelde ze met ingehouden adem, terwijl ze de vuilniszak achter zich aansleepte.

'Praat je tegen jezelf, Rosie-Posie?' riep Maggie. Ondanks de ijzige woorden trilde Maggies stem. 'Dat moet je niet doen. Dat klinkt zo gek.'

Rose pakte een gympie en gooide dat naar het hoofd van haar zus. Maggie dook. De schoen belandde tegen de muur. 'Mijn huis uit,' zei Rose. 'Je bent hier niet welkom.'

Maggie schaterde. 'Niet welkom? Zo, is dat niet jammer.'

Ze liep naar de badkamer. Rose ademde hard en begon te zweten. Ze trok de zak de slaapkamer in. Jim had zijn kleren aan, maar liep nog op blote voeten.

'Het heeft vast niet veel zin om te zeggen dat het me spijt.' Hij keek niet meer bedroefd, maar slechts schaapachtig.

'Bewaar je excuses voor iemand die daar belang aan hecht,' grauwde Rose.

'Toch wil ik het graag zeggen.' Hij schraapte zijn keel. 'Het spijt me Rose. Je verdient beter.'

'Eikel,' zei ze met een toonloze stem waar ze zelf van schrok en die haar deed denken aan iemand anders van jaren en jaren geleden. Ze had het gevoel dat dit allemaal op een grote afstand van haar gebeurde, of dat iemand anders dit overkwam. 'Met mijn zus,' zei ze. 'Mijn zus.'

'Het spijt me,' zei Jim weer. Maggie, die nu in de hal stond met haar handen op de heupen en een beschilderde spijkerbroek en topje met spaghettibandjes had aangetrokken, zei niets.

'Weet je wat het meest trieste is? Ik zou van je hebben kunnen houden. Maggie weet straks niet eens meer hoe je heet,' zei ze tegen Jim. Ze voelde de woorden, die hatelijke woorden, woorden die ze nog nooit had uitgesproken, in haar binnenste opkomen. Ze dacht even dat ze die misschien moest proberen tegen te houden, maar waarom? Hadden zíj geprobeerd zich in te houden? 'Want weet je, Maggie is dan wel erg mooi, ze is niet bepaald slim.' Ze draaide zich langzaam om, deed haar haar achter haar oren. 'Ik zou er wat onder durven te verwedden dat ze je naam niet eens kan spellen. Drie letters,' zei ze en stak drie vingers in de lucht, 'en dat kan ze nog niet eens. Wil je het haar eens vragen? Hè? Hé Maggie, wil je het eens proberen?' Ze hoorde Maggie achter haar naar adem snakken. 'Je bent een eikel,' ging ze door en draaide zich weer naar Jim, doorboorde hem met haar ogen. 'En jij,' zei ze terwijl ze zich omdraaide naar haar zus. Maggies gezicht was bleek geworden, haar ogen groot. 'Ik heb altijd al geweten dat je geen hersenen had. En nu weet ik dat je ook geen hart hebt.'

'Dikke koe,' mompelde Maggie.

Rose lachte. Ze liet de zak vallen en lachte. Ze helde met haar bovenlijf achterover en lachte tot de tranen haar over de wangen liepen.

'Ze is gek,' zei Maggie luid.

'Dikke... koe...' hijgde Rose. 'Mijn god,' zei ze en wees naar Jim. 'Jij bent een bedrieger en jij...' ze wees naar Maggie, zocht het juiste woord. 'Jij bent mijn zus,' zei ze uiteindelijk. 'Mijn *zus*. En het ergste wat je over mij kunt zeggen is "dikke koe"?'

Ze tilde de zak weer op, draaide die rond en legde er een knoop in. Ze keilde die zo hard ze kon naar de deur. 'Eruit,' zei ze. 'Ik wil jullie beiden nooit meer zien.'

Rose zat het grootste deel van de avond en nacht op haar handen en knieën te boenen; ze probeerde elk spoor van Maggie en Jim uit haar appartement te poetsen. Ze trok de lakens en kussenslopen en de dekbedhoes van bed, sleepte ze naar het washok en deed er twee bakjes wasmiddel bij. Ze dweilde de keuken- en badkamervloer. Ze boende de houten vloer in de woonkamer en slaapkamer en gang. Ze boende het bad uit en borstelde de tegelwand van de douche met een antibacteriële antischimmelspray. Het hondje keek een tijdje toe, volgde haar van kamer tot kamer, alsof Rose de nieuwe schoonmaakster was en de hond een wantrouwende matrone, gaapte vervolgens en ging weer op de bank slapen. Toen het vier uur was, maalde het nog steeds in haar hoofd en het enige wat ze duidelijk kon zien als ze haar ogen sloot, was het beeld van haar zus, in de nieuwe laarzen van Rose, die op en neer bewoog boven op Jim, die in haar bed lag met een glazige, verrukte blik in zijn ogen.

Ze trok een schone nachtjapon aan, stapte het bed in en trok de schone lakens met een boze ruk op tot haar kin. Toen sloot ze haar ogen en ademde zwaar. Ze dacht dat ze zichzelf wel had uitgeput. Dat ze zou slapen.

Maar ze deed haar ogen dicht en kon alleen maar denken aan die ene avond, de ergste in haar leven, een avond die ze samen met Maggie had meegemaakt.

Het was een korte schooldag, vanwege een bijscholingscursus voor de docenten, en de school ging om twaalf uur uit. Rose had haar boeken uit haar kluisje gehaald en wachtte Maggie op buiten het lokaal van de eerste klas; ze wilde niet dat haar zus haar rugzak vergat. Maggie had haar rugzak bij zich, maar ook het bekende roze papiertje.

'Alweer?' vroeg Rose en stak haar hand uit naar het bericht van Maggies lerares. Ze las het terwijl Maggie voor haar uit liep naar het pad achter de school dat naar hun huis leidde.

'Maggie, je mag mensen niet bijten,' zei Rose.

'Zij begon,' zei Maggie koppig.

'Dat doet er niet toe,' zei Rose. 'Weet je nog wat mam zei? Je moet leren je woorden te gebruiken.'

Ze holde door om haar zus bij te houden en hijgde licht vanwege het gewicht van haar rugzak. 'Bloedde het?' vroeg ze haar zusje.

Maggie knikte. 'Ik had hem kunnen afbijten,' schepte ze op, 'als juffrouw Burdick het niet had gezien.'

'Waarom wil je iemands neus afbijten?'

Maggie klemde haar lippen op elkaar. 'Ze maakte me kwaad.'

Rose schudde haar hoofd. 'Maggie, Maggie, Maggie,' zei ze, op de manier zoals ze dat haar moeder altijd hoorde zeggen. 'Wat moeten we toch met jou?'

Maggie rolde met haar ogen en keek haar zus aan. 'Denk je dat ik straf krijg?' vroeg ze.

'Dat weet ik niet,' zei Rose.

Maggie tuitte haar lippen. 'Ik heb een slaapfeestje van Megan Sullivan.'

Rose haalde haar schouders op. Ze wist alles van het slaapfeestje. Maggie had haar roze Barbiekoffertje al dagen geleden ingepakt.

'Ben je nog naar de bibliotheek geweest?' vroeg Rose. Maggie knikte en haalde een boekje van Margaret Wise Brown uit haar rugzak.

'Dat is een boek voor peuters,' zei Rose minachtend. Maggie keek haar zus kwaad aan. Dat was waar, maar dat maakte haar niets uit.

'Welterusten wanten in de hal, welterusten mensen overal,' fluisterde ze en ze huppelde het pad af.

Het pad eindigde achter de tuin van de familie McIlheney. Rose en Maggie liepen langs het zwembad en het terras, staken de voortuin van de McIlheney's over, en vervolgens de straat naar hun huis, dat precies hetzelfde was als dat van de familie McIlheney – en precies hetzelfde als elk ander huis in de straat. Twee woonlagen, drie slaapkamers, rode baksteen en zwarte luiken en rechte gazons, als huizen uit een kleurboek van kleuters.

'Wacht op mij!' gilde Rose toen Maggie de straat over huppelde en hun oprit van grind op rende, naar de voordeur. 'Je mag nog niet zelf de straat oversteken! Je moet mijn hand vasthouden!'

Maggie negeerde haar en huppelde door, deed of ze Rose niet hoorde. 'Mama!' riep ze terwijl ze haar sleutel op het aanrecht legde en probeerde te ruiken wat ze voor middageten kregen. 'Hé mam, we zijn thuis!'

Rose kwam de voordeur binnen en zette haar rugzak neer. Het was stil in huis en ze wist al voordat Maggie het haar zei dat hun moeder niet thuis was.

'Haar auto staat er niet!' zei Maggie buiten adem. 'En ik heb onder de appelmagneet gekeken, maar daar hangt geen briefje.'

'Misschien is ze vergeten dat we vroeg uit waren,' zei Rose. Maar ze had dat vanochtend nog tegen haar moeder gezegd. Ze was de slaapkamer zachtjes binnengeslopen – de kamer waar altijd de gordijnen dicht waren. Ze had gefluisterd: 'Mam? Hé, mama?' Haar moeder had geknikt toen Rose zei dat ze vroeg thuis zouden zijn, maar ze had haar ogen niet geopend. 'Wees een lief meisje, Rose,' had ze gezegd. 'Zorg voor je zusje.' Dat zei ze elke ochtend – als ze al iets zei.

'Maak je geen zorgen,' zei Rose. 'Ze is om drie uur vast wel thuis.' Maggie keek bezorgd. Rose nam haar hand. 'Kom op,' zei ze. 'Dan zal ik het middageten maken.'

Rose bakte eieren, hoewel ze dat eigenlijk niet mocht, want ze mochten niet aan het gasfornuis komen. 'Maak je niet druk,' zei Rose tegen Maggie. 'Je kunt zo kijken of ik het gas wel heb uitgedaan.'

Toen was het halftwee. Maggie wilde naar haar vriendin Nathalie, maar Rose dacht dat het beter zou zijn als ze thuisbleven en op hun moeder zouden wachten. Dus zetten ze de televisie aan en keken een halfuur naar tekenfilms (dat wilde Maggie graag) en vervolgens naar het educatieve *Sesamstraat* (dat wilde Rose graag).

Om drie uur was hun moeder nog niet thuis. 'Ze is het waarschijnlijk gewoon vergeten,' zei Rose, maar nu begon zij zich toch ook ongerust te maken. De vorige dag had ze haar moeder aan de telefoon horen praten. 'Ja!' schreeuwde ze tegen iemand. 'Ja!' Rose was naar de slaapkamerdeur geslopen en had haar oor ertegenaan gedrukt. Haar moeder had maandenlang niet anders dan met een slaperige, afwezige stem gemompeld. Maar nu schreeuwde ze, elk woord was glashelder te verstaan. 'Ik. Neem. Mijn. Medicijnen,' had haar moeder gezegd. 'In hemelsnaam, hou er toch over op! Laat me met rust! Het gaat goed met me! Uitstekend!' Rose sloot haar ogen. Het ging niet goed met haar moeder. Dat wist ze, net als haar vader en waarschijnlijk wist degene tegen wie ze zo te-keerging, dat ook.

'Het komt allemaal goed,' zei ze weer tegen haar zusje. 'Wil je dat rode boekje van mama even zoeken? We moeten papa bellen.'

'Waarom?'

'Pak het nou maar, ja?'

Maggie kwam aangerend met het boekje. Rose vond het nummer van haar vader en draaide het zorgvuldig. 'Ja, mag ik meneer Feller spreken, alstublieft?' vroeg ze met een stem die minstens een octaaf hoger was dan normaal. 'U spreekt met zijn dochter Rose Feller.' Ze wachtte met roerloos gezicht, de hoorn tegen haar oor, en haar zusje naast haar. 'O, ik begrijp het. Goed. Nee. Vertelt u hem maar dat we hem later wel zien. Dank u wel. Goed. Dag.'

Ze legde de hoorn op de haak.

'En?' vroeg Maggie. 'En?'

'Hij is er niet,' zei Rose. 'De mevrouw aan de lijn wist niet wanneer hij weer terug was.'

'Maar hij is wel thuis voor het eten. Toch?' vroeg Maggie met een hoog stemmetje. Haar gezicht zag bleek, haar ogen waren openge-sperd, alsof ze het vooruitzicht dat beide ouders zoek waren, niet kon verdragen. 'Toch?'

'Natuurlijk,' zei Rose, en deed toen iets waaruit Maggie begreep dat er wel degelijk iets was waarvoor ze bang moest zijn – ze gaf de af-standbediening aan haar zus en liep de kamer uit.

Maggie liep achter haar aan.

'Ga weg,' zei Rose. 'Ik moet nadenken.'

'Ik kan ook nadenken,' zei Maggie. 'Ik kan je helpen nadenken.'

Rose zette haar bril af en poetste de glazen met de onderkant van haar trui. 'Misschien moeten we kijken of er iets mist.'

'Zoals een koffer?'

Rose knikte. 'Zoiets bijvoorbeeld.'

De meisjes renden de trap op, deden de deur van de slaapkamer van hun ouders open en keken naar binnen. Rose bereidde zich voor op de gebruikelijke rommel – verkreukelde lakens, kussens op de vloer, halflege glazen en half opgegeten stukken geroosterd brood op het nachtkastje. Maar het bed was netjes opgemaakt. De laden van de kasten waren dicht. Op het nachtkastje zag Rose een paar oorringen, een armband, een horloge en een gouden ring liggen. Ze rilde en liet de ring in haar zak verdwijnen voordat Maggie hem zag en zou vragen waarom hun moeder haar kamer had opgeruimd en haar trouwring had afgedaan.

'De koffer is er nog!' zei Maggie, die blij de grote kast uitsprong.

'Goed zo,' zei Rose. Ze had het gevoel dat haar lippen waren bevroren. Ze moest haar vader weer proberen te bereiken en hem zeggen wat ze had gevonden, zodra ze haar zusje iets te doen had gegeven.

'Kom op,' zei ze en leidde Maggie de slaapkamer uit en de trap af.

Maggie speelde met de zak chips die ze van Rose had gekregen. Rose keek voor de derde keer in een minuut op de klok. Het was zes uur. Rose probeerde te doen of er niets aan de hand was, maar dat was helemaal niet zo. Ze had haar vader nog niet aan de lijn gekregen en hun moeder was nog steeds niet thuis. Zelfs als ze was vergeten dat Rose en Maggie eerder thuis zouden zijn dan anders, had ze om halfvier terug moeten zijn.

Denk na! dacht Rose terwijl haar zusje de chips verkruimelde. Ze had zelf al besloten dat haar moeder weer WEG was gegaan. Zij en Maggie mochten niet weten wat WEG was – waar dat was, dat hun moeder daar was. Maar Rose wist het. Afgelopen zomer, nadat hun moeder terug was gekomen van WEG, was Maggie bij haar gekomen met een gekreukelde brochure.

'Wat is dit?' vroeg ze.

Rose las het door. 'Levensinstituut,' zei ze en keek naar de tekening – een hand met daarin het gezicht van een vrouw, man en kind.

'Wat betekent dat?'

'Ik weet het niet,' zei Rose. 'Waar heb je dat gevonden?'

'In de koffer van mama.'

Rose had niet eens gevraagd wat Maggie in de koffer van haar moeder deed – zelfs op zesjarige leeftijd was Maggie al een doorgewinterde snuffelaar. Rose was een tijdje geleden met de familie Schoen teruggekomen van een Hebreeuws schoolreisje en ze waren langs een aantal gebouwen gereden waar een bord voor stond waarop precies hetzelfde plaatje stond als in deze brochure – dezelfde gezichten, dezelfde hand.

'Wat is dat voor gebouw?' had ze zo nonchalant mogelijk gevraagd; de auto was er te snel langsgereden, waardoor ze geen tijd had om er zelf achter te komen.

Steven Schoen had gegiecheld. 'Het gekkenhuis,' had hij gezegd. Zijn moeder had zich zo snel omgedraaid dat haar haar tegen haar wangen sloeg en Rose haar haarlak rook. 'Steven!' zei ze berispend. Vervolgens draaide ze zich naar Rose toe en sprak met zachte, zoete stem. 'Het heet het Levensinstituut,' verklaarde ze. 'dat is een soort ziekenhuis voor mensen die hulp nodig hebben voor hun gevoelens.'

Zo. Dat was WEG. Rose was niet eens zo heel erg verbaasd, want iedereen kon zien dat hun moeder hulp nodig had. Maar waar was ze nu? Was ze nu ook daar?

Rose keek weer op de klok. Vijf minuten over zes. Ze belde weer naar het kantoor van haar vader, maar de telefoon bleef maar overgaan. Ze hing weer op en liep de zitkamer binnen, waar Maggie op de bank zat en uit het raam staarde. Ze ging naast haar zus zitten.

'Is het mijn schuld?' fluisterde Maggie.

'Wat?'

'Is het mijn schuld dat ze weg is gegaan? Is ze boos op me geworden omdat ik op school vaak op mijn kop krijg?'

'Nee, nee,' zei Rose. 'Het is jouw schuld niet. Ze is niet weg. Ze is waarschijnlijk gewoon in de war geraakt of zo, of misschien heeft ze autopech. Het kan van alles zijn!' Maar toen ze Maggie geruststelde, stak Rose haar hand in haar zak en voelde het koude metaal van de ring. 'Maak je nou maar geen zorgen,' zei ze.

'Ik ben bang,' fluisterde Maggie.

'Ik weet het,' zei Rose. Ze zaten naast elkaar op de bank te wachten. De zon ging onder.

Michael Feller draaide even na zevenen de oprit op en Rose en Maggie renden naar buiten om hem op te wachten.

'Papa, papa!' zei Maggie en stormde op de benen van haar vader af. 'Mama is er niet! Ze is weggegaan! Ze is niet teruggekomen!'

Michael keek zijn oudste dochter aan. 'Rose? Wat is er aan de hand?'

'We waren vandaag eerder uit school... de leraren hebben cursus, ik heb daarover vorige week een briefje meegebracht...'

'Heeft ze geen briefje achtergelaten?' vroeg hun vader, die zo snel de keuken binnenging dat Rose en Maggie hem nauwelijks konden bijbenen.

'Nee,' zei Rose.

'Waar is ze?' vroeg Maggie. 'Weet jij het?'

Hun vader schudde zijn hoofd en pakte het rode adresboekje en de telefoon. 'Maak je geen zorgen. Er is vast niets aan de hand.'

Middernacht. Rose had Maggie zover gekregen dat ze van die verschrikkelijke tonijnschotel at, maar haar vader had er niet van willen eten. Hij zat gehurkt bij de telefoon en pleegde het ene telefoontje na het andere. Om tien uur kwam hij erachter dat zijn kinderen nog steeds op waren en bracht ze snel naar bed. Hij vergat dat ze hun gezicht en handen nog moesten wassen en hun tanden moesten poetsen. 'Ga maar slapen,' zei hij. Ze hadden twee uur lang naast elkaar gelegen in het bed van Rose, hun ogen wijd open, starend in de duisternis. Rose had Maggie verhaaltjes verteld – van Assepoester en Roodkapje, het verhaal van het meisje met rode schoentjes, die maar danste en danste en danste.

De deurbel ging. Rose en Maggie zaten precies tegelijk rechtop in bed.

'We moeten opendoen,' zei Maggie.

'Misschien is ze het,' zei Rose.

Ze hielden elkaars handen vast en renden op blote voeten de trap af. Hun vader stond al bij de deur en Rose wist onmiddellijk, zonder dat ze had gezien met wie haar vader sprak, zonder dat ze een woord gehoord had, dat er iets heel ergs aan de hand was, dat het niet goed ging met haar moeder, dat niets meer hetzelfde zou zijn.

Er stond een lange man bij de deur, een man in een groen uniform en een breedgerande, bruine hoed. 'Meneer Feller?' vroeg hij. 'Woont hier een Caroline Feller?'

Haar vader slikte hoorbaar en knikte. Van de hoed van de lange man drupte regenwater op de vloer. 'Ik ben bang dat ik slecht nieuws heb, meneer,' zei hij.

'Hebt u onze moeder gevonden?' vroeg Maggie met een klein stemmetje.

De politieagent keek hen treurig aan. Zijn leren riem kraakte toen hij zijn hand op de schouder van hun vader legde. Er vielen regendruppels op de blote voeten van Maggie en Rose. Hij keek naar hen omlaag, en toen weer terug naar hun vader.

'Ik denk dat we even onder vier ogen met elkaar moeten praten, meneer,' zei hij. En Michael Feller leidde hem met gebogen schouders en gebroken gezicht weg.

En daarna...

Daarna had hun vader een uitdrukkingsloos gezicht. Daarna heette het 'een auto-ongeluk'. Daarna pakten ze hun spullen in en vertrokken uit Connecticut, weg van school, van hun huis, hun vrienden, hun straat.

Hun vader pakte de spullen van hun moeder in dozen van een liefdadigheidsinstelling en Rose en Maggie en hun vader stapten in de gehuurde verhuiswagen en reden naar New Jersey. 'Voor een nieuwe start,' had hun vader gezegd. Alsof dat mogelijk was. Alsof het verleden iets was dat je achter je kon laten als een snoeppapiertje of een paar schoenen die je niet meer paste.

In Philadelphia zat Rose rechtop in bed, ze wist dat ze deze nacht niet meer zou slapen. Ze herinnerde zich de begrafenis nog. Ze wist nog dat ze een marineblauw jurkje aan had dat ze negen maanden daarvoor ook op de eerste dag naar school aan had gehad. Het jurkje was al te kort en het elastiek van de pofmouwtjes hadden rode striemen achtergelaten op haar armen. Ze herinnerde zich haar vaders gezicht boven het graf, mijlenver weg, en een oudere vrouw met kastanjebruin haar die achter in de rouwkamer zachtjes zat te huilen achter haar zakdoek. Haar oma. Waar was zij gebleven? Rose wist het niet. Na de begrafenis had hun vader het huis verkocht. Te veel herinneringen, zei hij tegen zijn dochters. Ze verhuisden naar New Jersey, ver weg van de politieagent met zijn hoed vol regen, ver weg van de oprit waar hij zijn auto had geparkeerd en zijn blauwe zwaailichten nog brandden in de duisternis, en ver weg van de weg die hem naar hun huis had gebracht. De glibberige, natte weg met zijn gevaarlijke bochten, een zwart lint, als een liegende tong. Ze waren ver weggegaan van die weg, en het huis en de begraafplaats waar hun moeder lag, onder de groene zoden en met een grafsteen waarop haar naam stond, haar geboortedatum en sterfdatum en de woorden 'echtgenote en liefhebbende moeder' erin gebeiteld. En Rose was er nooit meer teruggekomen.

II

Verder studeren

24

WAT ZE NODIG HAD, DACHT MAGGIE FELLER, WAS EEN PLAN.
Ze zat op een bankje op Thirtieth Street Station, een grote, spelonkachtige ruimte waar oude kranten rondslingerden en papiertjes van snacks; het rook er naar frituur en zweet en winterjassen. Het was bijna middernacht. Verontrust kijkende moeders sleepten hun kinderen aan hun armen mee. Daklozen sliepen op de houten bankjes met vuilniszakken vol spullen aan hun voeten. Ik zou een van hun kunnen zijn, dacht Maggie, en de paniek bekroop haar. Denk na. Denk na! Ze had tweehonderd dollar, twee knisperend nieuwe biljetten van honderd die Jim haar had gegeven voordat hij haar hier afzette. 'Kan ik helpen?' had hij gevraagd, niet onvriendelijk, en ze had haar hand opgehouden zonder hem aan te kijken. 'Ik wil tweehonderd dollar,' zei ze. 'Dat kost het tegenwoordig.' Hij haalde het geld zonder te protesteren uit zijn portemonnee. 'Het spijt me,' had hij gezegd... maar waar had hij spijt van? En aan wie bood hij zijn excuses aan? Niet aan haar. Maggie wist dat zeker.

Denk na, zei ze tegen zichzelf. Ze had een vuilniszak vol spullen, haar tasje, haar rugzak en de tweehonderd dollar van Jim. Ze had een plek nodig om te overnachten... en daarna weer een baan.

Bij Rose hoefde ze niet meer aan te kloppen. Ook niet bij haar vader. Maggie rilde en zag zichzelf al met haar tassen over het gazon slepen, de idiote hond die jankte, ze zag de zogenaamd medelevende, maar nauwelijks haar afschuw verhullende blik van Sydelle die de deur opende, haar ogen die zeiden: 'Dit is precies wat we van jou verwachtten', zelfs al zei haar mond iets anders. Sydelle zou details willen, zou willen weten wat er met Rose en haar was gebeurd, wat er met haar baan was gebeurd. Sydelle zou haar bedelven onder de vragen en haar vader zou er maar bij zitten, haar aanstarend met een zachte, verslagen blik in zijn ogen, zonder ook maar iets te vragen. Wat moest ze nu? Ze wilde niet naar een daklozenopvang. Al die vrouwen, al die mislukte levens. Zij was niet zo. Zij was niet mislukt. Niet op die manier. Zij was een ster, als iemand dat nu toch eens zag!

Je bent geen ster, fluisterde een stemmetje in haar hoofd, en de stem klonk als die van Rose, alleen kouder dan Rose ooit kon klinken. 'Je bent geen ster, je bent een slet, een stomme slet. Je kunt niet eens de kassa bedienen! Je kunt je eigen financiën niet eens regelen! Eruit gegooid! Zo goed als dakloos! En je bent met mijn vriendje naar bed geweest!'

Denk na, dacht Maggie woest; ze probeerde de stem te vergeten. Wat bezat ze? Tweehonderdendertig dollar. Haar spullen, en... haar lijf. Dat was waar. Jim had die tweehonderd dollar heel gemakkelijk aan haar gegeven. Er waren mannen die haar zouden betalen om met haar naar bed te mogen, en mannen die haar betaalden om haar te mogen zien dansen zonder kleren. Dat was ten minste nog vermaak, dat was optreden. En er waren genoeg opkomende sterretjes die haar voor waren gegaan, die het als laatste redmiddel hadden aangegrepen, die het als noodoplossing zagen.

Goed dan, dacht Maggie, die de greep om haar bezittingen verstevigde toen de dakloze man twee bankjes verder begon te kreunen. Strippen. Prima. Dat was het einde van de wereld niet. Maar daarmee was het probleem van onderdak nog niet opgelost. Het was januari, hartje winter en bitter koud. Ze had besloten een stadstrein naar Trenton te nemen en vandaar de trein naar New York. Maar daar zou ze niet voor twee uur 's nachts zijn, en dan? Waar moest ze heen?

Ze stond op, hield haar rugzak stevig in haar ene hand en de vuilniszak in haar andere, en tuurde op het spoorwegenbord, naar de namen van de steden die de treinen aandeden: Rahway. Westfield. Matawan. Metuchen. Red Bank. Little Silver. Dat klonk aardig, maar wat als dat niet zo was? Newark. Te groot. Elizabeth. Daar werden alleen maar moppen over getapt. Brick. Jakkes. Princeton.

Ze had Rose een paar keer op Princeton opgezocht, toen ze zestien, zeventien jaar was. Ze kan zich de universiteit nog voor de geest halen als ze haar ogen sloot: imposante gebouwen van bewerkte, grijze steen, bedekt met klimop, en waterspuwers langs de randen. Ze herinnerde zich de gemeenschappelijke woonkamers nog met hun open haarden en houten vensterbanken die breed genoeg waren om in te zitten en waarin dekens en winterjassen bewaard werden, en de glas-in-loodramen waar je voor kon zitten en waaruit je op de campus kon uitkijken. Ze kon zich de enorme klaslokalen nog herinneren met hun hellende vloeren vol harde houten stoelen met een tafeltje eraan vast. Ze wist nog van het feestje in de kelder met een vaatje bier in de hoek en de bibliotheek die zo enorm leek – drie verdiepingen omhoog en drie verdiepingen omlaag, elke vloer zo groot als een footballveld. De geur van brandend hout en herfstbladeren, een geleende rode sjaal warm rond haar nek, hoe ze het leistenen pad was afgelopen naar een feestje met de wetenschap dat ze de weg in haar eentje nooit meer terug zou vinden, omdat er zo veel paden waren en alle gebouwen op elkaar leken. 'Je verdwaalt hier gemakkelijk,' had Rose gezegd, zodat ze zich daar niet rottig over hoefde te voelen. 'In mijn eerste jaar gebeurde mij dat ook steeds.'

Misschien kon ze er nu verdwalen. Ze kon de stadsbus nemen naar Trenton, de trein naar Princeton nemen en daar een paar dagen blijven tot ze alles weer op orde had. Iedereen zei altijd dat ze er jonger uitzag dan ze was en ze had een rugzak, het universele teken van studenten. 'Princeton,' zei ze hardop, en liep naar het loket, waar ze zeven dollar betaalde voor een enkele reis. Ze wilde altijd al terug naar school, dacht ze terwijl ze het perron opliep, naar de trein. Wat maakte het uit dat dit niet de normaalste manier was om dat te doen? Wanneer was zij, Maggie Feller, ooit een normaal meisje geweest?

Om twee uur 's nachts liep Maggie over de donkere campus van Princeton University. Haar schouders waren verkrampt van het gewicht van haar rugzak en haar handen waren gevoelloos van de vuilniszak vol kleren, maar ze probeerde kwiek te lopen toen ze zich onder de groepen studenten voegde op het trottoir – haar schouder naar achteren en haar hoofd omhoog, alsof ze precies wist waar ze naartoe ging.

Ze was uitgestapt bij station Princeton Junction, naast een enorme parkeerplaats vol auto's, waar halogeenlampen koud het donker in schenen. Ze was even in paniek geraakt en draaide zich om, maar er waren inderdaad allemaal studenten – of tenminste, mensen die eruitzagen als studenten – op het perron en in de tunnel ernaartoe. Ze was hen onder het spoor door gevolgd, de andere kant weer omhoog, waar een andere, veel kleinere trein wachtte. Ze had een kaartje in de trein gekocht en twee minuten later arriveerde ze op de campus.

Toen ze de heuvel op liep, nam Maggie snel haar medereizigers in zich op – jongeren die terugkwamen van hun kerstvakantie, te oordelen aan de gesprekken en de hoeveelheid bagage die ze meezeulden. Het was wel duidelijk dat deze vrouwen niet veel om hun uiterlijk gaven, maar hun kleding voornamelijk kochten bij Abercrombie & Fitch. Niemand droeg meer dan lipgloss en hun kleding bestond voornamelijk uit verwassen spijkerbroeken, truien en sweaters, camelkleurige overjassen en allerlei mutsen, sjaals, handschoenen en winterlaarzen. Nou, dat verklaarde Rose' gevoel voor mode, dacht ze zuur, en begon in haar hoofd haar eigen garderobe door te lopen. Strak haltertopje: nee. Leren broek: waarschijnlijk niet. Kasjmieren trui? Zeker wel, maar ze had er geen, dacht ze en rilde toen de ijzige wind langs haar blote hals en wangen woei. Ze had een sjaal nodig. En ze had een sigaret nodig, hoewel het ernaar uitzag dat geen van de meiden rookte. Misschien omdat het zo koud was, maar waarschijnlijk omdat ze gewoon niet rookten. Misschien omdat geen enkel meisje uit de advertenties van Abercrombie & Fitch rookte. Maggie zuchtte en ging zo dicht mogelijk bij een groepje kletsende meiden lopen, op zoek naar meer informatie.

'Ik weet het niet,' zei een van hen giechelend terwijl ze langs een aanplakbord liepen vol affiches over van alles, van films en concerten tot kaartjes waarop tweedehands gitaren te koop werden aangeboden. 'Ik denk dat hij me wel aardig vindt, ik heb hem mijn nummer gegeven, maar tot nu toe heb ik nog niets gehoord.'

Dan vindt hij je niet aardig, stomkop, dacht Maggie. Als ze je leuk vonden, belden ze. Zo simpel was dat. En dit waren zogenaamd de intelligente meiden?

'Misschien moet je hem bellen,' stelde een van haar vriendinnen voor. Tuurlijk, dacht Maggie, die sinds haar dertiende geen man meer had gebeld. En misschien moet je met een vlag voor zijn kamerraam gaan staan, voor het geval hij de hint niet begrijpt.

De groep stond stil voor een stenen gebouw van vier verdiepingen en een zware houten deur. Een van de meiden deed haar wanten uit en toetste een code in de deurklink. De deur zwaaide open en Maggie volgde hen naar binnen.

Ze stond in een soort gemeenschappelijke ruimte. Er stonden een aantal banken met daarover een stevig, blauw kleed, een paar beschadigde salontafels vol kranten en tijdschriften, een televisie waarop Frank Capra's klassieker *It's a Wonderful Life* te zien was – wat helemaal niet zo was, wat Maggie betrof. Achter hen leidde een trap naar, vermoedelijk, de slaapkamers... en, aan het geluid te horen, daar waren feestjes aan de gang. Maggie zette haar tassen neer en voelde haar vingers tintelen toen het bloed weer in haar handen terugstroomde. Ik ben binnen, dacht ze triomfantelijk, maar voelde zich ook benauwd als ze dacht aan haar volgende stap. De groep meiden stampte met hun laarzen de trappen op, gracieus als een kudde olifanten. Maggie volgde hen naar de badkamer ('En als ik hem zou bellen, wat zeg ik dan?' vroeg het meisje dat geen telefoontje had gehad klagend). Ze wachtte tot ze weg waren, spatte water in haar gezicht en veegde het beetje make-up dat ze nog op had, van haar gezicht. Ze deed haar haar in een paardenstaart, net als Rose (de favoriete haardracht van Princeton-studenten, voorzover ze had kunnen beoordelen), spoot deodorant en wat parfum op en spoelde haar mond met water uit de kraan. Om haar volgende plan te laten lukken, moest ze er op haar best uitzien, voorzover dat mogelijk was, na alles wat ze had meegemaakt. Een gekreukte spijkerbroek en sweater waren nou niet bepaald haar eerste keus wat kleding betrof, maar veel keus had ze niet.

Toen ging ze weer terug naar de gemeenschappelijke zitkamer en ging die verkennen. Als ze de vuilniszak onder de bank zou leggen, zou iemand die dan stelen? Van wat ze tijdens de wandeling van het station naar de campus had gezien, had iedereen hier al alle kleren die ze zich maar konden wensen, dacht Maggie, en ging in een gemakkelijke stoel zitten, sloeg haar armen om haar knieën en keek toe, en wachtte.

Ze hoefde niet lang te wachten. Een stelletje jongens – vier of vijf, gekleed in sweaters en kaki broek – die luid praatten en naar bier roken, drongen langs de bewaker aan de voordeur en liepen langs Maggie richting de trap. Maggie liep schuchter achter hen aan.

'Zeg hallo daar,' zei een van de jongens die naar haar tuurde alsof ze aan de andere kant van een telescoop stond. 'Waar ga jij naartoe?'

Maggie glimlachte. 'Naar het feest,' zei ze, alsof dat vanzelf sprak. Hij grinnikte beneveld naar haar, hield één hand tegen de muur om zijn evenwicht te bewaren, en zei tegen haar dat dit vast zijn geluksdag was.

Het feest – en natuurlijk was er een feest, want hoewel dit een elite-universiteit was, was het nog steeds een universiteit, wat betekende dat er feestjes gaande waren – was vier trappen hoger, in een soort suite. Er was een woonkamer met een bank en een stereo, twee slaapkamers met in beide twee stapelbedden en ertussenin een badkamer met een bad vol ijs en het steevaste vaatje. 'Wil je wat drinken?' vroeg een van de jongens die ze op de trap had ontmoet – misschien degene die zei dat het zijn geluksdag was, misschien een van zijn vrienden. In het gedempte licht, met al het lawaai en het gedrang, wist ze het niet zeker, maar ze knikte evengoed, leunde naar hem toe en raakte met haar lippen zachtjes zijn oor aan toen ze mompelde: 'Graag.'

Toen hij weer terug kwam lopen, ondertussen de helft van het bier op de grond morsend, ging ze op de hoek van de bank zitten en sloeg haar benen over elkaar.

'Hoe heet je?' vroeg hij. Hij was kort en slank. Zijn blonde krullen pasten meer bij een zesjarige schoonheidskoningin dan bij een student en hij keek waakzaam, sluw.

Ze had op die vraag gerekend. 'M,' zei ze. Ze had in de trein besloten dat ze niet langer meer Maggie was. Ze was mislukt als Maggie, was er niet in geslaagd roem en glorie te vinden. Van nu af aan was ze simpelweg M.

De jongen knipperde met zijn ogen. 'Em? Als in tante Em?'

Maggie fronste haar wenkbrauwen. Had zij een tante Em? Hij? 'Het is gewoon M,' zei ze.

'Prima,' zei de jongen en trok zijn schouders op. 'Ik heb je hier nog nooit gezien. Wat studeer je?'

'Sofisterij,' zei Maggie.

De jongen knikte begrijpend. Zo, dacht Maggie, misschien was sofisterij wel een bestaande afstudeerrichting hier. Dat zou ze nog uitzoeken. 'Ik doe Beleid,' zei de jongen en boerde luidruchtig. 'Pardon.'

'Geeft niet,' zei Maggie, alsof ze darmgassen het boeiendste en charmantste vond wat er bestond. 'En hoe heet jij?'

'Josh,' zei de jongen.

'Josh,' herhaalde Maggie, alsof ook dit erg fascinerend was.

'Dansen?' vroeg Josh. Maggie nam een damesachtig slokje van haar bier en gaf hem het glas, dat hij hoffelijk leegdronk. Ze stonden tegenover elkaar en dansten... of eigenlijk schokte Josh meer heen en weer met zijn lichaam, alsof hij elektrische schokken kreeg toegediend, terwijl Maggie langzaam haar heupen tegen de zijne wiegde.

'Wauw,' zei hij bewonderend. Hij gleed met zijn handen rond haar middel en drukte haar stevig tegen de bobbel voor in zijn broek. 'Je danst geweldig.'

Maggie moest bijna lachen. Twaalf jaar ballet-, jazzdans- en taplessen, en dít was geweldig dansen? Eikel. Maar ze hield haar hoofd schuin naar hem toe, bracht haar lippen en warme adem nogmaals naar zijn oor, streek met haar lippen langs zijn hals. 'Kunnen we niet ergens naartoe waar het rustig is?' vroeg ze. Het duurde even voor de jongen doorhad wat ze bedoelde, maar toen lichtten zijn ogen op. 'Natuurlijk!' zei hij. 'Ik heb een eenpersoons.' Bingo, dacht Maggie. 'Eerst nog een biertje?' vroeg ze met een klein meisjesstemmetje. Hij kwam terug met twee biertjes en dronk zijn eigen op en het meeste van dat van Maggie, voordat hij zijn arm om haar middel sloeg, haar rugzak over zijn schouder gooide en haar de trappen af leidde, naar het genot dat hij straks in zijn eenpersoonskamer zou beleven, dacht hij. Zijn studentenhuis heette Blair. *Blair*, dacht Maggie toen ze binnenliep en hij binnenstrompelde. Ze moest een lijst bijhouden – met namen van de gebouwen, van de mannen. Ze moest voorzichtig zijn. Ze moest slim zijn. Zelfs slimmer dan Rose. Hier overleven als je hier ook hoorde, was al heel wat, maar hier overleven als je hier niet thuishoorde, was een uitdaging waarbij ze al haar geslepenheid, al haar talenten en al de intelligentie waarvan mevrouw Fried haar lang geleden had beloofd dat ze die had – wat de testen ook hadden uitgewezen – moest inzetten.

Josh opende de deur met een weids gebaar, als een keizer die de cederhouten muren en gouden vloeren van zijn paleis toonde, en Maggie besefte dat dit wel eens lastig kon worden. Ze moest er rekening mee houden dat de mogelijkheid bestond dat zij met deze jongen seks zou hebben. Twee in één nacht, dacht ze somber. Niet goed.

De kamer was piepklein en rechthoekig. Hij lag bezaaid met boeken en gympen en hoopjes vuile was. Het rook er naar zweetsokken en oude pizza. 'Mijn bescheiden plekje,' zei Josh en keek haar scherp en taxerend aan. Hij liet zich op zijn bed vallen en schoof een scheikundeboek, een fles water, een lange halter van zo'n vijf kilo en, vermoedde Maggie, een half opgegeten, versteend broodje gezond van het bed. Hij spreidde zijn armen en lachte zelfgenoegzaam naar haar, als een jongen die al het speelgoed van de wereld had, maar dat uit pure verveling had stukgemaakt. 'Kom maar bij papa,' zei hij.

Maggie bleef staan waar ze stond aan het voeteneind van het bed en glimlachte veelbetekenend naar hem. Ze streek koket met een vinger langs haar halslijn. 'Heb je iets te drinken?' fluisterde ze. Josh wees. 'Op het bureau,' zei hij. Maggie zag een platte, bruine fles. Perziklikeur. Jak, dacht ze, maar dat was nu eenmaal zoals het ging vandaag. Ze nam een slok en probeerde zich goed te houden toen de walgelijke smaak van perziken haar mond vulde, hield haar hoofd schuin en keek Josh uitdagend aan. Hij stond in een mum van tijd naast haar en duwde zijn koude en enigszins weerzinwekkende lippen tegen de hare. Ze bewoog haar tong in zijn mond op de maat van 'Girls just wanna have fun' van Cyndi Lauper, een liedje dat in haar hoofd zat, en liet de dikke vloeistof van de borrel van haar mond naar de zijne glijden.

'When the working day is done,' hoorde ze Cyndi in haar hoofd zingen terwijl Josh haar aanstaarde met een nieuwe dronken waardering in zijn blik, duidelijk gelovend dat hij dood was en in de hemel was beland, of ten minste op de pornoafdeling van de videotheek.

Ze legde een van haar fijne handjes op zijn borst en duwde zachtjes. Hij viel als een boom achterover op bed. Ze nam nog een slok en ging met gespreide benen op hem zitten. Ze bewoog haar kruis tegen de zijne en glimlachte. Moed houden, zei ze in zichzelf. Ze leunde achterover op haar billen en trok haar topje uit. Josh zette grote ogen op toen hij haar borsten zag in het gedempte licht van de lampen die van buiten naar binnen schenen. Ze probeerde zich in hem te verplaatsen, probeerde zich voor te stellen wat hij zag: een soepel, halfnaakt meisje, met weelderig haar over haar schouders, een blanke huid en slank middenrif en harde bruine tepels die naar hem schitterden.

Hij reikte naar haar. Nu, dacht ze en hield de fles schuin, zodat de likeur over haar borsten vloeide, een plakkerig spoor vormde naar de tailleband van haar spijkerbroek. 'O mijn god!' kreunde Josh, 'wat ben jij geil!'

Hij hijgde en pufte, zei hijgend iets wat ze niet kon verstaan terwijl hij haar huid likte en met zijn handen probeerde haar broek los te maken. Ze had erop gerekend dat hij te dronken zou zijn om een knoopsluiting open te krijgen en het had er alle schijn van dat dat klopte.

'Wacht,' fluisterde ze en draaide zichzelf van hem af en ging naast hem liggen. 'Laat mij het werk doen.'

'Je bent ongelooflijk,' zei hij en ging stil liggen met zijn ogen dicht. Maggie leunde naar hem toe en kuste hem in zijn hals. Hij zuchtte. Ze plantte een spoor van kusjes op zijn lijf, van zijn oorlel tot zijn sleutelbeen en bewoog bij iedere zoen trager. Hij zuchtte opnieuw, reikte naar zijn boxershort. Maggie gleed met haar tong langs zijn borstkas. Langzaam, zei ze in zichzelf, en bij elke hartslag likte of kuste ze hem. Langzaam... Elke zoen was lichter dan die ervoor. En elke keer duurde het langer voor ze er een gaf. Ze hield zichzelf in bedwang, hield haar adem in, lag gespannen naast hem, totdat ze hem langzaam en regelmatig hoorde ademen, totdat ze het eerste gepruttel van gesnurk hoorde. Ze tilde haar hoofd een paar centimeter op en gluurde naar zijn gezicht om er zeker van te zijn. Zijn ogen waren gesloten, zijn mond open, een spuugbel vormde zich tussen zijn lippen. Josh sliep.

Hij sliep of was buiten kennis geraakt. Welke van de twee het was, wist ze niet, maar dat deed er ook niet toe. Haar plan liep tot nu toe gesmeerd. Ze stopte voorzichtig een hand in zijn broekzak en haalde er een plastic pasje uit. Zijn studentenkaart. Perfect. Toen kroop ze het bed uit, vond haar topje en trok het aan. Josh snurkte nog steeds. Ze vond een handdoek op de grond – hij rook zuur en voelde hard aan, maar het had geen zin om hier naar schone was te zoeken, dacht ze en pakte een plastic emmertje met daarin zeep en shampoo.

Zijn portemonnee lag op tafel. Ze keek ernaar, dacht na, en pakte hem toen op en opende hem. Er zaten allerlei creditcards in en een behoorlijk pak geld. Ze zou het later bekijken, besloot ze, en stopte de portemonnee in haar zak. Ze keek naar de kast. Zou ze het durven? Ze liep er heel langzaam en voorzichtig naar toe en opende de kastdeur millimeter voor millimeter. Josh had niet één, maar wel twee leren jacks, en allerlei overhemden, truien en kakibroeken, gympen en wandelschoenen, spijkerbroeken en poloshirts, windjekkers, winterjassen en zelfs een smoking in het plastic van de stomerij. Maggie pakte twee truien en keek toen in de hoek. Bingo! Er lag een donzen slaapzak netjes in een zakje met een elektrische campinglamp ernaast. Die zou hij nooit missen, en als dat wel zo was, wist ze zeker dat degene die al deze spullen voor hem had gekocht, gewoon weer een cheque zou opsturen, zodat hij nieuwe kon kopen.

Josh gromde en draaide zich om, een arm viel op het kussen naast hem. Maggies hart sloeg over. Ze dwong zichzelf tot honderd te tellen voordat ze weer bewoog, verzamelde toen haar buit, propte de slaapzak en lamp in haar rugzak. Ze opende de deur voorzichtig en sloop de gang op. Het was vier uur 's ochtends. Er klonk nog steeds harde muziek uit kamers en Maggie hoorde de dronken kreten en schreeuwen van mensen die een feestje verlieten.

De badkamers waren aan het einde van de gang. Ze hadden een codeslot, maar gelukkig werd de deur van de damesbadkamer opengehouden door het gestrekte lichaam van een studente die knock-out was gegaan en voor de helft in en voor de helft uit een van de damestoiletten stak. Maggie stapte over haar benen en kleedde zich uit, hing haar kleren netjes aan een haak, de handdoek erbovenop.

Ze stapte onder de warme douche en sloot haar ogen. Goed, dacht ze bij zichzelf. Goed. De volgende stap was eten en een plek waar ze op adem kon komen. Ze dacht aan de bibliotheek, want op alle universiteiten waar ze ooit was geweest – als studente of als bezoeker – bekeken de beveiligingsbeambten nooit echt serieus de studentenkaarten. En als je eruitzag of je hier hoorde, lieten ze je gewoon doorgaan. Ze moest dus eerst haar kleren achter de bank van die woonkamer zien te halen en daarna zou ze zijn identiteitskaart gebruiken om de eetzaal in te sluipen en wat eten te vinden, en dan...

Maggie keek omlaag en zag een witte plastic haarclip in het zeepbakje liggen... dezelfde lelijke clip die haar zus gebruikte om haar haar uit haar gezicht te houden. *Rose*, dacht ze en een golf van spijt overspoelde haar. Haar adem bleef in haar keel steken. *Rose het spijt me.* En plotseling, toen ze daar zo naakt en alleen stond, voelde ze zich afschuwelijker dan ooit.

25

MISSCHIEN IS DIT WAT JE VOELT ALS JE GEK WORDT, DACHT ROSE. Ze rolde op haar andere zij en viel weer in slaap.

In haar droom was ze verdwaald in een grot en de grot werd steeds kleiner, het plafond lager en lager, tot ze de vochtige stalactieten – of stalagmieten, Rose haalde die altijd door elkaar – tegen haar gezicht voelde drukken.

Ze werd wakker. De hond die Maggie had achtergelaten, lag op een kussen naast haar en likte haar wangen.

'Jak,' zei Rose en begroef haar gezicht in haar kussen. Ze draaide zich van de hond af. Eventjes kon ze zich niets meer herinneren. Maar toen kwam het allemaal weer keihard terug – Jim en Maggie. In bed. Samen. 'O god,' kreunde ze. De hond legde zijn poot op haar voorhoofd, alsof hij haar temperatuur aan het nemen was en maakte een geluid dat onderzoekend klonk.

'Ga weg,' zei Rose. Maar de hond draaide drie rondjes op het kussen, rolde zichzelf op als een balletje en begon te snurken. Rose sloot haar ogen en viel ook weer in slaap.

Toen ze weer wakker werd was het elf uur 's ochtends. Ze hees zich overeind en gleed bijna uit in de warme plas buiten de badkamer. Ze keek niet-begrijpend naar haar natte voet, toen naar de hond, die haar aankeek en nog steeds op bed zat.

'Heb jij dit gedaan?' vroeg ze. De hond staarde haar alleen maar aan. Rose zuchtte, pakte schoonmaakmiddel en een rol keukenpapier en begon de boel op te ruimen. Ze kon het de hond niet kwalijk nemen... het arme beestje was sinds gisteren niet meer uitgelaten.

Ze sleepte zich voort naar de keuken, zette koffie, maakte een kom melk met cornflakes klaar en roerde er met een lepel in. Ze had helemaal geen zin in cornflakes, bedacht ze. Ze had helemaal nergens zin in. Ze dacht niet dat ze ooit nog honger zou hebben. Ze keek naar de telefoon. Wat voor dag was het? Zaterdag. Ze had een weekeinde om tot zichzelf te komen. Of kon ze zich beter nu al ziek melden, iemand de boodschap doorgeven dat ze volgende week niet zou komen? Maar aan wie? Maggie zou wel weten wat ze moest zeggen. Maggie was kampioen in leugens en halve waarheden en had geen moeite met een dagje vrijaf voor haar mentale gezondheid. Maggie.

'O, god,' kreunde Rose opnieuw. Maggie was bij haar vader, of hield zich schuil in de bosjes of op een bankje buiten, ervan overtuigd dat Rose wel van gedachten zou veranderen. Nou, ik dacht het niet, zei ze fel tegen zichzelf. Ze zette haar kom onaangeroerd in de gootsteen.

De hond had duidelijk geen last van somberheid of een gebrek aan eetlust. Hij zat aan haar voeten en staarde met natte en gretige ogen naar de kom cornflakes. Rose had geen idee wat Maggie de hond voerde. Het was haar niet opgevallen dat er hondenvoer in huis lag. Maar ja, er was haar de laatste tijd wel meer niet opgevallen. Behalve Jim. Of zijn afwezigheid eigenlijk. Aarzelend zette ze de kom op de grond. De hond rook eraan, liet zijn neus zakken, nam voorzichtig een likje, snoof even afkeurend en keek op naar Rose.

'Niet goed?' vroeg Rose. Ze rommelde in haar kastjes. Erwtensoep. Waarschijnlijk geen goed idee. Zwarte bonen... ook niet. Tonijn! Of was dat voor katten? Ze besloot het erop te wagen, mengde de vis met mayonaise en zette dat de hond voor, samen met een bakje water. De hond werkte het in sneltreinvaart naar binnen en maakte daarbij blije gromgeluiden. Hij duwde de kom met zijn neus de gehele keukenvloer rond om toch maar vooral alle restjes mayonaise en tonijn te pakken te krijgen.

'Goed,' zei Rose. Het was nu één uur 's middags. Haar appartement was brandschoon, dankzij de schoonmaakactie van gisterenavond. Ze liep de badkamer in en bekeek zichzelf lange tijd in de spiegel. Ze was een heel gewoon meisje, met gewoon haar en gewone bruine ogen. Ze had lippen en wangen en wenkbrauwen en die waren allemaal niet opvallend.

'Wat is er verkeerd aan mij?' vroeg ze het gezicht in de spiegel. De hond zat op de badkamervloer en keek haar aan. Rose poetste haar tanden, waste haar gezicht, maakte met lood in haar schoenen het bed op. Naar buiten gaan? Binnen blijven? Weer gaan slapen? De hond krabbelde tegen de voordeur. 'Hé, ophouden!' Ze keek rond en vroeg zich af waar Maggie de riem had gelaten. Ze pakte een sjaal die ze ooit had gekocht op een middag dat ze dacht dat ze misschien wel een sjaaldraagster zou worden – het soort vrouw die accessoires wist te dragen, in plaats van het soort vrouw wier sjaals altijd tussen de autodeur kwam of in haar soep belandde. Ze knielde en bond de sjaal aan de halsband van de hond. De hond keek ongelukkig en gekwetst, alsof hij – zij? – besefte dat de sjaal van polyester was en niet van echt zijde. 'Neem me vooral niet kwalijk,' zei Rose sarcastisch. Ze pakte haar sleutels, haar zonnebril en handschoenen en stopte een briefje van twintig in haar zak, zodat ze hondenvoer kon kopen. Ze liep naar de lift, langs de portier en de deur uit. Als ze het zich goed herinnerde, lag er een stukje gras op de hoek van de straat. Het hondje kon daar zijn behoefte doen en dan kon zij doorlopen naar de WaWa, de hond aan een parkeermeter vastbinden, zoals ze andere mensen had zien doen, en hondenvoer kopen, en een donut, besloot Rose. Een donut met jam. Waarschijnlijk twee donuts, en koffie met melk en drie pakjes suiker. Ze zou aankomen... maar dat maakte niet uit. Wie zag haar nu nog naakt? Wie maakte zich daar nu nog druk om? Ze kon aankomen, haar beenhaar laten groeien tot ze er vlechtjes in kon doen, ze kon alle versleten, groezelige, uitgelubberde onderbroeken dragen die ze maar had.

De hond keek Rose dankbaar aan zodra ze het gebouw uit waren, liep naar de goot en hurkte. Ze plaste eindeloos lang.

'Sorry dat ik je heb laten wachten,' zei Rose. De hond snoof. Rose wist niet zeker wat dat betekende. De hond snoof in ieder geval veel. Misschien was het een eigenschap van een echt ras. Misschien was hij een bepaald snuifachtig hondenras. Rose had geen idee. Na Honey Bun, hun hond voor een dag, hadden Maggie en zij nog niet eens een goudvis gehad. Te veel extra verantwoordelijkheid voor hun vader, die zijn twee dochters al een last genoeg vond. En toen kwam Sydelle met haar designhond, een hond met een stamboom en bijbehorende papieren. 'Ik ben er allergisch voor' had hun vader gezegd. 'Stel je niet aan,' had Sydelle geantwoord. En dat was dat. Chanel, de idiote golden retriever, bleef. Haar vader leed.

'Wat een schattig lief mopshondje!' zei een donkerharige vrouw die hurkte om de hond aan haar hand te laten snuffelen. Mopshond, zei Rose tegen zichzelf. Goed, de hond was een mops. Dat wist ze dan in ieder geval.

'Kom,' zei Rose en wond de sjaal rond haar hand. De hond liep rustig links van haar mee naar de supermarkt. 'Blijf,' zei Rose en bond de sjaal aan de parkeermeter. De hond – mops – keek haar aan als een eter die wachtte tot de soep werd opgeschept. 'Ik ben zo terug,' zei Rose. Ze ging naar binnen en staarde tien minuten naar de verbazingwekkende keuze aan hondenvoer, voordat ze een zak brokken uitkoos voor kleine volwassen honden. Ook kocht ze een plastic bakje voor de brokken, twee jamdonuts, koffie, twee bakken ijs en een zak kaaszoutjes die in een bak lagen met de advertentie dat dit de lekkerste chips waren die ze ooit had gehad. De jongen achter de kassa trok zijn wenkbrauwen op bij het zien van de lading waar. Rose kwam hier vaak, maar ze kocht dan alleen een krant, zwarte koffie en af en toe een doos Slim-Fast.

'Ik heb vakantie,' verklaarde ze, terwijl ze zich tegelijkertijd afvroeg waarom ze het gevoel had dat ze dat moest uitleggen aan een jongen die achter de kassa van de WaWa werkte. Maar hij lachte vriendelijk naar haar en stopte met de bon een pakje kauwgum in haar tas.

'Geniet ervan,' zei hij. Rose glimlachte flauwtjes terug en ging naar buiten, waar de hond nog steeds zat vastgebonden aan de parkeermeter.

'Hoe heet je?' vroeg Rose hardop.

De hond staarde haar alleen maar aan.

'Ik ben Rose,' zei Rose. 'Ik ben advocaat.' De hond liep naast haar. Op de manier waarop hij zijn kop hield, zijn oren overeind stonden, leek het of hij echt luisterde. 'Ik ben dertig. Ik ben summa cum laude afgestudeerd aan Princeton en heb aan de University of Pennsylvania rechten gestudeerd. Daar was ik redacteur van *Law Review* en...'

Waarom zat ze haar cv voor te dragen aan de hond? Dit sloeg nergens op. De hond was niet van plan haar aan te nemen. Niemand was dat waarschijnlijk van plan. Haar affaire met Jim zou boven water komen. Iedereen zou het te horen krijgen. Het was waarschijnlijk al bij verschillende collega's bekend, dacht Rose somber. Waarschijnlijk wisten mensen het al terwijl zij op kantoor werkte, maar was ze te stom en van liefde verblind dat ze het niet doorhad.

'Ik heb een affaire gehad,' zei Rose toen ze voor een rood verkeerslicht moesten wachten. Het tienermeisje naast haar, met een gouden ringetje door haar lip, keek Rose nieuwsgierig aan, maar liep toen snel door. 'Ik had een affaire met een man. Hij was min of meer mijn baas, en het bleek dat hij...' Ze slikte even. 'Erg slecht was. Erg, erg slecht.' Het hondje blafte heel kort – uit wanhoop? Ter bevestiging? Rose was er niet zeker van. Ze wilde Amy bellen, maar ze dacht niet dat ze het aankon om haar beste vriendin te zeggen dat zij gelijk had, dat Jim precies zo'n grote zak was als Amy al dacht... en dat Maggie, haar zusje, voor wie ze haar huis had opengesteld, die ze had willen helpen, nog erger was. Het licht sprong op groen. Het hondje blafte weer en trok zachtjes aan de sjaal. 'Het is voorbij,' zei Rose – gewoon om iets te zeggen, om het verhaal te eindigen, ook al praatte ze slechts tegen de hond en luisterde die niet. 'Voorbij,' herhaalde ze en stak de straat over. Het hondje keek haar aan en keek weer voor zich.

'Het meisje dat jou verzorgde. Dat was Maggie. Mijn zus,' vervolgde ze terwijl ze naar haar appartementencomplex liep. 'We moeten je eten geven en een riem voor je kopen en uitzoeken waar je vandaan komt. We moeten je terugbrengen.' Ze stopte op een hoek en bekeek de hond – klein, koffiekleurig, onschuldig, dacht ze. Het hondje keek haar aan en snoof even, vol minachting, dacht Rose. 'Goed,' zei ze, 'je hoeft niet dankbaar te zijn, hoor.' Ze stak de straat over en liep naar huis.

26

WIE VERTELDE ER OOIT DE WAARHEID OVER EEN HUWELIJK? ELLA in ieder geval niet. Zij praatte met haar vriendinnen over hun echtgenoten alsof het kinderen waren, of huisdieren – een vreemde diersoort die vieze geuren verspreidde en rare geluiden en rotzooi maakte, die zij weer moesten opruimen. Ze maakten van hun mannen karikaturen. Hij. Hem. 'Hij lust geen groene groenten, dus hoe krijg ik het dan voor elkaar dat de kinderen die wel opeten?' 'Ik zou graag meegaan op die cruise, maar ik moet dat natuurlijk wel eerst aan hem vragen.'

Ella droeg hieraan ook haar steentje bij met verhalen waarin Ira zo simpel leek als een kindertekening. Ze kreeg haar vriendinnen aan de bridgetafel aan het lachen als ze vertelde dat haar man nooit verder van huis wilde dan twintig minuten rijden, zonder een jampot mee te nemen voor het geval hem de toiletten in het tankstation niet bevielen, of hoe hij tachtig dollar had uitgegeven aan een yoghurtmachine. Geen ijsmachine, geen installatie om bier te brouwen, zei ze dan, als de dames zo hard lachten dat de tranen over hun wangen rolden, niet iets waar je echt iets aan hebt, maar een yoghurtmachine. Ira de yoghurtkoning.

Die verhalen vertelde ze dan, maar ze vertelde nooit de waarheid over haar huwelijk. Ze had nooit verteld dat zij en Ira in aparte bedden sliepen vanaf het moment dat Caroline naar school ging, en dat ze naar verschillende slaapkamers verhuisden toen hun enig kind ging studeren. Vertelde de dames nooit hoe het voelde om met iemand te leven die eerder een kamergenoot was dan een echtgenoot, iemand met wie ze haar woonruimte moest delen voor de duur van de reis.

Vertelde nooit over de kwetsende beleefdheid, de manier waarop Ira haar bedankte als ze zijn koffie had ingeschonken, of hoe hij haar arm pakte in gezelschap van anderen, bij bruiloften of het kerstfeest van zijn werk. Hoe hij haar arm pakte en haar van de auto naar de stoep begeleidde, alsof ze van glas was. Alsof ze een vreemde was. En ze had al helemaal nooit verteld hoe dat was gegaan, toen Ira de logeerkamer betrok, zodra hun dochter het huis uit was. Over die dingen sprak je nooit en Ella zou niet eens weten hoe ze daarover moest beginnen.

Mevrouw Lefkowitz bonsde op de deur. 'Ass Master? Ben je thuis?' Ella deed snel open en hoopte maar dat haar buren het niet hadden gehoord. Mevrouw Lefkowitz schuifelde de keuken van Ella binnen, graaide in haar veel te grote, roze, gehaakte tasje en zette een glazen fles op het aanrecht.

'Augurken,' zei ze. Ella hield haar lachen in en leegde de pot augurken op een schaal. Haar gast tuurde de woonkamer in en snoof. 'Hij is er nog niet?'

'Nog niet,' zei Ella die in de oven keek. Ze had geen verstand van de keuken van Florida, als er al zoiets bestond, en de zeldzame keren dat ze moest koken voor iemand anders dan alleen zichzelf vertrouwde ze altijd op dezelfde recepten die ze ook tijdens haar huwelijk maakte. Vanavond maakte ze runderborst, aardappelpannenkoekjes, een tsimmes van wortels en pruimedanten en ze had bij de bakker een challe gehaald. Samen met de augurken van mevrouw Lefkowitz en twee soorten cake en taart, was dat veel te veel eten, dacht ze. Veel te veel voor slechts drie personen en veel te zwaar voor de warme avonden van Florida, maar de trip naar de kruidenier en het kokkerellen in de keuken had haar aandacht afgeleid van de zenuwen.

'Ik zou graag je vrienden eens ontmoeten,' had Lewis gezegd, maar hoe kon Ella hem vertellen dat ze eigenlijk helemaal geen vrienden had? Hij zou denken dat ze gek was, of dat er iets aan haar mankeerde. En mevrouw Lefkowitz was zo mogelijk nog vasthoudender geweest. 'Herenbezoek!' had ze kakelend gezegd, nadat Ella de fout had gemaakt om Lewis haar af te laten zetten bij mevrouw Lefkowitz voor haar Tafeltje-Dek-je-taak. Ze had Ella de keuken in gevolgd, verwoed met haar wandelstok tikkend. 'Is hij knap? Heeft hij een goed inkomen? Is hij weduwnaar of gescheiden? Toupetjes? Pacemaker? Rijdt hij als het donker is?'

'Genoeg!' had Ella lachend gezegd met haar handen in de lucht als teken van overgave.

'Dat is dan geregeld,' zei mevrouw Lefkowitz met een stiekeme grijns.

'Wat is geregeld?' vroeg Ella.

'Ik kom bij je dineren. Het is goed voor me om er eens uit te zijn,' zei mevrouw Lefkowitz luchtig. 'Dat zei mijn dokter laatst.' Ze pakte een PalmPilot op van de salontafel, tenminste, zo noemde zij het elektronische apparaatje. 'Laten we zeggen: vijf uur?'

Dat was drie dagen geleden. Ella keek op haar horloge. Het was vijf over vijf. 'Laat!' zei mevrouw Lefkowitz vanaf de bank in de woonkamer. Lewis klopte op de deur.

'Dag, dames,' zei hij. Hij had een armvol tulpen bij zich, een fles wijn en iets in een vierkante kartonnen doos onder zijn arm. 'Ruikt heerlijk!'

'Ik heb te veel gemaakt,' zei Ella zwakjes.

'Nou en, dan heb je kliekjes,' zei hij en hield zijn handen uit naar mevrouw Lefkowitz die haar lippen snel had gestift in een geraniumroze kleur, zag Ella.

'Hallo, hallo!' kirde ze, terwijl ze hem van top tot teen bekeek toen hij haar overeind hielp.

'U bent vast mevrouw Lefkowitz,' zei hij. In de keuken hield Ella haar adem in in de hoop dat ze eindelijk haar voornaam zou horen. Maar mevrouw Lefkowitz giechelde flirterig en liet Lewis haar naar de tafel brengen.

Na het eten namen ze het toetje en de koffie mee naar de woonkamer. Mevrouw Lefkowitz zeeg neer op de bank, zuchtte tevreden en liet een klein boertje. Lewis en Ella glimlachten naar elkaar.

'Ik heb iets voor je meegebracht,' zei Lewis.

'Ik ook!' zei mevrouw Lefkowitz.

'O, dat hadden jullie niet hoeven doen,' zei Ella automatisch toen mevrouw Lefkowitz in haar tas graaide en Lewis zijn kartonnen doos te voorschijn haalde. Ze voelde haar hart tot een ijsbal samentrekken toen ze zag wat ze hadden meegebracht. Fotoalbums.

'Ik heb je laatst over mijn familie verteld, dus dacht ik dat je er misschien wat foto's van wilde zien,' zei Lewis, die op de bank ging zitten alsof dit allemaal helemaal niet ongewoon of angstaanjagend was. Alsof dit de normaalste zaak van de wereld was. Alsof iedereen dit deed: een fotoalbum openslaan en het verleden recht in zijn gezicht kijken. Ella had een ijskoud gezicht gekregen, maar ze dwong zichzelf te glimlachen en naast hem te gaan zitten. Mevrouw Lefkowitz kwam terug, zwaaiend met een fotoalbum.

'Mijn Lenny,' zei ze trots terwijl ze een foto aanwees van een kalende man in korte broek en zwarte kniekousen, die voor een kameel stond. Ella dwong zichzelf te kijken. Toen Ella goed keek, zag ze dat bij Lenny Lefkowitz plukjes zwart haar uit zijn oren staken en dat hij niet meer dan één meter zestig kon zijn. Mevrouw Lefkowitz zuchtte. 'Is hij niet knap?'

Ella moest even slikken. 'Waarom...' begon ze. 'Waarom hebben jullie allebei foto's meegenomen?'

Haar gasten staarden haar onschuldig aan. 'Ik dacht dat je misschien nieuwsgierig zou zijn,' zei Lewis.

'Ik neem mijn foto's overal mee naar toe,' zei mevrouw Lefkowitz. 'Je weet maar nooit wanneer iemand ze wil zien.'

Ella stond op en keek hen boos aan. 'Jullie spelen onder één hoedje met elkaar.'

'Hoedje?' vroeg mevrouw Lefkowitz onschuldig. 'Ik draag nooit hoedjes.' Ze klopte zachtjes op de bank. 'Ga toch zitten.'

Ella liet zich overhalen en ging zitten. Lewis deed zijn album open. Het begon met foto's van zijn ouders, die stijfjes in hun ouderwetse kleren stonden, met Lewis en zijn broers. En dan had je Sharla, in het oranje, of felroze of turkoois (of soms in alle drie de kleuren gehuld) en hun drie zonen en uiteindelijk, de kleinkinderen. Er waren foto's van het huis van Lewis en Sharla in Utica, een ranch met potten vol rozen bij de voordeur... 'Dat was toen John eindexamen had gedaan – of studeerde hij toen al af...? Hier zijn we bij de Grand Canyon, die je ook wel herkent zonder mij erop, neem ik aan... Dit was mijn afscheidsetentje van het werk.' Trouwfoto's, bar mitswa-feestjes, het strand, de bergen, de baby's. Ella liet het allemaal over zich heen komen, glimlachte, knikte en merkte af en toe wat op, totdat, eindelijk, Lewis zijn album dichtdeed.

'En jij?'

'Wat en ik?' vroeg ze.

'Mag ik jouw foto's ook zien?'

Ze schudde haar hoofd. 'Ik heb er niet veel,' zei ze. En dat was waar. Toen zij en Ira hun huis in Michigan verkochten en hierheen verhuisden, hadden ze allerlei spullen laten opslaan – meubels, winterjassen, en dozen vol boeken. En ook al hun foto's. Het deed te veel pijn om die te zien.

'Geen foto's?' vroeg mevrouw Lefkowitz ongelovig. 'Niet één?'

'Wacht even,' zei Ella. Ze liep naar de kast in de achterkamer en zocht achter de dozen kleding en handdoeken naar een oud tasje waarin een witte envelop zat, met daarin een handjevol kiekjes. Ze kwam terug naar de bank en liet haar gasten de eerste foto van de stapel zien, eentje van haar en Ira, samen in de nevel van de Niagara Falls tijdens hun huwelijksreis.

'Knap!' zei mevrouw Lefkowitz. Het synoniem voor 'man' was bij mevrouw Lefkowitz 'knap', begreep Ella.

Lewis bekeek de foto aandachtig en bewoog hem heen en weer onder de lamp van het bijzettafeltje.

'Je ziet er bezorgd uit,' zei hij uiteindelijk.

'Misschien was ik dat ook wel,' zei Ella die door de kiekjes bladerde. Hier had je Ira naast een bordje VERKOCHT voor hun huis in Michigan, Ira achter het stuur van hun eerste nieuwe auto. En als laatste foto, onder op de stapel, eentje van Ella en Caroline.

'Hier,' zei ze en gaf de foto aan Lewis. Hun buurvrouw had die foto genomen nadat ze uit het ziekenhuis waren teruggekomen. Ella stond in de achtergrond met haar koffertje en Ira stond bij de deur met Caroline, die pas drie dagen oud was en in een roze dekentje was gewikkeld, argwanend uit haar ogen turend. 'Mijn dochter,' zei ze en zette zichzelf schrap voor wat komen ging. 'Caroline.'

'Wat een prachtige baby,' zei mevrouw Lefkowitz.

'Ze had zwart haar. Een hoofd vol zwart haar,' herinnerde Ella zich. 'En grote blauwe ogen. En ze huilde voor mijn gevoel een jaar lang, zonder onderbreking.'

Ze bekeek de laatste twee foto's. Caroline en haar vader in een roeiboot; ze droegen dezelfde petjes en vissersjasjes. En Caroline op haar trouwdag, met Ella boven haar die de sluier goed deed.

'Wat een prachtige meid,' zei Lewis. Ella zei niets. Er viel een stilte.

'Ik wilde maanden niet over Sharla praten,' zei Lewis. 'Dus ik begrijp je wel. Maar soms is het gewoon prettig om erover te praten. De goede tijden te herinneren.'

Waren er goede tijden geweest met Caroline? Het leek of ze zich alleen nog maar het hartzeer kon herinneren en de eindeloze nachten vol zorgen, met open ogen in het donker wachtend tot ze de deur hoorde opengaan (of het raam, als Caroline thuis moest blijven). Ze wist nog dat ze op het goudfluwelen bankje zat, te kort om op te liggen, te wachten tot haar dochter thuiskwam.

'Ze was,' begon Ella. 'Ze was zo mooi. Lang, met bruin haar, een zachte huid, en ze was... levendig. Grappig.' Gek, fluisterde een stemmetje in haar hoofd. 'Geestelijk ziek,' zei ze. 'Ze was manischdepressief. Bipolair noemen ze dat nu. We kwamen erachter toen ze op school zat. Ze kreeg steeds... aanvallen.' Ella sloot haar ogen en dacht aan die keer dat Caroline haar kamer drie dagen lang had gebarricadeerd, weigerde te eten, door de deur schreeuwde dat er mieren in haar haar zaten, dat ze die voelde als ze sliep.

Lewis liet een zacht, meelevend geluid horen. Ella praatte maar door, de woorden stroomden naar buiten, alsof ze die veel te lang had binnengehouden.

'We zijn naar artsen gegaan. Allerlei artsen. En ze hebben haar medicijnen gegeven en die hielpen tot op zekere hoogte, maar ze werd er ook sloom van. Ze kreeg moeite met nadenken, zei ze.' Ze wist nog dat Caroline lithium gebruikte, dat haar gezicht opgezwollen was geworden en bleek en dat haar handen eruitzagen als gezwollen wanten, dat ze de hele dag gaapte. 'Ze gebruikte die medicijnen soms, en soms niet, maar zei dan dat ze ze wel nam. Ze ging studeren en een tijdje ging het goed met haar, maar toen...' Ella haalde bevend adem. 'Ze trouwde en alles leek in orde. Ze kreeg twee dochters. En ze overleed toen ze negenentwintig was.'

Lewis sprak met zachte stem. 'Wat is er gebeurd?'

'Auto-ongeluk,' zei Ella. Wat de waarheid was. Of in ieder geval een waarheid. Caroline zat in de auto. De auto was verongelukt. Zij was omgekomen. Maar wat er daarvoor was gebeurd was ook waar, namelijk dat Ella niet had ingegrepen terwijl dat wel had gemoeten. Ze was gezwicht voor de herhaalde smeekbedes van haar dochter om haar toch met rust te laten, om haar haar eigen leven te laten leiden; ze voelde gelatenheid en verdriet en ook een enorme, schandelijke opluchting, waarover ze niet kon praten – niet met Ira, met niemand. Ze belde Caroline elke dag, maar ze kwam er maar twee keer per jaar, voor een weekeinde. Ze verving de feiten met fictie: de Dochter, die een Echtgenoot had. Ze liet haar foto's zien als de winnende kaarten in een pokerspel – Caroline en haar man, Caroline en Rose, Caroline en Maggie. Haar vriendinnen zeiden 'o' en 'ah', maar al die tijd wist Ella hoe het werkelijk zat – de foto's waren mooi, maar de realiteit van Carolines leven was wel wat anders. Een puntige rots onder de mooie krullen van de golven, de zwarte sneeuw in de straatgoot.

'Auto-ongeluk,' zei ze weer, alsof Lewis aan haar had getwijfeld, want 'auto-ongeluk' was waar genoeg, de brief die de dag na de begrafenis in de brievenbus viel, deed er niet toe. De brief was in Hartford gepost op de dag dat Caroline was gestorven, een briefje van twee regels lang, geschreven op een papier met grote lijnen, uitgescheurd uit een schoolschrift. In onduidelijke, onregelmatige letters stond er: 'Ik kan niet meer. Zorg voor mijn dochters.'

'En de kleindochters?' vroeg mevrouw Lefkowitz.

Ella duwde haar handen voor haar ogen. 'Die heb ik nooit gekend,' zei ze.

Lewis wreef met warme hand in kringetjes over haar rug. 'We hoeven er niet verder over te praten,' zei hij. Ja, maar hij had geen idee, en zij kon het niet uitleggen. Hoe zou hij ooit kunnen begrijpen dat Caroline dood wilde, en dat het door de jaren heen steeds gemakkelijker was geworden dingen uit de weg te gaan. Caroline zei 'laat me met rust' dus had ze haar met rust gelaten. Michael Feller had gezegd: 'We zijn beter af zonder jou' en Ella had het laten gebeuren dat zij van hen werd weggehouden. Ze voelde zich daar verdrietig over, maar ook opgelucht, dacht ze beschaamd. En nu zou ze haar eigen kleinkinderen nooit leren kennen. En dat was precies wat ze verdiend had.

27

ROSE WERD WAKKER OP MAANDAG, TOEN OP DINSDAG, EN OP woensdag en donderdag, met de gedachte dat ze die dag een douche zou nemen, haar tanden zou poetsen, de hond zou uitlaten, terug zou komen, haar mantelpak en panty zou aandoen en haar aktetas uit de kast zou pakken en naar haar werk zou gaan, zoals iedereen. Elke ochtend werd ze vol goede voornemens en energie wakker. Ze zei tegen zichzelf onder de douche dat het Chinese symbool voor crisis hetzelfde symbool was als voor kansen. Ze liet de hond uit in Rittenhouse Square Park en keek richting het zuiden, waar de glimmende glazen wolkenkrabber waarin Lewis, Dommel en Fenick was gevestigd, als een verwijt op haar neerkeek, en de moed zonk haar dan weer in de schoenen. Werkelijk alles zonk dan – al haar inwendige organen, nieren en lever en wat nog meer, en alles in haar lijf dacht 'nee' en 'kan niet' en 'niet vandaag'.

Dan ging ze naar huis en belde ze Lisa en zei ze dat ze nog steeds ziek was. 'Ik denk dat ik griep heb,' zei ze maandag hees.

'Geen probleem,' had Lisa gezegd – Lisa, die nooit veel woorden vuilmaakte aan Rose als een paar woorden ook volstonden. Maar tegen het einde van de week klonk Lisa niet meer zo tolerant en begon ze zowaar in hele volzinnen te praten. 'Je bent op maandag weer terug, toch?'

'Ja,' had Rose gezegd en had geprobeerd monter en zelfverzekerd te klinken. 'Natuurlijk,' zei ze. 'Uiteraard.' Vervolgens plofte ze dan neer op de bank en keek naar *A Wedding Story*. In de week dat ze niet op haar werk was verschenen, was Rose helemaal verslaafd geraakt aan die show. *A Wedding Story* duurde een halfuur, en zat net zo zorgvuldig in elkaar als een sonnet, of een wiskundig bewijs. Eerste deel: de bruid en bruidegom stellen zich voor (gisteren was de bruid Fern, een verkoopster in een drogist, en de bruidegom Dave, een twintig jaar oudere vrachtwagenchauffeur met enorme baard). Tweede deel: hoe hebben ze elkaar ontmoet ('Ik kwam binnen voor maagtabletten,' had Dave gegromd, 'en daar stond ze, achter de toonbank. Het mooiste meisje dat ik ooit heb gezien'). Deel drie: trouwplannen (Fern en Dave zouden gaan trouwen in het Radisson. Een etentje en dansfeest erachteraan en de twee zonen van Dave uit twee vorige huwelijken waren getuigen). Laatste deel: de grote dag (Fern liep het gangpad door, een verschijning in gebroken wit. Dave had gehuild. Rose ook).

Zo ging het nu al vier dagen. Ze at donuts en huilde bij iedere bruid, iedere bruidegom, elke jurk, elke moeder en schoonmoeder, elke eerste kus en eerste dans; bij sombere maatschappelijk werkers uit Alabama, onderwijzers uit New Jersey, systeembeheerders uit San Jose met snorren, meisjes met een slechte huid en mislukte permanentjes die slecht Engels praatten. Iedereen, dacht ze toen de hond zich op haar schoot nestelde en haar tranen likte. Iedereen, behalve ik.

Op zaterdagochtend rinkelde de telefoon. Rose sloeg er geen acht op, deed de hond zijn riem om en ging snel de deur uit. Ze had te laat door dat ze haar pantoffels nog aan had. Haar pluizige konijnenslippers. Ach, nou ja. Een dakloze keek haar goedkeurend aan. 'Je ziet er goed uit, schatje!' riep hij. Dat was ten minste bemoedigend, dacht Rose. 'Je bent gezet, maar je ziet er nog goed uit!' Oké, dacht ze, misschien niet zo bemoedigend. Ze liet de hond twintig minuten aan heggen, brandkranen, parkeermeters en de konten van andere honden snuffelen en toen ze thuiskwam, rinkelde de telefoon nog steeds, alsof hij niet was opgehouden. De telefoon ging toen ze als een zak lood onder de douche stond, het water over haar hoofd omlaag liet kletteren en de moed probeerde te verzamelen om haar haar te wassen. Tien minuten voor *A Wedding Story* zou beginnen, pakte Rose eindelijk op. 'Ja?' zei ze.

'Waar heb jij in godsnaam uitgehangen?' vroeg Amy. 'Ik heb veertien voicemailberichten op je werk achtergelaten, heb je zes e-mails gestuurd, ben afgelopen avond langs geweest...' Haar stem stierf weg.

Rose herinnerde zich nog vaag dat er iemand aan de deur had geklopt en dat ze het kussen over haar hoofd had getrokken tot het was opgehouden.

'Je secretaresse zegt dat je ziek bent en mijn vriendin Karen zag je in de buurt van Rittenhouse Square in je pyjama en pantoffels ronddolen.'

'Ik doolde niet rond. En ik had geen pyjama aan,' zei Rose hooghartig, en ging voor het gemak maar niet in op de pantoffels. 'Dat was een joggingbroek.'

'Ook goed,' zei Amy. 'Wat is er aan de hand? Ben je ziek?' Rose keek verlangend naar de televisie, maar dwong zichzelf een andere kant op te kijken. 'Ik moet met je praten,' zei ze uiteindelijk.

'Kom over een kwartier bij La Cigale,' zei Amy. 'Of nee, over een halfuur. Je moet eerst normale kleren aantrekken. Ik denk niet dat je daar met je pyjama naar binnen mag.'

'Het was geen pyjama!' herhaalde Rose, maar Amy had al opgehangen. Ze legde de telefoon op het aanrecht en ging op zoek naar een paar schoenen.

'Goed,' zei Amy, die al koffie en een paar scones ter grootte van een honkbalhandschoen had besteld. 'Wat heeft hij gedaan?'

'Hè?' vroeg Rose.

'Jim,' zei Amy ongeduldig. 'Ik weet dat dit allemaal de schuld is van die klootzak. Zeg me wat hij heeft gedaan en dan bedenken we iets om hem terug te pakken.'

Rose lachte dunnetjes. Amy had in de loop der jaren veel ervaring opgedaan met mislukte relaties en wist onderhand wel hoe je je daarna moest gedragen. Stap één: één maand rouw (twee weken als er geen seks in het spel was geweest). Stap twee: sta jezelf één schandalige wraakactie toe (haar laatste vriendje, een serieuze veganist, had ongetwijfeld de schrik van zijn leven gehad toen hij bleek te zijn opgegeven voor de Orgaanvlees van de Maand Club). Stap drie: ga verder met je leven. Geen spijt hebben, geen gezeur, niet 's nachts langsrijden of hem bellen als je dronken bent.

'Nou, wat heeft hij gedaan?'

'Hij heeft me belazerd,' zei Rose.

Amy schudde haar hoofd. 'Ik wist het.' Ze kneep haar ogen samen. 'Goed, hoe gaan we hem dat betaald zetten? Hem vernederen op zijn werk? Een anonieme brief naar het advocatenkantoor? Zullen we iets smerigs in zijn auto achterlaten?'

'Zoals?' vroeg Rose.

'Ansjovispasta,' zei Amy. 'Een paar keer flink in de tube knijpen

189

boven zijn handschoenenvakje en zijn Lexus zal nooit meer dezelfde zijn.'

'Kijk, hij was het niet alleen,' zei Rose.

'Wat bedoel je?'

'Maggie ook,' zei Rose.

Amy spuugde een stuk van haar scone uit. 'Wat?!'

'Maggie,' herhaalde Rose. 'Ik heb ze betrapt.' Ze had het al zo vaak in haar hoofd gezegd, en tegen de hond, dat het nu voelde of ze een gedicht oplas dat ze jaren geleden uit haar hoofd had geleerd. 'Ik kwam thuis en zij lagen in bed. En ze had mijn nieuwe laarzen aan.'

'De Via Spiga's?' Amy klonk met de minuut geschokter. 'O Rose, wat vind ik dat erg voor je.'

Maar het verbaast je niets, dacht Rose.

'O god,' zei Amy met droef gezicht. 'Die teef.'

Rose knikte.

'Hoe kón ze?'

Rose trok haar schouders op.

'Nadat je haar onderdak hebt gegeven en waarschijnlijk ook geld en haar geprobeerd hebt te helpen...' Amy rolde met haar ogen en keek naar het plafond. 'Wat moeten we hieraan doen?'

'Haar nooit meer zien,' zei Rose.

'Ja,' zei Amy, 'ik kan me voorstellen dat Thanksgiving hierdoor behoorlijk onaangenaam wordt. En waar is juffrouwtje Hotpants?'

'Ik heb geen idee,' zei Rose mat. 'Ik neem aan bij mijn vader en Sydelle.'

'Nou, dan lijdt ze in ieder geval al flink,' zei Amy. 'En jij?'

'O, ik lijd ook volop,' zei Rose, en zuchtte, en prikte in haar scone.

'Wat kan ik voor je doen?' vroeg Amy.

Rose haalde haar schouders op. 'Niets, ik moet het gewoon wat tijd geven, denk ik,' zei ze.

'En je hebt winkeltherapie nodig,' zei Amy die Rose overeind trok. 'Het winkelcentrum lonkt. Kom, het zal je opvrolijken.'

Amy en Rose winkelden de hele middag in het winkelcentrum King of Prussia. Rose wist uiteindelijk drie boodschappentassen te vullen met dingen die ze niet nodig had, met alles waarop haar oog viel en haar even de hoop gaf dat haar leven – dat zijzelf – weer gemaakt kon worden. Ze kocht scrubcrèmes en vochtinbrengende lotions. Ze kocht kaarsen die naar lavendel roken en een bot omkleed met ongelooide koeienhuid en een met kralen bestikt tasje van tweehonderd dollar. Ze kocht lippenstiften en lipgloss en lippotloden, drie paar schoenen en een rode kasjmieren enkellange rok waarvan ze zich niet kon voorstellen dat ze die ooit zou dragen. Uiteindelijk ging ze naar de boekhandel. 'Zelfhulp?' vroeg Amy. 'Betere seks door yoga? Hoe lok je meneer Fantastisch in de val in tien onverhoedse stappen?' Rose lachte een beetje, schudde met haar hoofd en ging naar de afdeling Moderne Fictie. Tien minuten later had ze een stapel van tien glimmende pockets verzameld over vrouwen die de liefde hadden gevonden, de liefde hadden verloren, en de liefde weer hadden teruggevonden.

'Vergeet niet dat ik nog steeds die ansjovispasta heb, voor het geval je van gedachten wilt veranderen,' zei Amy toen ze door de parkeergarage liepen. 'En als je een onpartijdig iemand zoekt om even met mejuffrouw Maggie May te praten...'

'Jij bent niet onpartijdig,' zij Rose.

'Nee, dat is waar,' zei Amy. 'Maar ik wil wel net doen alsof.' Ze keek op haar horloge. 'Wil je dat ik met je mee naar huis ga? Of wil je met mij mee? Ik eet vanavond bij mijn moeder...'

Rose schudde van nee. 'Het gaat wel,' zei ze, van mening dat ze wel een avondje zonder Amy's moeder kon – die eeuwige pastamaaltijd, gevolgd door een paar uur kijken naar het winkelkanaal Tel Sell, de passie van Amy's moeder.

'Bel me,' zei Amy. 'Dat meen ik.'

Rose zei dat ze dat zou doen. Als eerste stap op weg naar een normaal leven, gaf ze de mops het bot en dwong ze zichzelf te luisteren naar alle zevenendertig voicemailberichten die ze had ontvangen. Zestien van Amy, een tiental van haar werk, drie van haar vader, een aantal van telemarketingbureaus, zo'n vijf berichten van schuldeisers en één onbegrijpelijk bericht van een manager van het International House of Pancakes die zei dat Rose te allen tijde voor een sollicitatiegesprek kon langskomen. Ze liet een bericht achter bij haar vader dat ze levend en wel was, wiste de rest en ging naar bed. Ze sliep vervolgens achttien uur onafgebroken door. Op zondagochtend – absoluut de laatste dag waarop ze zou mokken, had ze zichzelf voorgenomen – belde ze Amy om haar te laten weten dat ze nog steeds leefde, maar ook niet meer dan dat. Ze deed lippenstift op, trok de rode kasjmieren rok aan, stopte een van de boeken in haar zak, deed de hond de riem om en liep naar haar gebruikelijke bankje in het park. Het was tijd voor een beslissing.

191

'Voordeel,' fluisterde ze tegen zichzelf. 'Ik ben advocaat, en dat is een goede baan. Nadeel,' zei ze, terwijl de hond aan haar voeten snuffelde. 'Ik word al misselijk bij de gedáchte aan werken.'

Ze opende haar boek, haalde een pen uit haar zak en begon naast de hijgende citaten op de eerste paar bladzijden van alle boeken die ze had gekocht ('een gevat, sexy meisje'), te schrijven. 'Voordeel,' schreef ze op de binnenkant van de kaft. 'Als ik naar mijn werk ga, verdien ik geld. Nadeel...' Het hondje aan haar voeten blafte kort. Rose keek naast haar en zag dat een tweede hond, een vreemd, gevlekt, beverig uitziend ding ter grootte van een kat, op de bank was gesprongen en naast haar zat en haar met zijn zwarte ogen onverschrokken aanstaarde.

'Hallo,' zei ze en liet de hond aan haar handschoenen ruiken. 'Wie ben jij?' Ze tuurde op het naamplaatje aan de halsband van de hond en vroeg zich af wat voor naam Nifkin was. Buitenlands, waarschijnlijk. 'Ga naar huis,' spoorde ze de gevlekte hond aan, waarvan bij elke ademhaling zijn snorharen trilden. 'Zoek je baasje.' De hond staarde Rose slechts aan en maakte geen aanstalten weg te gaan. Rose besloot het beestje te negeren.

'Nadeel,' ging ze verder. Ze sloot haar ogen weer en voelde een golf van misselijkheid over haar heen komen toen ze zich voorstelde dat ze de hal in liep, de lift nam en haar verdieping uitstapte en de gangen doorliep waar ze verliefd was geworden op Jim en zich verbeeldde dat hij op haar verliefd was.

'Nadeel,' herhaalde ze en opende haar ogen. Nifkin zat nog steeds naast haar op het bankje en nu stond er een meisje in een rode jas voor haar. Ze had rode wanten en rode regenlaarzen aan. Haar haar had de kleur van stroop en zat in een wortelvormige paardenstaart. Jezus, dacht Rose, wie ben ik verdomme? Sneeuwwitje?

'Sorry,' zei het meisje, 'maar mag ik je hond aaien?'

'Natuurlijk,' zei Rose toen de mops een opgewonden proestgeluid maakte.

Het meisje boog omlaag en aaide de kop van het hondje. 'Braaf beestje,' zei ze, 'braaf meisje!' De mops draaide zich in allerlei bochten van plezier. Ondertussen was de bibberige Nifkin van de bank gesprongen en naast het meisje gaan zitten en nu staarden ze Rose met zijn tweeën aan.

'Ik ben Joy Shapiro Krushelevansky,' zei het meisje, 'en dit is Nifkin, mijn hond. Hoe heet jouw hond?'

'Eh...' zei Rose. Ze had niet veel ervaring met kinderen, maar ze was er zeker van dat 'ik weet het niet' een antwoord was dat problemen zou opleveren. 'Het is mijn hond eigenlijk niet,' reageerde ze. 'Ik laat haar alleen maar uit.'

Het meisje knikte alsof dat volkomen logisch was, trok aan de riem van Nifkin en huppelde het park door. Inmiddels stond een vrouw met witte haren en een zonnebril naar hen te kijken. 'Petunia?' riep ze. 'Is dat Petunia?'

Petunia, dacht Rose. De mops keek haar aan. Rose dacht dat ze een zweem van verlegenheid op de verfrommelde kop van het beestje zag. 'Hé Petunia!' zei de vrouw toen Petunia een waardige proest liet horen.

'Is Shirley al terug uit Europa?' vroeg de vrouw.

'Eh,' zei Rose zwakjes. Ze had er niet op gerekend dat ze een bekende van de hond zou tegenkomen.

'Ik dacht dat ze haar tot maart naar een kennel zou doen,' vervolgde de vrouw.

Rose zag een reddingslijn en greep die met beide handen vast.

'Dat klopt,' zei ze. 'Dit is eigenlijk een nieuwe dienst... een dagelijkse wandeling. Zodat de honden, tja, een frisse neus kunnen halen, hun buurt kunnen bezoeken, hun vriendjes zien...'

'Wat een geweldig idee!' zei de vrouw toen twee honden – een grote chocoladebruine hond met een dikke, slangachtige staart en een vrolijk springend poedeltje met zijn rode tong uit zijn bek – naar hen toe kwamen. 'Je werkt dus voor de kennel?'

'Ik ben eigenlijk... freelance,' zei Rose. Ze herinnerde zich het sprookje van de vervloekte prinses nog, die elke keer als ze haar mond opende, kikkers en padden uitspuwde. Rose had het idee dat zij met eenzelfde soort vloek was besmet – als zij haar mond opende, kwamen er geen wrattige amfibieën uit, maar leugens. 'Ik laat honden uit voor de kennel, maar ik werk ook voor particulieren, voor individuele honden...'

'Heb je een kaartje?' vroeg een oude man die bij de poedel hoorde.

Rose voelde in haar zakken, maar hield haar lege handen op. 'Het spijt me,' zei ze. 'Ik denk dat ik ze thuis heb gelaten...'

De man pakte pen en papier uit zijn zak en Rose schreef haar telefoonnummer op en voegde de woorden 'Rose Feller, Hondenverzorgster' toe. Het duurde niet lang of ze was omringd door huisdieren en mensen op deze zonnige zondagmiddag in Rittenhouse Square Park, ze zag verstrengelde lijnen en overal hondenhaar en snelpratende eigenaars die blijkbaar allemaal op zoek waren naar iemand die goed voor hun hond kon zorgen.

Ja, zei Rose, ze paste ook op katten. Nee, zei ze, ze gaf geen hondencursussen, maar ze vond het geen probleem om de honden naar de cursus te brengen.

'Dierenoppas!' riep een vrouw in een slobbertrui. Haar hond had net zulke korte poten als Petunia, maar was misschien twee keer zo groot, met een kop vol rimpels en kwijl dat van zijn plompe kinnen droop. 'Het weekeinde van Memorial Day?' vroeg ze.

'Ik zal er zijn,' zei Rose. Petunia en de gerimpelde hond snoven zwaar en statig, alsof ze beide lid van dezelfde club waren en elkaar een geheime handdruk gaven.

'Heb je een vergunning?' vroeg de vrouw in staccato als een drilmeester. 'Vergunning? Contract? Verzekering?'

'Eh...' zei Rose. De menigte hield haar adem in. 'Ik ben nog met het papierwerk bezig. Volgende week is alles rond,' besloot ze en maakte in haar hoofd een aantekening dat ze moest uitzoeken hoe ze een vergunning en verzekering als hondenuitlater kon krijgen.

'En de tarieven?'

Tarieven? dacht Rose. 'Eh... tien dollar per wandeling, vijfentwintig dollar voor een hele dag.' Uit de gezichten van de hondeneigenaars kon Rose aflezen dat dat waarschijnlijk een koopje was. 'Dat is het tarief voor nieuwkomers,' voegde ze toe. 'En natuurlijk, als u liever hebt dat uw hond in de kennel blijft, kan ik die daar ophalen en hem elke dag uitlaten in het park. Dat is voor iedereen wel zo fijn. U hoeft me maar te bellen!' Ze zwaaide zwierig en snelde het park uit. 'Wie is Shirley?' vroeg ze aan de mopshond, die geen antwoord gaf. 'Heet je echt Petunia?' vroeg ze. De mops bleef haar negeren. Rose liep naar de Elegant Paw. Toen ze de deur opendeed, rinkelde de bel. De vrouw achter de toonbank sprong op.

'Petunia!' riep ze en doofde haar sigaret. Petunia blafte en kwispelde niet alleen met haar staart, maar met haar hele achterste. 'O, godzijdank! We werden helemaal gek van bezorgdheid!'

'Hoi,' zei Rose toen de vrouw achter de toonbank vandaan kwam gesneld, knielde en Petunia knuffelde.

'Waar heb je haar gevonden?' vroeg de vrouw. 'God, we waren radeloos! Haar eigenaar blijft nog maanden weg, maar we wilden haar niet bellen... ik bedoel, kun je het je voorstellen? Je laat je hond achter bij de kennel en vliegt naar Europa en dan krijg je een telefoontje dat je hond vermist is? Ze zou radeloos zijn!' De vrouw richtte zich op, streek haar blauwe overall glad over haar enorme boezem en keek door haar grijze krulletjes naar Rose. 'Waar heb je haar nou gevonden?' herhaalde ze.

'In het park,' zei Rose, die zich had voorgenomen om op deze ene dag genoeg te liegen voor een maand – voor een jaar waarschijnlijk. 'Ik kreeg niet de indruk dat ze was verdwaald, maar ik ken haar... ik bedoel, ik ken haar niet, maar ik heb haar wel vaker in het park gezien en ik dacht, misschien kent u haar ook...'

'Godzijdank,' zei de vrouw weer en nam Petunia in haar armen. 'We waren echt ongerust. Mopshonden zijn erg teer... ze lopen snel een verkoudheid op, infecties aan de luchtwegen, virussen die heersen... ik weet niet wie er de laatste weken op haar heeft gepast, maar diegene heeft het goed gedaan.' Ze keek Rose weer aan. 'Er is natuurlijk een beloning...'

'O nee,' zei Rose, 'ik ben al blij dat ze terug is waar ze hoort...'

'Ik sta erop,' zei de vrouw, die achter de toonbank dook en de kassa opende. 'Hoe heet u? Woont u in de buurt?'

'Ik, eh,' zei Rose. 'Ik woon in Dorchester en ik ben medewerker bij Lewis, Dommel en Fenick. Maar kijk. Ik begin een nieuw bedrijf. Een hondenuitlaatbedrijf.'

'Daarvan zijn er al aardig wat in de stad,' zei de vrouw die Petunia een koekje toewierp. De hond ving hem in de lucht op en kauwde er luidruchtig op.

'Dat weet ik,' zei Rose. 'Maar het verschil is dat ik honden uitlaat die in een pension zitten. Op die manier krijgen ook deze honden frisse lucht en beweging.'

Nu keek de vrouw lichtelijk geïnteresseerd. 'Hoeveel kost dat?'

'Ik vraag tien dollar per wandeling,' zei ze. En, net toen het gezicht van de vrouw in een frons veranderde, zei ze: 'Die ik met u deel. Want dat is goed voor nieuwe klanten.'

'Dus zij betalen tien dollar en jij geeft me daar vijf van?'

'Precies,' zei Rose. 'De eerste maanden in ieder geval. Daarna zien we wel weer verder.' Ze zat in haar hoofd al een rekensommetje te maken – vijf dollar per wandeling, misschien tien honden per dag uit de kennel, en dan misschien nog drie of vier andere honden voor vijf dollar per wandeling...

'Ik doe ook boodschappen voor de eigenaars,' zei Rose en dacht aan de dingen waar ze zelf altijd tijd voor wilde maken, maar niet altijd aan toe kwam. 'De stomerij, de supermarkt, afspraken maken met de huisarts en tandarts, pakjes afhalen... Als u mij eerst op proef wilt, zal ik Petunia gratis voor u uitlaten.' 'Weet u wat,' zei de vrouw. 'Ik wil het proberen, zolang we het gebeuren met Petunia onder ons houden.'

'Afgesproken,' zei Rose en de vrouw kwam achter de toonbank vandaan om haar hand te schudden.

'Ik ben Bea Maddox.'

'Rose Feller.'

De vrouw staarde haar aan. 'Familie van Maggie Feller misschien?' Rose voelde de glimlach om haar lippen bevriezen. 'Maggie is mijn zusje. Maar ik lijk niet op haar,' zei ze. Ze voelde de ogen van Bea op haar. Rose rechtte haar rug, deed haar schouders naar achteren en probeerde er verantwoordelijk uit te zien, betrouwbaar, volwassen – kortweg, er niet als Maggie uit te zien.

'Ze heeft nog steeds onze sleutels,' zei Bea.

'Ik weet op het moment niet waar ze is,' zei Rose. 'Maar ik betaal je de sleutels terug.'

De vrouw keek haar aan en haalde toen haar schouders op. 'Ach, we kunnen het proberen. Ik geloof niet dat ik iets te verliezen heb. En je hebt deze hier gevonden.' Ze gaf de riem van Petunia aan Rose en zei haar naar de copyrette op de hoek te gaan om een paar bordjes te maken met haar naam en tarieven erop en de diensten die ze aanbood.

Rose ging naar de copyrette en ging daarna snel naar huis om haar antwoordapparaat opnieuw in te spreken. 'U bent verbonden met Rose Feller van Rose' Dierenoppasdienst. Laat een bericht achter na de piep, met uw naam, telefoonnummer, naam van uw huisdier en de data waarop u van onze diensten gebruik wilt maken, dan bel ik u zo snel mogelijk terug.' Er even tussenuit, zei ze tegen zichzelf toen ze naar het bericht luisterde. Ze had het gevoel dat haar leven in een film was veranderd en dat een onbekende haar rol speelde. Er even tussenuit, herhaalde ze streng. Ze had nog nooit langer dan een week achtereen vrij genomen. Ze was rechtstreeks van Princeton naar Law School gegaan voor haar studie rechten. Nu was het haar beurt.

Volgende stap: het advocatenkantoor. Maandagochtend vroeg zat Rose op de bank, haalde diep adem en belde niet Lisa, maar Don Dommel zelf. Zijn secretaresse verbond haar meteen door. Rose wist niet of dat een goed of slecht teken was. Ze zette zich schrap voor zijn gebulder, voor de suggesties die hij ongetwijfeld zou geven: drink kweekgras! Pak een oefenbal! Ga mountainbiken!

'Rose!' zei Don hartelijk. 'Hoe gaat het met je?'

'Eerlijk gezegd al veel beter,' zei ze. Ze zat op de bank, schoof de stapel boeken over huisdieren opzij en besefte hoe leeg het appartement aanvoelde zonder het kleine bruine hondje.

'Luister, ik vroeg me af... ik heb op het moment wat persoonlijke problemen...'

'Wil je misschien verlof opnemen?' vroeg Don, zo snel dat Rose er zeker van was dat hij hier al aan had gedacht vanaf de eerste dag dat Jim op het werk verscheen, en zij niet. 'Het bedrijf kent een zeer flexibel beleid... onbetaald verlof uiteraard, maar je arbeidsvoorwaarden blijven ongewijzigd en je mag weer beginnen waar je gebleven bent. Wanneer je daar klaar voor bent, natuurlijk. Of anders...' zijn stem stierf weg. De stilte die volgde sprak boekdelen. Ga weg, dacht Don Dommel, ze kon de woorden bijna verstaan. *Je bent een probleem, je bent een schandaal, je bent niets meer dan roddelpraat, je bent eigeel op onze collectieve stropdas. Ga weg en kom niet meer terug.*

'Zes maanden?' vroeg ze. Ze dacht in een halfjaar er wel weer bovenop te zijn en het snelle zakenleven wel weer aan te kunnen.

'Uitstekend!' stemde Don in. 'Voel je ook vooral vrij om contact op te nemen als je referenties nodig hebt...'

'Natuurlijk,' zei Rose. Ze was verbaasd hoe gemakkelijk het was om iets los te laten zodra ze die beslissing had genomen. Al het werk waardoor ze geobsedeerd was... waarschijnlijk werd dat aan een streberige jonge medewerker gegeven. Het was totaal oneerlijk. Jim had net zo goed schuld als zij. Dat wist ze zeker. Maar Jim zou blijven, hij kreeg zijn winstdeling, zijn salarisverhoging, zijn vakantiegeld, zijn hoekkantoor met zicht op het stadhuis. En zij kreeg onbetaald verlof en pro forma-aanbevelingsbrieven. Nu goed, dacht ze. Prima. Zij redde zich wel. Op de een of andere manier.

'...gebeuren,' zei Don, die duidelijk nog niet met haar klaar was.

'Sorry?' zei Rose.

'Zulke dingen gebeuren,' zei Don en en hield op met zijn peppraatje. Hij klonk zelfs aardig. 'Je eerste kantoor is niet altijd precies wat je zoekt.'

'Dat is zeker waar,' zei Rose ernstig.

'Houd contact,' zei Don. Rose beloofde dat ze dat zou en hing op. Ze leunde achterover en dacht na. Geen rechten meer, dacht ze. 'Althans, even niet meer,' zei ze hardop en merkte dat die woorden haar niet eens verdrietig maakten. 'Huisdieren,' zei ze en moest een beetje lachen, want het was raar om zo over zichzelf te denken: Rose Feller, een vrouw van pure ambitie, Rose Feller, de streber, liet het advocatenbestaan voor wat het was in ruil voor een poepschepje. 'Ik ga er alleen maar even tussenuit,' zei ze tegen zichzelf. Toen zette ze water op voor thee, ging weer op de bank zitten, sloot haar ogen en vroeg zich af wat ze in godsnaam had gedaan.

28

MAGGIE HERINNERDE ZICH NOG DAT ZE EEN TELEFOONGESPREK van haar zus opving toen die van de universiteit terugkwam voor Thanksgiving. 'Ik woon zowat in de bibliotheek,' had ze melodramatisch gezegd. Nou, Rose moest haar zusje nu eens zien.

Haar eerste week op Princeton sliep Maggie op verschillende plaatsen – een bank in een gemeenschappelijke woonkamer, een houten bankje in het washok in de kelder – en speurde overdag de ondergrondse verdiepingen van de Firestone Library af, op zoek naar een permanente accommodatie. Die vond ze op de c-verdieping, de derde verdieping onder de grond, in de verre zuidoosthoek, een plaats die Maggie beschouwde als de Gekwetste Boekenzaal. Hier stonden de boeken met gescheurde bladzijden en gebroken boekbanden, de boeken waarvan de rug kapot was en de lijm was opgelost. Hier lag een stapel oude *National Geographics* in een hoek, een stapel boeken geschreven in krulletters in een taal die ze niet kende, en drie scheikundeboeken met tabellen waarin de recenter ontdekte elementen ontbraken. Maggie hield de deur een middag lang in de gaten. Zo ver ze kon zien, verliet er nooit een boek de Gekwetste Boekenzaal... en kwamen er geen nieuwe boeken binnen. Nog mooier was dat er een niet veel bezocht damestoilet om de hoek lag, waar niet alleen toiletten en wastafels stonden, maar ook een douche was. De marmertegels zaten onder een laag stof, maar toen Maggie de kranen opendraaide, kwam er helder water uit.

En dus zette Maggie op de zevende dag van haar verblijf op de campus haar basiskamp op in de zaal zonder ramen, de zaal met vergeten boeken. Ze verstopte zich in het rolstoeltoilet tot de laatste student de bibliotheek uitgejaagd was en de deuren afgesloten waren. Ze sloop de zaal binnen, spreidde haar slaapzak uit tussen twee kasten vol stoffige oude boeken, knipte de gestolen lamp aan en ging op haar slaapzak liggen. Zo. Knus. En veilig, met de deuren op slot en met al haar spullen netjes onder de boekenkast. Argeloze voorbijgangers zouden niet zien dat hier iemand was, of je moest weten waar je moest zoeken en waarnaar je moest zoeken. Dit was precies wat Maggie wilde. Er zijn, maar er niet echt zijn, aanwezig zijn, maar tegelijkertijd onzichtbaar zijn.

Ze voelde in de zak van haar spijkerbroek die ze al aan had sinds ze hier was gekomen. De rol bankbiljetten en de drie verschillende studentenkaarten die ze op haar verkenningen van de bibliotheek had weten te bemachtigen, zaten er nog in. De creditcards van Josh en Rose, een sleutel die ze had gevonden en had gehouden, ook al zou ze er waarschijnlijk nooit achterkomen voor welke deur die was. En een oude verjaardagskaart. 'Een fijne dag toegewenst', las ze en zette de kaart toen op een plank, zodat ze ernaar kon kijken.

Ze sloeg haar armen voor haar borst en ademde in de duisternis. Het was hier stil, drie verdiepingen onder de grond, onder het gewicht van duizenden boeken, zo stil als in een doodskist, dacht ze. Ze hoorde hoe haar tong haar tanden raakte, het geruis van haar slaapzak als ze zich bewoog.

Ze zou tenminste kunnen slapen. Ze rommelde in haar rugzak tot ze de pocket vond die ze open op een armleuning had zien liggen. *Hun ogen keken naar God* was de titel, maar de tekening op de voorkant wekte niet de indruk dat het een religieus boek was. Het was een plaatje van een zwarte vrouw (eigenlijk had ze een paarsige kleur, maar Maggie nam aan dat dat zwart moest voorstellen) die op haar rug onder een groene boom lag en omhoogkeek met een tevreden, dromerige uitdrukking op haar gezicht. Niet zo goed als *People*, dacht ze, maar in ieder geval heel wat beter dan die rechtentijdschriften van Rose of de ouderwetse medische boeken op de plank vlak naast haar slaapzak. Maggie sloeg het boek open en begon te lezen.

29

'ELLA?' VROEG LEWIS. 'GAAT HET?'
'Ja hoor,' zei ze en knikte ter bevestiging.
'Je bent ineens zo stil,' zei hij.
'Er is niets hoor,' zei ze en glimlachte naar hem. Ze zaten samen op
Ella's van horren voorziene veranda te luisteren naar de krekels en de
kikkers en Mavis Gold die de aflevering van *Everybody loves Raymond* van gisterenavond besprak.
'Vertel me eens,' begon Lewis. 'Waar heb je spijt van?'
'Wat een rare vraag,' zei Ella.
'Dat is geen antwoord,' reageerde Lewis.
Ella dacht erover na. Waar moest ze beginnen? Niet met de dingen
waar ze echt spijt van had, besloot ze. 'Weet je waar ik spijt van heb?
Dat ik nog nooit in de zee heb gezwommen.'
'Echt? Nog nooit?'
'Niet sinds ik hier woon. Al sinds ik een klein meisje was niet
meer. Ik was het een keer van plan, ik had mijn handdoek al gepakt
en mijn badmuts op, maar het leek zo...' Haar stem stierf weg. Het
had haar een halfuur gekost om een parkeerplaats te vinden en op het
strand zag ze alleen maar meisjes in schokkend kleine bikini's en jongens in felgekleurde zwembroeken. Ze hoorde allerlei verschillende
muziek uit allerlei verschillende radio's en de lucht was gevuld met
de luide stemmen van jongeren, en de zon leek te fel en de zee te
groot, en toen had ze zich omgedraaid en was teruggelopen naar haar
auto en zat weer in haar auto zonder ook maar een voet op het strand
gezet te hebben. 'Ik denk dat ik er te oud voor ben,' zei ze.

Hij stond op en schudde zijn hoofd. 'Niets daarvan. Kom, we gaan.'
'Lewis! Nu? Maar het is al laat!'
'Ik geloof niet dat het strand aan openingstijden doet,' zei hij.
Ze staarde hem aan; een miljoen redenen om niet te gaan speelden door haar hoofd. Het was laat, ze moest morgen vroeg op, het was donker en wie wist wat ze daar zouden aantreffen? Nachtelijke ritjes naar het strand was iets voor tieners of pasgetrouwden, niet voor senioren met jicht en gehoorapparaten.
'Kom op,' zei hij en trok zachtjes aan haar handen. 'Je vindt het vast heerlijk.'
'Ik denk het niet,' zei ze. 'Misschien een andere keer.' Maar toch was ze overeind gekomen en de deur uitgegaan en liepen ze beiden op hun tenen langs het stille appartement van Mavis Gold, als een stelletje samenzweerders, of kinderen die kattenkwaad gaan uithalen.
In tien minuten waren ze op het strand. Lewis parkeerde vlak bij het zand, hield haar deur open en hielp haar uit de auto. 'Laat je schoenen maar hier,' zei hij.
En daar was het, het water dat ze al honderd keer had gezien, vanuit haar auto, vanuit een raam, op een ansichtkaart en in de glimmende brochures die haar naar Golden Acres hadden gelokt. Daar was het, rusteloos bewegend. De golven zwollen aan en schuimden en rolden het strand op, tot zo dichtbij, dat ze aan haar blote voeten kriebelden.
'O!' zei ze en maakte een sprongetje. 'Dat is koud!'
Lewis bukte zich en rolde zijn broekspijpen op en daarna die van haar. Hij hield haar hand vast en ze waadden tot over hun enkels in het water, bijna tot aan hun knieën. Ella stond stil, voelde het water aan haar trekken en zuigen terwijl de golven het zand verplaatsten. Ze hoorde het geraas van de golven en ze kon de rook ruiken van een vuurtje, ver weg op het strand. Ze liet de hand van Lewis los.
'Ella?' vroeg hij.
Ze waadde verder, twee stappen, drie stappen en het water kwam tot boven haar knieën, voorbij haar heupen. Haar wijde katoenen blouse waaide rond haar, bolde op als de golven aanspoelden. Het water was vreselijk koud, kouder dan de meren uit haar jeugd, en haar tanden klapperden tot haar lichaam aan de temperatuur was gewend.
'Hé, voorzichtig!' riep hij.
'Doe ik,' riep ze terug. Opeens was ze bang. Wist ze nog wel hoe ze moest zwemmen? Was dat iets wat je kon vergeten? O, ze had moe-

ten wachten tot het licht was, of in ieder geval een handdoek mee moeten nemen...

Niet meer, dacht ze. Niet meer. Ze was al twintig jaar bang – langer zelfs, als je die verschrikkelijke nachten meetelde dat Caroline uit was en zij niet wist waar naartoe. Maar hier wilde ze niet bang zijn. Niet nu. En in haar jeugd, en later als jonge vrouw, was zwemmen altijd een liefhebberij van haar geweest. Ze voelde zich altijd onzichtbaar in het water, vrij, alsof ze alles kon, alsof ze voor eeuwig kon doorgaan, of ze helemaal naar China kon zwemmen. Niet meer, dacht ze weer, en zette af met haar voeten. Een golf sloeg haar midden in haar gezicht. Ze proestte, spuugde zout water uit en zwom erdoorheen, haar handen kliefden door het donkere water, haar voeten bewogen onregelmatig, totdat ze het juiste ritme te pakken hadden. En daar ging ze. Het water droeg haar en ze zwom weer.

'Hé!' riep Lewis. Ella verwachtte even dat haar kleine zusje Emily aan de rand van het water stond, bleek en met kippenvel, die riep: 'Ella! Je bent te ver weg! Ella, kom terug!'

Ze draaide zich om en moest bijna lachen toen ze Lewis op haar af zag peddelen, zijn tanden stijf op elkaar en zijn hoofd goed omhoog (om zijn gehoorapparaat te beschermen, dacht ze). Ze dreef op haar rug – haar haar deinde mee op elke golf – en wachtte tot hij haar had ingehaald en toen strekte ze haar hand naar hem uit, raakte zijn hand met haar vingertoppen en zette haar voeten weer op de bodem.

'Als ik had geweten dat we gingen zwemmen,' hijgde hij, 'had ik mijn zwembroek aangedaan.'

'Ik wist het ook niet!' zei ze. 'Het kwam zomaar in me op!'

'Goed, heb je genoeg gezwommen?'

Ze deed haar voeten van de bodem, trok haar benen op tegen haar borst en liet zich door het water dragen. Ze voelde zich een ei in een pan warm water, drijvend en geheel omgeven. 'Ja,' zei ze uiteindelijk en peddelde met haar armen tot ze weer rond was en zwom samen met Lewis terug naar de kant.

Later, toen ze op een picknicktafel zaten op het strand, gewikkeld in een muffe deken die Lewis uit de kofferbak had opgedoken, zei ze: 'Je vroeg me eerder op de avond waarvan ik spijt had.'

'Voordat we een duik namen?' vroeg hij, alsof het zoute water zijn geheugen had uitgewist.

'Ja,' zei Ella. 'Daarvoor. En nu wil ik je de waarheid vertellen.' Ze ademde zwaar, dacht aan het water om haar heen, dat haar drijvende had gehouden, haar moed had gegeven. Ze herinnerde zich nog dat toen ze een klein meisje was, ze verder zwom dan alle andere kinderen, verder dan alle volwassenen, zo ver dat Emily zwoer dat ze nog maar een stipje in het water was. 'Ik heb er spijt van dat ik mijn kleinkinderen kwijt ben geraakt.'

'Kwijtgeraakt?' vroeg Lewis. 'Hoezo?'

'Toen Caroline overleed, nam hun vader hen mee. Hij verhuisde naar New Jersey met hen en wilde niet dat ik contact hield. Hij was erg boos... op mij, op Ira, op iedereen. Ook op Caroline, maar zij was er niet meer, en wij wel. Ik wel.' Ze sloeg de deken strakker om haar heen. 'Ik neem hem dat niet kwalijk.' Ze keek omlaag naar haar handen. 'Een deel van mij was...' Ze ademde weer zwaar. 'Opgelucht, denk ik. Caroline was zo moeilijk in de omgang en Michael was zo kwaad, dat het gewoon veiliger voelde om niet meer met ze te maken te hoeven hebben. Dus ik koos de gemakkelijke weg. Ik probeerde het niet meer. Nu zijn ze uit mijn leven.'

'Misschien moet je het weer proberen,' zei Lewis. 'Misschien vinden ze het fijn om van je te horen. Hoe oud zijn ze nu?'

Ella gaf geen antwoord, hoewel ze het wel wist. Maggie was achtentwintig en Rose dertig. Ze konden al getrouwd zijn, kinderen hebben, een andere achternaam dragen. Ze hadden er vast geen behoefte aan dat een oude vrouw, een wildvreemde, hun leven binnen kwam wandelen met een hart vol droevige herinneringen en de naam van hun dode moeder op haar lippen. 'Misschien,' herhaalde ze, want Lewis keek haar aan, op de picknicktafel, zijn benen over elkaar en zijn haren nog nat van het water. En Lewis had geknikt en tegen haar geglimlacht en ze wist dat ze die nacht geen vragen meer hoefde te beantwoorden.

30

PRINCETON WAS HET PROBLEEM NIET. MAAR GELD WAS DAT WEL.
Maggie wist dat ze geen rekenwonder was, maar tweehonderd dollar
min de twintig die ze aan voedsel had uitgegeven in de WaWa op de
dagen dat het haar niet was gelukt de eetzaal of een kantine in te sluipen waar gratis pizza of ijs werd verstrekt, plus de gestolen creditcards
die ze niet durfde te gebruiken, was niet genoeg om in haar nieuwe
levensonderhoud te voorzien. Het was niet eens genoeg voor een
vliegticket naar Californië, laat staan een voorschot op een appartement en foto's voor een modellenbureau.
   Er moet meer geld zijn, fluisterde Maggie tegen zichzelf. Het was
een zin uit een kort verhaal dat ze in een ander achtergelaten boek had
gelezen, een verhaal over een jongetje dat op een hobbelpaard zat en
de winnaars van een echte paardenrace kon zien. En hoe driftiger hij
reed, des te luider het paard leek te fluisteren. Er moet meer geld zijn.
   Ze zat in het studentencentrum en nam de mogelijkheden door,
haar handen om een bekertje thee van negentig cent. Ze had een baan
nodig die contant uitbetaalde en de enige mogelijkheid die ze gezien
had stond op een pamflet dat ze van de bibliotheekmuur had afgetrok-
ken. Ze zette haar kopje neer en vouwde het vergeelde papier zorgvuldig open. 'Huishoudster gevraagd,' stond er. 'Lichte huishoudelijke
werkzaamheden, boodschappen, één keer per week.' En er stond een
telefoonnummer dat begon met 609.
   Maggie pakte haar mobieltje – dat haar vader voor haar had gekocht, waarvan de rekeningen rechtstreeks naar zijn kantoor gingen –
en toetste het nummer in. Ja, zei een oude vrouw, de baan was nog

vrij. Eén keer per week, geen zwaar werk, maar als Maggie geïnteresseerd was, moest ze zelf voor vervoer zorgen. 'Je kunt met de bus,' zei ze. 'Vanaf Nassau Street.'

'Zou u contant kunnen betalen?' vroeg Maggie. 'Ik heb hier nog geen rekening. Mijn rekening loopt nog thuis...' ze liet haar stem wegsterven.

'Contant is goed,' zei de vrouw opgewekt. 'Aangenomen dat je bevalt.'

Donderdagochtend stond Maggie extra vroeg op, zorgde ervoor dat haar spullen uit het zicht lagen en kroop als een muis door de stilte van de bibliotheek, nog voor de lichten aan waren. Ze verschool zich in het rolstoeltoilet op de eerste verdieping en wachtte tot de bewakers de voordeuren openden. Tien minuten nadat de bibliotheek geopend was, liep ze de deur uit, op weg naar Nassau Street.

'Goedendag,' riep de vrouw vanaf de veranda. Ze was klein, dun en had wit haar tot over haar schouders en droeg een Oxford-overhemd met een legging eronder. Ze had een zonnebril op, ook al was het bewolkt.

'Jij bent vast Maggie,' zei ze en draaide haar hoofd in de richting van Maggie. Ze hield een hand aan de balustrade voor haar evenwicht en hield de andere uit naar Maggie. 'Ik ben Corinne. Kom binnen,' zei ze en ging haar voor het grote Victoriaanse huis in, dat er al kraakhelder en keurig netjes uitzag. In de entree stond rechts een rechte, houten bank en een rij kastjes hing erboven, met in elk vakje een paar schoenen. Aan de haken hingen een regen- en winterjas, op de plank erboven lagen een paraplu, een hoed en handschoenen. En naast de lege kapstok stond een witte stok.

'Ik denk niet dat je het werk moeilijk zult vinden,' zei Corinne, die voorzichtig van haar koffie nipte uit een citroengele mok. 'De vloeren moeten geveegd en gedweild,' begon ze en telde met haar vingers mee. 'Het glas, het papier en andere zaken moet je gescheiden weggooien voor de kringloop. De was moet uitgezocht, de vaatwasser geleegd en...'

Maggie wachtte. 'Ja?' vroeg ze uiteindelijk.

'Bloemen,' zei Corinne en stak haar kin uitdagend naar voren. 'Ik wil dat je bloemen koopt.'

'Prima,' zei Maggie.

'Je vraagt je vast af waarom ik die wil,' zei Corinne.

Maggie, die zich dat helemaal niet had afgevraagd, zei niets.
'Omdat ik ze niet kan zien,' zei Corinne. 'Maar ik weet hoe bloemen eruitzien. En ik kan ze ruiken.'
'O,' zei Maggie. En toen, omdat 'o' haar niet genoeg leek, 'wauw'.
'Het vorige meisje zei dat ze bloemen meebracht,' zei Corinne en tuitte verontwaardigd haar lippen. 'Maar dat waren geen echte.' Haar lip krulde zich. 'Van plastic. Ze dacht dat dat niets uitmaakte.'
'Ik zal echte bloemen meenemen,' zei Maggie.
Corinne knikte. 'Dat zou ik erg op prijs stellen,' zei ze.

Maggie had niet meer dan vier uur nodig voor de taken die Corinne haar had opgedragen. Ze was geen ervaren huishoudster, Sydelle had er nooit vertrouwen in gehad dat zij en Rose iets goed konden doen en had een anoniem leger van huishoudsters in dienst genomen om haar met glas en metaal gevulde kamers spic and span te houden. Maar Maggie deed haar werk hier goed, veegde elk stofje van de vloer, vouwde de was en zette het serviesgoed en zilverwerk terug op de planken en in de laden.
'Mijn ouders hebben me dit huis achtergelaten,' zei Corinne terwijl Maggie aan het werk was. 'Ik ben hier opgegroeid.'
'Het is prachtig,' zei Maggie, wat waar was. Maar het was ook droevig. Zes slaapkamers, drie badkamers, een enorme trap in het midden van het huis en de enige bewoner was een blinde vrouw die in een smal, eenpersoons bed sliep met een plat kussen – een vrouw die nooit van al die ruimte kon genieten, of kon zien hoe de zon door de brede ramen naar binnenviel en de houten vloeren in het licht deed baden.
'Wil je zo naar de markt gaan?' vroeg Corinne.
Maggie knikte, maar besefte gelijk dat knikken niet voldoende was. 'Ik ben er klaar voor,' zei ze.
Corinne voelde met haar vingertoppen aan de biljetten en trok er een uit haar portemonnee. 'Is dit twintig dollar?' vroeg ze.
Maggie keek naar het biljet en zei dat dat klopte.
'De automaten geven alleen maar biljetten van twintig uit,' zei Corinne. Waarom vraag je het me dan? dacht Maggie. Toen besefte ze dat het waarschijnlijk een test was. En voor het eerst was ze erin geslaagd die in één keer te halen. 'Je kunt naar de Davidsonmarkt. Die ligt aan het eind van de straat.'
'Wilt u bloemen die ruiken?' vroeg Maggie. 'Zoals seringen bijvoorbeeld?'

Corinne schudde haar hoofd. 'Een sterke geur is niet nodig,' zei ze. 'Gebruik je discretie.'

'Hebt u nog iets anders nodig van de markt?'

Corinne dacht hier even over na. 'Ja. Je mag me verrassen,' zei ze.

Maggie wandelde naar de markt en bedacht wat ze zou kopen. In ieder geval margrieten en ze had het geluk dat er hele bossen vooraan op de markt stonden in een groene plastic teil. Ze liep langs de stalletjes, bekeek pruimen, een bakje aardbeien, een bosje vers ruikende spinazie, een deciliter melk in een dikke glazen fles. Waar zou Corinne van houden? Iets dat rook, lag te veel voor de hand, vooral toen ze onmiddellijk had gezegd dat ze niet van geurende bloemen hield, maar Maggie wilde iets... ze zocht naar het woord en grijnsde toen ze dat vond: *sensueels*. Iets wat een bepaald gevoel gaf, wat zwaar was, gewicht had, zoals de melkfles voelde als satijn, zoals de bloemen van de margrieten. En opeens zag ze het, recht voor haar. Het was een andere glazen pot, met een amberkleurige gloed. Honing. ORANJEBLOESEMHONING. STREEKPRODUCT stond er op het etiket. En hoewel zelfs het kleinste potje al zes dollar negenennegentig kostte, stopte Maggie het in haar mandje, samen met een grof twaalfgranenbrood. Toen Maggie even later weer terug was in het grote, schone huis en Corinne tegenover haar zat aan de keukentafel en langzaam kauwde op een geroosterde boterham met een dikke laag honing, en de vrouw zei dat het perfect was, wist Maggie dat ze haar geen loos compliment gaf. Ze was geslaagd voor haar tweede test van die dag, door precies het juiste te vinden.

31

'IK MAAK ME ZORGEN OM JE ZUSJE,' ZEI MICHAEL FELLER ZONDER omhaal. Rose zuchtte en staarde naar haar kop koffie, alsof Maggies gezicht daarin zou verschijnen. Daar gaan we weer.

'Het is nu acht weken geleden,' vervolgde haar vader, alsof Rose zelf niet meer kon rekenen. Zijn gezicht zag bleek en kwetsbaar als een gepeld hardgekookt ei, een hoog voorhoofd en droevige kleine oogjes boven zijn standaard grijze bankpak en zacht kastanjebruine stropdas. 'Niemand van haar vrienden heeft iets van haar gehoord. Wij hebben niets van haar gehoord. Jij hebt niets van haar gehoord,' aan het eind van de zin ging zijn stem omhoog, waardoor het leek of hij een vraag stelde.

'Nee pap, ik heb niets van haar gehoord,' zei Rose. En ik hoop dat dat zo blijft, dacht ze.

Haar vader zuchtte – een typische Michael Feller-zucht – en prikte lusteloos in zijn smeltende sorbet. 'Wat vind jij dat we moeten doen?'

Je bedoelt: wat vind jij dat ik moet doen, dacht Rose. 'Heb je haar ex-vriendjes al gesproken? Daarmee ben je wel een paar weekjes zoet,' zei ze. Haar vader zweeg, maar Rose kon de afkeuring daarin horen.

'Heb je haar op haar mobieltje gebeld?' vroeg ze.

'Natuurlijk,' zei Michael. 'Haar voicemail staat aan. Ik spreek boodschappen in, maar ze belt niet terug.'

Rose keek vertwijfeld omhoog. Haar vader deed of hij het niet zag.

'Ik ben echt ongerust,' vervolgde Michael. 'We hebben nog nooit zo lang niets van haar gehoord. Ik vraag me af...' zijn stem stierf weg.

'Of ze dood is?' vulde Rose aan. 'Ik denk niet dat we zo'n geluk hebben.'

'Rose!'

'Sorry,' zei ze niet echt overtuigend. Het maakte haar niets uit of Maggie dood was. Nou ja... Rose trok een pak servetten uit de houder. Dat was niet waar. Ze wilde niet dat haar vreselijke zusje dood was, maar ze zou er echt niet rouwig om zijn als ze haar zusje nooit meer zou zien of van haar zou horen.

'En Rose, ik maak me ook zorgen om jou.'

'Dat is niet nodig,' zei Rose en begon een servet in een waaier te vouwen. 'Met mij gaat het goed.'

Er klonk twijfel in zijn stem en hij trok zijn grijze wenkbrauwen op. 'Weet je het zeker? Is alles in orde? Je bent niet...'

'Ik ben niet wat?'

Haar vader zei niets. Rose wachtte. 'Ik ben niet wat?' vroeg ze weer.

'In de war? Je wilt niet met, eh, iemand praten of zo?'

'Ik ben niet gek,' zei Rose bot. 'Maak je daarover maar geen zorgen.'

Haar vader stak zijn handen in de lucht en keek hulpeloos en geschokt. 'Rose, dat bedoelde ik niet...'

Maar natuurlijk, dacht Rose, was dat precies wat hij bedoelde. Hun vader praatte er nooit over, maar ze wist dat het in zijn hoofd rondspookte toen hij zijn dochters zag opgroeien – vooral Maggie – en volwassen zag worden. *Stort je in, verlies je je verstand, beginnen die slechte genen van je naar boven te komen, ben je van plan om in de auto te stappen en een scherpe bocht te maken op nat wegdek?* 'Het gaat goed met me,' zei Rose. 'Ik was gewoon niet gelukkig bij dat advocatenkantoor, dus neem ik de tijd om uit te vogelen wat ik wil doen. Zo veel mensen doen dat. Het is heel gewoon.'

'Goed, als je het zeker weet,' zei haar vader en richtte zich weer op zijn ijsje – een bijzondere traktatie, wist Rose, want Sydelle had sinds de jaren tachtig niets in haar huis geduld dat meer calorieën had dan melkijs en melkvrije, kosjere sojaproducten.

'Er is niets met me aan de hand,' zei Rose. 'Je hoeft je over míj geen zorgen te maken.' Ze legde veel nadruk op 'mij', om duidelijk te maken om wie haar vader zich wel zorgen moest maken.

'Kun jij haar niet bellen?' vroeg Michael.

'En wat moet ik dan zeggen?'

'Ze wil niet met mij praten,' zei hij droevig. 'Misschien wil ze wel met jou praten.'

'Ik heb haar niets te zeggen.'

'Rose. Alsjeblieft?'

'Oké,' gromde Rose. Die avond zette ze haar wekker om één uur 's nachts en toen die afging, voelde ze in de duisternis naar haar telefoon en toetste het nummer van Maggies mobiel in.

Hij ging één keer over. Twee keer. En toen hoorde ze de stem van haar zusje, luid en vrolijk. 'Hallo?'

Jezus! Rose gromde afkerig. Ze kon het feestgedruis op de achtergrond horen – muziek, stemmen. 'Hal-lo!' zei Maggie nogmaals opgewekt. 'Met wie spreek ik?'

Rose hing op. Haar zus was een onvoorstelbare punk, dacht ze. Ze zwalkte, ze verprutste alles, ze stal je schoenen en de liefde van je leven, maar ze zou nooit ten ondergaan.

De volgende ochtend, nadat ze de eerste groep honden had uitgelaten, belde ze haar vader op zijn kantoor. 'Ze leeft nog,' deed ze verslag.

'O, godzijdank!' zei haar vader, die belachelijk opgelucht klonk. 'Waar is ze? Wat zei ze?'

'Ik heb haar niet gesproken,' zei Rose. 'Ik heb alleen haar stem gehoord. De verloren dochter is springlevend en is nog in staat om feestjes te vieren.'

Haar vader was stil. 'We moeten haar zien te vinden,' zei hij.

'Ik hou je niet tegen,' zei Rose. 'En doe haar de groeten als je haar gevonden hebt.' Ze hing op. Laat haar vader zijn eigen onhandelbare dochter maar zoeken. Laat Michael en Sydelle maar proberen om haar naar huis te krijgen. Laat Maggie Feller maar een keer iemand anders tot last zijn.

Ze ging de deur uit en stapte de wereld binnen die ze pas had leren kennen toen ze haar fulltimebaan had opgegeven en haar dagen op straat doorbracht, vaak met een kluwen hondenriemen in haar hand. Rose had ontdekt dat de stad van negen tot vijf niet de spookstad was die ze zich had voorgesteld. Er liep een geheel ander populatie in de stad rond, een geheime stad vol moeders met baby's, ploegendienst-medewerkers, studenten en bezorgers, gepensioneerden en werklozen, in straten en hoeken van de stad die ze niet kende, ondanks de jaren dat ze hier studeerde en haar jaren bij de firma. Hoe kon een ongetrouwde, kinderloze advocate weten van Three Bears Park, een klein stukje speeltuin tussen Spruce Street en Pine Street, en hoe kon een vrouw die elke dag dezelfde route naar haar werk nam weten dat de vijfhonderd huizen van het Delancygebouw elk een andere vlag hadden uithangen? Hoe kon ze vermoeden dat de winkels en supermarkten om één uur 's middag gevuld waren met mensen in kakibroeken en truien, in plaats van in maatpakken en met koffertjes? Wie had gedacht dat ze de uren gemakkelijk kon doorbrengen met dingen die ze voorheen in een paar minuten van haar schaarse vrije tijd deed? Haar dagen begonnen met de honden. Ze had haar eigen sleutel van de Elegant Paw en elke morgen op het tijdstip dat ze anders een grote kop zwarte koffie kocht en naar kantoor reed, opende ze de deur naar de kennel, deed twee of drie of vier honden de riem om, vulde haar zakken met koekjes en plastic poepzakjes en ging naar Rittenhouse Square Park. Ze bracht drie kwartier door in het park, dat omgeven was door kledingwinkels en boekhandels en chique restaurants en hoge flatgebouwen, en liet de honden aan bosjes en heggen en andere honden snuffelen. De rest van de ochtend deed ze boodschappen voor anderen. Leverde pakjes af bij de drogist, haalde kleding van de stomerij, snelde over de trottoirs met haar zakken vol sleutels, deed open voor binnenhuisarchitecten, tuinarchitecten, ongedierteverdelgers, particuliere koks, schoorsteenvegers.

's Middags liet ze opnieuw honden uit, ging weer naar Rittenhouse Park voor haar dagelijkse ontmoeting met het meisje, de gevlekte hond en de vrouw die bij hen hoorde.

In de acht weken dat ze hondenuitlaatster was, was ze gefascineerd geraakt door het meisje, Joy Shapiro of hoe-ze-ook-heet, de hond Nifkin en de vrouw van wie ze vermoedde dat ze de moeder was. Elke middag tussen vier en halfvijf kwamen ze naar het park. Een uur lang speelden de honden met een tennisbal en bedacht zij hoe het leven van de vrouw en het meisje en de hond eruitzag. Ze stelde zich een echtgenoot voor, knap op een gewone manier. Ze gaf hun een groot huis met open haarden en kleurige rood-gele tapijten, een houten kist vol speelgoed en knuffels voor het meisje. Ze liet hen gezinsuitjes maken naar de kust, wandelen in het Poconogebergte. Ze zag voor zich hoe zij een vliegtuig uitstapten – de vader trok een grote koffer op wieltjes voort, de moeder een kleinere en het meisje had een kleine tas. Mama Beer, Papa Beer, Baby Beer, en de hond sprong uitgelaten achter hen aan. In gedachten gaf ze hun een rustig, gelukkig leven – goede banen, genoeg geld, doordeweeks samen thuis voor het avondeten, met zijn drietjes, de ouders die hun dochtertje aanspoorden haar melk op te drinken, het meisje dat haar groenten stiekem aan de hond Nifkin voerde.

Ze was al gevorderd van hallo-knikken en hallo-zwaaien tot hoizeggen. Over een tijdje zouden ze misschien wel een gesprek met el-

kaar voeren. Ze keek toe hoe het meisje de gevlekte hond achtervolg-
de naar de fontein. Haar moeder, een lange, breedgeschouderde vrouw
met brede heupen, hield een mobieltje tegen haar oor.

'Nee, ik hou niet van leverworst,' hoorde ze de vrouw zeggen. 'Dat
is Lucy. Weet je het weer? Het andere kind?' Ze keek ongeduldig omhoog, vormde met haar lippen de woorden 'mijn moeder'. Rose knikte
naar ze hoopte begrijpend en zwaaide even. 'Nee, ik denk niet dat Joy
wel van leverworst houdt, ma.' Ze luisterde even en schudde toen haar
hoofd. 'Nee, Peter houdt ook niet van leverworst. Ik denk eigenlijk dat
niemand van leverworst houdt. Ik begrijp niet eens waarom ze het nog
maken.' Rose lachte. De vrouw glimlachte naar haar, was nog steeds
aan het luisteren. 'Nifkin houdt van leverworst,' zei ze. 'We kunnen
het aan hem geven!' Ze was weer stil. 'Nou, ik weet niet wat je ermee
moet doen. Dat was mijn enige suggestie. Smeer het op toastjes of zo.
Zeg tegen je boekenclub dat het paté is. Oké. Goed. We zien je snel.
Goed. Dag.'

Ze hing op en stopte de telefoon in haar zak. 'Mijn moeder denkt
dat ik werkloos ben,' begon ze.

'O,' zei Rose, en vervloekte haar slechte conversatievaardigheden.

'Maar dat is niet zo,' zei de vrouw. 'Ik werk thuis. Wat volgens
mijn moeder schijnt te betekenen dat ik helemaal niet werk. Dus ze
belt me om de haverklap op om me twintig vragen over leverworst te
stellen.'

Rose moest lachen. 'Ik ben Rose Feller,' zei ze.

De vrouw stak haar hand uit. 'Ik ben Candace Shapiro. Cannie.'

'Mam!' Het kleine meisje was bij hen komen staan, de riem van
Nifkin in haar hand. 'Je vergeet het, je vergeet het!'

Cannie lachte. 'Neem me niet kwalijk,' zei ze. 'Ik ben Candace
Shapiro Krushelevansky.' Ze trok een gek gezicht. 'Krijg dat maar
eens op een visitekaartje.'

'U bent dus getrouwd?' vroeg Rose. Ze rilde even, sloot haar mond
en vroeg zich af wat er met haar aan de hand was. Twee maanden niet
op kantoor, twee maanden met honden en bezorgers, en ze was vergeten hoe je met mensen praatte.

Maar Cannie reageerde niet verbaasd of vreemd. 'Jep,' zei ze. 'Dit
jaar oktober twee jaar,' zei ze terwijl ze twee vingers opstak.

Rose was er vrij zeker van dat kinderen niet rondrenden en praatten zoals Joy, als ze jonger dan twee waren. Wat inhield dat Joy er al
was voor Cannie trouwde. Waardoor Candace Shapiro Krushelevans-

ky nog interessanter werd. 'Heb je een grote bruiloft gehad?' vroeg ze uiteindelijk.

Cannie schudde haar hoofd. 'Nee. Klein. In onze woonkamer. Rabbi, familie, een paar vrienden, mijn moeder, haar levenspartner, hun softbalteam... het was geweldig. Nifkin droeg de ringen en baby Joy was getuige.'

'O,' zei Rose. 'Ehm...' Dat leek niet op de huwelijken die ze op tv had gezien. 'Hoe,' begon Rose, maar wachtte toen aarzelend, voordat ze deze banale vraag afmaakte: 'Hoe hebt u uw man leren kennen?' Cannie lachte en gooide haar haar over haar schouders. 'Dat is nogal een lang en ingewikkeld verhaal. Het begon met een dieet.'

Rose keek heimelijk naar Cannie en dacht dat dat niet zo'n succesvol dieet was geweest.

'Ik ontmoette Peter toen ik zwanger was van Joy, maar toen wist ik nog niet dat ik zwanger was. Hij bestierde zo'n kliniek waar je kunt afvallen en ik dacht, als ik niet meer zo dik zou zijn, dat mijn vriendje die het had uitgemaakt, mij wel weer terug zou willen.' Ze glimlachte naar Rose. 'Maar je weet hoe dat gaat. Je jaagt al die tijd achter de verkeerde vent aan, tot je erachter komt dat de juiste man al die tijd al op je wachtte. De wegen van de liefde zijn ondoorgrondelijk. Of moet dat God zijn? Ik kan dat maar niet onthouden.'

'God, volgens mij,' zei Rose.

'Als jij het zegt,' zei Cannie. 'En jij? Ben jij getrouwd?'

'Nee!' zei Rose nadrukkelijk. 'Ik bedoel, nee,' zei ze met een wat meer getemperde stem. 'Kijk, eh, tja... ik heb net een relatie beëindigd. Nou ja, niet echt beëindigd. Mijn zusje... eh. Lang verhaal.' Ze staarde omlaag naar haar handen, toen naar Petunia die aan haar voeten lag, toen naar Joy en Nifkin, die een rode want gebruikten om mee te apporteren, en toen naar een groepje honden die midden op een driehoekig stukje gras stonden. 'Ik probeer er nu achter te komen wat ik wil.'

'Vind je het leuk wat je nu doet?' vroeg Cannie.

Rose keek naar Petunia, naar de andere honden in het park, naar de grijze tennisbal in haar hand en de stapel plastic poepzakjes naast haar. 'Ja,' zei ze. Dat was waar. Ze was gek op al haar honden – hooghartige, slechtgehumeurde Petunia, de golden retriever die altijd zo blij was haar te zien dat hij van vreugde in kringetjes rondrende zodra hij haar sleutel in het slot hoorde, de ernstige buldoggen, de knorrige schnautzers, de narcoleptische cockerspaniël Sport, die soms in slaap viel bij een rood verkeerslicht.

'En waar houd je nog meer van?' vroeg Cannie.

Rose schudde haar hoofd, en glimlachte quasi-zielig. Ze wist waar haar zus gelukkig van werd: leren broeken in maatje zevenentwintig, crème van een Frans merk van zestig dollar, mannen die haar vertelden dat ze mooi was. Ze wist waar haar vader gelukkig van werd: een dalende markt op de beurs, dividendbewijzen, een kraaknieuwe Wall Street Journal, de zeldzame momenten dat Maggie een baan had. Ze wist waar Amy gelukkig van werd: platen van Jill Scott, hiphopspijkerbroeken van Sean John en de film *Fear of a black hat*. Ze wist zelfs waar Sydelle gelukkig van werd: Mijn Marcia, biologische granen, Botox-injecties en de veertienjarige Rose Jell-O als dieettoetje voorzetten terwijl de anderen allemaal ijs aten. Er was een tijd dat ze nog wist waar haar moeder gelukkig van werd, zoals schone lakens en felrode lippenstift en de namaakbroches die zij en Maggie voor haar verjaardag kochten. Maar waar werd zij gelukkig van, behalve van schoenen, Jim en junkfood?

Cannie glimlachte naar haar en stond op. 'Je komt er nog wel achter,' zei ze opgewekt. Ze floot Nifkin terug en de hond kwam aangerend. Joy rende achter hem aan, met rozige wangen en haar dat uit haar staart was losgeraakt. 'Zien we je morgen weer?'

'Natuurlijk,' zei Rose. Ze stopte de tennisbal in haar zak en begon de honden te verzamelen. Vijf riemen in de ene hand en één in de andere, voor een rebelse hazewindhond. Ze leverde de honden één voor één af, tot ze alleen Petunia nog over had. De mops liep een paar passen voor haar – een dikke croissant op pootjes. Petunia maakte haar gelukkig, maar zij moest terug naar haar baasje Shirley, een nuchtere, 72-jaar oude vrouw die in het centrum woonde, maar er gelukkig mee had ingestemd dat Rose de hond elke dag mocht uitlaten. En verder? Kleding niet echt. Geld ook niet, want het enige wat ze ooit met haar enorme salaris van zes cijfers had gedaan was haar huur betalen en haar studielening afbetalen, een percentage opzij zetten voor haar pensioen en van de rest rente trekken op een beleggingsspaarrekening, aangeraden door Michael Feller.

Nou en?

'Hé!' riep een fietskoerier. Rose greep Petunia vlug van straat en sprong aan de kant toen de fiets voorbijsuisde. De fietser had een koerierstas over zijn schouder en aan zijn heup een walkietalkie. Rose keek hem na en herinnerde zich dat zij ook een fiets had gehad, toen ze nog een meisje was. Een blauwe Schwinn, met een blauw-wit zadel en een wit, rieten mandje en roze en witte linten aan de handvatten. Er lag een fietspad achter het huis van haar ouders in Connecticut, een pad die naar de golfbaan en de voetbalvelden van de stad leidde. Het voerde door een wilde-appelboomgaard en in de herfst fietste Rose daar altijd. De gevallen appels kraakten onder haar wielen die over de rode en gouden bladeren ruisten. Soms ging haar moeder mee op haar eigen fiets, de volwassen versie van die van Rose, een Schwinn met drie versnellingen en een kinderstoeltje op de bagagedrager, een stoeltje waarin Rose en Maggie ooit hadden gezeten.

Wat was er met haar fiets gebeurd? Rose probeerde het zich te herinneren. Toen ze naar New Jersey verhuisden, woonden ze tijdelijk in een huurflat aan de snelweg. Daar lagen alleen maar parkeerplaatsen en wegen zonder stoep of berm. Ze was waarschijnlijk te groot geworden voor de fiets en toen ze naar Sydelle verhuisden, had ze nooit een nieuwe gekregen. Ze had in plaats daarvan haar rijbewijs gehaald, drie dagen na haar zestiende verjaardag. In eerste instantie had ze erg uitgekeken naar de vrijheid die een auto gaf, totdat ze besefte dat autorijden voor haar vooral betekende dat ze haar zus bij feestjes afzette, haar ophaalde van dansles en boodschappen deed.

Ze leverde Petunia af en besloot dat ze in het weekeinde een fiets zou kopen – een tweedehands, om mee te beginnen, dan kon ze eerst eens testen of het haar wel beviel. Ze zou er een kopen en misschien een mandje voorop doen waarin Petunia zou passen en dan zou ze gaan fietsen naar... ergens. Ze had gehoord dat er fietsroutes waren in Fairmont Park en dat er een jaagpad liep van het Art Museum helemaal tot Valley Forge. Ze zou een fiets kopen, een kaart, zou een picknickmand klaarmaken met brood en kaas, druiven, brownies en een blik hondenvoer voor Petunia. Ze zou er eens op uit trekken.

32

MEVROUW LEFKOWITZ WILDE NIET MEE OP HUN WEKELIJKSE WAN-
deling. 'Ik kan hier binnen ook genoeg bewegen,' had ze tegen Ella
gezegd en zwaaide met haar stok door haar woonkamer van drie bij
vijf, waarin een grote bank, twee tweezitsbankjes, een leunstoel met
kanten kleedjes op de armleuningen en een enorme breedbeeldtelevi-
sie stonden.
'Niet genoeg,' had Ella geduldig gezegd.
'*Het Zicht* is begonnen,' had ze gezegd terwijl ze naar de tv gebaarde waarop vier vrouwen tegen elkaar aan het schreeuwen waren. 'Kijk
je daar niet graag naar?'
'Je bedoelt de zee?' vroeg Ella onschuldig. 'Ik houd erg van uitzicht
op zee. Laten we buiten eens kijken.'
'Ik heb trouwens ook een voorstel voor je,' zei mevrouw Lefkowitz,
die duidelijk haar laatste troef speelde. 'Ik heb veel aan je gedacht. Aan
jouw hachelijke situatie.'
'Later,' zei Ella streng.
'Aah, ik geef het op,' zei mevrouw Lefkowitz. Ze zette een enorme
zonnebril op met vierkante glazen, smeerde haar neus in met zinkzalf
en strikte de veters van haar Nikes. 'Kom op Bruce Jenner. Laten we
maar door de zure appel heen bijten.'
Ze liepen naar de tennisbanen waar vorige maand iemand zijn ver-
snelling in zijn vooruit had gezet in plaats van in zijn achteruit en
dwars door het hek was gereden, dwars door het net en tegen een
vrouw, Frieda Mandell, die een dubbelspel speelde en eindigde op de
motorkap van een Buick Le Sable, haar racket nog in haar hand. Dit,

had mevrouw Lefkowitz sarcastisch opgemerkt, was meer dan genoeg bewijs dat sport en beweging – met name tennis – je konden doden als je niet voorzichtig genoeg was.

Maar haar dokter had erop aangedrongen dat ze ging wandelen, en dus liep Ella elke dinsdag om tien uur langzaam met haar naar het clubhuis, lunchten daar en namen de pendelbus weer naar huis. En langzaam maar zeker was Ella zelfs van het gezelschap van de oudere vrouw gaan houden.

Mevrouw Lefkowitz liep op een speciale manier. Ze zette haar stok neer, zuchtte, zette een stap met haar rechtervoet, trok dan haar linkervoet erachteraan. Neerzetten, zuchten, stap en schuifelen. Het werkte kalmerend, vond Ella. Als een mantra.

'En, nog nieuwtjes?' vroeg mevrouw Lefkowitz. 'Ga je nog steeds om met die man?'

'Lewis,' zei Ella.

Mevrouw Lefkowitz knikte. 'Aan hem heb je een goeie. Doet me denken aan mijn eerste man.'

Ella was verbijsterd. 'Uw eerste man? Hebt u er twee gehad?'

Neerzetten, zuchten, stap en schuifel. 'O nee, ik noem Leonard alleen maar mijn eerste man. Dat klinkt wat mondain.'

Ella had moeite haar lachen in te houden. Ze hield de elleboog van mevrouw lichtjes vast om haar langs een scheur in het trottoir te leiden.

'Heeft Lewis een goed inkomen?'

'Ik denk het wel,' zei Ella.

'Je denk het wel? Je denkt het wel?' vroeg mevrouw Lefkowitz. 'Niet denken. Erachter komen! Dadelijk blijf je met niets achter! Net als die rondreizende verslaggever van CBS, Charles Kuralt!'

'Bleef hij met niets achter?' vroeg Ella verward.

'Nee, nee, nee. Hij niet. Maar hij had die andere vriendin, weet je nog. En zij bleef met lege handen achter.'

'Kreeg ze zelfs de camper niet?'

'Ja hoor, lach maar,' zei mevrouw Lefkowitz somber. 'Je lacht vast niet meer als je de kaas moet eten die de overheid je voorschotelt.'

'Blijven doorlopen,' zei Ella.

'En zijn kinderen,' zei mevrouw Lefkowitz. 'Weten zij van jouw bestaan?'

'Ik denk het wel,' zei Ella.

'Zorg dat je dat zeker weet,' zei mevrouw Lefkowitz. 'Heb je het al van Faye Goodstein gehoord?'

Ella schudde haar hoofd.

'Nou,' begon mevrouw Lefkowitz, 'zij en Irv Meltzer gingen met elkaar om. Ze gingen naar de film, uit eten en Faye reed Irv altijd naar zijn afspraken met de huisarts. Op een dag belden zijn kinderen haar om te vragen hoe het met hun vader ging en Faye zei dat ze moe was. Nou, zij hoorden "moe" en dachten dat ze niet meer voor hem wilde zorgen. En de volgende dag,' zei mevrouw Lefkowitz, die even pauzeerde om de spanning op te bouwen, 'zijn ze overgevlogen, hebben zijn spullen ingepakt en hem in een aanleunwoning in New York geplaatst.'

'Och jeetje,' zei Ella.

'Faye was er kapot van,' zei mevrouw Lefkowitz. 'Het was als de kaping in Entebbe.'

'Het spijt me voor haar. Doorlopen,' zei Ella.

Mevrouw Lefkowitz tilde haar zonnebril op en tuurde naar Ella. 'Ben je al klaar voor mijn voorstel?'

'Natuurlijk,' zei Ella. 'Waar gaat het over?'

'Over je kleindochters,' zei mevrouw Lefkowitz en schuifelde weer verder. 'Hebben zij imil?'

'Imil?' herhaalde Ella vragend.

'Imil, imil,' zei mevrouw Lefkowitz ongeduldig. 'Op de computer.'

'O, e-mail,' zei Ella.

'Dat zei ik,' zei mevrouw Lefkowitz met een zucht.

'Ik heb geen idee.'

'Daar kunnen we achterkomen. Op internet. We kunnen allerlei dingen over hen te weten komen.'

Ella's hart bonkte in haar borstkas. 'Hebt u een computer?' vroeg ze, hoewel ze het nauwelijks durfde te hopen.

Mevrouw Lefkowitz zwaaide afwijzend met haar goede hand. 'Natuurlijk, wie niet?' vroeg ze. 'Mijn zoon heeft me een iMac op mijn verjaardag gegeven. Een oranje. Schuldgevoel,' zei ze, blijkbaar als reactie op Ella's onuitgesproken vragen 'Wat voor kleur?' en 'Waarom?'. 'Hij komt nooit langs, dus laat hij een computer bezorgen en stuurt me dan foto's van mijn kleinkinderen. Als je wilt, kunnen we teruggaan en je kleindochters gaan opsporen,' zei ze hoopvol.

Ella beet op haar lip. Ze kon het stemmetje in haar horen roepen 'Spoor ze op!' maar tegelijkertijd zei een veel bekendere stem, een veel doordringender stem 'Laat ze gaan'. Ze voelde hoe haar weinige hoop doorboord werd met pure doodsangst. 'Ik zal erover nadenken,' zei ze uiteindelijk.

'Niet denken,' zei mevrouw Lefkowitz die zich oprichtte en met haar stok op de grond sloeg en daarbij op een haar na de linkervoet van Ella miste. 'Maar doen.'

'Wat?'

'Dat is van Jedi-meester Yoda,' zei mevrouw Lefkowitz en draaide zich met pijn en moeite om. 'Nooit *Star Wars* gezien? Kom, laten we gaan.'

33

'STAP JE VOORDEUR UIT ALS EEN GEEST IN DE MIST,' ZEI EEN JON-
gen in een verkreukeld, dun wit overhemd, toen Maggie om tien uur
de deur van de Firestone Library uit liep op een geheel niet mistige
ochtend. Maggie keek de jongen aan toen hij naast haar kwam lopen. Hij had
zijn rugzak losjes – op de een of andere manier stijlvol – over zijn
schouders hangen. Hij had een lang, bleek gezicht, bruin haar dat tot
onder zijn oren krulde en wat hij droeg – het linnen overhemd met een
geperste, beigegrijze broek – stak duidelijk af tegen de kledingstijl van
de andere studenten op de campus (spijkerbroek en T-shirt en loshan-
gend houthakkershemd eroverheen).
'Het is niet mistig,' zei ze. 'En is dat niet van een liedje?'
'Desondanks,' zei de jongen. Hij verplaatste zijn versleten leren
koffertje naar zijn andere hand en wees op het boek dat Maggie onder
haar arm had, *My Antonia*. 'Vrouwen in de literatuur?'
Maggie haalde haar schouders op, wat zowel ja als nee kon betekenen – hoe minder ze zei, hoe beter, dacht ze. In de weken dat ze op de
campus was, had ze, behalve op de eerste avond tijdens het feestje,
tegen andere studenten niet veel meer gezegd dan 'dank je' of 'pardon'.
Wat Maggie niet erg vond. Ze kon twee keer per week met Corinne
praten. Ze had haar boeken. Ze had een comfortabele stoel in de zonnige leeszaal van de bibliotheek en een favoriet tafeltje in het Studentencentrum als ze eens ergens anders wilde vertoeven. Ze had de
roman van Zora Neale Hurston uit, net als *Great Expectations* en
worstelde zich nu door *A Tale of Two Cities*, herlas *My Antonia* en

probeerde *Romeo en Julia* te lezen, wat veel moeilijker was dan de film van Baz Luhrmann deed vermoeden. Gesprekken met studenten konden alleen maar leiden tot vragen, en vragen konden alleen maar leiden tot problemen.

'Ik loop met je mee,' zei de jongen.

'Dat hoeft niet,' zei Maggie en probeerde weg te lopen.

'Het is geen probleem,' zei de jongen opgewekt. 'Naar McCosh 10, niet?'

Maggie had geen idee waar Vrouwen in de Literatuur samenkwamen of waar McCosh 10 was, maar ze knikte weer en versnelde haar pas. De jongen hield haar gemakkelijk bij. Lange benen, zag Maggie ontzet.

'Ik ben Charles,' zei de jongen.

'Luister,' zei ze uiteindelijk, 'ik ben niet geïnteresseerd, ja?'

Charles stopte en glimlachte naar haar. Hij leek een beetje op een plaatje van lord Byron dat Maggie had gezien in haar gestolen *Norton Anthology* – een lange, dunne neus en een geamuseerde krul om zijn lippen. Geen wasbord, daar was ze zeker van, en geen spierballen om je aan vast te houden. Niet haar type. 'Je hebt nog niet gehoord wat ik van je wilde,' zei hij.

'Je wilt iets van me?' vroeg Maggie ongelukkig.

'Absoluut,' zei Charles. 'Ik... eh... dit is gênant. Maar het geval is dat ik een vrouw nodig heb.'

'Hebben jullie dat niet allemaal,' zei Maggie die haar pas inhield zodat haar voeten bijna over de grond sleepten. Ze dacht dat als ze niet van hem weg kon rennen, ze hem misschien kon laten doorlopen naar zijn eigen klas.

'Nee, nee, niet op die manier,' zei hij glimlachend en paste zijn tempo weer aan aan die van haar. 'Ik zit in een toneelschrijversklasje en we moeten scènes opvoeren en ik heb een vrouw nodig – een ingénue – om mijn scène te spelen.'

Maggie keek hem aan. 'Je bedoelt acteren?' Ze stond stil en keek omhoog naar hem. Hij was lang. En had aardige grijze ogen, zag ze.

Charles knikte. 'Precies. Ik hoop,' zei hij toen hij en Maggie weer verder liepen naar McCosh Hall, 'in de lente een eenakter te doen in Theater Intime.' Hij sprak dat op zijn Frans uit en eventjes wist Maggie niet wat hij bedoelde. Ze was dat gebouw wel honderd keer gepasseerd en ze dacht altijd dat het op zijn Engels werd uitgesproken: In Time. Wat haar beangstigde, want hoeveel andere dingen had ze al

222

niet verkeerd begrepen, zelfs al was dat alleen maar in haar eigen hoofd. 'Dus als deze scène goed gaat, zou dat een eerste stap in de goede richting zijn, snap je. Dus,' eindigde hij, 'wil je een vriendje helpen?'

'Je bent mijn vriendje niet,' zei Maggie. 'En hoe weet je of ik wel kan acteren?'

'Dat is toch zo, of niet?' vroeg Charles. 'Je hebt die uitstraling.'

'Wat voor uitstraling?'

'Een dramatische uitstraling,' zei hij prompt. 'Maar ik loop op de zaken vooruit. Ik weet niet eens hoe je heet.'

'Maggie,' zei Maggie, die even vergat dat ze graag M werd genoemd. 'Ik ben Charles Vilinch. En ik heb gelijk, of niet?' vroeg de jongen. 'Je bent toneelspeelster, niet?'

Maggie knikte alleen, in de hoop dat hij hier niet te veel op in zou gaan, want ze dacht niet dat hij erg onder de indruk zou zijn van haar ervaring als achtergrondzangeres in Whiskered Biscuit of het optreden van haar heup in de videoclip van Will Smith. 'Zeg, ik wil je wel helpen, maar... tja. Ik denk niet dat ik dat kan,' zei Maggie met oprechte spijt in haar stem. Een rol spelen in een toneelstuk – ook al was dat slechts een eenakter van een student – trok haar enorm aan. Het kon een begin zijn. Princeton lag nou ook weer niet zo ver van New York. Misschien zou de stad te horen krijgen van het toneelstuk en zijn ster. Misschien zou een *casting agent* of een regisseur de trein nemen en komen kijken. Misschien...

'Waarom denk je er niet een dagje over na,' zei Charles. 'Ik zal je vanavond bellen.'

'Nee,' zei Maggie, die snel moest nadenken. 'Nee, eh, onze telefoon doet het op het moment niet.'

'Laten we dan afspreken voor koffie,' zei hij eenvoudig.

'Ik kan niet...'

'Thee zonder theïne dan,' zei Charles. Om negen uur in het studentencentrum. Ik zie je daar.' En hij beende ervandoor. Maggie bleef achter bij de ingang van de collegezaal, waar studenten – vooral vrouwen, sommigen met een exemplaar van *My Antonia* in hun hand – naar binnen stroomden. Maggie dacht even: waarom niet? Het was ingewikkelder om zich om te draaien, dan om gewoon de menigte naar binnen te volgen. Ze zou achteraan gaan zitten, dacht ze. Niemand zou het opvallen. Bovendien was ze nieuwsgierig naar wat de docent over het boek te zeggen had. Misschien zou ze er zelfs iets van opsteken.

34

'GAAT HET GOED MET JE?' HAD AMY OP EEN MORGEN AAN HAAR
gevraagd toen ze pannenkoeken met bosbessenstroop aten in de Morning Glory Diner. Amy droeg een zwarte maatbroek en een donkerblauwe blouse en was op weg naar het vliegveld voor een zakenreis
naar het landelijke Georgia en Kentucky, waar ze een lezing zou houden bij een waterzuiveringsinstallatie ('die precies zo ruikt,' zei ze
tegen Rose, 'als je denkt'). Rose, gekleed in haar loszittende legerbroek
van de dumpzaak, was op weg naar de Book Trader om tien romannetjes in te ruilen voor tien andere en dan een schipperke die luisterde
naar de naam Skip uit te laten.
 Rose kauwde en dacht over de vraag na. 'Het gaat goed,' antwoordde ze langzaam, toen Amy's lange vingers een stukje bacon van haar
bord snaaiden.
 'Je mist je werk niet?'
 'Ik mis Maggie,' mompelde Rose met een mondvol pannenkoek. Dat
was waar. The Morning Glory lag in de buurt waar Maggie had gewoond,
vlak om de hoek van het appartement waaruit ze was gezet voordat ze
bij Rose introk. Toen Rose nog studeerde, kwam Maggie wel eens een
weekeindje over en toen Rose aan het werk was, kwam ze wel eens naar
South Philadelphia om met Maggie te brunchen, iets te drinken of haar
op te halen om te winkelen in het King of Prussia-winkelcentrum. Rose
had goede herinneringen aan de appartementen van Maggie. Waar ze ook
woonde, de muren werden altijd roze geschilderd en Maggie zette dan
haar antieke haardroger in een hoek, plaatste ergens een eigengemaakte
bar waar altijd een tweedehands martinishaker klaarstond.

'Waar is ze eigenlijk?' vroeg Amy, die een botermes met haar servet schoonveegde om er haar lippenstift in te inspecteren.

Rose schudde met haar hoofd en voelde de door Maggie ingegeven gevoelens van boosheid, frustratie, razernij en sympathie in haar opkomen. 'Ik weet het niet,' zei ze. 'Ik weet ook niet of ik het wel wil weten.'

'Nou ja, Maggie kennende, zal ze wel weer een keer ergens opduiken,' zei Amy. 'Ze heeft op een gegeven moment toch geld nodig, of een auto, of een auto vol geld. Dan gaat je telefoon en is ze er weer.'

'Ik weet het,' zei Rose en zuchtte. Ze miste haar zus echt... alleen was *missen* niet het juiste woord. Natuurlijk miste ze een metgezel, iemand met wie ze kon ontbijten en pedicures kon nemen en kon winkelen. Ze merkte zelfs dat ze Maggies herrie miste, Maggies rotzooi, Maggie die de thermostaat op 28 graden zette zodat het appartement tropisch heet werd en de verhalen van Maggie die, hoe platvloers ze ook waren, altijd klonken als een avontuur in drie bedrijven. Ze wist nog hoe Maggie een prop Kleenex vol make-up door het onwillige toilet van Rose probeerde te spoelen, terwijl ze tegen de pot schreeuwde: 'Je strot in, teef!' Of Maggie die een woedeaanval kreeg in de drogisterij omdat die haar conditioner voor gekleurd haar niet meer had, de manier waarop ze met haar handen gebaarde dat ze meer ruimte op de bank wilde, het lied dat ze altijd onder de douche zong: '*It had to be me... it had to be me...*'

Amy trommelde ongeduldig met haar mes tegen de rand van haar bord. 'Hebben we nog contact?'

'Hier ben ik,' zei Rose en wuifde zwakjes. Later die ochtend zette ze haar fiets tegen een telefooncel, graaide naar kleingeld in haar broekzak en draaide het nummer van haar zusje. De telefoon ging één keer over, toen twee keer. 'Hallo?' vroeg Maggie met brutale en bazige stem. 'Hallo, wie is daar?'

Rose hing op en vroeg zich af of Maggie het kengetal 215 op haar schermpje zou zien en zich af zou vragen of zij het was; Rose vroeg zich af of dat haar dan wat zou kunnen schelen.

35

ALS MAGGIE FELLER ÍETS HAD GELEERD IN DE VEERTIEN JAAR DAT
ze met leden van het andere geslacht omging, was het wel dat de jongens met wie je slechte ervaringen had, later altijd terugkwamen om
je lastig te vallen. Je kon er vergif op innemen dat je een jongen die
je nog nooit eerder had gezien overal zou tegenkomen als je één keer
een paar minuten met hem op de achterbank van de auto, in de slaapkamer of achter de gesloten deur van een badkamer had doorgebracht. Dan zag je hem verschijnen in de cafetaria's, in de gangen,
aan de bar van een lunchroom waar je net je nieuwe baantje begon,
op een feestje terwijl hij de hand van een ander meisje vasthield. Dat
was de Wet van Murphy wat relaties betrof – de jongen die je nooit
meer wilde zien was de jongen die je maar niet kon ontlopen. En
Josh, van haar eerste nacht op de campus, was daar helaas geen uitzondering op.

Ze wist niet zeker of hij haar wel herkende – hij was zo verschrikkelijk dronken geweest en het was zo laat geweest en zij was net van
de trein gekomen, zonder een kans om haar Princetoncamouflage te
perfectioneren. Maar Josh was overal, met een blik in zijn ogen waaruit ze dacht te lezen dat hij op het punt stond haar in verband te brengen met zijn verdwenen geld, slaapzak, kampeerlamp en kleding.

Ze keek dan op van haar bibliotheekboek en zag een stukje sweater,
de zijkant van zijn gezicht. Ze vulde in de eetzaal haar mok bij met
koffie en hij stond dan achter de saladebar en bestudeerde haar. Hij
sprak haar zelfs aan op de zaterdagavond toen ze een gestolen kussen-
sloop vol was het washok in sleepte, omdat ze er abusievelijk van uit

was gegaan dat absoluut niemand zijn was op zaterdagavond zou doen.

'Hé,' zei hij ongedwongen terwijl hij naar haar beha's en slipjes gluurde die ze in de machine stopte.

'Hoi,' zei ze en hield haar hoofd omlaag.

'Hoe is het?' vroeg hij. Maggie haalde eventjes haar schouders op en schudde uit een van die kleine kartonnen pakjes die je uit een apparaat moest kopen, wasmiddel over de was uit.

'Hé, wil je wat wasverzachter?' en hij gooide met een boog zijn fles naar haar en glimlachte. Maar zijn ogen lachten niet. Zijn ogen namen haar gezicht op, haar haar, haar lijf, ze zag dat hij zich probeerde te herinneren of zij iets met die ene nacht in zijn bed te maken had.

'Nee dank je, dat hoeft niet.' Ze wierp haar kwartjes in de gleuf. Net op dat moment ging haar telefoon. Haar vader, dacht ze – hij had haar eerder gebeld en ze had nooit opgenomen, maar nu pakte ze de telefoon vast alsof het een reddingsboei was die haar van de verdrinkingsdood redde. 'Hallo!' zei ze vrolijk en draaide haar lichaam af van Josh's onderzoekende blik.

Geen antwoord, Maggie hoorde slechts iemand ademen. 'Hallo!' zei Maggie weer en snelde de trappen op, voorbij een groepje studenten die een fles champagne doorgaven en een of ander football-lied zongen. 'Wie is daar?' Geen antwoord. Alleen een klik en toen stilte. Ze haalde haar schouders op en haastte zich de koele voorjaarslucht in. Lampen verlichtten het pad waarlangs houten bankjes stonden, net als langs de gebouwen. Maggie koos een bankje die uit het licht stond en ging op de hoek zitten. Tijd om weg te gaan, dacht ze. Het is niet zo'n grote campus en je ziet die jongen overal, en het is slechts een kwestie van tijd voordat hij doorheeft wie je bent en wat je hebt gedaan, als hij dat al niet weet. Tijd om de benen te nemen, tijd om ervandoor te gaan, tijd om het hazenpad te kiezen.

Het vreemde was echter dat ze niet weg wilde gaan. Ze had... ja wat had ze? Maggie trok haar benen op onder haar kin en staarde naar de boomtakken, zwaar van de felgroene knoppen, en de sterrenhemel. Ze had lol. Nou ja, niet per se lol, niet lol zoals op een feestje, niet zoals wanneer je je mooi kleedde en de jaloerse ogen van anderen op je voelde. Het was een uitdaging – een soort uitdaging die haar hopeloze baantjes voor het minimumloon haar nooit hadden gegeven. Het was of ze de heldin was van haar eigen detectiveserie.

En ze moest zich niet voor zomaar wat mensen verborgen houden.

Het ging hier om de slimme jongeren, de knappe koppen, de mensen die cum laude zouden afstuderen, het neusje van de zalm, de intelligentsia. Als Maggie zich onzichtbaar kon maken onder deze mensen, bewees dat dan niet wat mevrouw Fried altijd tegen haar zei? Als zij op Princeton kon overleven, betekende dat dan niet dat zij ook slim was?

Maggie stond op en veegde haar broek van achteren af. Bovendien was er nog het toneelstuk van Charles, zijn regiedebuut, een eenakter van Becket in het Theater Intime. En zij was de ster. Ze kwam een paar dagen per week met hem samen om te repeteren, haar tekst door te nemen, in het studentencentrum of in een leeg leslokaal in het letterengebouw aan Nassau Street.

'Ik woon in Lockhart,' had hij de laatste keer gezegd toen hij haar terugbracht van Nassau Street 185. 'Ik ben een avondmens. Ik heb twee kamergenootjes,' voegde hij toe, voor Maggie de kans had om haar wenkbrauwen op te trekken. 'Ik verzeker je dat je kuisheid veilig is bij mij.'

Goed, het was nu laat. Ze vroeg zich af of hij nog op was. Ze vroeg zich, terwijl ze haar armen om zich heen sloeg, af of hij haar misschien een trui zou lenen. Ze liep snel de campus over. Lockhart lag, als ze het goed had onthouden, naast de universiteitswinkel. De kamer van Charles lag op de begane grond en toen Maggie op zijn raam tikte, trok hij de gordijnen open en glimlachte, en liet haar snel binnen.

Een kamer als die van Charles had ze nog nooit gezien. Het was of ze een ander land binnenstapte. Elk stukje muur, en plafond, was bedekt met Indiase wandkleden en tientallen spiegels met zilveren lijsten. Een oosters tapijt, in de kleuren karmozijnrood, goud en blauw, lag op de vloer en in plaats van een salontafel stond er een oude, verweerde kist in het midden – een schatkist, dacht Maggie. Hij en zijn kamergenoten hadden hun bureaus tegen de muur geplaatst en om de kist allerlei kussens gelegd: rode met gouden franjes, paarse met rode franjes een grijsgroene die geborduurd was met gouddraad en kralen.

'Ga zitten,' zei Charles en wees op de kussens. 'Wil je iets drinken?' Er stond een piepklein koelkastje in de hoek met daarop een cappuccinoapparaat.

'Wauw,' zei Maggie. 'Houd je een harem of zo?'

Charles lachte en schudde zijn hoofd. 'Nee,' zei hij. 'We vinden dit gewoon leuk. Het afgelopen semester is Jasper naar Afrika geweest en hadden we hier een safarithema, maar ik werd gek van die dierenkoppen op de muren. Dit is beter.'

'Erg mooi,' zei Maggie die langzaam de kamer rondliep en alles bekeek. Er stond een kleine, chic ogende stereo in de hoek en de cd's waren geordend op genre – jazz, rock, wereldmuziek, klassiek – en vervolgens alfabetisch gerangschikt. In een andere hoek stond een kleine, hoge tafel waarop stapels reisgidsen lagen – Tibet, Senegal, Machu Picchu. Als ze diep inademde, kon ze een vlaag van wierook en parfum en sigarettenrook ruiken. In de minikoelkast stonden flessen water, citroenen, appels en abrikozenjam. Geen enkel biertje of fles ketchup.

Homo, besloot Maggie en sloot de koelkast. Homo, dacht ze met een gevoel van opluchting. Ongetwijfeld homo. Ze pakte een ingelijste foto van Charles' bureau. Hij stond erop, met zijn arm over de schouders van een lachend meisje.

'Je zus?' vroeg ze.

'Ex-vriendin,' zei hij. Hmm, dacht Maggie.

'Ik ben geen homo,' zei Charles en lachte een beetje verontschuldigend. 'Alleen denkt iedereen die hier binnenkomt dat. En dan kan ik weer een paar maanden zo hetero mogelijk gaan doen.'

'Nou en, je krabt je dan elke vijf minuten in plaats van elke tien? Dat is niet zo moeilijk,' zei Maggie die op de kussens plofte en door een boek over Mexico bladerde. Witgekalkte huizen die sterk afstaken tegen een knalblauwe hemel, huilende Madonna's in betegelde binnenplaatsen, golven met witte toppen die op een gouden strand aanspoelen. Ze was teleurgesteld. Ze had altijd maar drie soorten jongens gekend: de homo's, de oude mannen en de derde categorie, honderd keer groter dan de eerste twee, de jongens die haar wilden. Als Charles geen homo was, en oud was hij in ieder geval niet, dan wilde hij haar waarschijnlijk. Wat Maggie bedroefd maakte, ze voelde zich een beetje verraden. Ze had nog nooit een jongen gekend met wie ze alleen vrienden was en ze had al genoeg tijd met Charles doorgebracht dat hij haar aardig vond om haar hersenen en haar scherpte, haar vindingrijkheid, in plaats van om het enige wat iedere andere kerel altijd van haar wilde.

'Ik ben blij dat dat misverstand de wereld uit is. En ik ben blij dat je hier bent. Ik heb een gedicht voor je.'

'Voor mij? Heb jij het geschreven?'

'Nee. We hebben het laatst in de les poëziegeschiedenis behandeld.

We doen de transcendentalisten.' Hij sloeg zijn *Norton Anthology*
open en begon te lezen:

'"Margaret treur jij
om Goldengrove die zijn bladeren verliest?
Bladeren, als van de dingen van de mens, kun jij
er met jouw jonge gedachten om geven, jij?
Ach! als het hart steeds ouder wordt,
komt het tot zulke koude inzichten.
Langzaam, zonder een zucht te sparen.
Hoewel er werelden zijn van lusteloze bossen vol loof;
en toch *zul* jij wenen en weten waarom.
Nu, mijn kind, geen zorgen om de naam:
de lentes van de smart zijn altijd eender.
Mond nee noch verstand heeft uitgedrukt
wat het hart heeft gehoord, de geest geraden:
het is het verderf waar de mens voor geboren is,
het is Margaret die jij beweent."'

Hij deed het boek dicht. Maggie haalde diep adem. Ze had kippenvel
op haar armen. 'Wauw,' zei ze. 'Mysterieus. Maar ik ben Margaret
niet.'
'O nee?'
'Nee,' zei ze. 'Ik ben gewoon Maggie. Maggie May om precies te
zijn.' Ze lachte beschaamd. 'Van de bekende auteur Rod Stewart. Ik
denk niet dat mijn moeder veel van poëzie hield.'
'Wat is je moeder voor iemand?' vroeg Charles.
Maggie keek hem aan, maar keek snel weer weg. Normaal gesproken was dit het moment waarop Maggie haar eigen versie van het tra-
gische verhaal van haar moeders dood vertelde en het in de schoot
worp van de jongen van dat moment, als een vrolijk versierd pakketje. Soms liet ze haar moeder aan borstkanker sterven, soms bleef ze bij
het verhaal van het auto-ongeluk, maar altijd doorspekte ze het verhaal met details en drama. De chemotherapie! De agent aan de deur!
De begrafenis, met de twee kleine meisjes huilend boven de kist!
Maar ze wilde Charles zo'n versie niet vertellen. Ze wilde hem iets
vertellen dat dichter bij de waarheid lag. Ze schrok hiervan, want als
ze hem de waarheid vertelde, wat zou ze er dan nog meer uitflappen.
'Er is niet veel te vertellen,' zei ze luchtig.

'O, ik weet dat dat niet waar is,' zei hij. Ze voelde zijn blik op haar rusten. Ze wist wat er komen ging. 'Waarom kom je niet wat dichter bij?' Of: 'Kan ik iets voor je inschenken?' En dan zou ze zijn lippen in haar hals voelen, of zijn arm om haar schouders, zijn hand die steeds dichter naar haar borsten schoof. Deze dans kende ze maar al te goed. Alleen kwamen die woorden niet, voelde ze die lippen niet. Charles bleef gewoon staan waar hij stond. 'Oké, dan niet,' zei hij en glimlachte naar haar – een vriendelijke lach, dacht ze, en ze voelde zich opgelucht. Maggie gluurde even naar de antiek uitziende klok op zijn bureau. Het was na enen. 'Ik moet gaan,' zei ze. 'Ik moet mijn was nog halen.'

'Ik loop met je mee,' zei Charles.

'Nee, dat hoeft niet.'

Maar hij schudde zijn hoofd en pakte zijn rugzak. 'Het is niet veilig om alleen buiten te lopen.'

Maggie moest bijna lachen. Princeton was de veiligste plek waar ze ooit was geweest. Het was er veiliger dan in het pierebadje, het was veiliger dan een kinderzitje. Het enige wat hier ooit gebeurde, was dat iemand zijn dienblad liet vallen.

'Nee, echt. Ik heb eigenlijk wel honger. Ben je ooit bij P.J.'s geweest?'

Maggie schudde haar hoofd. Charles keek quasi-verschrikt. 'Dat is een Princetontraditie. Heerlijke pannenkoeken met stukjes chocolade. Kom op,' zei hij en hield de deur voor haar open, 'ik trakteer.'

36

ROSE FELLER WIST DAT DE DAG ZOU KOMEN. Na drie maanden honden uitlaten en kleding van de stomerij halen, tochtjes naar de apotheek en de supermarkt en de videotheek, kon ze erop wachten dat ze een keer een bekend gezicht zou tegenkomen uit haar niet bepaald goede tijden bij Lewis, Dommel en Fenick. En op een zonnige dag in april, toen Shirley, de eigenaresse van Petunia, haar een envelop overhandigde met het bekende adres op de buitenkant en zei: 'Zou je dit kunnen afgeven bij het kantoor van mijn advocaat?' alsof dat heel gewoon was, moest Rose flink slikken. Ze stopte de envelop in haar schoudertas, stapte op haar fiets en peddelde naar Arch Street, naar de hoge, glimmende toren waar ze ooit had gewerkt.

Het zou kunnen, redeneerde ze al fietsend, dat niemand haar zou herkennen. Ze ging bij Lewis, Dommel en Fenick altijd gekleed in broekpakken en hoge hakken (en ze was verliefd, bracht haar geheugen haar in herinnering). Vandaag droeg ze een korte broek, een paar sokjes versierd met koekenpannen, gebakken eieren en koffiekopjes (ze waren van Maggie) en fietsschoentjes met harde zolen. Haar haar was tot over haar schouders gegroeid en ze had twee vlechtjes in – Rose was er proefondervindelijk achtergekomen dat dit een van de enige haarstijlen was waarbij ze haar helm kon dragen. En hoewel ze niet was afgevallen sinds haar ongewenste vertrek uit de wereld van rechtszaken, was haar lichaam wel veranderd. Doordat ze zoveel fietste en liep waren haar armen en benen gespierd geworden, en was haar bleke kantoorgelaat vervangen door een gezonde kleur. Haar wangen gloeiden roze, haar haar in vlechtjes glansde. Dat had ze in ieder geval mee. Even doorbijten, zei ze tegen zichzelf terwijl ze de lift uit en naar de receptie liep, haar blote, bruine kuiten glimmend, haar schoenen klepperend over de tegelvloer. *Doorbijten.* Het was niet moeilijk. Ze zou het pakketje afleveren, een handtekening vragen, en...

'Rose?'

Ze hield haar adem in, half hopend dat ze de stem maar verbeeldde. Ze draaide zich om en daar stond Simon Stein, de oprichter van het bedrijfssoftbal, met zijn bleke gezicht, zijn rossige haar en zijn rood met gouden stropdas die de lichte bolling van zijn buik volgde.

'Rose Feller?'

Nou, dacht ze terwijl ze naar hem glimlachte en even haar hand naar hem opstak, het kon erger. Het had Jim kunnen zijn. Als ze nu haar envelop kon afgeven en kon wegvluchten...

'Hoe gaat het?' vroeg Simon, die zich door de hal haastte en nu tegenover haar stond, en haar bekeek of ze was gemuteerd in een onbekende diersoort. Misschien was dat wel zo, dacht ze gedeprimeerd. De Voormalige Advocate. Hoeveel had Simon daar ooit van gezien?

'Goed,' zei ze zachtjes en gaf de envelop aan de receptioniste, die Rose onbeschaamd nieuwsgierig aankeek en zich probeerde voor te stellen of de gebruinde vrouw in korte broek inderdaad die sobere jonge vrouw in mantelpakjes was.

'Ze zeiden dat je verlof hebt genomen,' zei Simon.

'Dat is ook zo,' zei ze kort en nam het getekende reçu aan en liep naar de deur. Simon volgde haar, zelfs toen Rose vroeg of hij weg wilde gaan.

'Hé,' zei hij, 'heb je al geluncht?'

'Ik moet er echt vandoor,' zei ze toen een van de liften openging en een groep partners naar buiten stroomde. Rose gluurde stiekem naar de mensen om te zien of ze het gezicht van Jim zag en begon pas weer te ademen toen dat niet het geval was.

'Gratis eten,' zei Simon Stein en lachte charmant naar haar. 'Kom op. Je moet toch een keer eten en ik kan niet wachten om hier weg te gaan. We gaan naar iets chics en doen alsof we heel belangrijk zijn.'

Rose lachte. 'In deze kleren zal dat niet lukken.'

'Niemand die daar iets van zal zeggen,' zei Simon die Rose naar de lift volgde alsof hij een van haar honden was. 'Het komt allemaal goed.'

Tien minuten later zaten ze aan een tafel voor twee in het Sansom Street Oyster House waar Rose, die daar al bang voor was geweest, de enige vrouw was die geen panty's en hakken droeg. 'Twee ijsthee,' zei Simon Stein, die zijn stropdas losser maakte en zijn mouwen oprolde. Hij had armen vol sproeten, constateerde Rose. 'Houd je van mosselsoep? Eet je ook gefrituurd voedsel?' 'Zeker, af en toe,' zei Rose die haar vlechtjes losmaakte en nonchalant haar haar probeerde te fatsoeneren.

'Twee kommen New England-mosselsoep en de schotel gemengde zeevruchten,' zei hij tegen de serveerster, die goedkeurend knikte.

'Bestel jij altijd voor vreemden?' vroeg Rose, die inzag dat haar haar een verloren zaak was en nu probeerde haar korte broek over de schrammen op haar rechterknie te trekken.

Simon Stein knikte en leek met zichzelf ingenomen. 'Wanneer ik maar de kans krijg,' zei hij. 'Heb je wel eens last van voedseljaloezie?'

'Wat is dat?' vroeg Rose.

'Dat je in een restaurant iets bestelt en je ziet even later wat ze aan een ander tafeltje serveren wat er, zeg, tien keer beter uitziet dan wat jij hebt besteld.'

Rose knikte. 'Natuurlijk. Dat heb ik altijd.'

Simon keek zelfvoldaan. Eigenlijk leek hij een beetje op Ronald McDonald, zo met zijn krullende rode haren en zijn grijns. 'Mij overkomt dat dus nooit,' zei hij.

Rose keek hem aan. 'Nooit?'

'Nou ja, bijna nooit,' zei Simon. 'Ik ben een expert in bestellen. Een meester van de menukaart.'

'Een meester van de menukaart,' herhaalde Rose, die zich afvroeg of deze middag nog bizarder kon worden. 'Jij hoort op tv thuis. Minimaal op de kabel.'

'Ik weet dat het idioot klinkt,' zei Simon, 'maar het is waar. Vraag maar aan mensen met wie ik uit eten ben geweest. Ik zit er nooit naast.'

'Goed,' zei Rose die de uitdaging wel aan wilde gaan en zich het beste restaurant waar ze onlangs was geweest, probeerde te herinneren. Met 'onlangs' bedoelde ze zes maanden geleden, toen ze na het werk met Jim uit eten was gegaan, nadat ze beiden zeker wisten dat ze niemand zouden zien die hij kende. 'London.'

'De stad of het restaurant?'

Rose weerstond de verleiding om hem met een blik van medelijden aan te kijken. 'Het restaurant. Het ligt in de buurt van het Art Museum.'

'Juist,' zei Simon. 'Je neemt de pijlinktvis met zout en peper, de ge-

grilde eend met zoete gember en als dessert de witte-chocoladeroom-
taart.'

'Ongelooflijk,' zei Rose slechts half sarcastisch.

Simon haalde zijn schouders op en stak zijn kleine handen in de
lucht. 'Luister dame, het is mijn fout niet dat je altijd alleen maar
gepofte aardappel eet en vis van de grill.'

'Hoe weet je dat?' vroeg Rose, die, als ze het zich goed herinnerde,
de gegrilde zalm in Londen had besteld.

'Pure gok,' zei Simon. 'Maar bovendien is dat zo ongeveer het enige
wat vrouwen eten. Wat zonde is. Oké, volgende.'

'Brunch in de Striped Bass,' zei Rose. Dit was een van de beste restaurants van de stad. Haar vader had haar en Maggie daar een keer mee-
naartoe genomen voor een speciale gelegenheid. Rose had de tarbot
genomen. Maggie had drie rum-cola's gedronken en uiteindelijk het
telefoonnummer van de sommelier gekregen.

Simon Stein sloot zijn ogen. 'Hebben ze daar de Eggs Benedict met
gepocheerde kreeft op de kaart staan?'

'Geen idee. Ik heb daar eerlijk gezegd nog nooit gebruncht.'

'We moeten erheen gaan,' zei Simon.

Wij? dacht Rose.

'Want dat bestel ik dan voor je,' vervolgde hij. 'Je begint met de oesters, als je van oesters houdt... je houdt toch van oesters, niet?'

'Zeker,' zei Rose, die nog nooit oesters had gegeten.

'En dan krijg je de Eggs Benedict met gepocheerde kreeft. Die is
echt heel goed.' Hij glimlachte naar haar. 'Volgende?'

'Penang,' zei Rose. Penang was het nieuwe, populaire, Birmees-In-
diase fusionrestaurant dat net zijn deuren had geopend in Chinatown.
Ze had er alleen over gelezen, maar dat wist Simon Stein niet.

'Kleefrijst met kokosmelk, gegrilde kippenvleugeltjes, rendang en
die loempiaatjes met verse garnalen.'

'Wauw,' zei Rose, toen de serveerster hun soep kwam brengen. Ze
nam een lepel, proefde en sloot haar ogen toen haar mond zich vulde
met de textuur van dikke room en het vleugje zilt, de verse, zoete
schelpdieren en aardappel die op haar tong smolten. 'Mijn grammen
vet voor de hele week,' zei ze toen ze weer was bijgekomen.

'Dat geldt niet als iemand anders betaalt,' zei Simon Stein, die Rose
een oestertoastje aanbood. 'Proef deze eens.'

Rose at haar halve kom leeg voordat ze weer kon praten. 'Dit is verrukkelijk,' zei ze.

Simon knikte, alsof hij niets anders dan roem voor de soep verwachtte. 'Kun je me iets meer vertellen over je verlof?'
Rose slikte met moeite een stuk mossel en aardappel weg. 'Het... eh...'
Simon Stein keek haar niet-begrijpend aan. 'Ben je ziek?' vroeg hij. 'Want dat was een van de geruchten.'
'Een van de geruchten?' herhaalde Rose.
Simon knikte en schoof zijn lege soepkom opzij. 'Het eerste gerucht was een mysterieuze ziekte. Het tweede dat je door een headhuntersbureau was weggekocht voor Pepper, Hamilton. Het derde gerucht...'
Op dat moment kwam de serveerster aan met een schaal vol goudbruin gefrituurde zeevruchten. Simon kneep citroen uit over de schaal en bestrooide de frietjes zorgvuldig met wat zout.
'Wat was het derde gerucht?' wilde Rose weten.
Simon Stein stopte twee gefrituurde sint-jakobsschelpen in zijn mond en keek haar met grote, blauwe ogen onschuldig aan vanonder zijn lange, gekrulde, rossige wimpers die eigenlijk bij een meisje hoorden. Als een zesjarige mededinger voor een schoonheidswedstrijd, dacht Rose. 'Mmpf oe eh mmhmfaire hadmm.'
'Wat?' zei Rose.
Simon slikte. 'Dat je een affaire had,' zei hij. 'Met een van de partners.'
De mond van Rose viel open van verbazing. 'Ik...'
Simon stak een hand op. 'Je hoeft niets te zeggen. Ik had er niet over moeten beginnen.'
'Denkt iedereen dat?' zei Rose die probeerde niet geschokt te klinken.
Simon schepte wat tartaarsaus op en schudde zijn hoofd. 'Nee. De meeste mensen denken dat je lupus hebt of last van je rug.'
Rose at een paar mossels en probeerde onverschillig te kijken en zich niet belachelijk te voelen. Maar ze was natuurlijk wel belachelijk. Ze had haar baan min of meer opgezegd, haar vriendje had haar verlaten, ze kleedde zich als een schoolmeisje en nu zat een vrijwel vreemde man haar friet te zouten. En het ergste was dat iedereen van haar en Jim wist. En ze dacht dat dat geheim was. Hoe dom kon ze zijn? 'Had de partner een naam?' vroeg ze. Ze probeerde zo onverschillig mogelijk te klinken en doopte een garnaal in de tartaarsaus. Ze hoopte tegen alle hoop in dat in ieder geval een deel van haar geheim veilig was.

Simon Stein haalde zijn schouders op. 'Ik heb er niet naar geluisterd,' zei hij. 'Het waren maar roddels. Je weet hoe advocaten zijn. Ze willen overal een antwoord op hebben, dus als iemand zomaar verdwijnt, willen ze een verklaring.'

'Ik ben niet zomaar verdwenen. Ik heb verlof genomen. Zoals je weet,' zei Rose koppig en at een stukje bot, die eigenlijk heel lekker was. Ze slikte en schraapte haar keel. 'Zo. Eh. Hoe is het verder op kantoor? Hoe gaat het met jou?'

Hij haalde weer zijn schouders op. 'Hetzelfde. Ik doe nu een zaak in mijn eentje. Helaas is het de Stomme Bentley Zaak.'

Rose gaf hem een meelevend knikje. De Stomme Bentley Zaak betrof een cliënt die de miljoenen van zijn vader had geërfd, maar klaarblijkelijk niet zijn vaders hersenen. De cliënt had een half miljoen dollar neergelegd voor een tweedehands Bentley en was de twee daaropvolgende jaren bezig om zijn geld van de dealer terug te krijgen. Zijn klacht was dat de auto vanaf het eerste moment dat hij ermee over de snelweg reed, een dikke, oliezwarte rook produceerde. De dealer beweerde echter – gesteund door de inmiddels ex-vrouw van de cliënt – dat de rook was ontstaan omdat de cliënt de Bentley had gereden met de handrem erop. Rose merkte dat Simon probeerde zo saai en cynisch mogelijk te klinken – vol afkeer over het feit dat een cliënt van het kantoor zo'n sukkel was, vol afkeer over een proces dat deze zaak zover had laten komen – maar de verveling en het cynisme was maar een dun laagje, dat gemakkelijk kon barsten. Simon Stein was overduidelijk gek op zijn werk. Natuurlijk, het was maar een kleine zaak, en natuurlijk, de cliënt was een eikel, en nee, zijn sprankelende ogen en gebarende handen zeiden dat deze zaak geen precedent zou scheppen, maar toch, ze kon zien dat hij er lol in had – de manier waarop hij de getuigenverklaringen beschreef, de ontdekking, de dagvaarding van de ongeletterde monteur Vitale. Rose zuchtte, luisterde en wenste dat ze ook nog zo over het juridische leven dacht. Ze vroeg zich af of ze daar überhaupt wel eens zo over had gedacht.

'Maar genoeg over de Bentley,' zei Simon en stopte de een na laatste garnaal in zijn mond. De andere wierp hij met een boog op het bord van Rose. 'Je ziet er trouwens geweldig uit. Erg uitgerust.'

Rose keek naar zichzelf, naar haar lichtelijk zweterige T-shirt en naar haar kuiten die onder het vet van haar fietsketting zaten. 'Je bent te mild.'

'Wil je met me dineren?' vroeg Simon.

Rose keek hem aan.

'Ik weet dat dat wat abrupt was,' zei Simon. 'dat komt omdat ik per uur wordt betaald, denk ik. Je zegt wat je moet zeggen, omdat de meter loopt.'

'Had jij geen vriendin?' vroeg Rose. 'En zat zij niet op Harvard?'

'Weg,' zei Simon. 'Het werkte niet.'

'Waarom niet?'

Simon dacht na. 'Ze had geen gevoel voor humor en dat gedoe over Harvard... ik denk dat ik gewoon geen toekomst voor me zag met een vrouw die haar menstruatie de karmijnrode vloed noemt.'

Rose proestte van het lachen. De serveerster haalde hun borden weg en gaf hun de dessertkaart. Hij keek er nauwelijks op. 'Warm appelgebak,' zei hij. 'Zullen we delen?'

Hij glimlachte naar haar en ze vond hem ondanks zijn lengte en ietwat plompe lichaam en het feit dat hij net zoveel op Jim leek als Saks Avenue op K-mart, grappig. En aardig. En ergens ook wel aantrekkelijk. Niet voor haar natuurlijk, dacht ze vlug, maar toch...

'Yeah, yeah, yeah,' zei hij en neuriede een paar maten van 'Lawyers in Love'. 'We gaan dus een keer uit eten?'

'Ach, waarom niet?' zei Rose.

'Ik hoopte op een enthousiastere reactie,' zei Simon droogjes.

Rose lachte. 'Goed dan.'

'Ze lacht!' zei Simon en toen de serveerster de taart bracht, zei hij: 'We nemen er ijs bij. We hebben iets te vieren.'

37

ELLA ZAT VOOR HET TOETSENBORD VAN DE COMPUTER VAN ME-
vrouw Lefkowitz, haalde diep adem en staarde naar het blanco
scherm. 'Ik denk niet dat ik dit kan,' zei ze.
'Wat?' riep mevrouw Lefkowitz vanuit de keuken. 'Is hij weer vast-
gelopen? Gewoon even herstarten. Je kunt het best.'
Ella schudde haar hoofd. Ze dacht helemaal niet dat ze het kon. Ze
zat in de logeerkamer van mevrouw Lefkowitz, die dienstdeed als een
soort kantoor- en opslagruimte. De oranje iMac stond op een enorm
walnoothouten bureau, naast een roodfluwelen bank waaruit de vulling stak, onder een opgezette kop van een eland en aan de andere kant
naast een paraplustandaard van koper en bamboe, waarin de stok van
mevrouw Lefkowitz stond. 'Ik denk niet dat ik dit kan,' zei Ella
weer... maar niemand hoorde haar. Lewis en mevrouw Lefkowitz
stonden in de keuken, waar ze muffins in plakjes sneden en vers fruit
schoonmaakten, en in de woonkamer zond de televisie *Days of our
Lives* uit.
Ella kneep haar ogen dicht, typte 'Rose Feller' in en drukte op
'enter' voordat ze de moed helemaal verloor.
Toen ze haar ogen weer opende, stonden mevrouw Lefkowitz en
Lewis achter haar en stond het scherm vol woorden.
'Wauw,' zei Lewis.
'Populaire naam,' zei mevrouw Lefkowitz.
'Hoe weet ik nu of zij het is?' vroeg Ella.
'Gewoon één aanklikken,' zei Lewis. Ella klikte op een van de
links en ontdekte dat de woorden 'Rose' en 'Feller' haar bij de bloe-

misterij Feller in Tucson, Arizona brachten. Ze zuchtte, keerde terug naar de zoekpagina en klikte een andere link aan. Deze verwees naar een huwelijkscertificaat uit Wellville, New York, van een Rose Feller uit 1957. Niet haar Rose. Ze ging terug, klikte er nog een aan en daar verscheen het gezicht van haar kleindochter op het scherm, tweeëntwintig jaar ouder dan de laatste keer dat Ella haar had gezien.

'O!' hijgde ze en las zo snel als ze kon wat er op de pagina stond.

'Ze is advocaat,' zei ze met een stem die niet als de hare klonk.

'Nou, dat is nou ook weer niet het ergste beroep wat er bestaat,' zei mevrouw Lefkowitz en giechelde. 'Ze zit tenminste niet in de gevangenis!'

Ella staarde naar het scherm. Het was Rose. Dat kon niet anders. Ze had dezelfde ogen, dezelfde serieuze uitdrukking op haar gezicht, dezelfde wenkbrauwen in een rechte lijn op haar voorhoofd als Ella zich herinnerde van vroeger.

Lewis scrolde inmiddels door de tekst. 'Princeton... University of Pennsylvania Law School... gespecialiseerd in commerciële rechtszaken... woont in Philadelphia...'

'Ze was zo intelligent,' mompelde Ella.

'Je kunt haar e-mailen,' zei Lewis.

Ella zeeg neer op het tweezitsbankje van mevrouw Lefkowitz. 'Dat kan ik niet,' zei ze. 'Nog niet. Ik ben er nog niet klaar voor. Wat zou ik moeten zeggen?'

'Je begint met "hallo",' zei mevrouw Lefkowitz en moest om haar eigen grap lachen.

'Waar is haar zuster?' wist Ella uit te brengen. 'Waar is Maggie?'

Lewis keek haar geruststellend aan en legde zijn hand op haar schouder.

'Ik ben nog aan het kijken,' zei hij. 'Heb nog niets gevonden.'

Maar dat kwam nog wel, wist Ella. De meisjes bestonden nog, hadden een leven waar zij niets van wist. En ze waren nu volwassen. Ze konden hun eigen beslissingen nemen, konden zelf bepalen of ze haar in hun leven lieten of niet. Ze kon hun schrijven. Ze kon bellen. Maar wat moest ze zeggen?

Mevrouw Lefkowitz ging naast haar zitten. 'Je kunt het!' zei ze. 'Kom op Ella. Wat heb je te verliezen?'

Niets, dacht Ella. Alles. Ze schudde haar hoofd en sloot haar ogen. 'Vandaag niet,' zei ze. 'Nog niet.'

38

TOT HAAR VERBAZING ONTDEKTE MAGGIE FELLER DAT ZE OP
Princeton een heuse opleiding leek te genieten. Wie had ooit gedacht dat zij dit zou doen, dacht ze, terwijl ze over de campus liep met een stapel boeken onder haar arm. Maar ze was al meteen sinds het eerste college geboeid geweest. En Charles boeide haar ook, met zijn monologenboeken, de gesprekken over zaken die nog nooit een vent met haar besproken had – stemmingen, beweegredenen, boeken, het leven, de dingen waarin ze op elkaar leken en waarin ze van elkaar verschilden. Zelfs die ene donkere wolk boven haar bestaan, Josh, de student bij wie ze beter uit de buurt had kunnen blijven en die haar nu leek te achtervolgen, en de plotselinge verliefdheid ervoer ze als een afleiding in plaats van een reëel gevaar. Ze genoot van haar leven als student, dacht ze droevig. Had ze tien jaar geleden maar iets beter haar best gedaan.

Neem nou poëzie. Zelfs het lezen van een tekst langer dan één zin was voor Maggie al een heel gepuzzel. Eerst moest ze de zin letter voor letter, woord voor woord spellen. Als ze dat gedaan had, moest ze er een geheel van zien te maken, zelfstandige naamwoorden en werkwoorden en die prullerige versieringen die bijvoeglijk naamwoord werden genoemd. Ze moest de woorden net zolang lezen en herlezen tot de betekenis van de zin tot haar doordrong.

Ze wist dat het bij de meeste mensen anders ging. Ze wist dat Rose na een vluchtige blik op een paragraaf of een bladzijde wist wat er stond, alsof ze de informatie via haar huid in zich opzoog. Zij las dan ook vuistdikke liefdesromans, terwijl Maggie liever een tijdschrift doorbladerde. Maggie had ontdekt dat dit verschil wegviel bij poëzie, omdat poëzie niet geschreven was om in één oogopslag te worden doorgrond. Iedere lezer, of het nu een slimme student van Princeton was of iemand die de middelbare school niet had afgemaakt, moest de woorden ontcijferen, vervolgens de zinnen, dan de coupletten. Iedereen moest het gedicht uit elkaar trekken en het weer in elkaar zetten, en pas dan zou het zijn betekenis prijsgeven.

Drieënhalve maand na haar eerste clandestiene overnachting op de campus was Maggie voor het eerst naar 'haar' college Moderne Poëzie gegaan. Ze nam plaats op de achterste rij en zorgde ervoor dat er aan iedere kant een stoel vrij bleef. De meeste studenten gingen vooraan zitten en hingen aan de lippen van de docente, mevrouw Clapham. Ze staken zo enthousiast hun hand op als ze een vraag had gesteld dat hun armen bijna uit de kom raakten. Maggie zat dus prima op de achterste rij. Ze sloeg haar kladblok open en schreef het gedicht van die dag over, ieder woord fluisterend terwijl ze het opschreef.

'"Een hele kunst

De kunst van het verliezen valt te leren;
zoveel dingen lijken zo vol vuur om
weg te raken dat hun verlies ons niet behoeft te deren.

Verlies iets iedere dag. Leer accepteren
de verloren sleutelbos, het slecht bestede uur.
De kunst van het verliezen valt te leren.

Beoefen dan het verder, meer en steeds
sneller kwijtraken van namen en van plaatsen naar welk buurland je wilde reizen. Niets van dit alles zal je deren.

Ik verloor moeders horloge. Nog minder te beheren!
Het laatste of het op een na laatste van drie geliefde huizen
staat te huur.
De kunst van het verliezen valt te leren.

Twee schitterende steden verdwenen. En meer en
groter streken, twee rivieren, een geliefde schuur.
Ik mis ze, maar het kan me niet meer deren.

– Zelfs als ik jou verlies (je stem gekscherend, bezwerend
is dat geliefd gebaar) zal dit geen leugen zijn. Op den duur
valt de kunst van het verliezen best te leren
al lijkt het *(schrijf op* dan!) dat het ons wel degelijk kan deren."'

'Ik verloor mijn moeders klokje,' fluisterde Maggie, het gedicht over-
schrijvend. De kunst van het verliezen. Daar kon ze een boek over
schrijven. Na bijna een heel semester op Princeton ging het haar nog
steeds boven haar verstand wat ze allemaal vond in de gevonden-voorwerpendozen van de universiteit – ze vond er genoeg om zich te kunnen kleden. Met haar boeken en sweatshirts, petjes en wanten van
J. Crew of Gap zag ze er net zo uit als de andere studenten op Princeton. En langzamerhand begon ze te geloven in haar leugen. Het einde
van het semester naderde en Maggie had het gevoel dat ze bijna een
echte, officiële student was. Maar de zomer zat eraan te komen. En
wat deden studenten in de zomer? Juist, ze gingen naar huis. En dat
kon zij niet. Nog niet, in ieder geval.

'De kunst van het verliezen valt te leren', schreef ze, terwijl professor Clapham, blond, ergens achter in de dertig en hoogzwanger,
naar haar bureau voor in de collegezaal waggelde.

'Dit is een villanella,' zei ze. Ze legde haar boeken op het bureau
en liet zich behoedzaam in haar stoel zakken. Ze knipte het laser-
lampje van haar aanwijsstokje aan. 'Een van de lastigste rijmschema's.
Waarom zou Elizabeth Bishop deze vorm gekozen hebben voor een gedicht met dit onderwerp? Waarom passen die twee zaken zo goed bij
elkaar?'

Stilte. Professor Clapham zuchtte. 'Goed,' zei ze, op niet onvrien-
delijke toon, 'laten we bij het begin beginnen. Wie kan me zeggen
waar dit gedicht over gaat?'

Verschillende handen schoten de lucht in. 'Verlies,' opperde een
meisje met steil blond haar op de eerste rij.

Puh, dacht Maggie.

'Natuurlijk,' zei de hoogleraar, op een toon die slechts een fractie
vriendelijker was dan het 'puh' van Maggie. 'Maar verlies van wat
eigenlijk?'

'Van de liefde,' zei een jongen aarzelend. Zijn blote, behaarde benen
staken onder een korte broek uit en de bleekvlekken op zijn trui ver-
rieden dat hij nog niet zo lang zelf zijn kleren waste.

'Wiens liefde?' vroeg professor Clapham. Ze plaatste haar handen op haar onderrug en strekte zich uit alsof ze rugpijn had, of misschien alsof ze wilde aangeven dat de onwetendheid van haar studenten haar fysieke pijn bezorgde. 'En is die liefde al verloren, of plaatst de dichter dat specifieke verlies in het theoretische vlak? Heeft ze het over de mogelijkheid van dit verlies? De waarschijnlijkheid ervan?' Wezenloze blikken en gebogen hoofden.

'Een waarschijnlijkheid,' flapte Maggie eruit. Ze werd vuurrood en zou zich niet minder opgelaten hebben gevoeld als ze een wind had gelaten.

Maar de hoogleraar wierp haar een bemoedigende blik toe. 'Hoezo?' Maggies handen beefden. 'Ehhh,' zei ze, met een wegstervend stem-metje. Maar toen dacht ze aan mevrouw Fried, die zich altijd over haar heen boog, met haar bril bungelend aan een kralenketting, en fluis-terde: 'Gewoon proberen, Maggie. Het geeft niet als je het niet bij het juiste eind hebt. Gewoon proberen.'

'Nou,' begon Maggie, 'aan het begin van het gedicht heeft ze het over gewone dingen, dingen die iedereen wel eens kwijt is, zoals sleu-tels, of een naam waar je niet op kunt komen.'

'En wat gebeurt er daarna?' vroeg de hoogleraar. Opeens snapte Maggie het, het leek alsof ze het antwoord zomaar uit de lucht kon plukken.

'De aandacht verschuift van tastbare dingen naar immateriële zaken,' zei ze, terwijl de lange woorden uit haar mond rolden alsof ze het al haar hele leven nergens anders over had. 'En dan wordt de dich-ter heel...' Shit. Hier was een woord voor. Hoe moest je dat nou zeg-gen? 'Hoogdravend,' bracht Maggie uiteindelijk uit. 'Ze heeft, zeg maar, een huis verloren, maar ja, er zijn zo veel mensen die verhuizen, maar dan zegt ze dat ze een heel continent verloren heeft...'

'En dat is iets, dat mogen we tenminste aannemen, wat zij hele-maal niet kón verliezen,' zei professor Clapham droogjes. 'Dus hier zien we nog een verschuiving.'

'Juist,' zei Maggie, en de woorden bleven maar uit haar mond rol-len, sneller en sneller. 'En dan de manier waarop ze erover schrijft, alsof het eigenlijk allemaal niet zo belangrijk is...'

'Je hebt het nu over de toon van het gedicht,' zei de hoogleraar. 'Zou je de toon ironisch kunnen noemen? Afstandelijk?'

Terwijl Maggie hierover nadacht staken twee meisjes op de eerste rij hun hand op. Professor Clapham besteedde er geen aandacht aan.

'Ik denk,' zei Maggie langzaam, kijkend naar de woorden op de bladzijde, 'ik denk dat ze afstandelijk wil klinken. Alsof het haar niet veel kan schelen. Of zelfs die steeds terugkerende regel, de regel die zegt dat de kunst van het verliezen te leren valt. Het lijkt haast wel of ze de draak steekt met zichzelf door te zeggen dat het een kunst is.' De toon van het gedicht deed haar denken aan de manier waarop haar zus altijd over zichzelf sprak. Ze dacht aan die keer dat ze met Rose naar de verkiezing van Miss America gekeken had. Ze had haar gevraagd wat zij zou antwoorden op de vraag wat haar grootste talent was. Rose had even nagedacht en had heel bedachtzaam gezegd: 'Fileparkeren.' 'Het lijkt wel of ze er een grapje van maakt. Maar dan, aan het eind...'

'Laten we het nog even over de structuur hebben,' zei de hoogleraar, en hoewel ze zich richtte tot de hele klas, bleven alle ogen gericht op Maggie. 'A B A. A B A. Coupletten van drie strofen, tot het kwatrijn aan het eind, en wat gebeurt er?' Ze knikte Maggie toe.

'Nou, er staan vier regels, geen drie, dus dat is anders. En dan hebben we nog die onderbreking – *schrijf op* dan! – Het lijkt wel of ze afstand wil creëren, maar ze vraagt zich af wat er gebeurt na het verlies van...'

'Verlies van wat?' vroeg professor Clapham. 'Of van wie? Gaat dit gedicht over een geliefde, denk je? Wie is de "jij" in het gedicht?'

Maggie beet op haar onderlip. 'Niet over een geliefde,' zei ze. 'Maar ik weet niet waarom. Ik denk dat het gedicht eerder gaat over het verlies van een...' Een zus, dacht ze. Een moeder. 'Een vriend misschien,' zei ze hardop.

'Heel goed,' zei de hoogleraar, waarop Maggie prompt weer knalrood werd, zij het ditmaal van genoegen en niet van schaamte. 'Heel goed,' herhaalde professor Clapham, en ze draaide zich om naar het bord. Ze richtte haar aandacht weer op de studenten, op het rijmschema en de kenmerken van de villanella. Er drong nauwelijks nog een woord tot Maggie door. Ze bloosde nog altijd. Zij, die nooit bloosde, zelfs niet toen ze een paar dagen zingend telegrammen moest rondbrengen in een gorillapak, bloosde nu als een zongerijpte tomaat.

Die nacht lag ze in haar slaapzak en dacht na over haar zus. Ze vroeg zich af of Rose dit poëziecollege ook gevolgd had en of ze dit gedicht ook kende en of haar zus zou geloven dat het Maggie was, Maggie en geen van de andere studenten, die het gedicht het best begrepen had. Ze vroeg zich af wanneer ze dit aan Rose kon vertellen, en lag woelend in het donker, zich afvragend hoe ze ervoor kon zorgen dat haar zus weer met haar wilde praten, haar zou vergeven.

De volgende morgen, tijdens de busrit naar Corinnes huis, bekroop haar een gevoel van spijt. Het idee achter haar verblijf op Princeton was om meer... hoe was het ook alweer... *interstitieel* te zijn. Ze had dit woord niet op de campus opgedaan, maar het was een woord dat Rose wel eens gebruikte. Ze herinnerde zich hoe Rose haar er wel eens op gewezen had dat de ene helft van het tv-scherm vol stond met reclame terwijl op de andere helft de aftiteling van het zojuist geëindigde programma te zien was. 'Interstitieel' betekende zoiets als het tussenliggende – de dingen die gebeurden terwijl je je aandacht richtte op de hoofdbezigheid.

Ze had de aandacht op zich gevestigd in een college. Waar was ze mee bezig? Ze zou opvallen. Iemand zou haar herkennen. Iemand zou zich afvragen waar ze woonde, welke studie ze volgde, hoeveelstejaars ze was en wat ze eigenlijk op de campus deed.

In gedachten verzonken liet ze de dweil met sierlijke bewegingen over Corinnes vloer glijden. Ze vroeg ze zich af of ze misschien bewust aanstuurde op ontdekking, of ze niet gewoon genoeg had van haar 'onzichtbare' leven. Ze was bezig met iets... nou ja, niet direct belangrijks, maar iets waarvoor een zekere mate van moed, sluwheid en handigheid nodig waren en ze wilde er bewondering voor oogsten. Ze wilde het aan Charles of aan Rose vertellen, of aan wie dan ook. Vertellen wat ze allemaal geleerd had. Dat ze zich had aangeleerd om nooit in voorspelbare patronen te vervallen. Dat ze maar liefst zes verschillende plekken had ontdekt waar ze kon douchen (Dillon Gym, de douche in de kelder van de bibliotheek en in vier studentenhuizen waar de sloten onklaar gemaakt waren, dat ze de enige wasmachine had gevonden die zijn werk deed zonder muntje, en dat ze een frisdrankautomaat had ontdekt die een gratis blikje cola uitspuugde wanneer je er op de juiste plek een tik tegen gaf.

Ze wilde ze vertellen hoe ze vroeg in de morgen via de stomende spoelkamer bij een van de eetzalen naar binnen glipte in kleren die moesten doen vermoeden dat ze er werkte (vieze gympen, een spijkerbroek en een sweatshirt). Het leek dan net of ze een werkstudent was die voorafgaand aan het werk in de keuken even snel iets te eten nam. Ze wilde uitleggen hoe gemakkelijk het was om eten in haar rugzak te laten verdwijnen: boterhammen met pindakaas, fruit, alles netjes in servetjes verpakt.

Ze wilde ook vertellen over haar donderdagse lunch bij het International Student Center, waar ze voor twee dollar een enorm bord rijst met roergebakken verse groenten en in kokosmelk gestoofde kip kon krijgen – het lekkerste eten dat ze ooit had geproefd, dacht ze wel eens, met van die lekkere kaneelthee met grote scheppen honing erin, waarvan ze verschillende koppen dronk om de smaak van scherpe kruiden in haar mond iets te verzachten. Niemand had daar ooit iets aan haar gevraagd omdat de meeste andere eters buitenlandse studenten waren die nog niet vertrouwd waren met het Engels. Het bleef dus vaak bij een verlegen glimlach, een knik en wisselgeld voor haar briefje van vijf dollar.

Corinnes glazen kast afstoffend stelde ze zich voor hoe ze Rose aan Charles voorstelde. Haar zus zou goedkeurend knikken. 'Het gaat goed met me,' zou Maggie tegen haar zeggen, 'je had je niet zo veel zorgen hoeven maken, want het gaat prima.' En dan zou ze zeggen dat het haar speet... en, nou ja, wie weet hoe het verder zou gaan. Misschien kon Rose een manier bedenken waarop Maggie studiepunten kon krijgen voor de colleges die ze had bijgewoond. Als ze hard doorwerkte zou ze op een dag misschien afstuderen, want ze had gemerkt dat zelfs de dikste boeken niet zo moeilijk bleken te zijn als ze er de tijd voor nam. Ze zou schitteren in alle toneelstukken van Charles en haar zus kaartjes geven voor de premières. Ze zou haar dan ook iets moois geven om aan te trekken, want god wist waarin ze zou verschijnen als je dat aan haarzelf overliet; waarschijnlijk een slonzige trui met schoudervullingen en...

'Hallo?' zei Corinne. Maggie schok en viel bijna van het keukentrapje.

'Hoi,' zei ze. 'Ik sta hierboven. Ik had je niet horen binnenkomen.'

'Ik beweeg me voort op poezenvoetjes. Net als de mist.'

'Carl Sandberg,' zei Maggie.

'Heel goed!' zei Corinne. Ze liet haar vingertoppen over het aanrecht glijden en ging vervolgens zitten aan de door Maggie schoongeveegde eettafel. 'Hoe gaat het met je studie?'

'Heel goed,' zei Maggie. Ze sprong van het keukentrapje, vouwde het in en hing het aan de daarvoor bestemde haak in de kast. En dat was ook zo. Behalve dat ze eigenlijk niet thuis hoorde op Princeton. Behalve dat ze Rose iets afschuwelijks had aangedaan, en dat ze het gevoel had dat alle kennis van de hele wereld haar niet kon helpen dat recht te zetten.

39

IN DE WEEK NA HAAR WANDELING MET MEVROUW LEFKOWITZ WAS Ella heel wat over haar kleindochter Rose te weten gekomen, maar bijna niets over Maggie.

'Die Rose,' had mevrouw Lefkowitz gezegd, 'die duikt werkelijk overal op!'

En inderdaad was er op internet veel te vinden over Rose, van de adressenlijst van de National Honors Society van haar middelbare school tot een artikel in de *Daily Princetonian* over het werven van personeel op de campus. Ella wist waar Rose op school had gezeten, wat voor soort zaken ze als advocaat behandelde, ze had zelfs via een van de zoekmachines haar telefoonnummer weten te achterhalen.

'Ze heeft haar zaakjes goed voor elkaar,' zei mevrouw Lefkowitz, terwijl ze langs de tennisbanen wandelden.

'Er staat dat ze voor onbepaalde tijd met verlof is,' merkte Ella op. Ze zag de foto van haar streng kijkende kleindochter die op het scherm verschenen was weer voor zich. 'Dat klinkt niet best.'

'Ach,' zei mevrouw Lefkowitz, 'ze is vast gewoon met vakantie.'

Over Maggie kwamen ze minder gemakkelijk iets te weten. Mevrouw Lefkowitz, Ella en Lewis hadden alle mogelijke combinaties geprobeerd: MAGGIE FELLER, MAGGIE MAY FELLER en zelfs MARGARET FELLER, ook al klopte dit eigenlijk niet. Ze hadden één verwijzing gevonden naar haar jongste kleindochter, maar geen bruikbare informatie, niet eens een telefoonnummer. 'Het lijkt wel of ze niet bestaat,' had Ella gezegd, met gefronste wenkbrauwen. 'Misschien...' Haar stem stierf weg. Ze durfde het bange vermoeden niet hardop uit te spreken.

Mevrouw Lefkowitz schudde haar hoofd. 'Als ze overleden is, hadden we een overlijdensbericht gevonden.'

'Weet je het zeker?' vroeg Ella.

'Hoe denk je dat ik op de hoogte blijf van het wel en wee van mijn vrienden?' zei mevrouw Lefkowitz. Ze opende haar heuptasje en pakte er een oranje mobieltje uit. 'Hier. Bel die Rose eens. Snel, voordat je je bedenkt.'

Ella schudde haar hoofd, denkend aan die strenge foto van haar kleindochter. 'Ik weet het niet,' zei ze. 'Ik wil wel bellen, maar... ik moet er eerst goed over nadenken. Ik wil geen domme dingen zeggen.'

'Nadenken, nadenken,' zei mevrouw Lefkowitz. 'Je wacht te lang. Doe het nou gewoon! Niet iedereen heeft het eeuwige leven.'

Ella kon die nacht niet slapen. Ze lag in haar eentje onder haar dekbed en had nog geen oog dichtgedaan toen het licht werd, de kikkers begonnen te kwaken en er op straat weer toeterende auto's te horen waren. Ze richtte zich op en dwong zich het hardop te zeggen. 'Vandaag,' verkondigde ze tegen haar lege appartement, 'vandaag ga ik haar bellen.'

Die ochtend in het ziekenhuis legde Ella een slapende baby terug in zijn couveuse en haastte zich de gang door. Tegenover de wachtruimte bij de operatiekamers hingen enkele telefoons. Ella koos de telefoon die het verst van de deuren verwijderd was en zocht haar zakken af naar haar telefoonkaart. Ze toetste het nummer van haar telefoonkaart in en daarna het nummer van het advocatenkantoor waar Rose werkte. Een bandje, smeekte ze. Ze had niet meer gebeden sinds de nacht waarop haar dochter verdween, maar plotseling voelde ze zich heel dicht bij God. In godsnaam, laat het een bandje zijn.

En dat kreeg ze ook... maar met een andere boodschap dan ze had verwacht. 'U hebt een niet-bestaand nummer gedraaid bij Lewis, Dommel en Fenick,' zei een doodse computerstem. 'Druk nul om doorverbonden te worden met een van onze medewerkers.' Ella drukte een nul, en na enige tijd zei de receptioniste: 'Het is een geweldige dag bij Lewis, Dommel en Fenick!'

'Pardon?' zei Ella.

'Dat moeten we zeggen in plaats van gewoon "hallo",' zei de receptioniste met gedempte stem. 'Wat kan ik voor u doen?'

'Ik zou Rose Feller graag willen spreken,' zei Ella.

'Ik verbind u door,' zei de receptioniste. Ella slikte... maar de vrouw die de telefoon opnam was niet Rose, maar een verveeld klinkende vrouw die zich voorstelde als Lisa, Rose' assistente.

'Ze is met verlof,' zei Lisa.

'Dat weet ik,' zei Ella, 'maar kan ik misschien een bericht voor haar achterlaten? Ik ben haar oma,' zei ze. Terwijl ze het woord 'oma' uitsprak, werd ze tegelijkertijd vervuld van angst en trots.

'Het spijt me,' zei Lisa. 'Ze belt nooit om te vragen of er berichten voor haar zijn achtergelaten. Ze is hier al maanden niet geweest.'

'O,' zei Ella. 'Ik heb ook haar privé-telefoonnummer, dan probeer ik dat wel.'

'Prima,' zei Lisa.

'Dank u wel,' zei Ella. Ze hing op en plofte neer op een stoel. Ze was opgewonden en bang tegelijk. Ze had de eerste stap gezet en, wat was dat cliché waar Ira – nota bene Ira! – het ook alweer altijd over had? 'Een enkele stap kan het begin zijn van een lange reis.' Goed, hij zei het meestal voor hij aan een grote klus begon, maar toch, dacht Ella. Het was waar, en ze had het gedaan. Ze had zich vermand, dacht ze, de hoorn weer van het toestel nemend. Ze popelde om Lewis te bellen om hem het nieuws te vertellen. Ze was in het diepe gesprongen. Ze had een begin gemaakt.

40

ROSE MOEST HET SIMON STEIN NAGEVEN: HIJ WAS VERDOMD VOL-
hardend. De dag nadat ze samen geluncht hadden was er een bos rozen bezorgd bij haar appartement. Er zat een kaartje bij waarop stond: 'Ik
verheug me erop je snel weer te zien. P.S.: Lunch niet te zwaar.' Ze
knipperde met haar ogen toen ze dat las, en hoopte dat hij niet op
gekke gedachten gekomen was. Ze zette de rozen in een vaas en
plaatste die op het aanrecht. De rest van haar spullen staken er meteen sleets en onromantisch tegen af. Het was best een aardige vent,
dat zeker, maar ze voelde zich absoluut niet tot hem aangetrokken.
Trouwens, dacht ze, op haar fiets stappend om in Pine Street boodschappen te gaan doen, ik zit helemaal niet te wachten op een relatie.
'Ik zit in een relatiepauze,' zei ze tegen Petunia tijdens hun dagelijkse ochtendwandeling. Rose was dol op alle honden waarvoor ze
zorgde, maar ze moest toegeven dat ze voor dit pruilende mopshondje altijd een zwak had gehad.

Petunia hurkte, deed een plasje in de goot, knorde een paar keer en
ging op zoek naar 'straat sushi' – pizzaresten, bier in een plas, kippen-
botjes. 'Het lijkt me een goed idee om zo nu en dan een pauze in te
lassen,' zei Rose. 'En dat doe ik dus nu.'

Die avond schoor Rose haar benen heel zorgvuldig, droogde zich af
met een handdoek en bekeek de kleren die ze had klaargelegd op haar
bed. Natuurlijk zat er niets bij. Het rode rokje dat er in het winkelcentrum zo geweldig had uitgezien, trok zich in vreemde plooien rond
haar heupen. De groene zomerjurk was hopeloos gekreukt, het spijker-

rokje miste een knoop en in de lange zwarte rok zag ze eruit alsof ze net van kantoor kwam of in de rouw was. God, waar was Maggie als je haar nodig had?

'Shit!' zei Rose. Ondanks het feit dat ze zojuist deodorant had opgedaan, brak het zweet haar uit. Ze was al vijf minuten te laat. 'Shit, shit, shit!' Ze deed het rode rokje aan, trok een wit T-shirt over haar hoofd en reikte in de kast naar haar slangenleren flatjes. Haar outfit mocht dan een kleine ramp zijn, aan haar schoenen zou het ook dit keer niet liggen.

Ze tastte de plank af. Laarzen, laarzen, instappers, hoge hakken, roze flatjes, zwarte flatjes, die vreselijke Teva-sandalen die ze zich had laten aansmeren in de week dat ze dacht dat ze zo'n frisse, blozende buiten-sportwinkelvrouw zou worden die in de paasvakantie voettochten maakte door de Appalachen... waar waren die schoenen in godsnaam?

'Maggie,' kreunde ze, nog steeds zoekend in de wirwar van bandjes, veters en gespen. 'Maggie, ik zweer het je, als je mijn schoenen hebt meegenomen...' En toen, nog voor ze had besloten wat ze haar zus zou aandoen, gleden haar vingertoppen over de gezochte flatjes. Ze griste ze van de plank, schoof ze aan haar blote voeten, pakte haar tas en haastte zich naar de deur. Ze gaf een tik op de liftknop. Onrustig heen en weer wiebelend keek ze in haar tas of ze haar sleutelbos wel bij zich had. Ze keek expres niet naar haar spiegelbeeld in de liftdeuren, omdat ze toch niet tevreden zou zijn met haar verschijning. De Ex-Advocate, dacht ze, terwijl ze haar gladde, maar ietwat schilferige benen bekeek.

Simon Stein stond voor het gebouw te wachten. Hij droeg een blauw button-downoverhemd, een kakibroek en bruine instappers: het uniform van Lewis, Dommel en Fenick op de dagen dat er geen team-trui gedragen hoefde te worden. Jammer genoeg was hij sinds hun laatste ontmoeting niet 20 centimeter gegroeid, noch was hij plotseling knap of breedgeschouderd. Maar hij hield het portier van een taxi beleefd voor haar open. 'Hallo,' zei hij, en hij bekeek haar goedkeurend van top tot teen. 'Mooie jurk.'

'Het is een rokje,' zei Rose. 'Waar gaan we heen?'

'Verrassing,' zei Simon, en knikte haar zelfverzekerd toe. Een geoefende, advocaatachtige, korte alles-komt-goed-knik. Een hoofdbeweging waarvan Rose zich vroeger ook regelmatig met veel succes van had bediend.

'Wees maar niet bang, ik ga je niet ontvoeren of zo.'

'Of zo,' herhaalde Rose, die nog niet was bijgekomen van de schok dat Simon Stein haar knikje had gebruikt. Na enige tijd minderde de taxi vaart en stopte aan de kant van de weg in een vervallen deel van South Street. Aan de ene kant van de straat was een hek voor een ver- wilderd grasveld geplaatst, aan de overkant stond een dichtgespijkerd, geblakerd pand met daarnaast een groen geschilderd winkeltje, waar volgens de neonverlichting achter het raam de 'Jerk Hut' gevestigd was. 'Dus hier kwamen al mijn vriendjes vandaan!' zei Rose. Simon Stein kon de grap wel waarderen en knorde Petunia-achtig. Hij hield het portier open zodat ze uit kon stappen. Zijn blauwe ogen schitter- den geamuseerd – of misschien was hij wel gewoon opgewonden over hun etentje, dacht Rose. Ze merkte op dat hij een bruine papieren zak onder zijn arm droeg. Ze keek ongemakkelijk om zich heen, naar de hoek van de straat, waar een groepje mannen een fles drank rond liet gaan, naar de glasscherven op de stoep, naar het dichtgespijkerde pand en de graffiti op de muren.

'Wees niet bevreesd,' zei Simon, die haar bij haar elleboog had ge- pakt en haar meevoerde naar de etalage... en er voorbij, naar een losse geschilderde houten deur, die langs de stoep was opgericht. Aan weerszijden van de deur was niets en erachter lag een smerig terrein- tje. Hij legde zijn hand op de deurklink en keek Rose aan. 'Houd je van Jamaicaans eten?'

'En wat als dat niet het geval is?' vroeg Rose, met een half oog de mannen op de hoek in de gaten houdend, terwijl hun taxi wegreed. Als er geen glinsterende, vierkante stenen gelegen hadden die een pad vormden door de grootsteedse rommel – lege flessen, verregende kran- ten, iets wat eruitzag als een gebruikt condoom – zou Rose gedacht hebben dat er na dit vieze veldje nog zo'n braakliggend stuk stad zou volgen. Het gras stond kniehoog en ze dacht even verderop een steel- band te horen.

Ze sloegen een hoek om en Rose zag dat achter de smalle gevel een schip met verschillende verdiepingen schuilging. Het dek was versierd met oranje doek en er hingen kleine, witte lampjes die aan sterren deden denken. Langs de rand van het dek stonden brandende fakkels en op een van de platforms stond een driekoppige band te spelen. Er hing een zoete geur van kruidnagelen in de lucht en boven haar hoofd, zelfs in dit armoedige deel van South Street, flonkerden de sterren.

Simon trok een plastic stoel te voorschijn en liet Rose erop plaats- nemen alvorens naar een tweede stoel op zoek te gaan. 'Is het niet

geweldig hier?' vroeg hij, een en al tevredenheid. 'Je zou nooit verwachten dat hier zoiets te vinden is.'

'Hoe ken je dit?' vroeg Rose zachtjes. Ze keek nog altijd naar de
sterrenhemel.

'Instinct,' zei Simon. 'En mijn Zagat-restaurantgids.' Hij pakte
twee blikjes bier uit de bruine papieren zak en onderwierp haar aan
een spervuur van vragen. Hield ze van scherpe gerechten? Was ze
allergisch voor noten of schaaldieren? Had ze er op psychologische of
andere gronden bezwaar tegen om geitenvlees te eten? Het leek wel of
ze haar hele medische dossier moest overleggen, maar dan alleen op
het gebied van eten, dacht Rose, die hem lachend vertelde dat ze van
scherp eten hield, niet allergisch was en het geitenvlees wel wilde proberen.

'Goed,' zei Simon, de menukaart dichtklappend. Rose was opgelucht. Ze had het gevoel dat ze was geslaagd voor een examen. Wat
natuurlijk belachelijk was. Wie dacht Simon Stein wel dat hij was om
haar aan een test te onderwerpen, en wat maakte het eigenlijk uit of
ze slaagde of niet?

Na de geitencurry en de scherp gekruide garnalen, na de runder-
pasteitjes en de gedroogde kippenvleugeltjes met kokosrijst, en nadat
Rose het voor haar doen heel hoge aantal van vier blikjes bier had
gedronken, en nog een slok had genomen uit het vijfde, stelde Simon
Rose een vraag.

'Noem eens iets wat je leuk vindt,' zei hij.

Rose hikte. 'Iemand?,' vroeg ze quasi-verlegen, 'of iets?'

Ze dacht dat als hij zou zeggen 'iemand', dat zij dan 'jou' zou zeggen en dat hij daar dan wel de conclusie uit zou trekken dat hij haar
zou mogen zoenen. Ergens na haar derde blikje bier was ze gaan
nadenken over de vraag of ze met Simon wilde zoenen en ze had
besloten dat ze het goed zou vinden als Simon haar aan het einde van
de avond wilde kussen. Er waren ergere dingen, dacht ze, dan op een
warme lenteavond onder de sterrenhemel gekust te worden door een
man, zelfs al was hij bijna tien centimeter kleiner dan zij, geobsedeerd
door eten en het softbalteam van zijn advocatenkantoor. Het was een
aardige vent. Heel aardig. Dus zou ze met hem zoenen.

Maar Simon Stein verraste haar. 'Iets,' zei hij. 'Iets wat je leuk
vindt.'

Rose ging de mogelijkheden na. Je lach? Dit restaurant? Het bier? In
plaats daarvan graaide ze in haar tas en haalde haar sleutelhanger te

voorschijn. Ze had hem bij het winkeltje op Chestnut Street gekocht omdat ze nu van steeds meer mensen de huissleutel kreeg. 'Dit vind ik leuk,' zei ze, en liet hem zien dat aan het eind van de ketting een klein zaklampje hing, niet veel groter dan een kurk. Haar vingers waren een beetje opgezwollen en vanwege het bier een tikkeltje onhandig, maar na een paar pogingen lukte het om hem met het lampje in zijn gezicht te schijnen. 'Deze kostte één dollar.'

'Een koopje,' zei Simon Stein. Rose fronste haar wenkbrauwen en er verschenen rimpels op haar voorhoofd. Zat hij haar in de maling te nemen? Ze nam nog een slokje bier en wierp haar haar naar achteren. 'Soms,' zei ze, 'denk ik erover om op mijn fiets te stappen en naar de andere kant van het land te rijden.'

'In je eentje?'

Rose knikte. Ze zag het al voor zich – ze zou fietstassen kopen voor op haar bagagedrager en zo'n karretje dat fietsers voor lange afstanden gebruiken, met daarin een eenpersoonstent en een slaapzak en Petunia en dan... gewoon gaan. 's Morgens fietsen, lunchen bij een wegrestaurant of een café, nog een paar uur fietsen en dan haar tentje opzetten naast een riviertje, in haar dagboek schrijven (in deze fantasie hield ze een dagboek bij, hoewel ze dat in werkelijkheid niet deed), nog even lezen in haar liefdesroman en dan onder de sterrenhemel in slaap vallen.

Het leek een beetje op de fantasie die ze had gekoesterd in de jaren na het overlijden van haar moeder. Ze droomde er toen van een camper te kopen, zo'n Winnebago van anderhalve rijstrook breed en voorzien van alle denkbare moderne faciliteiten. Ze moet eens ergens een plaatje hebben gezien van zo'n ding, of er zelfs een keertje in zijn geweest. Ze herinnerde zich dat het een zelfvoorzienend wereldje op zich is, met bedden die neergeklapt konden worden en twee gaspitjes, een piepkleine douchecel en tv-toestellen die in het plafond waren weggewerkt. Ze wilde niets liever dan met haar vader en Maggie wegrijden in zo'n wagen. Ze zouden weggaan uit Connecticut en naar warmere oorden gaan, ergens waar de wegen niet nat waren, waar geen grijze grafsteen stond, waar geen politiemannen aan de deur kwamen. Phoenix, Arizona, San Diego, Californië, Albuquerque, New Mexico. Een zonnige plek waar het altijd zomer was en waar het naar sinaasappels rook.

Ze lag dan te woelen in bed en sprak de namen één voor één uit, stelde zich de camper voor, stelde zich voor hoe Maggie lekker was ingestopt in het onderste uitklapbed, stelde zich voor dat zijzelf dapper genoeg was om in het bovenste bed te slapen. Haar vader zat aan het stuur, zijn tevreden, knappe gezicht beschenen door het licht van het dashboard. Ze zouden hun hond Honey Bun teruggekregen hebben, hun vader zou niet meer allergisch zijn, Honey Bun zou op een kussen slapen op de passagiersstoel en hun vader zou niet meer huilen. Ze zouden rijden en rijden tot ze heel ver weg waren, tot ze de herinnering aan hun moeder en aan de kinderen die haar gepest hadden op het schoolplein en de leraren die Maggie meewarig hadden aangekeken achter zich gelaten hadden. Ze zouden ergens aan zee gaan wonen. Maggie en zij zouden elkaars beste vriendin zijn. Ze zouden iedere dag gaan zwemmen en eten koken op een kampvuur en iedere avond in slaap vallen in de beslotenheid van de camper.

'Dank je,' zou haar vader zeggen. 'Het was zo'n goed idee van je, Rose. Je hebt ons gered.' Rose zou weten dat het waar was wat hij zei, net zo echt als het zonlicht, het gevoel van haar huid, het gewicht van haar botten. Ze zou hen alledrie redden, dacht ze, voordat ze eindelijk in slaap viel, dromend over uitklapbare bedden en het dashboard en de oceaan die ze nooit zou zien.

'Zou je niet eenzaam zijn?' vroeg Simon.

'Eenzaam?' herhaalde Rose. Ze kon even niet volgen waar het over ging. Ze zat nog midden in die fantasie over de camper, die door de jaren heen steeds verder was uitgewerkt, zelfs al wist ze dat het er nooit van zou komen. Op een dag had ze in een buurtkrantje een advertentie zien staan voor een tweedehands Winnebago. Toen ze die aan haar vader had laten zien, had hij haar aangekeken of ze een buitenaards wezen was. Hij had daarna vriendelijk gezegd: 'Nee, Rose, echt niet.'

'Denk je niet dat je je alleen zou voelen?' vroeg Simon.

Rose schudde onmiddellijk haar hoofd. 'Ik heb niemand...' Ze haalde diep adem, en brak haar zin af. Plotseling had ze het warm, ondraaglijk warm en voelde ze zich ongemakkelijk. De muziek was te hard, haar gezicht gloeide en het hete eten lag als een steen op haar maag. Ze nam een slok water uit en begon opnieuw. 'Ik ben een heel zelfstandig persoon,' zei ze. Ik houd ervan om alleen te zijn.'

'Wat is er?' vroeg hij. 'Gaat het wel? Wil je een glas gemberbier? Ze maken het hier zelf, het helpt als je maag opspeelt...'

Rose maakte een afwijzend gebaar en begroef haar gezicht in haar handen. Met haar ogen dicht zag ze de Winnebago nog voor zich zoals ze die zich altijd had voorgesteld. Zij drieën onder een luifel die aan de camper bevestigd was, met een hotdog in de hand, in hun slaapzakken zittend bij een vuurtje op het strand, veilig en knus in hun perfecte huisje als rupsen in cocons. Ze wilde toen zo graag dat haar droom uit zou komen, maar in plaats daarvan had ze haar vader moeten afstaan aan Sydelle en aan een wereld van honkbaluitslagen en aandelen. In die wereld waren de enige onderwerpen waarover hij veilig kon spreken het percentage vrije worpen en de stabiliteit van obligaties, in die wereld waren de enige gevoelens die hij zichzelf toestond die van blijdschap wanneer de Eagles wonnen en teleurstelling wanneer zijn aandelen het slecht hadden gedaan. En Maggie...

'O,' kreunde ze. Ze wist dat Simon Stein van haar gedrag zou schrikken, maar ze kon er niets aan doen. Maggie. Ze had gedacht dat ze Maggie kon redden. Maar kijk nou toch hoe dat was afgelopen. Ze wist niet eens waar haar zusje, haar bloedeigen zusje, woonde. 'O,' klonk het weer, iets zachter en Simon Stein sloeg een arm om haar schouder. 'Wat is er?' vroeg hij. 'Denk je dat je een voedselvergiftiging hebt opgelopen?' Hij klonk zo bezorgd dat Rose moest lachen. 'Kun je nog water drinken?' Hij stak zijn hand in zijn zak. 'Ik heb paracetamol, Alka-Seltzer...'

Rose keek op. 'Gebeurt dit vaak als je een avondje met iemand uit bent?'

Simon Stein perste zijn lippen opeen. 'Ik kan niet zeggen dat het vaak gebeurt,' bracht hij na enige tijd uit. 'Maar misschien is het wel eens voorgekomen.' Hij keek haar onderzoekend aan. 'Gaat het weer?'

'Ik heb in ieder geval geen voedselvergiftiging, verder gaat het redelijk,' zei Rose.

'Wat is er dan?' vroeg hij.

'Ik... ik moest opeens aan iemand denken.'

'Aan wie?'

Rose zei het zonder na te denken. 'Petunia. Dat is een hondje waar ik voor zorg.' En Simon Stein, de schat, barstte niet in lachen uit, gniffelde niet eens, en hij keek haar ook niet aan alsof ze gek was. Hij stond op, vouwde zijn servet dubbel, legde een fooi van tien dollar op tafel en zei: 'Laten we dan maar naar haar toe gaan.'

'Dit kan niet!' fluisterde Rose.

'Ssst,' zei Simon Stein.

'We zijn praktisch in overtreding,' zei Rose.

'Hoezo?' vroeg Simon. 'Je moet de hond op zaterdag uitlaten. Nou, het is zaterdag.'

'Het is vrijdagavond.'

'Het is,' zei Simon, op zijn horloge kijkend, 'precies vijf minuten over twaalf.'

Rose keek hem gemaakt-wanhopig aan. 'Moet je echt áltijd gelijk hebben?'

'Het liefst wel,' zei Simon, en Rose vond dit een extreem grappige opmerking. Ze barstte in lachen uit. Simon legde zijn hand op haar mond.

'Ssst,' fluisterde hij. Rose zocht in haar sleutelbos met het zaklampje naar de sleutel en vond er een met een stukje plakband waarop 'Petunia' geschreven was. Ze gaf de sleutel aan Simon.

'Oké,' zei Simon. 'We gaan als volgt te werk. Ik doe de deur open. Jij zet het alarm uit. Ik pak de hond. Waar denk je dat ze is?'

Rose was even stil. Ze kon niet helder denken. Na al die biertjes in de Jerk Hut waren ze naar een café gegaan om Operatie Petunia verder uit te werken en daarbij hadden ze de nodige wodka genuttigd. 'Ik weet het niet,' antwoordde ze uiteindelijk. 'Als ik haar kom halen ligt ze meestal op de bank, maar ik weet niet waar ze slaapt als haar baasjes thuis zijn.'

'Nou, laat dat dan maar aan mij over,' zei hij. Dat leek Rose een goed idee. Ze had het niet precies bijgehouden, maar ze wist bijna zeker dat hij iets minder wodka gedronken had dan zij.

'Riem?' vroeg Simon, en Rose haalde de veters te voorschijn die ze in het café uit Simons schoenen hadden gehaald en aan elkaar hadden geknoopt. 'Lokkertje?' Rose diepte uit haar tas een in een vettig servetje gewikkeld stukje vlees op. 'Briefje?' Rose haalde nog een servetje te voorschijn. 'Beste Shirley, ik was in de buurt en wilde Petunia graag meenemen voor een vroege ochtendwandeling.' Na drie mislukte pogingen klonk deze verklaring hun redelijk aannemelijk in de oren.

'Kunnen we?' vroeg Simon, terwijl hij Rose bij de schouders pakte en haar lachend aankeek. 'Kun je het aan?' vroeg Simon, en Rose knikte weer. Simon boog zich voorover en drukte een kus op haar mond. 'Kom, we gaan naar binnen,' zei hij, maar Rose was zo ondersteboven van zijn kus dat ze stokstijf bleef staan, terwijl Simon de deur van het slot draaide en het alarm de nachtelijke stilte verscheurde.

'Rose,' siste hij. Ze stommelde het appartement binnen en begon de toetsen van het alarm in te drukken, terwijl Petunia de zitkamer binnen stoof en woest blaffend op hen af rende. Midden in de kamer kwam ze schuivend over het parket tot stilstand en begon te kwispelen.

Shirley kwam direct achter de hond aan, met haar mobiele telefoon in de aanslag. 'O,' zei ze, het tweetal in zich opnemend. 'Simon. Sinds wanneer kom jij binnen zonder te kloppen?' Rose' mond viel open. Ze keek van Simon naar Shirley naar Petunia, die verwoede pogingen deed om in Simons armen te springen. Simon stond haar lachend aan te kijken. 'Rose,' zei hij, 'dit is mijn grootmoeder. Nanna, je kent Rose wel, hè?'

'Natuurlijk ken ik Rose,' zei Shirley ongeduldig. 'Petunia, hou daar mee op!' Petunia hield gehoorzaam op met springen en ging zitten. Haar korte staartje draaide wild in het rond en haar roze tong hing uit haar bek. Rose stond er onbeweeglijk bij en probeerde de situatie tot zich door te laten dringen, maar haar verstand had haar in de steek gelaten.

'Dus... jij kent Petunia?' vroeg ze eindelijk.

Simon knikte. 'Ik ken Petunia al sinds ze nog maar zo klein was,' zei hij, met zijn handen het formaat van een theekopje aangevend.

'En jij kent Simon,' zei Shirley.

'We zijn collega's van elkaar geweest,' zei Rose.

'Prachtig,' zei Shirley. 'Nu iedereen iedereen blijkt te kennen kan ik zeker wel weer naar bed?'

Simon liep naar zijn grootmoeder toe en gaf haar een kus op haar voorhoofd. 'Dank je, Nanna,' zei hij. 'Sorry dat we je wakker hebben gemaakt.'

Shirley knikte, zei iets wat Rose niet verstond, en liet ze achter in de hal. Petunia zat nog steeds blij te kwispelen en keek van Simon naar Rose en weer terug.

'Wat zei ze?' mompelde Rose.

Simon lachte naar haar. 'Ik geloof dat ze zei dat het me redelijk wat tijd gekost had.'

'Wat heeft je... hoe weet zij...'

Simon pakte Petunia's riem uit de lade waarin Shirley die bewaarde en keek Rose lachend aan. 'Laten we gaan wandelen,' zei hij. Hij pakte de riem van Petunia in zijn ene en Rose' hand in de andere en bracht ze naar zijn appartement, waar ze samen onder zijn warme, blauwe dekbed lagen tot de zon opkwam.

41

MAGGIE STAPTE UIT DE DOUCHECABINE EN TROK ZO SNEL ALS ZE
kon haar schone kleren aan. Ze kamde haar haar en maakte een paardenstaart. Ze keek nog even om, sloot voorzichtig de deur en ging
haastig op weg, voor ze zich zou bedenken. Ze ging het hele verhaal
aan Charles vertellen. Ze zou het brengen als een idee voor een toneelstuk dat ze wilde schrijven. *Er was eens een meisje dat naar de
universiteit vluchtte.* Ze wilde horen wat hij ervan vond en zou zijn
mening van zijn gezicht proberen af te lezen. Als hij er niet geheel afwijzend tegenover zou lijken te staan zou ze hem vertellen hoe het
zat. Ze duwde de deur open en botste tegen iemand op. Josh. Josh, de
jongen van haar eerste nacht op Princeton. Hij stond daar in het half-
duister, met in zijn hand haar rugzak, die hij langzaam heen en weer
liet zwaaien.

Haar adem stokte in haar keel. Ze deinsde achteruit en liet zich
met haar rug tegen de muur vallen. Josh zag er niet uit of hij dronken
was of drugs had gebruikt, en ook niet als iemand die zin heeft in een
avontuurtje. Ze had eerder de indruk dat hij haar wilde vermoorden,
hoewel hij na enig gedelibereer ook wel genoegen zou nemen met een
flinke foltersessie. Een foute man kwam op de een of andere manier
altijd een keer bij je terug, dacht Maggie, en deinsde nog iets verder
achteruit, zich afvragend wat hij van plan was en hoe hij daar trouwens binnen was gekomen, want de bibliotheek was gesloten. Hij
moest haar hebben opgewacht, hetgeen betekende dat ze met zijn
tweeën in de bibliotheekkelder waren opgesloten...

'O god,' dacht Maggie, terwijl ze zich met zo veel kracht tegen de muur drukte, dat het leek of ze erin wilde verdwijnen. Dit ging fout. Dit ging helemaal fout.

'Kijk eens wie we daar hebben,' zei hij zachtjes, en wreef even met zijn duim over haar tatoeage, die hij zich waarschijnlijk nog herinnerde van die bewuste nacht in zijn bed. 'Zeg, kleine M., je hebt nog iets van me, geloof ik.'

'Ik zal je het geld teruggeven,' fluisterde Maggie, terwijl hij zich zo dicht tegen haar aan drukte dat zijn neus de hare raakte. 'Ik heb het in mijn tas. Ik heb het niet eens uitgegeven, ik zal het je meteen teruggeven...' Ze rilde toen hij haar vastpakte en beet op haar lip om het niet uit te gillen. Wat een ramp, dacht ze. Net als in het gedicht. Ze probeerde zich los te trekken, hoopte dat ze hem kon ontvluchten, maar hij hield haar stevig vast en fluisterde onafgebroken vervelende dingen in haar oor.

'Wat doe je hier eigenlijk?' vroeg hij haar. 'Je hoort hier niet. Je mag hier helemaal niet zijn. Wat doe je hier dan?'

'Ik zal je je geld geven. Laat me los,' zei Maggie en probeerde zich weer los te rukken, maar hij had haar in zijn macht, duwde haar tegen de ijskoude, granieten muur van de bibliotheek. Hij bleef maar tegen haar praten, bleef maar woorden in haar gezicht spugen, terwijl zij zich aan hem probeerde te ontworstelen. Zijn stem klonk vast, maar hoe langer hij tegen haar sprak, hoe meer zijn toon veranderde van intimiderend en beschuldigend in een zoet gevlei.

'Misschien moet ik je maar toestaan het op de een of andere manier goed te maken,' zei hij, terwijl zijn blik over haar lijf gleed op een manier die haar het gevoel gaf dat hij een emmer chemisch afval over haar had leeggegoten. 'Ik weet niet meer precies wat er die nacht is gebeurd, maar ik geloof dat we nog wat zaken moeten afhandelen. En het is hier lekker rustig, we zijn helemaal alleen. We zouden verder kunnen gaan waar we gebleven zijn.'

Maggie kreunde wanhopig. 'Laat me los,' smeekte ze.

'Waarom zou ik?' vroeg Josh. Er waren blosjes op zijn bleke gezicht verschenen. Zijn voorhoofd ging schuil achter blonde plukken en bij ieder woord landden er kleine druppeltjes speeksel op haar gezicht. 'Je zit in de nesten. Diep in de nesten. Ik heb je rugzak doorzocht. Drie legitimatiebewijzen. Mooi is dat. En een heleboel contant geld. Van wie is dat geld? Van andere kerels? En woon je hier beneden? Heb je enig idee wat er zou gebeuren als ik de campusbewaking hiervan op de hoogte zou stellen? Of de politie?'

Maggie keek naar de vloer en begon stilletjes te huilen. Ze kon de tranen niet tegenhouden. De manier waarop hij tegen haar praatte, haar bij haar polsen vasthield, het deed haar zo sterk denken aan die kerels op de parkeerplaats vol weggesleepte auto's... en ze was nu net zo bang als toen. Ze schaamde zich, voelde zich ongemakkelijk onder zijn constante woordenstroom, die als een hagelbui op haar neerdaalde en haar pijn deed. En het was zo oneerlijk. Wat had ze nu helemaal gestolen? Een beetje eten, terwijl daar meer dan genoeg van was. Een paar boeken van mensen die zo stom of zo lui waren om ze te laten slingeren. Een paar kledingstukken uit de gevonden-voorwerpendozen, ze had een lege stoel bezet in een collegezaal waar een docent toch wel zou gaan lesgeven, of zij er nu bij zat of niet.

Maggie rechtte haar rug en sloeg haar ogen op. 'Oké,' zei ze. 'Zo kanie wel weer.' Ze perste er een glimlach uit, dwong zichzelf het elastiekje uit haar haar te trekken en het los te schudden tot het over haar schouders viel. 'Ik geef me over,' fluisterde ze. 'Ik kan geen kant meer op.' Ze wierp al haar charme in de strijd, het sex-appeal dat ze al die maanden onder sweatshirts verborgen had, en probeerde er zo uitnodigend uit te zien als een likje caramelsaus op een bolletje vanille-ijs. 'Wil je weten hoe ik eruitzie?' vroeg ze, hopend dat hij niet had opgemerkt hoe haar stem trilde, hopend dat haar lichaam hem voldoende zou afleiden.

Josh slikte en veegde zijn handen aan zijn spijkerbroek af. Dat was precies waar Maggie op hoopte. Ze pakte een van de hengsels van haar rugzak en sloeg hem met het ding in zijn gezicht. Hij stapte achteruit. Ze trapte hem zo hard mogelijk tegen zijn scheenbeen. Hij hapte naar adem, klapte voorover en Maggie ging ervandoor.

Ze vloog drie trappen op, duwde de zware glazen deuren open, hoorde achter zich het alarm loeien en snelde de binnenplaats over. Ze had haar rugzak vast bij een van de hengsels, die was losgeraakt toen hij haar had vastgepakt. Ze was niet in staat om na te denken. Ze rende, de adrenaline joeg door haar lichaam. Het was een heerlijke lenteavond. Studenten in korte broeken en t-shirts slenterden langs de paden, lagen onder de treurwilgen, riepen elkaar dingen toe door de openstaande ramen. Maar Maggie had het gevoel dat er een groot bord op haar rug hing waarop stond: 'Ik hoor hier niet thuis.' Ze rende harder en harder, ze voelde een stekende pijn in haar borstkas, rende de campus af, de stoep op, richting het busstation op Nassau Street.

In godsnaam in godsnaam in godsnaam, smeekte ze en gelukkig kwam er net een bus aan. Ze sprong erin, betaalde de chauffeur, ging zitten en sloeg haar armen om haar rugzak. Haar hart bonkte tegen haar ribben.

Als ik maar bij Corinne kan komen, dacht ze. Naar Corinne gaan en zorgen dat ze me binnenlaat, ook al is het midden in de nacht en verwacht ze me pas morgenochtend. Ze leunde achterover in haar stoel en sloot haar ogen. Ze zat weer in de problemen, net als toen ze hier gekomen was. Ze zou er weer iets op moeten vinden, net als de vorige keer Ze pakte haar mobiele telefoon uit haar zak, haalde diep adem, en toetste het nummer van haar zus in. Het was al laat. Het was een doordeweekse dag. Rose zou zeker thuis zijn. Zij zou wel weten wat ze moest doen.

Maar Rose was niet thuis. 'Hallo, dit is Rose Feller en Feller Pet Care,' zei het antwoordapparaat. Wat? 'Spreek alstublieft uw naam, de naam van uw huisdier en de dagen waarop u van mijn diensten gebruik wilt maken in en ik bel u zo spoedig mogelijk terug.' Verkeerd gedraaid, dacht Maggie. Dat kon niet anders. Ze toetste het nummer nogmaals in en kreeg weer dat bandje, maar dit keer sprak ze na de piep wel een bericht in. 'Rose,' piepte ze. 'Ik ben...' Ik ben wat? Ik ben weer eens stom bezig geweest? Je moet me weer eens uit de brand helpen? Ik kan het weer eens niet alleen? Maggie sloot haar ogen en verbrak de verbinding. Ze zou er zelf wel uitkomen.

'Maggie?' vroeg Corinne, die met een verbaasde blik in de deuropening stond. 'Hoe laat is het? Wat kom je doen?'

'Ik weet het, het is al laat,' zei Maggie. 'Er is iets... Ik ben...' Ze haalde diep adem. 'Ik vroeg me af of ik een paar dagen bij je kon logeren. Ik zal je huur betalen, gratis je huis schoonmaken...'

Corinne stond tegen de deur geleund. 'Wat is er gebeurd?'

Maggie liep in haar hoofd razendsnel de mogelijkheden door. Zou ze Corinne vertellen dat ze ruzie had met een huisgenote? Had ze Corinne verteld dat ze huisgenoten had? Ze wist het niet meer. En wat als die nare vent haar gevolgd was? Als hij wist dat ze in de bibliotheek sliep, dan wist hij misschien ook wel dat ze hier werkte.

'Maggie?' Corinne keek bezorgd. Ze had haar bril niet op en Maggie zag haar ogen als angstige blauwe visjes heen en weer schieten.

'Er is iets gebeurd,' zei Maggie.

'Ik geloof dat me dat al duidelijk geworden was,' zei Corinne, die Maggie binnenliet en met haar vingers langs de wand glijdend naar de keuken liep. Maggie nam plaats aan de keukentafel terwijl Corinne de ketel vulde, het gas aanstak, twee mokken en twee theezakjes van het schapje naast het fornuis nam. 'Wil je het me vertellen?' Maggie boog haar hoofd. 'Niet echt,' fluisterde ze. 'Heeft het met drugs te maken?' vroeg Corinne streng, en Maggie was zo verrast door deze vraag dat ze in de lach schoot. 'Nee,' zei ze. 'Geen drugs. Ik moet me gewoon even gedeisd houden.' Ze had wel door dat ze zichzelf hiermee afschilderde als een rascrimineel, maar ze kon zo snel niets anders bedenken. 'Ik ben heel gespannen de laatste tijd,' voegde ze er nogal suffig aan toe. 'En het is hier zo lekker rustig.' Ze had zich niet beter kunnen uitdrukken. Corinne straalde. Ze deed een schepje suiker in de thee en zette de mokken op tafel. 'Die laatste tentamens van het jaar zijn zwaar, hè?' zei ze. 'Ik weet nog goed dat ik ze moest doen. Het was zo onrustig in de studentenhuizen, en het was zo druk in de bibliotheek! Maak je maar geen zorgen meer,' zei ze tegen Maggie. 'Je mag een kamer kiezen op de derde verdieping. Ze zijn allemaal schoon, toch?'

'Inderdaad,' zei Maggie. Ze had ze zelf schoongemaakt. Ze nam een slokje thee en wenste dat haar hart rustiger zou gaan slaan. Een plan. Een plan. Ze moest een plan bedenken. Ze zou hier een paar dagen blijven. Ze zou een paar nieuwe dingen moeten kopen, ze had wel wat schone kleren bij zich, maar de rest van haar spullen lag nog in de bibliotheek en daar kon ze niet meer heen. Waar moest ze naartoe? Kon ze teruggaan naar haar vader? Naar Rose? Zouden ze haar nog willen zien? Wilde ze dat zelf eigenlijk wel?

Ze sloot haar ogen en zag zichzelf zitten op de achterste rij van het poëziecollege, terwijl ze de docente uitlegde waar het gedicht 'Een hele kunst' over ging. Ze zag het gezicht van Charles voor zich, met het haar dat steeds naar voren viel als hij het over Shakespeare en Strindberg had, en de voorstelling met John Malkovich die ze had gezien. Op Princeton wist niemand dat ze een mislukkeling was, dat ze alles verknoeide, daar kende niemand haar schaamtevolle familiegeschiedenis. Op Princeton wist niemand dat zij anders was dan de anderen. Totdat die jongen in de bibliotheek was opgedoken. Tot vanavond.

Ze knipperde met haar ogen. Ze wilde niet huilen. Ze zou er wel iets op verzinnen. Houd je nu maar even gedeisd, dacht ze. En maak je dan uit de voeten. Ze kon hier niet blijven zolang die jongen op de campus rondliep. En als alle studenten naar huis waren kon ze ook niet blijven, omdat er dan geen menigte was om in op te gaan. Wat moest ze doen?

'Maggie?' vroeg Corinne. Maggie keek haar wezenloos aan. 'Heb je familie? Kan ik iemand voor je bellen?'

Maggie haalde haar neus op, beet op haar lip. Het liefst was ze gaan huilen, maar daar zou ze ook niets mee opschieten. 'Nee,' zei ze. Haar stem trilde. 'Nee. Er is niemand die je kunt bellen.' Corinne hield haar hoofd scheef. 'Weet je het zeker?' Maggie dacht aan haar rugzak, aan het stapeltje geld dat ze in een van de vakjes had opgeborgen. Ze hoorde het die jongen nog zeggen. 'Ik heb je rugzak doorzocht.' Ze pakte haar rugzak, rukte het vakje open. Het geld was weg. Haar legitimatiebewijzen en creditcards waren weg. Ze had alleen haar kleren en boeken nog, en... Haar vingers gleden over het beduimelde papier van de verjaardagskaart. Ze haalde hem te voorschijn, opende de envelop en las hem voor de honderdste keer, de felicitatie, de ondertekening en het telefoonnummer. 'Een oma,' zei ze, weer met die beverige stem. 'Ik heb een oma.'

Corinne knikte haar tevreden toe. 'Je moet nu gaan slapen,' zei ze. 'Kies maar een slaapkamer uit. Je kunt haar morgenochtend bellen.'

De volgende ochtend stond Maggie in Corinnes zonnige keuken met haar mobiele telefoon in de aanslag. Ze draaide het nummer dat haar grootmoeder bijna twintig jaar geleden op de verjaardagskaart had geschreven. De telefoon ging heel lang over. Maggie kruiste haar vingers. Alsjeblieft, dacht ze, zonder eigenlijk te weten wat ze nu precies wenste, behalve dat ze hoopte dat er iemand zou opnemen.

En dat gebeurde ook.

Rose Feller werd midden in de nacht wakker in een vreemd bed en haar hart ging wild tekeer. Maggie, dacht ze. Ze had over Maggie gedroomd.

'Maggie,' zei ze hardop, maar ze was nog slaapdronken en wist niet zeker of het Maggie was die ze had gezien. Een vrouw, rennend door een bos. Dat was alles. Een vrouw met doodsangst in haar ogen, haar mond geopend, schreeuwend, rennend door het struikgewas, waarvan de takken haar leken te willen grijpen.

'Maggie,' zei ze weer. Petunia, die de nacht ook bij Simon doorbracht, keek Rose aan vanaf haar kussen op de vloer. Zodra ze in de gaten kreeg dat er geen brand was uitgebroken en dat er ook geen eten te verwachten viel, deed ze haar ogen weer dicht. Rose ging op de rand van het bed zitten. Simon legde zijn hand op haar heup.

'Ssst,' zei hij. Hij trok haar tegen zich aan, vleide zijn lichaam helemaal tegen het hare aan en kuste haar in haar nek. 'Wat is er?' Hij bewoog zijn neus heen en weer en ze voelde haar krullen langs haar nek glijden. 'Heb je naar gedroomd?'

'Ik droomde over mijn moeder,' zei Rose met een diepe stem, langzamer en dieper dan normaal. Een slaperige onderwaterstem. Maar klopte dat eigenlijk wel? Haar moeder. Maggie. Misschien was ze het zelf wel, rennend door het bos, struikelend over boomwortels, voorover vallend op handen en knieën, weer opkrabbelend, verder rennend. Maar voor wie was ze op de vlucht? Waar rende ze naartoe? 'Mijn moeder is overleden. Had ik je dat wel eens verteld? Ik kan het me niet herinneren. Ze overleed toen ik nog een klein meisje was.'

'Ik ben zo terug,' fluisterde Simon, en stond op. Ze hoorde dat hij naar de keuken liep. Een minuut later stond hij in die idiote gestreepte pyjama weer in de slaapkamer met een glas water. Ze dronk het dankbaar leeg terwijl hij in bed stapte en het licht uitknipte. Hij kwam weer tegen haar aan liggen, legde zijn ene hand lichtjes op haar voorhoofd en de andere in haar nek, alsof ze een zeldzaam en breekbaar voorwerp was.

'Wat erg van je moeder,' zei hij. 'Wil je erover praten?'

Rose schudde haar hoofd.

'Je kunt me alles vertellen,' zei Simon. 'Ik zal voor je zorgen. Dat beloof ik.' Maar Rose vertelde hem die avond niets. Ze sloot haar ogen, ontspande zich en viel in slaap.

Ella zat aan haar bureau naar het scherm van haar laptop te turen, waarop ze voor de volgende editie van de *Golden Acres Gazette* een lijst samenstelde van gratis lezingen, toen de telefoon ging.

'Hallo?' zei ze.

Geen antwoord... ze hoorde alleen iemand ademen.

'Hallo,' zei ze nogmaals. 'Mevrouw Lefkowitz, bent u dat? Is alles goed met u?'

Haar vraag werd beantwoord door een jonge vrouw. 'Bent u Ella Hirsch?'

Een telefonische enquête, dacht Ella. 'Ja, dat klopt.'

Er volgde een korte stilte. 'Hebt u een dochter die Caroline heet?'

Ella ademde diep in. 'Ja, dat klopt ook,' zei ze, zonder erbij na te denken. 'Dat wil zeggen, dat klopte ook.'

'Ehhm,' zei de vrouw. 'U kent mij niet. Ik ben Maggie Feller.'

'Maggie,' zei Ella meteen. Terwijl ze haar kleindochters naam uitsprak, werd ze vervuld van een vertrouwde mengeling van opluchting, opwinding en angst. 'Maggie. Ik heb gebeld. Ik heb je zuster gebeld... heeft ze mijn bericht ontvangen? Heeft ze het je verteld?'

'Nee,' zei Maggie, en zweeg daarna. 'Tja,' begon ze. 'U kent mij niet, en u hoeft mij helemaal niet te helpen, maar ik zit in de nesten, diep in de nesten...'

'Ik zal je helpen,' antwoordde Ella onmiddellijk, en kneep haar ogen dicht, in de hoop dat Maggie zou vertellen hoe.

III

Ik draag je hart met me mee

42

ROSE FELLER HAD HAAR MOEDER NOG NOOIT ZO ERG GEMIST ALS tijdens haar verloving met Simon Stein. Ze waren in april voor het eerst met elkaar uitgegaan. In mei zagen ze elkaar zo'n vier à vijf keer per week. In juni was Simon praktisch bij Rose ingetrokken. In september had hij haar nog eens meegenomen naar de Jerk Hut, waar hij plotseling onder tafel dook, zogenaamd om zijn servet op te rapen, en weer te voorschijn kwam met een zwart fluwelen doosje in zijn hand. 'Het gaat me iets te snel,' zei Rose, die niet kon geloven dat hij haar echt ten huwelijk zou gaan vragen, maar Simon keek haar diep in de ogen en zei: 'Ik weet zeker dat je de ware bent.'

In mei van het volgend jaar zouden ze trouwen. Het was al oktober, en dat betekende, als je de verkoopsters moest geloven, dat Rose aan de late kant was met het bestellen van haar trouwjurk. 'Weet je hoe lang het duurt voor zo'n jurk hier is?' had de vrouw in de eerste winkel haar gevraagd. Rose had even met de gedachte gespeeld om de verkoopster te vragen of ze enig idee had hoe lang het had geduurd voordat ze de juiste vent gevonden had, maar had besloten haar mond te houden.

'Dit is pure marteling,' zei ze, worstelend met een panty, die toen ze er één voet in had weten te persen minstens een centimeter dik bleek te zijn.

'Zal ik Amnesty International bellen?' vroeg Amy. Rose gooide haar gympen in een hoek van de zalmroze geschilderde en met kant behangen paskamer van bruidswinkel Country Bride, waar het rook naar lavendelpotpourri en waar uitsluitend instrumentale lovesongs gedraaid werden. Ze zat stevig ingesnoerd in een bustier die haar borsten opstuwde tot vlak onder haar kin en die, zoals ze later zou ontdekken, lelijke striemen in haar vel drukte. Verder droeg ze korsetachtig ondergoed, waarvan de verkoopster haar had proberen wijs te maken dat het 'corrigerend' was, maar toen Rose voelde hoe het ding de lucht uit haar longen perste, wist ze dat het gewoon een korset was. De verkoopster bleef echter onvermurwbaar. 'Het dragen van het juiste ondergoed is van essentieel belang,' had ze gezegd, terwijl ze Rose aankeek alsof ze eraan wilde toevoegen dat alle ándere aanstaande bruiden daar al wel van overtuigd waren.

'Je hebt geen idee hoe erg dit is,' kreunde Rose. De verkoopster nam een jurk in haar armen en hield hem voor Rose open. 'Duiken,' beval ze. Rose stak haar armen de lucht in, boog voorover, trok een grimas toen het korset zich in haar vel drong, en wurmde haar hoofd door de opening. De wijde rok van de jurk viel ruisend neer tot op haar enkels, terwijl Rose probeerde haar armen in de mouwen te krijgen en de verkoopster de rits op haar rug sloot.

'Wat is er allemaal zo erg?' vroeg Amy.

Rose sloot haar ogen en noemde de naam van degene die de volle drie maanden dat ze nu verloofd was door haar hoofd had gespeeld, en die haar, dat wist ze zeker, in toenemende mate zou blijven kwellen naarmate de trouwdatum naderbij kwam. 'Sydelle,' zei ze

'Oei,' zei Amy.

'Oei, dat is nog zacht uitgedrukt,' zei Rose. 'Die valse stiefmoeder van mij heeft zich nu in haar hoofd gehaald dat ze mijn beste vriendin is.' Het was echt zo. Toen Simon en zij naar New Jersey waren gereden om Michael Feller en zijn vrouw van het goede nieuws op de hoogte te stellen, had Michael zijn dochter in zijn armen genomen en Simon eens flink op zijn schouder geklopt, maar Sydelle was geschrokken op de bank blijven zitten. 'Wat een heerlijk nieuws,' had ze uiteindelijk uitgebracht. Met wijd opengesperde neusgaten perste ze de woorden tussen haar perfect gestifte lippen door. 'Wat heerlijk voor jullie!' Meteen de volgende dag belde ze Rose thuis op om haar voor te stellen ergens gezellig thee te gaan drinken en ze bood meteen ook haar diensten aan als 'huwelijksconsulente'. 'Ik wil mezelf niet op de borst slaan, lieverd, maar er wordt nog steeds gesproken over het huwelijk van Mijn Marcia,' zei ze. Dat leek Rose niet zo verwonderlijk, daar Sydelle Marcia's huwelijk in werkelijk ieder gesprek minstens een keer noemde, maar ze had totaal niet verwacht dat Sydelle meer zou willen doen dan gemene opmerkingen maken over Rose' kleding, kapsel en figuur. Met de fonkelende ring om haar vinger, die nog altijd een beetje onwennig aanvoelde, was ze naar het Ritz-Carlton getogen om met Sydelle een kopje thee te drinken.

'Het was vreselijk,' zei ze, terugdenkend aan die middag, terwijl Amy knikte, en de lange handschoenen gladstreek die ze uit een vitrine had gepakt. Rose zag haar stiefmoeder meteen zitten. Ze zat alleen aan een tafeltje, waarop een theepot en twee kopjes met een gouden randje stonden. Zoals altijd zag ze er goed uit. Haar geföhnde haar zat stevig in de lak en haar gladde huid glansde licht. Ze had zich perfect opgemaakt en droeg behalve mooie gouden sieraden ook een schitterend leren jasje dat Rose op weg naar het Ritz nog in de etalage van Joan Shepp had zien hangen.

'Rose,' kirde ze, 'je ziet er geweldig uit.' De blik waarmee ze Rose' zwarte zomerjurkje, sandalen en paardenstaart in zich opnam, deed echter iets anders vermoeden. 'Oké,' zei ze nadat ze een tijdje over koetjes en kalfjes hadden gesproken, 'laten we eens wat details doornemen. Heb je al een kleurenschema in gedachten?'

'Uhh,' zei Rose. Meer aanmoediging had Sydelle Feller niet nodig.

'Donkerblauw,' zei ze gedecideerd. 'Donkerblauw is helemaal in. Chic, heel chic. Heel hip. Ik zie...' Ze sloot haar ogen, Rose daarmee in de gelegenheid stellend om vol bewondering de oogschaduw te bekijken die ze in verschillende kleuren bruin en donkergrijs op haar oogleden had aangebracht. 'Bruidsmeisjes in eenvoudige marineblauwe jurkjes...'

'Ik wil geen bruidsmeisjes. Alleen Amy. Zij is mijn getuige,' zei Rose.

Sydelle trok één perfect geëpileerde wenkbrauw op.

'En hoe moet het dan met Maggie?'

Rose staarde naar het roze linnen tafelkleed. Ze had in mei een heel vreemd bericht ontvangen van Maggie. Ze had maar heel weinig gezegd, namelijk haar naam, gevolgd door de woorden 'ik ben'. Daarna had ze nooit meer iets van haar gehoord, hoewel Rose Maggie eens in de zo veel weken op haar mobiele telefoon belde en ophing zodra Maggie opnam. 'Dat weet ik niet,' zei ze.

Sydelle slaakte een zucht. 'Laten we het dan over de tafels hebben,' had haar stiefmoeder gezegd. 'Ik zie marineblauwe tafelkleden, met witte servetten, heel nautisch, heel fris, en ridderspoor natuurlijk en van die schattige hyacinten... of nee. Nee,' zei Sydelle, haar hoofd schuddend, alsof Rose had tegengesputterd. 'Roze rozen. Zie je het voor je? Ontelbare roze rozen, grote bossen roze rozen in zilveren schalen!' Ze glimlachte en was uitermate tevreden over zichzelf. 'Rozen voor Rose! Natuurlijk!'

'Dat klinkt goed!' zei Rose. En dat was ook wel zo, dacht ze. 'Maar, eh, over die bruidsmeisjes...'

'Ringdragers!' ging Sydelle verder. 'Jason en Alexander zouden er zo schattig uitzien met een jasje aan en een das om!'

Rose kreunde. Jason en Alexander. De vier jaar oude tweeling van Mijn Marcia, daar had ze nog niet aan gedacht. Natuurlijk had Mijn Marcia een tweeling gekregen, alsof ze daarmee nog eens wilde onderstrepen hoe veel beter ze was dan andere vrouwen, zelfs als het ging om het krijgen van kinderen.

Nu haalde Rose diep adem, rechtte haar schouders en keek Sydelle aan. 'Het spijt me heel erg, maar we waren eigenlijk niet van plan om kinderen uit te nodigen voor ons huwelijk,' zei ze.

Sydelle trok haar wenkbrauwen weer op. 'Lieverd,' zei ze. 'Bij huwelijken draait alles om de familie. Je wilt toch niet dat mensen zich niet welkom voelen?'

'Nee, natuurlijk niet,' zei Rose. 'En we zouden het enig vinden om Marcia's kinderen te zien in het weekend van ons huwelijk, maar het feest is op zaterdagavond, en het begint waarschijnlijk pas laat, en...'

Sydelle schudde treurig haar hoofd, alsof ze echt geraakt was door Rose' verhaal, en Rose besefte tot haar schrik dat ze haar gemene stiefmoeder zojuist precies datgene gegeven had waarop ze had zitten wachten – een opening. 'Ik snap wat je bedoelt,' zei Sydelle. 'Maar Mijn Marcia en Matt nemen hun jongens nu eenmaal overal mee naar toe. Ze hebben nog nooit een oppas gehad. Niet één keer! En als de jongens niet worden uitgenodigd,' besloot Sydelle met haar allerliefste stemmetje, 'dan denk ik niet dat Matthew en Marcia naar je huwelijk zullen komen. Ze zullen zich afgewezen voelen. En dat wil je natuurlijk voorkomen, dat weet ik zeker.'

Rose slikte. Ze wilde niemand buitensluiten, maar ze wilde ook niet dat een vier jaar oude tweeling de ceremonie zou verstoren. 'Ik wil het graag met Simon bespreken,' zei ze, op zo normaal mogelijke toon. Sydelle Feller lachte haar toe als een haai die net een prooi verorberd had. Toen Rose haar aanstaande vertelde hoe die theemiddag verlopen was, verborg hij zijn gezicht in zijn handen en kreunde zachtjes.

'Misschien zijn er wel ergere dingen die kunnen gebeuren,' zei hij.

Rose, die al de hele middag en een groot deel van de nacht de tijd had gehad om zich hier enorm over op te winden en herinneringen op te halen aan Mijn Marcia en haar zoontjes, dacht daar heel anders over. 'Het is wel het ergste wat er kan gebeuren. En een van de twee is nog niet zindelijk.'

'Wat?'

'Jason. Of misschien was het wel Alexander. Weet ik veel. Hij plast in bed. En om hoeveel durf je te wedden dat hij ons huwelijksfeest uitkiest om er eens lekker op los te plassen?'

Simon lachte en pakte haar handen. 'Mijn liefste,' zei hij, 'ik zorg er persoonlijk voor dat niemand jouw feestje verpest door te piesen.'

Die avond smeedden ze een plan: de kinderen mochten niet naar de receptie komen, maar alleen naar het cocktailuurtje. En ze mochten in geen geval de ringen aangeven. 'En geen jasje-dasje!' riep Simon, terwijl hij om halfacht 's morgens het huis verliet.

'We krijgen rozen!' riep Rose hem nog na. 'Zilveren schalen met grote bossen roze rozen! Lijkt dat je niet mooi?'

Simon riep iets over zijn schouder dat verdacht veel op het woord 'allergisch' leek, en haastte zich naar de bushalte. Rose zuchtte en ging naar binnen om Sydelle te bellen, die het niet zo goed opnam.

'Nou, als jullie er zo over denken, dan zal ik me daar bij neer moeten leggen,' zei ze. Ze nam de woorden 'jij kinderschuwe heks' niet in de mond, maar maakte wel heel duidelijk dat ze ze graag had uitgesproken. 'Ik weet wel dat Jason en Alexander heel teleurgesteld zullen zijn.'

Ze zijn vier, dacht Rose. Waren kinderen van vier in staat om teleurgesteld te zijn over dit soort dingen? 'Het spijt me,' zei ze, 'maar we zouden het zo leuk vinden als Marcia en Matt een leuke avond konden beleven zonder op de kinderen te hoeven letten...'

Sydelle had gelachen op een manier die deed vermoeden dat ze het helemaal niet grappig vond. 'Deze ouders houden van hun kinderen. Ze vinden het geen straf om tijd met ze door te brengen. Tegen de tijd dat je zelf kinderen hebt, zul je dat wel begrijpen.' Ditmaal was het overduidelijk dat ze haar zin had willen beëindigen met de woorden 'stom mens'.

'Nou,' zei Rose, die zich voornam om er eens persoonlijk met Mijn Marcia over te praten. 'Laten we het nog eens over het kleurenschema hebben.' Aan het einde van het gesprek waren ze overeengekomen dat marineblauw op haar huwelijksfeest de boventoon zou voeren, dat er witte tafelkleden zouden komen en dat Rose voor de komende week een afspraak zou maken bij Sydelles bloemist.

'Wat voor soort vrouwen hebben het eigenlijk over "mijn bloemist"?' vroeg Rose aan Amy, die keurend langs de vitrine met hoofddecoraties liep, er een met parels bezet kroontje uit pakte en het op haar hoofd plantte.

'Snobistische vrouwen,' zei Amy, terwijl ze een enkellange, met glittertjes bezette sleep op Rose' hoofd aanbracht. 'Ooh, mooi zeg!' Ze pakte een identieke sleep en deed die over haar eigen hoofd. 'Kom eens mee,' zei ze, en trok Rose naar de spiegel.

Rose bekeek zichzelf in de zevende en laatste jurk die ze zou gaan passen. Haar benen gingen schuil achter meters kant. Het stijve lijfje van de jurk, dat met glimmertjes was bezet, bedekte ongeveer tweederde van haar bovenlijf en liet haar rug bloot. Haar armen staken in stijve, geborduurde mouwen. Rose keek ongelukkig naar haar spiegelbeeld. 'O god,' zei ze, 'ik lijk wel een praalwagen voor Mardi Gras!'

Amy barstte in lachen uit. De verkoopster keek het stel verbaasd aan. 'Zou het misschien helpen als je er schoenen bij aantrekt?'

'Het lijkt me dat je meer hebt aan een aansteker,' fluisterde Amy.

'Ik denk,' begon Rose. O jee, ze had een moeder nodig. Een moeder zou nu het heft in handen nemen, zou naar de jurk kijken en hem met een korte, maar onmiskenbare hoofdbeweging afkeuren. Een moeder zou zoiets zeggen als: 'Mijn dochter houdt van eenvoudige dingen,' of 'Ik zie haar eerder in iets soberders,' een baljurk, een jurk met een wespentaille, of een van die andere modellen waarvan Rose, zelfs na weken van passen nog steeds niet kon onthouden wat wat was, laat staan dat ze wist wat voor soort jurk haar het beste zou staan. Een moeder zou haar hebben verlost van deze kriebelige rotjurk, van het ijzeren-longkorset, van de vrijgezellenavondjes, de theevisites, de cocktailuurtjes en dineetjes waarbij Rose zich net zomin een houding wist te geven als bij een ontmoeting met een woeste beer. En een moeder had zeker geweten hoe ze Sydelle Feller op beleefde wijze te verstaan had kunnen geven dat ze haar halfzindelijke kleinzoons in haar afgetrainde, strakke kontje kon stoppen.

'Het is vreselijk,' riep Rose uit. 'Het spijt me,' zei de verkoopster, die duidelijk een beetje beledigd was door wat Rose gezegd had.

'Misschien iets soberders?' stelde Amy voor. De verkoopster kneep haar lippen tot een strakke lijn en verdween in het magazijn. Rose zeeg neer in een stoel, waar de jurk met een zucht leek leeg te lopen. 'Zullen we er samen stiekem vandoor gaan?' vroeg ze. 'Ik heb altijd veel van je gehouden, maar niet op die manier,' zei Amy. 'En ik ga ervoor zorgen dat je er helemaal niet vandoor gaat, anders kan ik mijn jurk-met-de-strik niet aan.'

De dag nadat Rose haar beste vriendin had verteld dat ze ging trouwen – nog voordat Sydelle per decreet had bepaald dat de hoofdkleur donkerblauw zou zijn – was Amy naar de grootste winkel voor tweedehands kleren van Philadelphia getogen en had daar een drukke zalmkleurige jurk aangeschaft. Het ding bestond uit verschillende lagen tule, enorme, met kunstdiamanten afgezette schouderbanden, en op de rug zat een strik zo breed als een stadsbus. Verder had ze bij wijze van verlovingscadeau een vuistdikke, ivoorkleurige en met nepparels bezette kaars gekocht waarop in gouden krulletters te lezen stond: 'Vandaag trouw ik met mijn beste vriend'. 'Dit meen je niet,' had Rose gezegd. Amy had haar schouders opgehaald en had gezegd dat ze heel goed wist wat haar rol als bruidsmeisje inhield. Het moest voor de bruid de dag van haar leven zijn en met deze jurk (met schoenen die in dezelfde kleur waren gespoten) zou ze zeker hoge ogen gooien op het jaarlijkse Bruidsmeisjesbal van Philadelphia, waar de vrouw met de lelijkste jurk tot winnares werd uitgeroepen. 'Want zo'n strik,' had ze eraan toegevoegd, 'staat mij dus echt gewéldig.'

Ze nam Rose in haar armen. 'Maak je geen zorgen,' zei ze. 'We vinden wel een jurk voor je. We zijn nog maar net begonnen! Als het zo simpel zou zijn, waarom denk je dan dat er dertig miljoen tijdschriften te koop zijn waarin staat hoe je de juiste jurk vindt?'

Rose zuchtte en stond op. In haar ooghoek zag ze de verkoopster naderbijkomen met een arm vol satijn en zijde. 'Misschien is deze jurk toch niet zo slecht,' stamelde ze.

'Nee,' zei Amy, die haar van top tot teen in zich opnam, 'nee, het is een vreselijk ding.'

'Hierheen, alsjeblieft,' zei de verkoopster kortaf. Rose tilde haar rok iets op en volgde haar.

43

EEN MAAND LANG HAD ELLA HIRSCH GETOLEREERD DAT HAAR KLEIN-
dochter zich in stilzwijgen hulde, maar opeens kon ze er niet meer
tegen. Maggie was in mei bij haar gekomen. Het was de dag na dat eerste,
stroeve telefoongesprek, waarin Ella haar herhaaldelijk moest vragen
om nog eens uit te leggen wat het probleem was waarmee haar kleindochter kampte, dat ze met Maggie sprak en niet met Rose, en dat Maggie wel op Princeton zat, maar toch ook niet echt. Maggie had gezegd
dat Rose en haar vader het goed maakten, maar wilde niet dat Ella hen
zou bellen. Ze had gezegd dat ze niet ziek was, maar dat ze alleen een
logeeradres nodig had. Ze had momenteel geen baan, zei ze, maar ze
was een harde werker en zou wel iets vinden. Ze had Ella verzekerd
dat ze niet bang hoefde te zijn dat ze Maggie financieel zou moeten
steunen. Ella had haar nog duizend dingen willen vragen, maar beperkte zich tot de belangrijkste zaken, het hoe en het wat en het waar en tot
de vraag hoe ze Maggie van de parkeerplaats bij een supermarkt in New
Jersey naar Florida moest krijgen. 'Denk je dat je naar Newark kunt
komen?' vroeg ze, verbaasd dat de naam van de belangrijkste luchthaven van New Jersey haar opeens te binnen schoot. 'Bel me zodra je daar
bent aangekomen. Ik zal een paar luchtvaartmaatschappijen bellen om
erachter te komen of er rechtstreekse vluchten zijn en er ik zal ervoor
zorgen dat er bij de *gate* een ticket voor je klaarligt.'

Acht uur later waren Ella en Lewis naar Fort Lauderdale gereden en
daar, met een rugzak in haar armen, vermoeid en nerveus, stond Caroline.

Ella snakte naar adem en kneep haar ogen tot spleetjes, maar toen ze ze weer opende zag ze dat ze het niet goed had gezien. Dit was niet Caroline, niet echt. Ella zag dat in één oogopslag, maar de gelijkenis was treffend. De bruine ogen van dit meisje, de manier waarop het haar op haar voorhoofd viel, haar wangen, haar handen en zelfs, op een of andere manier, haar jukbeenderen, het was allemaal typisch Caroline. De vastberaden uitdrukking op haar gezicht, de houding van haar hoofd, de manier waarop ze hen aandachtig in zich opnam maakte haar echter duidelijk dat Maggies leven anders zou verlopen dan dat van haar eigen dochter. Deze vrouw, wist Ella, zou weerstand bieden tegen de verleiding van een door de regen glad geworden weg. Deze vrouw zou de controle over het stuur niet verliezen.

Ella stelde zich onwennig en nerveus aan Maggie voor. Gelukkig hield Maggie haar rugzak in haar armen alsof het een baby was, zodat Ella zich niet hoefde af te vragen of ze elkaar een zoen moesten geven. Maggie had op weg naar de parkeerplaats niet veel gezegd. Ella vroeg of ze voorin wilde zitten, maar dat aanbod sloeg ze af. In plaats daarvan zat ze kaarsrecht op de achterbank, terwijl Lewis reed en Ella zich moest beheersen om haar niet lastig te vallen met al te veel vragen. Toch moest ze, voor haar eigen gemoedsrust, misschien zelfs voor haar eigen veiligheid, een paar dingen weten. 'Als je me zou vertellen wat er aan de hand is, dan zouden we samen aan een oplossing kunnen werken,' zei Ella.

Maggie had een zucht geslaakt. 'Ik was...' Ze brak haar zin af. Ella bekeek haar via de achteruitkijkspiegel, terwijl Maggie naar woorden zocht om de afgelopen periode te kenschetsen. 'Ik logeerde bij Rose, maar dat ging niet zo goed en dus heb ik de afgelopen maanden op de campus doorgebracht...'

'Bij vrienden geslapen?' vroeg Lewis.

'Ik sliep in de bibliotheek,' zei Maggie. 'Ik woonde daar. Ik was...' Ze staarde uit het raam. 'Ik leefde daar als een soort verstekeling. Verstekeling,' herhaalde ze, waardoor het leek alsof ze een groot avontuur op open zee had meegemaakt. 'Er was alleen iemand die het door had en hij was van plan om me aan te geven. Daarom moest ik weg.'

'Wil je terug naar Philadelphia?' vroeg Ella. 'Terug naar Rose?'

'Nee!' zei Maggie, zo fel dat Ella een eindje uit haar stoel omhoog kwam en Lewis per ongeluk op de claxon drukte. 'Nee,' herhaalde ze. 'Ik weet niet waar ik heen wil. Ik heb geen woonruimte in Phila-

279

delphia. Ik huurde een appartement, maar daar ben ik uitgezet, en ik kan niet terug naar mijn vader, omdat zijn vrouw me haat, en ik kan ook niet terug naar Rose...' Ze slaakte een meelijwekkende zucht en sloeg haar armen om haar knieën, terwijl ze om alles nog van wat extra dramatisch effect te voorzien ook nog even rilde. 'Misschien moet ik maar naar New York gaan. Ik zoek een baantje, zet wat geld opzij en vertrek dan naar New York. Dan zoek ik daar iemand om een appartement mee te delen... of zoiets,' zei ze.

'Je kunt bij mij logeren zo lang als je wilt,' zei Ella. Ze zei het zonder dat ze er erg in had, zonder even na te denken, zonder te weten of het eigenlijk wel een goed idee was. Als ze de blik op Lewis' gezicht goed interpreteerde, was het geen goed idee. Maggie was uit haar huurhuis gezet. Daarna had ze bij haar zus gelogeerd, maar dat was om de een of andere reden ook niet goed gegaan. Ze voelde zich niet welkom bij haar vader. Ze leefde als verstekeling – wat dat ook mocht betekenen – op een universiteit waar ze niet stond ingeschreven, sliep er in de bibliotheek. Als dat niet betekende dat er roerige tijden zouden aanbreken wist ze het ook niet meer.

Terwijl Lewis de auto door het drukke verkeer rond het vliegveld manoeuvreerde, terug naar Golden Acres, slaakte Maggie een zucht en keek met haar kin op haar hand steunend naar het voorbijtrekkende verkeer en de palmbomen. 'Florida,' zei ze. 'Ik ben hier nog nooit geweest.'

'Hoe gaat het met...' begon Ella. 'Kun je iets vertellen over je zuster?'

Maggie zweeg. Ella hield vol. 'Ik heb Rose gevonden op internet, bij haar advocatenkantoor...'

Maggie schudde haar hoofd, nog altijd uit het raam starend, alsof ze haar zusters beeltenis daarin weerspiegeld zag. 'Is dat niet de allerslechtste foto die je je maar kunt indenken? Ik heb haar zo vaak gezegd dat ze een nieuwe foto moest laten maken, maar ze bleef maar zeggen dat het niet uitmaakte en zei steeds dat er wel belangrijker dingen in de wereld waren. Ik zei tegen haar dat de hele wereld die foto kon zien en dat het niet verkeerd is om er op je allermooist uit te willen zien, maar ze luisterde natuurlijk weer eens niet. Ze luistert nooit naar me,' zei Maggie, en sloot daarna direct haar mond, bang dat ze te veel had gezegd.

'Waar gaan we eigenlijk naartoe? Waar wonen jullie?'

'We wonen op Golden Acres. Dat is...'

'...een complex voor actieve ouderen,' zeiden zij en Lewis in koor.

Ella zag in de achteruitkijkspiegel dat Maggie schrok. 'Een bejaardentehuis?'

'Nee, nee,' zei Lewis. 'Wees maar niet bang. Het is gewoon een complex voor ouderen.'

'Appartementen,' voegde Ella daaraan toe. 'En er zijn winkels, een clubhuis en er is een pendelbus voor mensen die geen auto meer rijden.'

'Klinkt geweldig,' zei Maggie op ironische toon. 'Wat doen jullie daar de hele dag?'

'Ik doe vrijwilligerswerk,' zei Ella.

'Waar?'

'O, overal en nergens. Het ziekenhuis, het dierenasiel, een tweedehands kledingzaak, Tafeltje-Dek-je, en ik help een vrouw die vorig jaar een beroerte heeft gehad... Ik zit geen moment stil.'

'Denk je dat ik er een baantje kan vinden?'

'Wat voor baantje?' vroeg Ella.

'Ik heb van alles gedaan,' zei Maggie. 'Ik heb gewerkt als serveerster, als hondentrimster, als hostess...'

Hostess? Ella vroeg zich af wat dat voor soort werk was.

'Barista, achter de bar gestaan,' ging Maggie verder, 'babysit, ijssalon, snackbar...'

'Wauw,' zei Ella. Maar Maggie was nog niet klaar.

'Ik heb een tijdje als zangeres in een band gezongen.' Maggie besloot haar oma de naam van de band maar niet te vertellen, want hoe klein de kans ook was, het kón zijn dat ze wist wat een Whiskered Biscuit was. 'Telemarketing, op de parfumafdeling, T.J. Maxx, Gap, Limited...'

Maggie stopte even en geeuwde. 'En op Princeton heb ik een blinde vrouw geholpen. Ik maakte bij haar schoon en deed boodschappen voor haar.'

'Dat is nogal...' Weer moest Ella naar woorden zoeken.

'Dus ik denk dat ik wel iets kan vinden,' zei Maggie. Ze geeuwde, deed haar haar opnieuw in een paardenstaart, krulde zich op de achterbank op en viel onmiddellijk in slaap. Voor het eerst rode stoplicht keek Lewis opzij naar Ella.

'Gaat het?' vroeg hij.

Ella haalde even haar schouders op en lachte naar hem. Maggie was er en dat was het belangrijkste, wat de waarheid ook mocht zijn.

Toen Lewis zijn parkeerplaats indraaide, lag Maggie nog te slapen, een bruine haarlok op haar wang. Haar vingers met de afgekloven

nagels leken zo sprekend op die van Caroline dat Ella's maag ineenkromp. Maggie opende haar ogen, rekte zich uit, pakte haar rugzak en
stapte uit. Ze knipperde met haar ogen. Ella volgde haar blik.
Daar was Irene Skolnick, die steunend op haar rollator de parkeerplaats
overstak, en Albert Gantz, die op zijn dooie gemak een zuurstoftank
aan het uitladen was.

'Het is het verderf waar de mens voor geboren is,' zei Maggie met
een lage, berustende stem.

'Wat zei je, liefje?' vroeg Lewis.

'Niks,' zei Maggie. Ze deed haar rugzak om en liep achter Ella aan
naar binnen.

Maggie had inderdaad snel een baantje gevonden, bij een bagelshop
vlak bij Golden Acres. Ze begon vroeg. 's Ochtends om vijf uur sloop
ze al het appartement uit en hielp er de ontbijt- en lunchdrukte weg
te werken. Ella had haar een keer gevraagd wat ze daarna eigenlijk
deed, want Maggie kwam zelden voor acht of negen uur 's avonds
thuis. Haar kleindochter had haar schouders opgehaald. 'Ik ga naar het
strand,' zei ze. 'Of naar de film, of naar de bibliotheek.' Wekenlang
had Ella haar gevraagd of ze 's avonds mee wilde eten, maar iedere
keer had Maggie bedankt. 'Ik heb al gegeten,' zei ze – hoewel ze zo
mager was dat Ella zich wel eens afvroeg of Maggie überhaupt wel
eens iets at. Ze sloeg Ella's uitnodigingen om tv te komen kijken, naar
de film te gaan, mee te gaan naar de bingoavond in het clubhuis zonder uitzondering af. Alleen toen Ella haar voorstelde om een lenerspas
te halen bij de bibliotheek, was er even een sprankje enthousiasme in
haar ogen te zien geweest. Maggie was met haar grootmoeder meegegaan naar de kleine bibliotheek, had op de formulieren Ella's adres ingevuld en was op de afdeling Fictie en Literatuur afgestevend. Een uur
later kwam ze terug met een hele stapel poëzie.

En daar bleef het bij. 's Avonds kwam Maggie thuis, knikte bij wijze
van groet, en verdween weer. Ze kwam uit haar kamer om te douchen.
Ze verdween geruisloos in de badkamer, waarvan ze de deur zachtjes
achter zich sloot. Als ze klaar was, hing haar handdoek over haar arm
en nam ze haar shampoo, haar tandenborstel en tube tandpasta mee
terug naar haar kamer, alsof ze maar één nacht zou blijven, ook al had
Ella haar uitgelegd dat ze haar spullen gerust in de badkamer mocht
laten staan. Er stond een klein tv'tje in Maggies kamer, maar Ella hoorde nooit dat hij aanstond. Er stond ook een telefoon, maar Maggie belde
nooit iemand op. Ze las veel, dat wist Ella wel. Iedere drie à vier dagen

zag ze een nieuw bibliotheekboek in Maggies tas zitten, dikke romans, biografieën, zelfs dichtbundels, van die vreemde, gefragmenteerde poëzie zonder rijmschema waar Ella nooit iets van snapte, maar het leek erop dat Maggie nooit met iemand praatte.

Zo ging de hele, hete maand juni voorbij. Maggie verdween 's ochtends vroeg, kwam 's avonds weer boven water, mompelde 'hallo' of 'dag' en trok zich terug in haar kamer. Ella's nieuwsgierigheid veranderde al snel in bezorgdheid en tot slot in wanhoop.

'Ik weet niet wat ik moet doen,' zei ze. Het was acht uur 's ochtends en ze was naar Lewis' appartement gevlucht toen Maggie weer eens langs haar naar buiten was geglipt.

'Heb je last van het warme weer? Nog even geduld, dat kan niet lang meer duren.'

'Nee, het is Maggie,' zei Ella. 'Ze zegt nooit iets tegen me! Ze kijkt me niet eens aan. Ze loopt rond op blote voeten... ik hoor haar nooit aankomen... ze komt pas in de kleine uurtjes thuis en is al vertrokken voordat ik wakker ben...' Ella werd stil, haalde diep adem en schudde haar hoofd.

'Normaal gesproken zou ik zeggen dat je haar wat tijd moet gunnen, maar...'

'Lewis, ze logeert hier al weken en ik weet niet eens iets over haar zuster, over haar vader. Ik weet niet eens wat ze graag eet! Jij hebt kleinkinderen...'

'Kleinzoons,' zei Lewis. 'Maar ik vind dat je gelijk hebt. We moeten dringend een actieplan opstellen.' Hij knikte en stond op. 'We moeten drastische maatregelen nemen.'

Gelukkig was mevrouw Lefkowitz thuis. 'Ik wil eerst een paar dingen weten,' zei ze ijsberend, voorzover dat mogelijk was in haar overvolle zitkamer. 'Heb je pruimen in huis?'

Ella staarde haar verbijsterd aan.

'Pruimen,' drong mevrouw Lefkowitz aan.

'Ja,' zei Ella.

Mevrouw Lefkowitz knikte. 'Staat er laxeermiddel in de keuken?'

Ella knikte. Bij wie niet?

'Kleefpasta op het plankje boven de wastafel in de badkamer?'

'Hé zeg, nu wordt het een beetje te persoonlijk!' protesteerde Ella.

'Ik probeer je alleen iets duidelijk te maken,' zei mevrouw Lefkowitz, terwijl ze met haar stok in Ella's richting zwaaide. 'Op welke tijdschriften ben je geabonneerd?'

Ella dacht na. '*Prevention*, dat blaadje van de ouderenorganisatie...'

'Heb je een abonnement op de tv-programma's van HBO en kun je MTV ontvangen?'

Ella schudde haar hoofd. 'Ik heb geen kabel.'

Mevrouw Lefkowitz zuchtte veelbetekenend en plofte neer in een zachte leunstoel, waarop een tuttig geborduurd kussentje lag. 'Jonge mensen hebben hun eigen dingen nodig. Hun eigen muziek, hun eigen tv-programma's, hun eigen...'

'Cultuur?' vulde Lewis aan.

Mevrouw Lefkowitz knikte. 'Ze kan hier geen kant op,' zei ze. 'Er is hier niemand van haar eigen leeftijd. Hoe zou jij het vinden om als 28-jarige hier te moeten wonen?'

'Ze had niet zo veel keus,' zei Ella.

'Dat hebben gevangenen ook niet,' zei mevrouw Lefkowitz. 'Maar dat betekent nog niet dat ze het naar hun zin moeten hebben in de bak.'

'Hoe lossen we dit op?' vroeg Ella.

Mevrouw Lefkowitz kwam met moeite uit haar stoel. 'Geld bij je?' vroeg ze.

Ella knikte.

'Kom, dan gaan we,' zei ze. 'Jij rijdt,' zei ze, met een hoofdbeweging duidelijk makend dat ze Lewis bedoelde.

'We gaan winkelen.'

Het bleek een dure exercitie om Maggie uit haar kamer te lokken. Ze kochten voor ten minste vijftig dollar aan tijdschriften, het ene nog dikker en glanzender en met nog meer parfummonsters en abonnee-lokkertjes dan het andere. 'Hoe weet je dit allemaal?' vroeg Ella, terwijl mevrouw Lefkowitz een exemplaar van *MovieLine* op de *Vanity Fair* van die maand legde. Haar vriendin wuifde nonchalant met haar goede arm. 'Zo moeilijk is het toch niet?' vroeg ze.

Daarna gingen ze naar een elektronicazaak. 'Platte beeldbuis, platte beeldbuis,' herhaalde mevrouw Lefkowitz, alsof het een mantra was, tussen de schappen rondrijdend op het gemotoriseerde wagentje dat ze altijd gebruikte als ze ging winkelen. Twee uur en enkele duizenden dollars later was de achterbak van Lewis' auto gevuld met een tv met platte beeldbuis, een dvd-speler en een stuk of wat videobanden, waaronder de eerste drie seizoenen van *Sex and the City*, waar volgens mevrouw Lefkowitz alle jonge vrouwen naar keken. 'Ik heb er een artikel over gelezen in *Time*,' pochte ze, terwijl ze zich op de passagiersstoel hees. 'Hier linksaf,' commandeerde ze. 'We moeten nog naar de supermarkt en naar de drankhandel,' zei ze lachend. 'We geven een feestje.' Bij de drankhandel stortte ze zich op een puisterige medewerker met een plastic schort voor. 'Weet jij wat er in een Cosmopolitan gaat?' vroeg ze op bevelende toon.

'Cointreau...' begon de jongen.

Mevrouw Lefkowitz prikte haar vinger in Lewis' richting. 'Nou, waar wacht je nog op!' zei ze.

Even later stommelden Ella, Lewis en mevrouw Lefkowitz met flessen cointreau, wodka, zakken kaascrackertjes en tortillachips, miniatuurhotdogs, diepvriesloempia's en twee potjes nagellak (één roze, één rood) de lift in die hen naar Ella's appartement zou brengen.

'Denk je echt dat dit gaat werken?' vroeg ze, terwijl Lewis de diepvriesproducten in de vriezer aan het leggen was.

Mevrouw Lefkowitz ging aan de keukentafel zitten en schudde haar hoofd. 'Je weet het nooit helemaal zeker,' zei ze, een roze papier uit haar tas pakkend. UITNODIGING! stond er in zilverkleurige letters op.

'Hoe kom je daaraan?' vroeg Ella, over haar schouder kijkend.

'Mijn computer,' zei mevrouw Lefkowitz, die de uitnodiging zo draaide dat Ella kon lezen dat Maggie Feller aanstaande vrijdag was uitgenodigd voor een Sex and the City-feestje in Ella's appartement. 'Ik kan van alles maken. Uitnodigingen, kalenders, parkeervergunningen...'

'Waar hebben jullie het over?' vroeg Lewis, die alle snacks had opgeborgen.

Mevrouw Lefkowitz begon plotseling overdreven geïnteresseerd de inhoud van haar tas te inspecteren.

'O, niks. Laat maar.'

Lewis keek haar aan. 'Een van mijn verslaggevers had het laatst over vervalste parkeervergunningen. Hij was van plan eens diep in dit onderwerp te duiken.'

Mevrouw Lefkowitz richtte strijdlustig haar hoofd op. 'Je gaat me toch niet verlinken, hè?'

'Niet als dit plan werkt,' beloofde hij.

Mevrouw Lefkowitz knikte en reikte Ella de uitnodiging aan. 'Schuif hem maar onder haar deur door als ze weg is.'

'Maar als het een feestje moet worden, wie nodigen we dan uit?'

Mevrouw Lefkowitz keek haar aan. 'Nou, je vrienden natuurlijk.'

Ella keek Lewis smekend aan. Mevrouw Lefkowitz trok een wenkbrauw op. 'Je hebt hier toch wel vrienden, of niet soms?'

'Ik...' begon Ella. 'Ik heb collega's.'

'Collega's,' zei mevrouw Lefkowitz tegen het plafond. 'Nou ja, het maakt ook niet uit. Dan alleen wij drieën.' Ze zette haar handen op tafel en stond op. 'Tot vrijdag!' zei ze, en schuifelde naar de voordeur.

'Ik lijk wel de heks uit Hans en Grietje,' zei Ella, terwijl ze een blad miniatuurloempia's in de oven schoof. Het was vrijdagavond. Maggie kon ieder moment thuiskomen. 'Heb je de uitnodiging ontvangen?' had Ella tegen de dichtvallende deur geroepen, toen Maggie die ochtend naar haar werk ging. Bij wijze van antwoord had er een vaag, bevestigend geknor geklonken, terwijl de deur achter haar in het slot viel.

'Hoezo?' vroeg Lewis. Ella wees naar de lokkertjes – de stapels tijdschriften, de kommetjes met chips en dipsaus, de schalen met kippenpootjes en nog een stuk of wat andere snacks die haar een hevige aanval van brandend maagzuur zouden bezorgen als ze er ook maar één hap van zou nemen.

Mevrouw Lefkowitz trok haar aan haar mouw. 'Nog één ding,' zei ze. 'Het geheime wapen.'

'Wat is het geheime wapen?' fluisterde Ella, een korte blik op haar horloge werpend. Het was vijf voor halfacht, hetgeen betekende dat Maggie ieder ogenblik kon binnenkomen.

'Je dochter,' zei mevrouw Lefkowitz.

Ella schrok. 'Wat?'

'Je dochter. Caroline, zo heette ze toch?' zei mevrouw Lefkowitz. 'Dit hele gedoe' – en ze bewoog haar arm met een weids gebaar rond Ella's zitkamer, waar Lewis zat te rommelen met de dvd-speler, onderwijl tevreden een kommetje spinazieballetjes leegetend – 'heeft waarschijnlijk wel effect. Maar als dat niet zo mocht zijn, wat is dan het enige wat jij hebt dat Maggie wil?'

'Geld?' vroeg Ella aarzelend.

'Nou, dat misschien ook,' zei mevrouw Lefkowitz. 'Maar er zijn ook talloze andere manieren waarop ze aan geld kan komen. Aan hoeveel mensen kan ze vragen wat er met haar moeder is gebeurd?'

Wat er met haar moeder is gebeurd, dacht Ella, uit alle macht wensend dat het een langer en leuker verhaal was.

'Informatie,' zei mevrouw Lefkowitz. 'Wij hebben het en jonge mensen willen het. Informatie.' Ze dacht even na. 'En aandelen Microsoft, in mijn geval. Maar voor jou moet informatie genoeg zijn.' Ze knikte toen ze hoorden dat Maggie haar sleutel in het slot stak. 'Het gaat beginnen!' fluisterde ze. Ella hield haar adem in. Maggie liep het appartement binnen, maar het leek wel of ze oogkleppen droeg. Ze keek niet naar links, de keuken in, waar al die heerlijkheden op haar stonden te wachten, en ook niet naar rechts, waar op de nieuwe televisie een vrouw vertelde hoe ze... Nee, ze moest het verkeerd verstaan hebben, dacht Ella, terwijl de actrice kirrend vertelde dat ze niets moest hebben van anale seks. Mevrouw Lefkowitz gniffelde en nam een slokje van haar Cosmopolitan. Maggie was de halve gang al door voor ze eindelijk stilstond.

'Maggie?' riep Ella. Het leek wel of ze kon voelen dat haar kleindochter op twee gedachten hinkte, ze wilde weg, maar ze wilde ook blijven. Laat het alsjeblieft goed gaan, smeekte ze. Maggie draaide zich om. 'Heb je zin om...' Wat? Wat had ze dit stugge meisje met haar waakzame bruine ogen eigenlijk te bieden? Haar ogen leken zoveel op die van haar overleden dochter en toch waren ze heel anders. Ze reikte haar een drankje aan. 'Het is een Cosmopolitan. Er zit wodka in, en cranberrysap...'

'Ja, ja,' zei Maggie smalend, 'ik weet wel wat erin gaat.' Het was een van de langere zinnen die Ella aan haar kleindochter had weten te ontlokken. Maggie nam het glas aan en dronk het in één teug halfleeg. 'Niet slecht,' zei ze, draaide zich om en liep de zitkamer in. Mevrouw Lefkowitz gaf haar een schaaltje chips aan. Maggie plofte neer op de bank, sloeg de rest van haar drankje achterover en pakte de *Vanity Fair*. 'Deze ken ik al,' zei ze.

'O,' zei Ella. Aan de ene kant was dit slecht nieuws. Aan de andere kant was het de tweede zin die haar kleindochter uitsprak zonder dat het noodzakelijk was dat ze iets zei. En Maggie was thuis, of niet soms? Dat was toch al heel wat?

'Maar het was wel een heel leuke,' zei Maggie. Ze legde het tijdschrift terug op tafel en keek om zich heen. Ella wierp een wanhopige blik op Lewis, die de keuken uit snelde met een kan vol drank in zijn hand. Hij schonk haar glas vol. Maggie pakte met een elegant gebaar een kippenpootje van de schaal en leunde met haar ogen op de tv gericht achterover. Ella voelde zich met de minuut meer ontspannen. Ze hadden nog niet gewonnen, hield ze zichzelf voor, kijkend naar alweer de vierde aflevering waarin vrouwen over onderwerpen spraken in bewoordingen waarvoor ze zestig jaar geleden haar mond met water en zeep had moeten spoelen. Maar het was een begin. Ze bekeek haar kleindochter van opzij. Maggies ogen waren dichtgevallen. Haar wimpers lagen als sprieterige halve maantjes op haar wangen. Er zat een veegje paprikapoeder op haar kin. En ze tuitte haar lippen, als of ze verwachtte dat er elk moment een kus op gedrukt zou kunnen worden.

Vier Cosmopolitans, drie kippenpootjes en een handvol chips later zei Maggie tegen Ella en de anderen dat ze ging slapen. Ze ging liggen op het dunne matrasje van de bedbank en sloot haar ogen. Misschien moest ze haar verblijf in Florida een andere wending geven.

Aanvankelijk was ze van plan geweest om de kat uit de boom te kijken, af te wachten en niemand tot last te zijn tot ze een goed plan had bedacht. Maggie had zichzelf daarvoor ruim de tijd gegeven. Maggie wist niet veel over bejaarden en wat ze wist, kwam van tv, van reclames eigenlijk. Ze hadden een hoge bloedsuikerspiegel, moesten vaak plassen en hadden een alarmknop nodig waarop ze konden drukken als ze gevallen waren en niet meer op konden staan. Ze had nagedacht over haar grootmoeder, die duidelijk niet onbemiddeld was. En vol schuldgevoelens zat. Wat Ella Hirsch ook gedaan had, of juist had nagelaten, het was zonneklaar dat ze zich er onvoorstelbaar schuldig over voelde. Dat hield in dat ze, als ze genoeg geduld betrachtte, dat schuldgevoel zou kunnen omzetten in contanten – contanten die ze in het steeds voller wordende gelddoosje onder haar bed zou kunnen stoppen. Ze verdiende slechts het minimumloon bij Bagel Bay, maar Maggie vermoedde dat er niet veel meer voor nodig zou zijn dan een paar huilbuien, een paar zielige verhalen over hoezeer ze haar moeder had gemist in haar korte, maar roerige leventje, en hoezeer ze had gesmacht naar de liefde van een grootmoeder, om deze wachtkamer voor de dood – lees: Golden Acres – dansend te kunnen verlaten met genoeg geld op zak om alles te kopen wat haar hartje begeerde.

Eén ding zat haar echter niet helemaal lekker: het zou bijna té gemakkelijk zijn om geld van haar grootmoeder los te krijgen. Er zat niet genoeg uitdaging in. Per slot van rekening had Maggie al heel wat uitdagingen het hoofd geboden. Op de een of andere manier was ze... teleurgesteld. Het voelde een beetje alsof je je er helemaal op had voorbereid om je eerste baksteen doormidden te slaan om tot de ontdekking te komen dat het een chocoladereep was. Haar grootmoeder was zo'n zielig mens dat Maggie, die niet zo'n streng geweten had, zich toch een beetje schuldig voelde als ze plannen maakte om haar zo veel mogelijk geld afhandig te maken. Ella was dankbaar voor iedere seconde dat

Maggie bij haar in de buurt was, voor ieder woordje dat Maggie tegen haar sprak. Ze gedroeg zich alsof ze bijna was gecrepeerd in de woestijn en Maggie een heerlijke ijscoupe was. Er stond opeens een nieuwe tv en een dvd-speler, er was ander eten in huis en Ella vroeg haar om de haverklap te eten, nodigde haar uit voor de bioscoop, voor een dagtochtje naar Miami of naar het strand. Ella deed zo verschrikkelijk haar best dat Maggie er soms misselijk van werd. Ella had erop gestaan dat Maggie haar vader zou opbellen om te laten weten dat het goed met haar ging, maar dat was het enige. Ze had nooit gevraagd om huur, om geld voor benzine of verzekeringen, en al evenmin voor boodschappen of voor wat dan ook. Waarom zou ze niet nog lekker een tijdje blijven zitten waar ze zat?

Rustig blijven zitten en eens zien waar dit op uit draait, dacht ze, terwijl ze iets verschikte aan haar kussen. Misschien kon ze Ella zover krijgen dat ze haar meenam naar Disney World. Rondrijden in die theekopjes. En een kaart naar huis sturen. *Mis jullie vreselijk.*

44

'WAAROM DOEN WE DIT OOK ALWEER?' FLUISTERDE ROSE.
'Omdat het gebruikelijk is dat de ouders van mensen die met elkaar gaan trouwen elkaar ontmoeten,' fluisterde Simon. 'Het gaat vast wel goed,' zei hij. 'Mijn ouders zijn dol op jou en ik weet zeker dat ze je vader aardig zullen vinden. En wat Sydelle betreft... wat is nu het ergste wat er kan gebeuren?'
In de keuken stond Elizabeth in een kookboek te turen. Het was een kleine, gedrongen vrouw met zilverachtig blond haar, met dezelfde lichte huid als haar zoon. Ze droeg een lange bloemetjesrok met een witte blouse met roesjes en een geel schort met grote, met rozen bestikte zakken. Haar uiterlijk kon iemand gemakkelijk op het verkeerde been zetten. Ze doceerde filosofie op Bryn Mawr en droeg daar dezelfde bloemenrokken en kasjmiervesten als thuis. Ze was aardig en grappig en gemakkelijk in de omgang, maar het was Rose een raadsel waar Simon zijn liefde voor lekker eten en zijn kookkunst vandaan had. In ieder geval niet van zijn moeder. 'Sjalotjes,' mompelde ze. 'Ik geloof niet dat ik die in huis heb. Bovendien,' zei ze met een lach toen Simon de keuken binnenstapte en haar een kus op haar wang gaf, 'weet ik niet precies wat het zijn.'
'Het is een soort kruising tussen een ui en een teen knoflook,' zei Simon. 'Waarom moet je dat weten? Voor een kruiswoordpuzzel?'
'Simon,' zei ze streng, 'ik ben eten aan het klaarmaken. Dat kan ik, moet je weten,' zei ze, op licht gekwetste toon. 'Ik kan heel goed koken, als ik me er eenmaal toe heb gezet. Het gebeurt alleen niet zo erg vaak.'
'En je dacht, vanavond moet het er maar weer eens van komen?'

'Het is wel het minste wat ik kan doen om de aanstaande bruid in onze familie te verwelkomen,' zei ze, Rose stralend aankijkend. Rose lachte terug en leunde ontspannen tegen het aanrecht. Simon snoof echter bezorgd in het rond.

'Wat maak je eigenlijk?'

Ze draaide het kookboek een slag, zodat hij het recept kon zien. 'Geroosterde kip met rijst en abrikozenvulling,' zei Simon, en floot waarderend. 'Heb je de kippen goed schoongemaakt?'

'Ze komen van de biologische winkel,' zei ze, 'dus ik vertrouwde het wel.'

'Ja, maar heb je de ingewanden eruit gehaald? De lever en zo? Al dat spul dat ze er weer in stoppen? In een plastic zakje?'

Nu rook Rose het ook. In de keuken hing de geur van verbrand plastic. Mevrouw Stein keek bezorgd. 'Ik vond al dat de kippen zo vol voelden toen ik de vulling erin wilde stoppen,' zei ze, zich voorover buigend om de oven te openen.

'Maak je maar geen zorgen,' zei Simon, terwijl hij behendig de grote schaal met halfgare kippen uit de oven nam.

'Handdoek in brand,' zei Simons vader, die de keuken binnen kwam drentelen.

'Wat?' vroeg Simon, die met de kip bezig was. Meneer Stein was een lange, magere man met nog wat plukjes van hetzelfde haar als Simon. Hij slikte het laatste hapje van een toastje met kaas door en wees naar het fornuis, waar inderdaad een handdoek in brand stond.

'Handdoek,' zei hij. 'Brand.' Hij liep naar het fornuis, wipte de handdoek in de wasbak, waar de vlammen sissend en rokend uitdoofden. Hij kneep zijn vrouw even in haar arm. 'Calamity Jane,' zei hij liefkozend. Zonder op te kijken uit haar kookboek probeerde ze hem een tik te geven.

'Je eet niet alle toastjes met kaas op, hè?'

'Nee, zeker niet,' zei meneer Stein, 'ik ben nu overgestapt op de cashewnoten.' Hij wendde zich tot Rose en hield haar de schaal met kaas en toastjes voor. 'Ik raad je aan,' zei hij zacht, op een samenzweerderig toontje, 'om je hier helemaal ongans aan te eten.'

Rose lachte naar hem. 'Oké,' zei ze.

Simons moeder zuchtte en veegde haar handen af aan haar schort. 'Zeg eens, kan je, eh, kan Sydelle goed koken?'

'Ze zet mijn vader op de gekste diëten,' zei Rose. 'Veel koolhydraten, weinig vet, veel proteïne, vegetarisch...'

'O,' zei Elizabeth, en fronste haar wenkbrauwen. 'Is dit dan wel goed? Ik had misschien even moeten overleggen...'

'Nee hoor, dit is prima,' zei Rose, die wist dat Sydelle die avond totaal niet met het eten bezig zou zijn.

De familie Stein woonde in een groot, enigszins rommelig huis dat werd omringd door een grote tuin met onverzorgd gras. In de straat stonden nog meer van dit soort statige huizen. Meneer Stein was ingenieur en had diverse onderdelen voor vliegtuigen ontworpen. Op twee van zijn ontwerpen had hij jaren geleden patent aangevraagd, had Simon haar verteld, en een groot deel van hun kapitaal kwam daarvandaan. Hij was nu bijna zeventig en was zo goed als met pensioen. Hij bracht het grootste deel van zijn tijd thuis door, zoekend naar zijn bril, de draagbare telefoon, de afstandsbediening en de autosleutels. Mevrouw Stein was heel wat tijd kwijt met het verplaatsen van spullen van de ene stapel naar de andere, hetgeen hier waarschijnlijk wel iets mee te maken had. Verder werkte ze graag in haar grote, onoverzichtelijke groentetuin en las ze smeuïge romannetjes waar Rose stiekem ook dol op was. Van die boeken met titels die steevast uit drie woorden bestonden. *Haar verboden verlangen* lag op de magnetron en Rose had op de bank in de zitkamer *Vurig vlammende passie* zien liggen. Simon had Rose verteld dat hij als middelbare scholier zijn moeder eens een 'tegoedbon' had gegeven voor een niet-bestaand boek met de titel *Vochtige satijnen slipjes*. 'Was ze kwaad?' had Rose gevraagd. Simon dacht even na. 'Ik geloof dat ze eerder teleurgesteld was dat het boek niet bleek te bestaan.'

Simon snuffelde weer bezorgd in het rond. 'Mam, de walnoten,' zei hij.

'Komen eraan,' zei Liz Stein kalm, en schudde een zak kleine broodjes leeg in een gedeukt mandje waarin een servetje lag. 'O jee,' mompelde ze, 'dit mandje is wel erg gehavend.'

Ook dit was typerend. Simons ouders hechtten niet aan formaliteiten waar het de aankleding van de tafel betrof. Rose was dan ook niet verbaasd toen ze de tafel zag. Op tafel lag een handgemaakt linnen tafelkleed, met een ingewikkeld patroon in gouddraad, maar er waren verschillende borden neergezet. Rose telde vier borden van het 'goede' servies van de Steins, met een gouden randje, en twee keukenborden van IKEA. Er stonden vier waterglazen en twee koffiekoppen, drie wijnglazen, twee cognacglazen en een champagneglas. Iedereen had een ander servetje, op één ervan stond in grote letters FIJNE VERJAAR-

DAG. Sydelle zou zich vreselijk ergeren, dacht Rose, en grinnikte even. Dat moest ze dan maar vooral doen. Simon kwam achter haar staan, met een kan vol water met ijsblokjes en twee flessen wijn. 'Ik adviseer je,' zei hij, haar een glas aanreikend, 'om het vanavond op een zuipen te zetten.' Er reed een auto de oprit op. Rose ving een glimp op van haar vaders gezicht, het bekende hoge voorhoofd en de kale plek op zijn achterhoofd, en Sydelle naast hem, met lippenstift op en een parelketting om. Ze pakte haar verloofde bij de hand. 'Ik hou van je,' fluisterde ze. Simon keek haar aan. 'Weet ik.' De portieren sloegen dicht. Rose hoorde de beleefde uitwisseling van 'hallo's' en de hoge hakken van Sydelle op het parket van de familie Stein. Familie, dacht ze. Ze slikte, kneep in Simons hand en wenste iets wat ze moeilijk kon benoemen, namelijk kalmte en zelfverzekerdheid, luchtige grapjes en een ontspannen houding. Met andere woorden, ze dacht aan Maggie. Dit was haar familie, oud en nieuw, en Maggie hoorde daar ook bij.

Simon keek haar onderzoekend aan. 'Gaat het?'

Rose schonk haar glas weer halfvol en dronk het snel leeg. 'Ja,' zei ze, en liep achter hem aan naar de keuken. 'Het gaat prima.'

45

'ROSENFARB!' RIEP MAGGIE TEGEN DE PORTIER. DE PORTIER KNIKTE traag (wat niet zo verwonderlijk was, want Maggie had ontdekt dat iedereen op Golden Acres alles langzaam deed) en trapte het gaspedaal in toen de slagboom omhoogging. In de weken dat ze nu op Golden Acres verbleef had Maggie een experimentje uitgevoerd. Ze was erachter gekomen dat de portiers de slagboom openden bij het horen van iedere willekeurige joods klinkende achternaam. Het was al gelukt met Rosen, Rosenstein, Rosenblum, Rosenfeld, Rosebluth en één keertje, 's avonds laat, met Rosenpenis, als persoonlijk eerbetoon aan Fletch. De portiers (als je museumstukken in polyester uniformen tenminste portiers kon noemen) hadden hun grijze wenkbrauwen nog geen millimeter opgetrokken en de slagboom voor haar geopend.

Maggie manoeuvreerde Lewis' enorme Lincoln tot vlak voor Ella's appartement, zette de auto neer op de voor haar bestemde parkeerplaats en liep de trap op naar Ella's huis, waar ze haar kamer opzocht. De muren waren witgeschilderd en er stond een beige bedbank, die het kleine zusje van die van Rose had kunnen zijn. De kamer was zo kaal en zo schoon dat Maggie zich afvroeg of Ella hem ooit had gebruikt, of er ooit eerder een logé in had geslapen.

Het was drie uur 's middags. Ze was van plan om even naar boven te gaan, haar badpak te pakken, naar het strand te gaan en daar nog wat tijd door te brengen tot het etenstijd was. Misschien zou ze wel samen met Ella eten. Misschien konden ze nog een van die dvd's bekijken waar Ella de week daarvoor mee thuisgekomen was. Toen ze binnenkwam zag ze tot haar verbazing dat haar grootmoeder met gevouwen handen aan de keukentafel zat, alsof ze op haar had zitten wachten.

'Hallo,' zei Maggie. 'Moet je niet in het ziekenhuis zijn? Of in het tehuis? Of op een van je andere adressen?'

Ella schudde haar hoofd. Ze droeg een zwarte broek en een witte blouse en ze had haar haar zoals altijd opgestoken. Ze zag er ielig en klein uit, als een zwart-witte muis in een hoekje.

'We moeten eens praten,' zei ze.

O jee, dacht Maggie. Daar gaan we dan. Maggie wist wat er nu ging komen. Dit verhaal, of een variant daarop, had Maggie al zo vaak gehoord, van een stuk of wat vriendjes van huisgenoten en een keer of vijftig van Sydelle. 'Maggie, je bent een uitvreter.' 'Maggie, wanneer ga je eens meebetalen.' 'Maggie, je vader had het niet zo vaak voor je moeten opknappen.'

Maar Ella had een ander verhaal in gedachten. 'Ik moet je iets vertellen. Ik wilde al heel lang eens met je praten, maar...' haar stem stierf weg. 'Je hebt je waarschijnlijk afgevraagd waar ik al die jaren ben geweest...'

Aha, dacht Maggie. Dus daar ging het heen. Geen gezeur over Maggies afhankelijkheid, maar Ella's schuldgevoel. 'Je hebt kaarten gestuurd,' zei ze.

'Klopt,' zei Ella knikkend. 'En ik heb ook gebeld. Wist je dat niet?' Ze vroeg het, maar tegen beter weten in. 'Je vader was heel boos op ons. Op mijn man en mij. En na Ira's dood was hij boos op mij alleen.'

Maggie pakte een stoel en ging aan tafel zitten. 'Waarom was hij boos?' vroeg ze.

'Hij vond dat ik hem iets verschrikkelijks had aangedaan,' zei haar grootmoeder. 'Hij vond dat ik, dat mijn man en ik hem meer hadden moeten vertellen over Caroline. Je moeder.'

'Ik weet wel hoe ze heet hoor,' zei Maggie geïrriteerd. Het deed haar pijn om haar moeders naam te horen komen uit de mond van deze oude vrouw. De pijn vlamde op als uit een oude wond. Ze was hier nog niet aan toe. Ze wilde niet over haar moeder praten, ze wilde niet aan haar moeder denken, ze wilde de waarheid niet horen, niet haar grootmoeders versie van de waarheid. Haar moeder was dood. Het was het eerste grote verlies in haar leven, en die waarheid was al moeilijk genoeg te verwerken.

Ella praatte door. 'Ik had je vader moeten vertellen dat ze...' Ella verslikte zich in de woorden. 'Geestesziek was...'

'Je liegt,' zei Maggie op scherpe toon. 'Ze was niet gek. Het ging heel goed met haar, dat weet ik nog.'

'Maar het ging niet altijd goed, toch?' vroeg Ella. Maggie sloot haar ogen en van het verhaal van haar grootmoeder drongen slechts flarden tot haar door: manische periodes en depressiviteit, medicijnen, schok-behandelingen.

'Als ze zo gek was, waarom heb je haar dan laten trouwen?' vroeg Maggie streng. 'Waarom heb je haar dan kinderen laten krijgen?'

Ella zuchtte. 'We konden haar niet tegenhouden,' zei ze. 'Wat haar problemen ook waren, Caroline was een volwassen vrouw. Ze leidde haar eigen leven.'

'Je was waarschijnlijk blij om van haar af te komen,' sputterde Maggie. Dit was eigenlijk een van haar eigen angstbeelden, omdat ze zich zo goed kon voorstellen hoe blij haar vader en Sydelle, en Rose trouwens ook, zouden zijn om van haar verlost te zijn, om haar in de armen te laten verdwijnen van een of andere nietsvermoedende kerel. Ze zou dan voortaan zijn probleem zijn, en niet het hunne.

Ella schrok. 'Natuurlijk niet! Ik heb nooit het gevoel gehad dat ik van haar verlost was! En toen ik haar voorgoed kwijt was...' Ze slikte. 'Dat was het ergste wat ik me ooit had kunnen voorstellen. Want ik was niet alleen haar kwijt, maar ook jou en Rose.' Ze keek naar haar handen, die gevouwen op tafel rustten. 'Ik was alles kwijt,' zei ze en keek Maggie met tranen in haar ogen aan. 'Maar nu ben jij hier. En ik hoop...'

Ze pakte iets wat onder de tafel had gestaan. 'Hier,' zei ze en schoof een doos naar Maggie toe. 'Deze stond in Michigan in de opslag. Ik heb hem laten bezorgen. Ik dacht dat je het misschien leuk vond om ze te zien.'

Maggie opende de doos. Hij zat vol fotoalbums, heel oude. Ze sloeg de bovenste open en daar was ze – Caroline. Caroline als tiener, in een strakke zwarte trui en met dikke strepen oogpotlood. Caroline op haar trouwdag, in een nauwsluitende kanten jurk met een lange sleep. Ca-roline op het strand in een blauw badpak, met haar ogen dichtgeknepen tegen de zon, met Rose aan haar been hangend en baby Maggie in haar armen.

Maggie bladerde het boek steeds sneller door, zag haar moeder ouder worden, zag zichzelf opgroeien, maar al die tijd wist ze dat er een einde zou komen aan de foto's, wist ze dat haar moeder niet ouder dan dertig zou worden, dat Rose en zij in deze wereld altijd kleine meisjes zouden blijven. *De kunst van het verliezen valt te leren.* Haar groot-moeder keek haar indringend aan, haar oude ogen vol hoop. Nee, dacht Maggie. Dit niet. Ze kon er niet tegen. Ze wilde niet dat iemand alle hoop op haar vestigde. Ze wilde geen vervanging zijn voor iemands dode dochter. Ze wilde helemaal niets, zei ze streng tegen zichzelf, he-lemaal niets, helemaal niets behalve een beetje geld en een vliegticket. Ze weigerde haar grootmoeder als iets anders te beschouwen dan als een middel om een doel te bereiken. Ze was een boek met ogen en haar en een verdrietig verhaal. Ze wilde niet zielig gevonden worden en ze wilde al helemaal geen medelijden voelen voor een ander.

Ze sloeg het album met een klap dicht en veegde haar handen aan haar korte broek af alsof ze vies geworden waren. 'Ik ga wandelen,' zei ze, zich langs Ella's stoel wurmend richting haar kamer, waar ze het oude-damesbadpak dat ze in een kast in de slaapkamer gevonden had, een handdoek, een tube zonnebrandcrème en een leeg kladblok in haar tas stopte en naar buiten vluchtte.

'Maggie, wacht,' riep Ella. Maggie hield haar pas niet in. 'Maggie, alsjeblieft!' riep Ella, maar Maggie was verdwenen.

Maggie liep door Golden Acres, voorbij Crestwood, Farmington en Lawndale, liep door al die straten met fantasienamen die een Engelse sfeer moesten oproepen en langs gebouwen die steeds in vrijwel niets van hun buren verschilden. Je moet hier een slaatje uit slaan, fluister-de ze zichzelf toe.

Veel mensen waren haar iets verschuldigd – iedereen die haar op school gepest had, iedereen die haar neerbuigend behandeld had, al die mensen die hadden samengespannen om haar onzichtbaar te laten blijven, ze was verdomme bijna dertig. Ze zou binnenkort der-tig worden en nog steeds had ze geen behoorlijke rol vertolkt. En een adres met de postcode 90210 lag alleen via de tv enigszins binnen haar bereik.

Sla hier een slaatje uit, hield ze zichzelf voor. Ze kwam aan bij het zwembad, dat er afgezien van een paar oudjes, die rustig een kaart-spelletje deden of een boek lazen, uitgestorven bij lag. Maggie sleepte een van de ligstoelen in de beste stand ten opzichte van de zon, spreid-de haar badlaken erover uit, ging liggen en staarde naar het lege klad-blok. Hoeveel geld had ze nodig om hier weg te komen? Vijfhonderd dollar voor een ticket, noteerde ze. Tweeduizend dollar borg om een appartement te kunnen huren: de eerste en de laatste maand huur. Zoveel had ze net gespaard. Maggie kreunde, scheurde de bladzijde af, verfrommelde hem en legde de prop naast haar ligstoel op de grond.

'Hé!' riep een oude man met een blousje aan dat net ver genoeg open stond om een badmat van grijs borsthaar te onthullen. 'Geen rommel op de grond!'

Maggie wierp hem een boze blik toe en stopte de prop weg in haar rugzak. Ze begon weer te schrijven.

'Foto's,' noteerde ze. Hoeveel zou het kosten om goede foto's van zichzelf te laten maken?

'Juffrouw!' riep een onbekende stem, 'o, juffrouw!'

Maggie keek op. Ditmaal was het een oude vrouw met een roze badmuts met franje.

'Sorry dat ik je lastigval,' zei ze, Maggies kant opkomend. Het slappe vlees op haar dijen en bovenarmen trilde na iedere stap nog even na. 'Maar je verbrandt echt vreselijk als je geen zonnebrandcrème gebruikt.'

Zonder iets te zeggen toonde Maggie de vrouw haar tube Bain de Soleil, maar deze liet zich niet afpoeieren. Ze kon het zich verbeelden, maar het leek net of alle ouderen in hun stoelen steeds dichterbij kropen; iedere keer dat ze haar ogen sloot schoven ze een paar centimeter op. 'O, ik zie het al, heel goed,' zei de vrouw, 'Factor 15, dat is goed, heel goed, natuurlijk zou 30 nog beter zijn, of zelfs 45, en het zou waterproof moeten zijn...' Ze hield even in, wachtte op antwoord, maar Maggie negeerde haar. De vrouw bleef maar praten. 'Het is me opgevallen dat je je rug niet hebt ingesmeerd. Kan ik je daarmee helpen?' vroeg ze, zich vooroverbuigend naar Maggie. Maggie kromp ineen bij de gedachte dat een vreemde, uitgezakte oude vrouw haar aan zou raken. Ze schudde haar hoofd en zei: 'Nee, dank u, dat hoeft niet hoor.'

'Nou, als ik iets voor je kan doen,' zei de oude vrouw opgewekt, terwijl ze weer naar haar stoel schuifelde, 'dan zit ik hier. Ik ben Dora,' zei ze, bij wijze van antwoord op een vraag die niet door Maggie was gesteld. 'Hoe heet jij, liefje?'

Maggie slaakte een zucht. 'Maggie,' zei ze, omdat het noemen van een verzonnen naam haar te veel moeite leek. Voortaan maar weer Maggie zeggen, dacht ze grimmig, richtte haar aandacht weer op haar kladblok en onderstreepte het woord 'foto's'. Ze zou haar grootmoeder uitleggen wat voor foto's ze nodig had en dat ze graag wilde acteren, dat ze dat altijd al gewild had en dat ze, omdat ze geen liefhebbende moeder had die haar kon helpen deze droom te verwerkelijken, wel haar toevlucht moest nemen tot list en bedrog, maar dat nu...

'Pardon!'

O, in godsnaam, dacht Maggie, en keek tegen de zon in naar twee oude mannen in korte broek. Met sandalen. En sokken.

'We komen er maar niet uit,' zei de leider van het stel. Het was een lange, magere, kale man, met een huid die door de zon diep zalmroze kleurde.

'Ik probeer me eigenlijk ergens op te concentreren,' zei Maggie, gebarend naar haar kladblok, in de hoop dat ze haar met rust zouden laten.

'Laat dat meisje met rust, Jack,' zei de andere man – klein en dik, met een laatste randje wit haar en een afzichtelijke rood-zwart geblokte zwembroek aan.

'Het is maar een klein vraagje,' zei de man die waarschijnlijk Jack heette. 'Ik vroeg me alleen af – nou, we hadden het erover...' Maggie keek hem ongeduldig aan. 'Je komt ons zo bekend voor,' zei hij. 'Ben je actrice?'

Maggie wierp haar haar naar achteren en schonk het zielige stelletje haar charmantste lach. 'Ik heb opgetreden in een videoclip,' zei ze. 'Will Smith.'

De lange man staarde haar met opengesperde ogen aan. 'Echt waar? Heb je hem ontmoet?'

'Nou, dat eigenlijk niet,' zei Maggie, op haar ellebogen steunend. 'Maar ik heb hem wel gezien tijdens de lunchpauze. Toen we even stopten met draaien,' zei ze, haar kastanjebruine krullen schuddend. En voor ze het wist was ze omringd door vier ouderen, Jack en zijn vriend, de blubberige vrouw Dora en de man die haar had aangesproken toen ze die prop op de grond gooide. Maggie zag levervlekken en sunblock, rimpels en pluizig wit haar en rook de geur van zwembroeken die in de mottenballen hadden gelegen.

'Actrice, mijn hemeltje,' zei Jack.

'Wauw,' zei het dikke mannetje.

'Bij wie hoor je?' murmelde Dora. 'O, wat zullen je grootouders trots op je zijn!'

'Woon je in Hollywood?'

'Heb je een agent?'

'Deed het pijn,' vroeg Jacks dikke vriend, 'toen die tatoeage werd aangebracht?'

Dora keek hem fel aan. 'Herman, wat is dat nou voor vraag?'

'Ik wil het graag weten,' zei Herman met een vastberaden blik in zijn ogen.

Jack wipte ongeduldig op en neer op het uiteinde van Maggies ligstoel en zei iets wat Maggie als muziek in de oren klonk. 'Vertel eens iets meer over jezelf, we willen alles van je weten.'

46

SIMON ZETTE ZIJN KOFFERTJE OP DE GROND IN ROSE' APPARTE-
ment en hield zijn armen wijdopen. 'Waar is mijn lieftallige uitverkorene?' riep hij. Hij was deze term tegengekomen in een lokaal krantje
toen hij voor een zaak in het hart van Pennsylvania moest zijn en
sprak Rose sindsdien steevast zo aan.

'Ik kom!' riep Rose vanuit de keuken, waar ze de folders van drie
verschillende cateringbedrijven had zitten bestuderen die die dag met
de post waren binnengekomen. Simon nam haar in zijn armen. 'Wil je
die lamskoteletjes echt heel graag,' fluisterde ze in zijn oor, 'want ze
zijn peperduur.'

'Geld speelt geen rol,' verklaarde Simon met een groots gebaar.
'Onze liefde moet worden bezegeld met de nodige grandeur. En met
lamskoteletjes.'

Rose zette een in kleurig cadeaupapier verpakt doosje voor hem neer.
'Dit is vandaag bezorgd, en ik heb geen idee wat het kan zijn.'

'Een verlovingscadeau!' zei Simon, in zijn handen wrijvend. Hij
bekeek het adres van de afzender. 'Van tante Melissa en oom Steve!'
Hij trok de strik los en samen staarden ze naar het cadeau. Na een
volle minuut keek Simon Rose van opzij aan en schraapte zijn keel.
'Ik denk dat het een kandelaar is.'

Rose pakte het glasblok op uit zijn nest van vloeipapier en hield het
tegen het licht. 'Ik zie geen kaars.'

'Maar er is wel plaats voor een kaars,' zei Simon, wijzend op de
ondiepe opening in een van de zijden van het blok.

'Dat lijkt me niet diep genoeg voor een kaars,' zei Rose. 'En als het een kandelaar was, zouden ze dan geen kaars hebben meegestuurd? Zodat we het zeker zouden weten?'

'Het moet wel een kandelaar zijn,' zei Simon, die niet al te overtuigd klonk. 'Wat zou het anders moeten zijn?'

Rose bekeek het stuk glas nog eens goed. 'Is het geen schaaltje?'

'Voor een heel bescheiden maaltijd?' vroeg Simon.

'Nee, nee, ik bedoel voor nootjes en zo.'

'Het gat is niet groot genoeg voor nootjes.'

'Maar het is zeker wel groot genoeg voor een kaars?'

Ze keken elkaar enige tijd niet-begrijpend aan. Toen pakte Simon een bedankkaartje en begon te schrijven. 'Beste tante Melissa en oom Steve, hartelijk bedankt voor jullie mooie cadeau. Het zal...' hij tilde de pen op van het papier en staarde naar het plafond. 'Mooi?'

'Dat woord heb je al een keer gebruikt!' zei Rose.

'Schitterend!' riep Simon. 'Het zal schitterend staan in ons huis en we zullen er nog vele jaren veel lol om hebben terwijl we erachter proberen te komen wat het in godsnaam is. Fijn dat jullie aan ons hebben gedacht. We verheugen ons erop jullie binnenkort te zien.' Simon eindigde met hun namen, deed de dop op de pen en draaide zich stralend om naar Rose. 'Zo!'

'Dat heb je toch niet echt geschreven?' vroeg Rose.

'Nee,' zei Simon. 'Echt niet. Hoeveel nog?'

Rose keek op de lijst. 'Eenenvijftig.'

'Dat meen je niet.'

'Het is jouw schuld,' zei Rose. 'Helemaal jouw schuld.'

'Zeker omdat mijn familie cadeautjes stuurt...'

'Omdat mijn familie niet zo idioot groot is...'

Simon stond op, legde zijn handen op haar heupen en deed of hij haar in haar nek wilde kussen. In plaats daarvan blies hij een tetterende nepwind op haar huid. 'Neem het terug,' zei hij.

'Idioot groot!'

'Neem het terug,' fluisterde hij in haar oor, 'of ik zal ervoor zorgen dat je alles doet wat ik zeg.'

Rose draaide zich naar hem om. 'Ik ben niet van plan,' hijgde ze, 'om zelf ook van die stomme bedankjes te gaan schrijven!'

Simon trok haar naar zich toe en kuste haar. Zijn vingers gleden door haar haar. 'Die bedankjes kunnen wel even wachten,' zei hij.

Later, toen ze warm en naakt onder het donzen dekbed lagen, rolde Rose zich op haar zij en sneed het onderwerp aan dat ze al sinds het moment dat hij was thuisgekomen vermeden had. 'Ik moet je nog iets vertellen,' zei ze. 'Mijn vader belde vandaag. Over Maggie.' Simons gezicht vertoonde geen emotie. 'O?' vroeg hij. Rose draaide zich op haar rug en staarde naar het plafond. 'Ze is weer boven water,' zei ze. 'Mijn vader wilde er over de telefoon niet meer over kwijt dan dat het goed met haar gaat. Hij wil dat ik langskom om de rest van het verhaal te horen.'

'Oké,' zei Simon.

Rose sloot haar ogen en schudde haar hoofd. 'Ik weet niet zeker of ik de rest wel wil horen. Wat het dan ook moge zijn. Ik weet gewoon niet...' Haar stem stierf weg. 'Maggie is gewoon een vreselijk mens.'

'Hoe bedoel je?' vroeg Simon.

'Ze is... nou ja, ze...' Rose trok een grimas. Hoe moest ze aan de man van wie ze hield uitleggen wat voor soort zus ze had? Dat ze geld pikte, schoenen pikte, zelfs vriendjes inpikte en vervolgens maandenlang van het toneel verdween? 'Neem het nu maar van me aan. Het is een rotmeid. Ze kon niet goed leren.' En toen zweeg ze. Het leerprobleem, dat was nog maar het topje van de Maggie-ijsberg. En was het niet typisch iets voor haar om weer op te duiken vlak voor Rose' huwelijk, vlak voor die dag waarop Rose en Simon in het middelpunt van de belangstelling wilden staan? 'Ze gaat ons huwelijk verpesten,' zei ze.

'Ik dacht dat Sydelle en de piesende peuters dat zouden doen,' zei Simon.

Rose lachte als een boer met kiespijn. 'Nou, Maggie kan meer schade veroorzaken.' Shit, dacht ze. Het was zo lekker rustig in de tijd dat Maggie waar dan ook verbleef. De ochtendlijke rust werd niet verstoord door telefoontjes van schuldeisers en Rose en Simon werden 's nachts niet lastiggevallen door haar exen of potentiële vriendjes. Dingen bleven liggen op de plek waar Rose ze had neergelegd. Haar schoenen, haar kleren, haar geld, Rose kon overal vrij over beschikken. De auto bleef staan waar zij hem had geparkeerd. 'Eén ding is zeker,' ging Rose verder. 'Ze wordt geen bruidsmeisje. Ze mag al blij zijn als ze wordt uitgenodigd.'

'Oké,' zei Simon.

'Ze mag blij zijn als ze iets te eten krijgt,' zei Rose.

'Des te meer blijft er voor mij over,' zei Simon.

Rose staarde nog steeds naar het plafond. 'Ik denk nog steeds dat dat glazen object een soort schaaltje was.'

'Ik heb de envelop al dichtgelikt,' zei Simon. 'Laat toch zitten.'

'Aaah,' zei Rose. Ze sloot haar ogen en wenste dat ze uit een normale familie kwam, zoals Simon. Geen dode moeder, geen vermiste zus, geen vader die al zijn enthousiasme bewaarde voor het beursnieuws en zeker geen Sydelle die haar kleinzoons met hoge hoeden op naar het altaar wilde laten schrijden. Ze legde haar hoofd nog even op het koele katoen van haar kussen en stond toen op. Ze liep naar de zitkamer, pakte een bedankkaartje – een roomwit kaartje van zwaar papier met daarop hun namen, Rose en Simon, aan weerszijden van een grote S, van Stein, hoewel Rose die naam niet zou aannemen. Ze had haar stiefmonster dat wel verteld, maar Sydelle had toch dit monogram op de kaartjes laten afdrukken, of ze het nu wilden of niet.

Lieve Maggie, dacht Rose. Hoe heb je me zo veel pijn kunnen doen? En wanneer kom je weer naar huis?

47

ELLA LIEP NAAR HET HEK DAT ROND HET ZWEMBAD STOND EN drukte haar gezicht ertegenaan. 'Daar,' zei ze, alle verdriet en teleurstelling die ze voelde in dat ene woordje leggend. 'Daar is ze.' Lewis kwam naast haar staan en mevrouw Lefkowitz bracht haar wagentje tot stilstand. Met zijn drieën stonden ze bij het hek, turend door de ruitvormige gaten. Ze keken naar Maggie.

Haar kleindochter lag op een ligstoel aan de diepe kant van het zwembad. Ze droeg een splinternieuwe roze bikini en een ragfijn kettinkje om haar middel. Haar huid glansde van de zonnebrandcrème. Haar haar lag in een berg van losse krullen op haar hoofd en haar ogen gingen schuil achter een klein, rond zonnebrilletje. Ze werd omringd door vier mensen – een oude vrouw met een verschoten roze badmuts op en drie oude mannen in korte broek. Terwijl Ella stond te kijken boog een van de mannen zich voorover naar Maggie, alsof hij haar iets vroeg. Haar kleindochter kwam op één elleboog liggen en keek alsof ze nadacht. Toen ze iets terug zei, barstte haar publiek in lachen uit.

'O,' zei Lewis. 'Het ziet ernaar uit dat ze vrienden heeft gemaakt.'

Het deed Ella pijn om te zien dat Maggie haar nieuwe vrienden zo goed leek te vermaken. Ze oogde meer ontspannen dan ze ooit in Ella's gezelschap was geweest, terwijl het aerobicsklasje in het ondiepe deel van het zwembad vol enthousiasme bewoog op de ritmische muziek van een beverig bandje. De afgelopen week – sinds de dag dat Ella had geprobeerd haar het verhaal over haar moeder te vertellen – was het iedere dag zo gegaan. Maggie kwam thuis van haar werk, schoot haar kamer in om haar uniform van Bagel Bay te verruilen voor een bikini en een korte broek, en vertrok naar het zwembad. 'Ik ga zwemmen,' zei ze dan. Ze vroeg nooit of Ella meeging. Ella wist maar al te goed waar het op uit zou draaien. Maggie zou verhuizen, zou een appartementje vinden, of zou intrekken bij een van haar nieuwe vrienden, bij een of andere vriendelijke vrouw die alle leuke kanten van een grootmoeder zou belichamen zonder het risico op complicaties of pijnlijke familiegeschiedenissen. O, dacht ze, het is niet eerlijk! Ze had zo lang gewacht, ze had zo gehoopt dat het nog goed zou komen en nu zag ze de kloof tussen Maggie en haar steeds dieper worden!

'Wat moet ik doen?' fluisterde ze.

Mevrouw Lefkowitz reed haar wagentje achteruit en zette op volle kracht koers naar de ingang van het zwembad.

'Wacht!' riep Ella. 'Waar ga je heen?'

Mevrouw Lefkowitz draaide zich niet om, stopte niet, gaf geen antwoord. Ella keek vragend naar Lewis.

'Ik ga wel...' begon hij.

'Misschien is het beter als we...' zei ze.

Ella's hart klopte in haar keel terwijl ze zo snel als ze kon achter mevrouw Lefkowitz aan ging, die door de poort stoof, recht op Maggie af reed en niet van plan leek te zijn om vaart te minderen.

'Hé!' riep een van de oude mannen, toen mevrouw Lefkowitz langs hem schoot en daarbij een tafeltje aantikte waarop hij net zijn speelkaarten had neergelegd. Ze negeerde hem en kwam vlak voor Maggies ligstoel tot stilstand. Ella en Lewis kwamen hijgend achter mevrouw Lefkowitz' wagentje aan. Heel even moest Ella denken aan al die spaghettiwesterns waarin de *good guys* het tegen de *bad guys* opnamen. De confrontatie vond altijd – heel handig – plaats in een verlaten straat of midden in een lege kraal. Het enige wat er nog aan dit tafereel ontbrak was een bosje amarant dat door de wind langs mevrouw Lefkowitz' wagentje geblazen werd. Zelfs het aerobicsklasje had zijn gespetter gestaakt en stond stil en nieuwsgierig te kijken in het ondiepe, water druipend van hun rimpelige, gebruinde armen.

Maggie keek mevrouw Lefkowitz verbaasd aan en Maggies nieuwe vrienden namen Ella en Lewis van top tot teen in zich op. Ella op haar beurt bestudeerde het gebarsten beton onder haar voeten, wensend dat ze zich kon verschuilen onder een grote cowboyhoed, of liever nog, achter een bruikbaar script. Was zij de good guy of de bad guy? Was zij de held, die de dame in nood kwam redden of was zij de schurk die haar op de spoorlijn zou vastbinden?

Held, besloot ze, terwijl mevrouw Lefkowitz haar wagentje nog een klein stukje naar voren reed tot hij Maggies ligstoel raakte. Het deed Ella denken aan een puppy die een dichte deur met zijn neus probeert open te duwen.

'Maggie, liefje,' zei mevrouw Lefkowitz, 'er is iets waar je me misschien mee kunt helpen.'

Maggie trok haar wenkbrauwen op terwijl een van de oude mannen mevrouw Lefkowitz aanstaarde.

'Ze is moe,' snauwde hij, zijn stok met twee handen omvattend. 'Ze heeft een vermoeiende dag achter de rug. En ze wilde ons net gaan vertellen hoe ze het bijna had klaargespeeld om een baan te krijgen bij MTV.'

Mevrouw Lefkowitz gaf geen krimp. 'Oké, ook goed, vertel maar.'

Maggie keek langs mevrouw Lefkowitz naar Ella. 'Wat kom je doen?'

Ella begon te praten, ze struikelde bijna over de woorden. Ik wil dat je van me houdt. Ik wil dat je me aardig vindt. Ik wil dat je je niet langer voor me verstopt. 'Ik...' was alles wat ze wist uit te brengen.

'Ze heeft het druk,' zei de korte, dikke man, die beschermend voor Maggies ligstoel ging staan.

'Ben jij Maggies grootmoeder?' vroeg de vrouw met de roze badmuts. 'Goh, wat zul je trots op haar zijn! Zo'n mooi meisje, en al zoveel bereikt...'

Maggie beet op haar lip en de oude man met de stok knorde misnoegd toen Lewis twee stoelen plaatste in de kring rond Maggie en naar Ella gebaarde dat ze kon gaan zitten.

'MTV?' vroeg mevrouw Lefkowitz, die knikkend een gezicht trok alsof ze de zender hoogstpersoonlijk had opgezet. 'Wilde je meedoen aan een van de spelshows?'

'Een talentenjacht,' stamelde Maggie.

'Net als Carson Daly,' zei mevrouw Lefkowitz, terwijl ze haar armen over elkaar sloeg en vanachter haar vierkante zonnebril omhoogkeek. 'Zo'n knappe vent.'

De twee groepen rangschikten zich in een ongemakkelijke halve cirkel rond Maggies ligstoel. Ella en Lewis en mevrouw Lefkowitz aan de ene en Maggies vier nieuwe vrienden aan de andere kant. Ze haalde nauwelijks zichtbaar haar schouders op, pakte haar rugzak en trok

307

er een kladblok uit. Ella kon zich iets ontspannen. Het was nog niet echt een mijlpaal, maar in ieder geval was Maggie er niet vandoor gegaan en ze had hun ook niet gevraagd te vertrekken. 'Jij bent Jack, toch?' vroeg Lewis aan de man die zijn wandelstok zo stevig had vastgegrepen. De man, Jack, gromde instemmend. Lewis stak zijn hand naar hem uit. De babbelzieke vrouw begon mevrouw Lefkowitz allerlei vragen te stellen over haar wagentje. De twee andere mannen gingen door met hun kaartspel. Ella sloot haar ogen, haalde stilletjes diep adem en hield haar hart vast.

Maggie lag in haar ligstoel, ook met haar ogen dicht. Ze probeerde te bedenken wat ze moest doen en hoe ze de zaken recht kon breien, zelfs al vond ze in haar hart een beetje dat het niet aan haar was dat te doen. Niemand hier in Florida wist wat ze wel of niet moest doen. Niemand hier wist dat zij degene was die overal een puinhoop van maakte, dat ze het zwarte schaap van de familie Feller was. Niemand hier kende Rose, Rose die alles altijd regelde. Zij wisten niet dat Maggie altijd degene was die gered moest worden, uit de brand moest worden geholpen. Zij had een baan, een huis, was omringd door mensen die om haar gaven. Maggie vond dat het nu haar beurt was om de schade te herstellen en ze zou beginnen bij degene die ze het meest had gekwetst, bij Rose dus.

Ze kneep haar ogen dicht. Ze was bang en ze moest zich beheersen om niet op te springen, door het hek weg te rennen, Lewis' auto te nemen en ergens heen te rijden waar niemand haar kende, waar niemand wist wie ze was, wat ze had gedaan, waar ze vandaan kwam. Maar ze was al naar Princeton gevlucht, en van daar naar Florida. Ze had helemaal geen zin om weer op de vlucht te slaan.

Haar grootmoeder, in de stoel naast haar, schraapte haar keel. 'Je vindt het zeker wel jammer dat er hier geen mensen van je eigen leeftijd zijn,' zei Ella. 'Het zal wel moeilijk voor je zijn, zo tussen de oude mensen te leven.'

'Het gaat wel,' zei Maggie.

'Ze heeft niets te klagen,' gromde Jack.

Maggie opende haar ogen en sloeg haar kladblok open. *Lieve Rose*, schreef ze. Ella zag wat ze had opgeschreven en wendde snel haar ogen af. Dora was echter minder discreet.

'Wie is Rose?' vroeg ze.

'Mijn zus,' zei Maggie.

'Heb je een zus! Wat is het voor iemand?' Jack legde zijn kaarten op tafel en Herman legde zijn boek weg. 'Ze heeft een zus!'

'Ze is advocaat en woont in Philadelphia,' zei Ella. Omdat haar kennis niet verder reikte, keek ze Maggie vragend aan. Maggie negeerde haar, flapte het kladblok dicht en schreed door de haag van ouden van dagen naar de rand van het zwembad om te pootjebaden.

'Is ze getrouwd?' vroeg Dora.

'Wat voor soort zaken doet ze?' vroeg Jack. 'Doet ze toevallig ook testamenten?'

'Komt ze je opzoeken?' vroeg Herman streng. 'Lijkt ze op jou? Heeft ze ook een tatoeage?'

'Ze is niet getrouwd,' zei Maggie. 'Ze heeft een vriend...' Nou ja, dat wil zeggen, ze had een vriend, totdat ik haar relatie verpestte. Maggie staarde met een ongelukkige blik in het chloorwater van het zwembad.

'Vertel nog eens iets meer over haar!' vroeg Dora nieuwsgierig.

'Heeft ze piercings?' vroeg Herman.

Maggie glimlachte en schudde haar hoofd. 'Ze lijkt niet op mij. Nou, een klein beetje misschien. We hebben dezelfde kleur ogen en haar, maar ze is langer dan ik. En ze heeft geen tatoeages. Ze is nogal behoudend. Ze heeft haar haar altijd opgestoken.'

'Net als jij!' zei Ella.

Maggie wilde protesteren, maar voelde even aan haar paardenstaart en wist dat Ella gelijk had. Ze liet zich in het water glijden en draaide zich op haar rug.

'Rose kan heel grappig zijn,' zei ze. Ella haastte zich naar de rand van het zwembad om geen woord te missen. Maggies andere zwembadvrienden kwamen achter haar aan en verdrongen zich langs de rand van het diepe. 'Maar soms ook heel gemeen. Toen we klein waren sliepen we samen op een kamer. Onze bedden stonden vlak bij elkaar, met een ruimte ertussen. Als zij in bed lag te lezen, sprong ik altijd op haar bed.' Maggie glimlachte. 'Zij lag daar maar te lezen en ik sprong van het ene op het andere bed en riep: "The quick brown fox jumps over the lazy dog"!'

'Dus jij was de vlugge bruine vos,' zei Ella.

Maggie keek haar aan met een blik die verried dat ze vond dat dat toch vanzelf sprak, en Jack, Dave en Herman deden hetzelfde. 'Ik ging ermee door tot ze me een mep verkocht.'

'Sloeg ze je?' vroeg Ella.

'Ik sprong maar heen en weer en ik zag wel dat ze het heel irritant vond, maar ik ging net zo lang door tot ze haar arm uitstrekte en me neerhaalde.' Maggie knikte en klom weer op de rand. Het was duidelijk dat ze met plezier terugdacht aan hoe haar zus haar uit de lucht mepte.

'Vertel ons nog eens iets over Rose,' zei Dora, terwijl Jack Maggie een handdoek aangaf en Dora haar de tube zonnebrandcrème aanreikte.

'Ze geeft niet zoveel om haar uiterlijk,' zei Maggie, die zich weer uitstrekte op de ligstoel. Ze zag Rose voor zich, staand voor de passpiegel of mascara knoeiend op haar oogleden, zodat ze met zwarte halve maantjes onder haar ogen naar kantoor vertrok.

'Ik zou het heel leuk vinden om haar eens te ontmoeten,' zei Dora.

'Waarom vraag je haar niet of ze langskomt,' zei Jack, met een schuine blik op Ella. 'Ik weet zeker dat je oma julie graag allebei te logeren heeft.'

Maggie wist dat hij gelijk had. Ella zou Rose heel graag willen ontmoeten. Welke oma wilde dat nu niet? Een slimme, succesvolle kleindochter die rechten had gestudeerd. Maar Maggie wist niet of ze er al aan toe was om Rose te zien, ze wist zelfs niet of Rose het haar kon vergeven. Het ging zo goed met haar sinds die verschrikkelijke avond waarop ze Philadelphia was ontvlucht. Voor het eerst in haar leven stond ze niet in Rose' schaduw, was ze niet het kleine zusje, het zusje dat minder intelligent, minder succesvol was, het zusje dat alleen maar mooi kon zijn, in een tijd waarin dat steeds minder belangrijk leek. Corinne en Charles hadden niets geweten van haar verleden, van het geploeter, de bijlessen, de baantjes die ze niet had volgehouden of waarvan ze werd weggestuurd, alle vriendinnen die ze was kwijtgeraakt. Dora en Jack en Herman vonden haar niet dom, vonden haar geen slet. Ze vonden haar aardig. Ze bewonderden haar. Ze luisterden naar haar verhalen. Als Rose zou komen, zou alles anders worden. 'Een bagelshop?' zou ze vragen, op een toon die deed vermoeden dat dat het maximaal haalbare was voor Maggie – een bagelshop, een logeerkamer, een geleende auto, vriendschap met vreemden.

Maggie sloeg het kladblok weer open. 'Lieve Rose,' schreef ze weer, en stopte. Ze wist niet hoe ze dit moest aanpakken, wat ze moest schrijven.

'Deze brief is van Maggie, voor het geval je het handschrift niet herkent,' schreef ze. 'Ik ben in Florida, bij onze...' Oef. Dit was zo moeilijk. Er bestond een woord voor wat ze wilde uitdrukken. Maggie kon er niet opkomen, het lag op het puntje van haar tong. Haar hartslag versnelde, net als tijdens de colleges op Princeton, waar ze op de achterste rij zat en zich moest inhouden om de juiste antwoorden voor zich te houden. 'Wat is dat woord, waarmee je uitdrukt dat iemand bij iemand anders wil zijn, maar dat dat niet kan vanwege een ruzie of zo?' riep ze.

'Het Jiddische woord?' vroeg Jack.

'Aan wie moet zij nou in het Jiddisch schrijven?' vroeg Herman, alvorens weer in zijn boek te duiken.

'Niet in het Jiddisch,' zei Maggie. 'Ik zoek het woord voor twee verwanten die elkaar nooit zien omdat andere familieleden boos op elkaar zijn.'

'Vervreemd,' zei Lewis. Jack keek hem kwaad aan. Maggie leek niets in de gaten te hebben.

'Dank je,' zei ze.

'Fijn dat ik in de herfst van mijn leven nog iemand van dienst kan zijn,' zei Lewis en lachte even naar Ella.

'Ze heet Ella Hirsch en ze was van ons vervreemd,' schreef Maggie, en staarde naar de bladzijde. Nu kwam het moeilijkste deel... maar ze had veel geoefend op Princeton, had leren werken met woorden, had geleerd de mooiste uit te kiezen zoals een goede kok de lekkerste appels uit de mand pakt, de meest malse kip uit de vitrine bij de slager.

'Ik heb heel veel spijt van wat er vorige winter is gebeurd,' schreef ze. Het leek haar het beste om er geen doekjes om te winden. 'Het spijt me dat ik je pijn heb gedaan. Ik wil...' En opnieuw stopte haar pen. Ze merkte dat iedereen naar haar keek alsof ze een zeldzaam zeewezen was dat sinds kort te bezichtigen was, een dier in de dierentuin dat een nieuw kunstje had geleerd.

'Welk woord gebruik je als je wilt zeggen dat je het goed wilt maken?'

'Verzoenen,' zei Ella rustig, en spelde het. Maggie schreef het twee keer op, om zeker te weten dat ze het goed deed.

48

'OKÉ,' ZEI ROSE, TERWIJL ZE PLAATSNAM OP DE PASSAGIERSSTOEL
van haar auto. 'Oké, dus je zweert op straffe van meineed, zoals omschreven in het wetboek van Pennsylvania, dat er niemand, maar dan
ook niemand anders van Lewis, Dommel en Fenick op dit huwelijk
aanwezig zal zijn?' Dit was heel belangrijk. Ze had al heel veel besproken met Simon – dode moeder, verdwenen zuster, vreselijke stiefmoeder – maar aan Jim Danvers waren ze nog niet toegekomen. En
het laatste wat Rose wilde was dat dit onderwerp besproken moest
worden op het huwelijk van twee studievrienden van Simon, enkele
maanden voordat ze zelf zouden trouwen.

'Voorzover ik weet niet,' zei Simon, die zijn das rechttrok en de
motor startte.

'Voorzover jij weet niet,' herhaalde Rose. Ze klapte het spiegeltje
neer, controleerde haar make-up en veegde een streepje slecht uitge-
smeerde camouflagecrème onder haar rechteroog weg. 'Ik moet dus
oppassen voor skateboards.'

'Heb ik dat niet verteld?' vroeg Simon. 'Don Dommel is van zijn
skateboard gevallen, heeft met zijn hoofd een railing geraakt en Het
Licht gezien. Hij slikt nu medicijnen. Hij mediteert. Rond lunchtijd
wordt er iedere dag yoga gegeven. Het hele kantoor ruikt naar wierook
en de secretaresses moeten de telefoon opnemen met "Namasté".'

'Huh,' zei Rose.

'Rose,' zei Simon. 'Het is maar een huwelijk. Maak je niet zo druk.'

Rose begon in haar tas te wroeten op zoek naar een lippenstift. Ze
vond dat Simon makkelijk praten had. Hij was niet degene die iets uit

te leggen had. Ze begon te begrijpen waarom Maggie zich altijd zo defensief opstelde. Het was een heel veilig gevoel om met een titel door het leven te gaan, of je nu dokter, advocaat of student was, dat maakte niet uit. Het was echt moeilijk om steeds maar weer aan mensen uit te leggen wie je was. Als je niet in een hokje gestopt kon worden, kwam het er eigenlijk op neer dat je moest uitleggen wat je deed. 'Nou, ik wil graag acteren, maar ben nu tijdelijk aan het werk als serveerster', of: 'Ik ben eigenlijk advocaat, maar de afgelopen tien maanden heb ik een hondenuitlaatservice gerund.'

'Het wordt best leuk, Rose,' zei Simon. 'Je hoeft alleen mijn vrienden te feliciteren, champagne te drinken, met mij te dansen...'

'Je hebt niet verteld dat er gedanst ging worden,' zei Rose geschrokken. Voor het eerst sinds ze van kantoor was weggebleven, had ze haar voeten weer in schoenen met hoge hakken gewurmd. Houd moed, hield ze zichzelf voor. 'Het wordt een leuke dag!' Ze slikte. Ze wist zeker dat het een vreselijke dag ging worden. Ze kwam nooit goed uit de verf op dit soort grote bijeenkomsten en dat was een van de redenen waarom ze een beetje tegen haar eigen huwelijk opzag. Ze torste te veel herinneringen met zich mee aan bar mitswa's en dansfeesten op country clubs waar ze zich altijd het langste, lelijkste, schuchterste meisje had gevoeld. Ze trok zich meestal terug in een hoekje, op een strategische positie ten opzichte van de leverworst en miniatuurhotdogs. Ze redeneerde daarbij als volgt: als niemand haar zou opmerken, dan zou het ook geen pijn doen dat niemand haar ten dans vroeg. Zo stond ze daar urenlang in haar eentje hapjes te eten en keek toe hoe Maggie de limbowedstrijd won.

Tel er 18 jaar bij, voeg een verloofde toe en daar ging ze weer, dacht ze, terwijl ze achter Simon aan door een met witte satijnen linten versierde deur stapte. De leverworst en de hotdogs hadden plaatsgemaakt voor rauwkost en champagne, en er zou geen limbodansend zusje zijn om haar aandacht af te leiden. Rose pakte een programma. 'De bruid heet Penelope?'

'Iedereen noemt haar Lopey,' zei Simon.

'Lopey. Hm-hm,' zei Rose.

'Ik zal je aan een paar mensen voorstellen,' zei Simon. En hij stelde haar voor aan James, Aidan, Leslie en Heather. James en Aidan waren ook studievrienden van Simon. Leslie werkte op een reclamebureau, Heather was inkoopster bij Macy's. Het waren slanke vrouwen met nauwsluitende jurken aan (die van Heather was roomwit, die van Leslie geel), met een kasjmieren omslagdoek losjes om hun schouders gedrapeerd. Rose keek de zaal rond, en voelde de wanhoop in zich opwellen toen ze ontdekte dat de aanwezige vrouwen – echt zonder uitzondering – gekleed waren in eenvoudige jurkjes met een omslagdoek en elegante open schoenen. En daar stond zij, met verkeerde kleren aan, in de verkeerde kleur, met pumps in plaats van open schoenen, met een dikke kralenketting in plaats van parels, en ze wist zeker dat haar haar zich uit alle macht probeerde los te wurmen uit de schildpadkammetjes die ze er een uur geleden had ingestoken. Shit. Maggie had wel geweten wat voor kleren ze had moeten dragen, dacht Rose mistroostig. Waar was die zus als je haar nodig had?

'En wat doe jij?' vroeg Heather. Of misschien was het Leslie wel. Ze waren allebei blond, alleen had de een een pagekopje en droeg de ander haar haar in een nette wrong. Ze hadden dezelfde frisse huid, die een goede afkomst en een regelmatige bloostelling aan de lucht in de paskamers van Talbots verraadt.

Rose friemelde aan haar kralenketting, en vroeg zich af of het iemand zou opvallen als ze die tijdens de plechtigheid onopvallend in haar tas zou laten glijden. 'Ik ben advocaat.'

'O!' zei Leslie. Of Heather. 'Ben je een collega van Simon?'

'Nou... eigenlijk ben ik...' Rose wierp Simon een wanhopige blik toe, maar hij ging helemaal op in het gesprek met zijn vrienden. Ze veegde haar klamme voorhoofd af, zich met schrik bedenkend dat ze daarmee ook haar make-up wegveegde. 'Ik werkte bij Lewis, Dommel en Fenick, maar ik heb een tijdje vrij genomen.'

'O,' zei Leslie.

'Leuk,' zei Heather. 'En jullie gaan trouwen, hè?'

'Ja, inderdaad!' zei Rose, op iets te luide toon, en pakte Simon zo bij zijn onderarm dat haar verlovingsring goed te zien zou zijn, voor het geval ze zouden denken dat ze stond te liegen.

'Ik heb drie maanden verlof genomen om mijn huwelijk te organiseren,' zei Heather. 'Ik weet nog zo goed hoe het was. Al die afspraken... het menu, de bloemen...'

'Ik ben parttime gaan werken,' viel Leslie haar bij. 'Ik had genoeg te doen hoor, voor de Junior League en zo, maar het grootste deel van mijn tijd ging op aan de organisatie van het huwelijk.'

'Sorry, ik moet even weg,' mompelde Rose, die wist dat het nog maar enkele seconden zou duren voor ze over hun jurken begonnen en ze de waarheid zou moeten vertellen, namelijk dat ze sinds die rampzalige middag met Amy niet meer naar een jurk op zoek was geweest. Geen jurk, geen baan, zouden hun ogen haar zeggen, geen lid van de Junior League. Wat bén jij voor een bruid?

Rose liep haastig terug naar de hal en ging naar buiten, het bakstenen pad op, waar een lange, in een pak geklede man op haar leek te wachten. Rose bleef staan en keek naar zijn frisse, witte overhemd, zijn rood-goud gestreepte das, hoekige kaaklijn, gebronsde huid, glinsterende ogen. Jim Danvers.

'Hallo, Rose,' zei hij.

Hij was niets veranderd. Maar wat had ze dan gedacht? Dat hij in die tien maanden zonder haar ineengeschrompeld zou zijn en zijn laatste adem zou hebben uitgeblazen? Dat hij kaal geworden zou zijn, dat hij op zijn leeftijd nog acne gekregen zou hebben, dat er haar uit zijn oren zou groeien?

Rose knikte naar hem en hoopte dat hij niet zou zien dat haar knieën trilden, dat haar handen en zelfs haar nek beefden. Trouwens, nu ze eens goed keek, er groeide haar uit zijn oren. Niet veel, dat niet, niet van die afgrijselijke toefjes die ze bij andere mannen wel had waargenomen, maar toch... Oorhaar. Het onweerlegbare bewijs dat hij niet perfect was. Nou ja, het feit dat hij met haar zusje naar bed was geweest kon natuurlijk ook worden opgevat als bewijs van zijn gebrek aan perfectie, maar toch vond ze dat oorhaar wel iets geruststellends hebben.

'Hoe ben jij hier terechtgekomen?' vroeg hij. Zijn stem klonk hoger dan ze zich herinnerde. Kon het zijn dat Jim Danvers zenuwachtig was?

Rose schudde haar haar naar achteren. 'O, Lopey en ik kennen elkaar al heel lang. We hebben samen paardgereden en we zongen tijdens onze studie samen in een koor. We zaten bij dezelfde studentenvereniging en zijn heel vaak met z'n vieren uit geweest...'

Jim schudde zijn hoofd. 'Lopey is vegetarisch en ik denk dat ze uit principiële overwegingen nooit paard zou willen rijden. Verder was ze tijdens haar studie een verstokte lesbienne, dus als jullie al met z'n vieren zijn uitgeweest, dan zou dat in gezelschap van louter vrouwen geweest moeten zijn.'

'Ah,' zei Rose, 'ik moet dan in de war zijn met Trip.'

Jim stiet een kort, vreugdeloos lachje uit. 'Rose,' begon hij. 'Ik wil je al zo lang spreken.'

'Bof ik even,' zei Rose.

'Ik heb je gemist,' zei hij.

'Hoe kon het ook anders?' zei ze. 'Kom, dan stel ik je aan mijn verloofde voor.'

Zijn ogen verwijdden zich een fractie. 'Loop eerst een stukje met me mee,' zei hij.

'Liever niet.'

'Alsjeblieft, het is mooi weer.'

Ze schudde haar hoofd.

'Je bent zo mooi,' mompelde hij.

Ze keek hem fel aan. 'Luister Jim. Je hebt genoeg lol met me gehad, dus waarom laat je me nu niet met rust? Ik weet zeker dat er genoeg vrouwen zijn die van je onder de indruk zullen zijn.'

Nu maakte Jim een gekwelde indruk. 'Rose, het spijt me. Het spijt me als ik je beledigd heb.'

'Je bent met mijn zusje naar bed geweest,' zei ze. 'Ik ben iets meer dan alleen beledigd.'

Hij nam haar bij de arm en trok haar richting een houten bank, ging naast haar zitten en keek haar indringend aan. 'Ik wil al een hele tijd met je praten. Zoals we uit elkaar zijn gegaan... wat ik heb gedaan...'

Hij pakte haar handen. 'Ik wilde dat het goed tussen ons zou gaan,' zei hij met een gebroken stem. 'Ik kon geen weerstand bieden. Ik ben zo stom geweest. Ik heb alles verpest wat we samen hadden kunnen hebben, en ik heb me maandenlang zo rot gevoeld...'

'Alsjeblieft,' zei ze. 'Ik heb me zo'n beetje mijn hele leven rot gevoeld over mezelf. Denk je nu echt dat ik medelijden heb met jou?'

'Ik wil het goedmaken,' zei hij. 'Ik wil de boel rechtzetten.'

'Vergeet het maar,' zei ze. 'Het is uit. Ik heb nu mijn eigen leven. Ik ga trouwen...'

'Gefeliciteerd,' zei hij verdrietig.

'Ach, toe nou,' zei ze. 'Je gaat me toch niet vertellen dat je ook maar één seconde hebt gedacht dat jij en ik... dat we zouden gaan...'

Hij knipperde met zijn ogen. Zag ze daar tranen in zijn ogen? Ongelooflijk, dacht Rose, die zich voelde alsof ze iets bestudeerde onder een microscoop. Zou hij op commando kunnen huilen?

Hij pakte haar handen in de zijne en ze wist vooraf precies hij zou gaan zeggen en doen.

'Rose, het spijt me,' begon hij, en ze knikte, omdat ze niet anders had verwacht dan dat hij zo zou beginnen. 'Wat ik heb gedaan is onvergeeflijk,' zei hij, 'en als er iets is waarmee ik het goed kan maken...'

Ze schudde haar hoofd en stond op. 'Je kunt het niet goedmaken,' zei ze. 'Het spijt je. Het spijt mij ook. Niet alleen omdat ik heel teleurgesteld in je was, maar...' En opeens werd haar keel samengeknepen, alsof ze een sok probeerde door te slikken. 'Omdat je mijn...' Mijn leven hebt verpest? dacht ze. Nee, dat was niet waar. Ze leidde een leuk leven, of zou dat tenminste gaan leiden zodra haar carrière weer van de grond wilde komen, en ze was nu met Simon. Simon, die zo lief was, die het beste in haar naar boven bracht, die haar aan het lachen maakte. De korte, dramatisch geëindigde affaire die ze met Jim had gehad, leek nu niet meer dan een nachtmerrie van een hele tijd geleden. Zij was niet blijvend beschadigd, maar iets anders was dat wel – de relatie met haar zusje. 'Vanwege Maggie,' zei ze ten slotte.

Nu trok hij haar terug op de bank en hij begon tegen haar over haar toekomst. Hij vertelde hoe naar hij zich had gevoeld toen ze Lewis, Dommel en Fenick had verlaten, dat dat toch niet nodig was geweest, dat hun relatie op het werk geen gevolgen voor haar zou hebben gehad, en hij vroeg haar of ze goed terecht was gekomen. Als ze hulp nodig had, kon hij haar die bieden, het was toch het minste wat hij voor haar kon doen, en...

'Hou op! Alsjeblieft!' zei Rose. In de verte hoorde ze het strijkkwartet en het kraken van de kerkdeuren die gesloten werden. 'We moeten naar binnen.'

'Het spijt me,' zei hij.

'Goed, excuses geaccepteerd,' zei Rose stijfjes. En toen, omdat hij er zo verdrietig bij zat – en omdat ze ondanks haar verdwenen zusje, haar gemene stiefmoeder en het ontbreken van een carrière als advocaat toch zo gelukkig was – boog ze zich naar hem over en kuste hem lichtjes op zijn wang. 'Het is goed,' zei ze. 'Ik hoop dat je gelukkig wordt.'

'O, Rose,' kreunde hij, en sloeg zijn armen om haar heen.

En plotseling stond Simon daar, met wijdopen ogen. 'Het gaat beginnen,' zei hij kalm. 'We moeten naar binnen.'

Rose keek hem aan. Zijn gezicht was nog bleker dan anders. 'Simon,' zei ze. O, god. Ze zou er alles voor overhebben om hem deze pijn te besparen.

'Kom mee,' zei hij, op zachte, vlakke toon en hij liep met haar terug naar de kerk, waar de bruidsmeisjes al rozenblaadjes strooiend door het middenpad richting het altaar liepen.

317

Simon zat er de hele dienst stil bij. Tijdens het eten was hij weinig spraakzaam. Toen het orkest begon te spelen, vertrok hij pijlsnel richting bar en stond daar biertjes te drinken tot Rose hem er eindelijk van had overtuigd dat ze moesten praten en dat het op een rustige plek moest gebeuren. Hij hield het portier van de auto voor haar open. Het was een gebaar dat altijd aardig leek, maar dat nu iets ironisch had. 'Nou,' begon hij. 'Interessante middag.' Zijn blik was strak vooruit gericht en hij had vuurrode vlekjes op zijn bleke wangen.

'Simon, het spijt me dat je dat moest zien,' zei Rose.

'Spijt het je dat het is gebeurd, of dat ik het zag?' vroeg Simon.

'Laat het me uitleggen,' zei ze. 'Ik was van plan het je te vertellen...'

'Je zoende hem,' zei Simon.

'Het was een afscheidszoen,' zei Rose.

'Een afscheid van wat?' vroeg Simon. 'Wat heeft er zich tussen jullie afgespeeld?'

Rose zuchtte. 'We hebben een tijdje een relatie gehad.'

'Een partner die het met een medewerker doet? Dat is gedurfd,' zei Simon.

Rose kneep haar ogen dicht. 'Ik weet het. Het was zo stom. Een grote fout van ons allebei.'

'Wanneer is deze relatie begonnen? En waarom is het niks geworden?'

'Ontrouw,' zei Rose rustig.

'Van jou of van hem?' vroeg Simon fel.

'Van hem! Natuurlijk van hem! Kom op, Simon, je kent me toch?' Rose keek hem even van opzij aan. Hij negeerde haar. 'Toch?'

Simon zweeg. Rose staarde naar buiten, naar de vage omtrekken van bomen, gebouwen en andere auto's. Hoeveel stellen zaten er nu in de auto ruzie te maken, vroeg ze zich af. En hoeveel vrouwen zouden er beter in slagen om hun gedrag te verklaren dan zij?

'Kijk, het belangrijkste is dat het voorbij is,' zei ze, terwijl hij de auto voor hun gebouw parkeerde. 'Het is echt, absoluut, voor altijd voorbij, en het spijt me dat je hebt gezien wat je hebt gezien, maar het heeft niets om het lijf. Ik zit echt niet op Jim Danvers te wachten. En dat was precies wat ik hem aan het vertellen was toen jij ons samen zag.'

Simon ademde met een zucht uit. 'Ik geloof je,' zei hij, 'maar ik wil weten wat er gebeurd is. Ik wil het begrijpen.'

'Hoezo? Ik vraag jou toch ook niets over je ex-vriendinnen?'

'Dit is iets anders.'

'Hoezo?' Rose liep achter hem aan naar de slaapkamer, waar ze eindelijk haar kralenketting afdeed.

'Omdat wat er ook gebeurd moge zijn tussen jullie zo erg voor je was dat je nooit meer een voet over de drempel hebt gezet van een advocatenkantoor.'

'Niet van ieder advocatenkantoor,' zei Rose. 'Ik had alleen moeite met dat ene kantoor.'

'Draai er nou maar niet langer omheen. Er is iets gebeurd... En ik wil weten wat het was.'

'Iedereen heeft een verleden! Jij bent bevriend met mensen die Lopey heten, dat had je me ook wel eens eerder mogen vertellen...'

'Maar ik weet niets over jouw verleden!'

'Wat wil je weten?' vroeg ze hem. 'Waarom is dat zo belangrijk?'

'Omdat ik wil weten wie je bent!'

Rose schudde haar hoofd. 'Simon, je doet net of ik één groot mysterie voor je ben. Ik had een...' ze zocht naar het minst pijnlijke woord. 'Een relatie met deze vent. We zijn op een nare manier uit elkaar gegaan. En het is uit. Meer is er niet over te zeggen!'

'Waarom is het uitgegaan?' vroeg Simon weer.

'Hij heeft iets gedaan,' begon Rose. 'Iets met iemand...' Ze slikte.

'Zodra het je behaagt het me te vertellen,' zei Simon koeltjes, 'ben ik één en al oor.'

Hij liep de badkamer in. Hij sloeg de deur achter zich dicht en Rose hoorde dat hij de douche aanzette. Ze liep terug naar de zitkamer en boog zich voorover om het stapeltje post op te rapen waar ze bij het binnenkomen overheen waren gestapt. Rekening, rekening, aanbieding voor een creditcard, een envelop met haar naam erop, haar naam, geschreven in een heel vertrouwd handschrift met grote, losse krullen.

Rose plofte neer op de bank. Met trillende handen opende ze de envelop en nam er een enkel velletje papier van een kladblok uit.

'Lieve Rose', las ze. Enkele woorden sprongen direct in het oog. 'Oma. Sorry. Florida. Ella. Verzoening.'

'O, god,' zuchtte Rose. Ze dwong zichzelf om het briefje twee keer te lezen en liep daarna snel naar de slaapkamer. Simon stond voor het bed met een handdoek om zijn middel. Hij keek serieus. Zonder iets te zeggen gaf Rose hem de brief.

'Mijn... oma,' zei ze. Het woord voelde vreemd aan in haar mond. 'Een brief van Maggie. Ze logeert bij mijn oma.'

Nu leek Simon nog meer van streek dan eerst. 'Heb je een oma? Zie je nou wat ik bedoel, Rose? Ik wist niet eens dat je een oma had!'

'Ik wist het ook niet,' zei Rose. 'Ik bedoel, ik wist wel dat ik er een had, maar ik weet niets over haar.' Het leek of ze plotseling onder water getrokken werd, zo langzaam ging alles en zo vreemd kwam het haar voor. 'Ik moet...' zei ze. 'Ik moet ze eigenlijk bellen.' Ze ging op het bed zitten, voelde zich duizelig. Een oma. Haar moeders moeder. Die dus niet in een of ander bejaardentehuis woonde, zoals Rose altijd gedacht had, of het moest zo zijn dat ze jonge, dakloze vrouwen daar tegenwoordig ook lieten slapen. 'Ik moet eigenlijk bellen. Ik zou...'

Simon staarde haar aan. 'Wist je echt niet dat je een oma had?'

'Ik wist natuurlijk dat mijn moeder ergens vandaan gekomen is. Maar ik dacht dat ze... ik weet het niet. Oud of ziek. In een tehuis. Mijn vader zei altijd dat ze in een bejaardentehuis zat.' Rose staarde naar de brief en voelde haar maag samentrekken. Haar vader had tegen haar gelogen. Waarom had haar vader gelogen over zoiets belangrijks als dit?

'Waar is de telefoon?' vroeg ze, opspringend.

'Hé, wacht even. Wie ga je bellen? Wat ga je zeggen?'

Rose legde de telefoon neer en pakte haar sleutelbos. 'Ik moet erheen.'

'Waarheen?'

Rose negeerde hem, haastte zich naar de deur, rende naar de lift en rende met bonkend hart de straat uit, naar haar auto.

Twintig minuten later stond Rose op dezelfde plek als waar ze in november nog met haar zus had gestaan – voor Sydelles huis, wachtend op permissie om naar binnen te gaan. Ze drukte lang op de bel. De hond sloeg aan. Na enige tijd ging er een lamp aan.

'Rose?' Sydelle stond bij de voordeur met haar ogen te knipperen. 'Wat kom je doen?' Het gezicht van haar stiefmoeder had iets vreemds in het felle licht. Rose moest even kijken voor ze wist wat er zo anders was – haar ogen. Ze duwde haar stiefmoeder Maggies brief in haar handen. 'Zeg jij het maar.'

'Ik heb mijn bril niet op,' zei Sydelle ontwijkend, haar met kant afgezette kamerjas wat strakker om zich heen trekkend en haar lippen samenpersend. Ze wierp een blik op de kale plek langs het pad, waar Maggie in november een struik uit de grond had getrokken.

'Ik zal het je even uitleggen,' zei Rose. 'Deze brief is van Maggie. Ze

320

woont bij mijn oma. Mijn oma, van wie ik altijd heb gedacht dat ze dement was.'

'O,' zei Sydelle. 'O. Uhh...'

Rose keek haar strak aan. Ze kon zich niet herinneren dat haar stiefmoeder ooit met haar mond vol tanden had gestaan. Maar daar stond ze, geheel in verlegenheid gebracht en grimassend onder haar laagje nachtcrème.

'Ik wil naar binnen,' zei Rose.

'Natuurlijk!' zei Sydelle met een vreemde, beverige stem, en deed een stapje opzij.

Rose beende langs haar en bleef onder aan de trap staan. 'Papa!' riep ze.

Sydelle legde haar hand op Rose' schouder. Rose schudde hem van zich af. 'Het was allemaal jouw idee, of niet soms?' zei ze, haar stiefmoeder kwaad aankijkend. 'O, Michael, ze hebben geen oma nodig. Ze hebben mij toch!'

Sydelle stapte achteruit alsof Rose haar een klap in haar gezicht gegeven had. 'Zo is het niet gegaan,' zei ze met bevende stem. 'Ik heb nooit gedacht dat ik een vervanging zou kunnen zijn voor... wat jullie moesten missen.'

'O nee? En hoe is het dan wel gebeurd?' vroeg Rose bars. Het voelde alsof iedere cel in haar lichaam zo barstensvol woede zat dat ze ieder ogenblik zou kunnen ontploffen.

'Leg me dat dan nu maar eens uit!'

Michael Feller kwam de trap af gesneld, gekleed in een joggingbroek en een wit T-shirt. Hij poetste zijn bril met een zakdoek. Zijn dunne haar hing als een mistflard boven zijn kale hoofd. 'Rose? Wat is er aan de hand?'

'Ik zal je vertellen wat er aan de hand is: ik heb een oma die niet in een bejaardentehuis zit en Maggie woont bij haar en niemand vond het blijkbaar nodig mij hiervan op de hoogte te stellen,' zei Rose.

'Rose,' zei Sydelle, en stak haar hand naar haar uit.

Rose weerde het gebaar af. 'Raak me niet aan,' zei ze. Sydelle vertrok haar gezicht.

'Zo is het genoeg!' zei Michael.

'Nee,' zei Rose. Haar handen trilden, haar wangen brandden. 'Nee, het is niet genoeg. Het is niet eens een goed begin. Hoe kon je?' gilde ze, terwijl Sydelle in een hoekje van haar net behangen hal van ellende ineenkromp. 'Ik weet heus wel dat je ons nooit gemogen hebt.

Maar een oma verzwijgen? Dat is zelfs voor jouw doen wel iets heel ergs, Sydelle.'

'Je moet haar niet de schuld geven,' zei Michael Feller, die de trap afkwam en Rose bij haar schouders pakte. 'Het was niet haar idee, maar het mijne.'

Rose gaapte hem aan. 'Gelul,' zei ze. 'Jij zou nooit...' ze keek haar vader aan, keek naar zijn bleke grijze ogen en zijn hoge, witte voorhoofd, naar haar verdrietige, goeiige vader. 'Jij zou nooit...'

'Laten we even gaan zitten,' zei Michael Feller.

Sydelle keek Rose aan. 'Het was niet mijn idee,' zei ze met een vlakke, monotone stem. 'En het spijt me...' Haar stem stierf weg. Rose staarde haar stiefmoeder aan. Ze had er nog nooit zo weinig monsterlijk uitgezien, nog nooit zo meelijwekkend. Ondanks de permanente lippenstift en gladde huid leek haar gezicht smal en kwetsbaar. Rose staarde haar aan en probeerde zich te herinneren wanneer ze deze woorden eerder had gehoord, of Sydelle ooit had gezegd dat iets haar speet. Ze kwam tot de conclusie dat ze zich niet kon herinneren dat Sydelle zich ooit voor iets verontschuldigd had.

'Je hebt geen idee...' Sydelle haalde diep adem. 'Je hebt er geen idee van hoe het was om in dit huis te wonen. Je hebt er geen idee van hoe het was om jarenlang niet goed genoeg te zijn. Nooit de eerste keus te zijn, nooit echt gewaardeerd te worden. Nooit kon ik iets goed doen.'

'Goh, dat spijt me nou,' zei Rose op hooghartige toon, met een stemmetje dat ze van haar zusje geleend zou kunnen hebben.

Sydelle richtte haar hoofd op een keek Rose aan. 'Ik kon nooit iets goed doen,' zei ze, en knipperde met haar pas gelifte oogleden. 'Maggie en jij hebben me nooit een kans gegeven. Jullie alledrie trouwens niet.'

'Sydelle,' zei Michael zachtjes.

'Toe dan,' zei Sydelle. 'Vertel jij het haar maar. Vertel haar alles maar. Het is hoog tijd dat ze het hoort.'

Rose keek haar stiefmoeder aan en zag voor het eerst dat onder de make-up, de Botox-injecties, de dieettips en de neerbuigendheid een heel kwetsbare vrouw school. Ze keek en zag een vrouw van over de zestig, wier magere lijf benig en weinig uitnodigend was en wier gezicht wel een gemene karikatuur leek, een ruw geschetste tekening van een vrouw in plaats van een vrouw van vlees en bloed. Ze keek en zag het verdriet van Sydelles leven – een echtgenoot die nog altijd hield van zijn dode vrouw, een man die haar verlaten had, een volwassen dochter die al lang het huis uit was.

'Rose,' zei haar vader. Rose volgde hem naar Sydelles zitkamer. De leren banken gingen schuil onder suède overtrekken, maar ze waren nog altijd verblindend wit. Ze nam plaats aan het ene uiteinde, haar vader aan het andere. 'Het spijt me van Sydelle,' begon hij, en keek richting de hal. Hij wachtte op haar, dacht Rose. Wachtte op haar, wilde haar het vuile werk laten opknappen. 'Ze heeft het heel moeilijk, de laatste tijd,' zei haar vader. 'Marcia gaat scheiden. Haar moeder heeft het daar heel moeilijk mee.' Rose haalde haar schouders op. Ze kon weinig medelijden opbrengen voor Sydelle en Mijn Marcia, die nooit veel tijd of aandacht had besteed aan haar stiefzusjes. Ze was er alleen maar op gericht geweest om haar spullen uit hun handen te houden terwijl zij haar opleiding volgde.

'Ze heeft zich aangesloten bij Joden voor Jezus,' zei hij, en keek de andere kant op.

'Dat meen je niet.'

'Ja, dat dachten wij eerst ook, dat ze een grapje maakte.'

'O god,' zei Rose, die zich bedacht wat voor een kwelling dit moest zijn voor Sydelle, die mezoeza's op iedere deur van het huis gehangen had, zelfs op die van de badkamer en de wc, en die afkeurend knorde bij iedere kerstman die ze in het winkelcentrum zag. 'Dus ze heeft zich bekeerd tot het christendom?'

Haar vader schudde meewarig zijn hoofd. 'We zijn vorig weekeinde bij haar op bezoek geweest en er hing een grote kerstkrans op haar deur.'

'Ho, ho, ho,' zei Rose vreugdeloos.

'Rose,' zei haar vader waarschuwend. Rose richtte haar hoofd op en keek hem aan.

'Oké, nu terug naar een belangrijker onderwerp. Mijn oma.'

Michael Feller slikte. 'Heeft ze je opgebeld? Ella?'

'Maggie heeft me een briefje geschreven,' zei Rose. 'Ze vertelde dat ze bij deze... bij Ella woonde. Hoe zit dat nou?'

Haar vader zweeg.

'Pap?'

'Ik schaam me zo,' zei Michael uiteindelijk. 'Ik had je al zo lang geleden moeten vertellen over je oma.' Hij vouwde zijn handen rond zijn knie en wiegde heen en weer. Het was duidelijk dat hij wenste dat er een jaarverslag of een *Wall Street Journal* voorhanden was die

323

hem hier doorheen zou helpen. 'De moeder van je moeder,' begon hij. 'Ella Hirsch. Ze is heel lang geleden naar Florida verhuisd. Na...' Hij wachtte even. 'Na de dood van je moeder.'

'Je zei altijd dat ze in een bejaardentehuis woonde,' zei Rose. Michael Feller balde zijn vuisten en zette ze op zijn dijen. 'Dat was ook zo,' zei hij. 'Alleen was het een iets ander tehuis dan jullie dachten.'

Rose staarde haar vader aan. 'Wat bedoel je?'

'Nou ja, ze woont met bejaarden, maar wel op zichzelf.'

'Je hebt tegen ons gelogen,'zei Rose met vlakke stem.

'Ik heb niet de volledige waarheid verteld,' zei haar vader. Het was duidelijk dat het een zin was die hij al een hele tijd geleden geformuleerd had en die hij jarenlang voor zichzelf had gerepeteerd.

Michael haalde diep adem. 'Nadat je moeder...' zijn stem stierf weg.

'Was overleden,' vulde Rose aan.

'Was overleden,' zei Michael. 'Na haar dood was ik boos. Ik voelde...' Hij wachtte even en keek naar Sydelles glazen koffietafel met het metalen frame.

'Boos op mama's moeder? Boos op Ella?'

'Ze hebben wel geprobeerd me iets over Caroline te vertellen, maar ik wilde het niet horen. Ik was zo verliefd op haar...' Rose vertrok haar gezicht bij het horen van het verdriet in haar vaders stem. 'Ik hield zoveel van haar. En ik was zo kwaad op hen. Je moeder slikte medicijnen toen ik haar leerde kennen. Ze was stabiel. Maar ze vond het heel erg dat de medicijnen haar veranderden. Ik probeerde haar ertoe te bewegen ze toch in te nemen, en Ella deed dat ook, en dan ging het weer een tijdlang goed, maar...' Hij zuchtte, zette zijn bril af, alsof hij het gewicht ervan niet langer op zijn neus kon velen. 'Ze hield van jullie. Ze hield van ons allemaal. Maar ze kon niet...' Michaels stem bleef in zijn keel steken. 'En het maakte ook niet uit. Het heeft mijn gevoelens voor haar niet veranderd.'

'Wat voor een vrouw was ze?'

Haar vader keek verbaasd. 'Weet je dat dan niet meer?'

'Je hebt niet bepaald een huisaltaartje voor haar ingericht.' Ze gebaarde naar Sydelles supernette zitkamer – de smaakvolle schilderijen aan de wanden, de boekenkasten waar geen boeken in stonden maar glazen objecten en een uitvergrote foto van Mijn Marcia's huwelijk. 'Er is geen foto van haar te bekennen. Je praatte nooit over haar. Ik dacht altijd dat Sydelle dat niet wilde.'

'Dat komt niet door Sydelle,' zei Michael. 'Het komt door mij. Het deed te veel pijn. De aanblik van haar gezicht deed pijn. Ik dacht dat het jou en Maggie ook pijn zou doen.'

'Ik weet het niet,' zei Rose. 'Ik wou...' Ze keek naar haar schoenen op het dikke, wollen kleed. 'Ik wou dat ze geen geheim voor ons was geweest.'

Michael zweeg. 'Ik herinner me nog de eerste keer dat ik haar zag. Ze liep rond op de campus van de Universiteit van Michigan, met haar fiets aan haar hand, en ze lachte en het leek of er een alarm in mijn hoofd afging. Het was de mooiste vrouw die ik ooit had gezien. Ze droeg een roze sjaaltje in haar haar...' Haar vaders stem stierf weg.

Rose herinnerde zich flarden, losse beelden, stukken van verhalen, een lieve, zangerige stem, een zachte wang tegen die van haar. 'Slaap lekker, meisje. Slaap maar lekker, liefje.' En iedereen had gelogen, zowel door wat ze hadden gezegd als door wat ze geheim hadden gehouden. Ella had tegen haar vader gelogen over Caroline – of tenminste, ze had hem de waarheid verteld, maar hij had niet willen luisteren. En haar vader had tegen zijn dochters gelogen over Ella – dat wil zeggen, hij had hun maar een piepklein deel van de waarheid verteld en de rest verzwegen.

Ze stond op, haar vuisten gebald. Leugens, leugens, leugens, en wat was nu de waarheid? Haar moeder was gek geweest en was nu dood. Haar vader was hertrouwd met een gemene heks en had zijn dochters aan haar zorgen toevertrouwd. Haar oma was in een konijnenhol verdwenen en Maggie had haar opgespoord. En zij wist niets, helemaal niets.

'Je hebt je gewoon van haar ontdaan. Ik kan me uit mijn jeugd niet één foto van haar herinneren, heb nooit spullen van haar gezien...'

'Het deed te veel pijn,' zei Michael. 'Het was al erg genoeg om jullie twee om me heen te hebben.'

'Goh, nou bedankt.'

'Nee, nee, zo bedoel ik het niet...' Hij pakte Rose' hand en het gebaar schokte Rose zo dat ze met stomheid geslagen was. Ze kon zich niet herinneren dat haar vader haar ooit had aangeraakt, behalve die ene keer dat ze als twaalfjarig meisje uit de badkamer gekomen was en had gefluisterd dat ze ongesteld geworden was. 'Jullie deden me zo sterk aan haar denken. Bij alles wat jullie deden moest ik aan Caroline denken.'

'En toen ben je met haar getrouwd,' zei Rose, met een hoofdknik richting de hal, waar haar stiefmoeder vermoedelijk nog altijd stond.

Haar vader zuchtte. 'Sydelle heeft erg haar best gedaan.'

Rose lachte kort, blaffend haast. 'Tuurlijk. Ze is geweldig. Ze had alleen de pest aan Maggie en mij.'

'Ze was jaloers,' zei Michael.

Rose wist niet wat ze hoorde. 'Jaloers? Waarop? Jaloers op mij? Hoe kom je daar nou bij. Het was altijd Mijn Marcia voor, Mijn Marcia na. En zelfs al was ze jaloers, dat maakt haar gedrag niet minder vreselijk. En jij hebt haar niet tegengehouden!'

Haar vader kromp ineen op de bank. 'Rose...'

'Wat Rose?'

'Ik moet je iets geven. Het is veel te laat, maar toch...' Hij snelde de trap op en kwam weer naar beneden met een schoenendoos in zijn hand. 'Deze zijn van haar. Van je oma,' zei hij. 'Ze woont in Florida,' zei hij. 'Ze heeft jarenlang geprobeerd contact te houden met mij, met jou en Maggie. Maar ik heb daar een stokje voor gestoken.' Hij stak zijn hand in de doos en pakte er een gekreukelde en verschoten envelop uit. 'Mejuffrouw Rose Feller' stond erop. 'Dit was de laatste kaart die ze je heeft gestuurd.'

Rose wipte de envelop met haar duim open; de vijftien jaar oude lijm liet gemakkelijk los. In de envelop zat een kaart met een bos bloemen op de voorzijde. Op het paars-roze boeket zat een glitterlaagje, dat afgaf op Rose' vingertoppen. 'Een fijne zestiende verjaardag!' stond er in zilveren letters boven het boeket. En aan de binnenzijde... Rose opende de kaart. Een briefje van twintig dollar en een foto dwarrelden neer op haar schoot. 'Voor mijn kleindochter,' stond er in een schuin handschrift. 'Ik wens je veel geluk en liefde toe op deze bijzondere dag.' Daaronder stond haar naam. En haar adres. En haar telefoonnummer. En een p.s. 'Rose, ik zou het zo leuk vinden als je eens iets van je liet horen. Je kunt me altijd bellen!!!' Die drie uitroeptekens, die maakten haar het meest verdrietig, dacht Rose. Ze bekeek de foto. Het was een foto van een klein meisje – een rond gezichtje, bruine ogen, met twee staartjes met rode strikjes, een rechte pony en een ernstige blik, op schoot bij een oudere vrouw. De vrouw lachte. Het kleine meisje niet. Rose keek op de achterzijde. 'Rose en oma, 1975' stond er, met dezelfde blauwe inkt, in hetzelfde schuine handschrift. 1975. Ze moest toen drie zijn geweest.

Rose stond op. 'Ik moet ervandoor,' zei ze.

'Rose,' riep haar vader haar hulpeloos na. Ze deed net of ze hem niet hoorde en liep naar buiten. Achter het stuur, met de kaart nog altijd in haar handen, sloot ze haar ogen, herinnerde zich haar moeders stem, haar moeders lachende mond met roze lippenstift, een gebruinde arm met armbanden van achter een fototoestel. 'Lach eens, liefje! Waarom kijk je zo stuurs? Lach eens, Rosie Posy. Lach eens lief, schatje.'

49

'LEES EENS VERDER!' ZEI MAGGIE.
'Dat kan niet,' hield Lewis vol, en keek haar over Ella's eettafel zo serieus mogelijk aan. 'Dat zou in strijd zijn met de journalistieke mores!'
'Ahh, alsjeblieft,' smeekte Ella. 'Alleen de eerste paar zinnen. Alsjeblieft?'
'Het zou heel, heel slecht van me zijn,' zei hij, en schudde treurig zijn hoofd. 'Ella, het valt me van je tegen dat je me hiertoe probeert over te halen.'
'Ik heb een slechte invloed op haar,' zei Maggie trots. 'Zeg dan ten minste wat Irving heeft besteld.'
Lewis stak zijn handen gespeeld wanhopig omhoog. 'Oké dan,' zei hij. 'Maar jullie moeten zweren dat je je mond erover houdt.' Hij schraapte zijn keel. 'Irving en ik houden niet van de Franse keuken,' waren de eerste woorden van mevrouw Sobels laatste bijdrage. 'De gerechten vinden we veel te zwaar. We hebben ook ontdekt dat veel Franse restaurants lawaaiig en slecht verlicht zijn, hetgeen zogenaamd romantisch is, maar wij kunnen er de menukaart niet goed lezen, laat staan dat we kunnen zien wat er op ons bord ligt.'
'Arme mevrouw Sobel,' mompelde Ella.
Lewis schudde zijn hoofd naar haar, en las verder. 'De meeste koks weten niet hoe je een omelet bereidt. Een omelet hoort luchtig en licht te zijn, met een dun laagje gesmolten kaas. En het is jammer, maar we hebben moeten constateren dat ook Bistro Bleu geen uitzondering vormt. Mijn omelet was te lang gebakken en rubberachtig. De

aardappels waren niet zo warm als ze hadden moeten zijn en er was rozemarijn overheen gestrooid, en daar houdt Irving niet van.'

'Altijd weer die Irving,' zei Ella.

'Is hij lastig?' vroeg Maggie.

'Irving is allergisch. Voor alles,' legde Lewis uit. 'Hij is allergisch voor dingen waarvan ik niet eens wist dat dat mogelijk was. Bloem, schaaldieren, alle soorten zaden, alle soorten noten... de helft van iedere recensie van deze vrouw gaat erover hoe lang het duurde voor ze iets gevonden had dat Irving mocht hebben, en een kwart van de recensie is gewijd aan de problemen die hij na het eten heeft gehad om de maaltijd te verteren...'

'Gaat het over Irving Sobel?' vroeg mevrouw Lefkowitz, die weer richting de tafel kwam geschuifeld. 'Tss. Hij kwam een keer naar een van mijn feestjes en hij heeft geen hap gegeten!'

Maggie keek omhoog met een quasi-wanhopige blik in haar ogen. Mevrouw Lefkowitz, die zou blijven eten, was in een heel slecht humeur. Ze droeg een roze sweater, waarop de borsjtsj die ze die avond zouden eten volgens haar geen vlekken zouden kunnen maken, en een huidkleurige nylon broek. Ze had geen verklaring voor haar broek gegeven, maar Maggie was van mening dat iedere vlek op die broek alleen maar als een verbetering kon worden beschouwd.

Mevrouw Lefkowitz ging met een zachte kreun op haar stoel zitten, nam een augurk van een schaaltje en begon af te geven op het nabijgelegen winkelcentrum. 'Schorem!' zei ze, met haar mond vol augurk. Maggie legde haar boeken voor de cursus 'Make-up voor het theater' die ze volgde aan de plaatselijke Volksuniversiteit opzij, zette de borden op tafel en legde het zilveren bestek ernaast.

'Allemaal schorem,' zei mevrouw Lefkowitz. 'Schoffies! Vandalen! Tieners. Je ziet ze overal! Het hele winkelcentrum stikt ervan, en de enige kleren die je er kunt krijgen zijn van die fluttige dingen met sliertjes langs de mouwen,' zei ze. 'Minirokken! Blousjes waar je recht doorheen kijkt! Broeken,' ging ze verder, met haar blik op Maggie gericht, 'gemaakt van leer. Heb je ooit van je leven zoiets raars gehoord?'

'Nou,' begon Maggie. Ella onderdrukte een lach. Ze wist dat Maggie een leren broek in de kast had hangen, en ook een leren minirokje.

'Voor wat voor gelegenheid zoek je iets?' vroeg ze in plaats daarvan. 'Waarnaar was je op zoek?'

Mevrouw Lefkowitz wuifde afkeurend richting de kommen borsjtsj op tafel. 'Mijn zoon. Weet je nog? De verzekeringsexpert? Meneer

329

Avontuur? Nou, hij belt me op en zegt doodleuk: "Ma, ik ga trouwen."
Ik zeg: "Op jouw leeftijd? Jij hebt net zo veel behoefte aan een vrouw
als ik aan tapdansles." Hij vertelt me dat hij vastbesloten is te trouwen
en dat het een geweldig leuk meisje is. Ik zeg tegen hem dat hij op zijn
leeftijd helemaal niet met meisjes hoort om te gaan en hij zegt dat ik
me nergens zorgen om hoef te maken, dat ze zesendertig is, maar heel
volwassen voor haar leeftijd.' Ze keek Maggie en Ella aan alsof het hun
schuld was dat haar zoon verliefd geworden was op een zeer volwassen zesendertigjarige. 'Het gaat er dus van komen,' zo beëindigde ze
haar weergave van het gesprek en nam een sneetje roggebrood.
    'Dus moet ik iets hebben om aan te trekken. En dat kan ik natuur-
lijk nergens vinden.'
    'Wat voor iets zoek je?' vroeg Maggie.
    Mevrouw Lefkowitz trok een grijze wenkbrauw op. 'De prinses
spreekt!'
    'Natuurlijk kan ik praten!' riep Maggie beledigd uit. 'En toevallig
ben ik deskundig op het gebied van winkelen.'
    'Nou, wat zou je me aanraden voor het derde huwelijk van mijn
zoon?'
    Maggie nam mevrouw Lefkowitz eens goed in zich op – haar ver-
fomfaaide grijze krullen, haar felblauwe, nieuwsgierige ogen, de roze
lippenstift die ze zelfs nog op haar afhangende mond aanbracht. Ze was
niet echt dik, maar er zat ook niet veel vorm meer in haar lichaam.
Haar buik was dik geworden, haar borsten waren uitgezakt.
    'Hmm,' zei Maggie hardop, de mogelijkheden nagaand.
    'Ze kijkt naar me alsof ik een wetenschappelijk experiment ben.'
    'Ssst,' zei Ella, die deze blik al eerder op Maggies gezicht had waar-
genomen, als ze 's avonds opgekruld op de bank zat, in het licht van
de lamp over haar dichtbundel gebogen: zo geconcentreerd dat het
leek alsof ze zichzelf onder hypnose had gebracht.
    'Waar houd je het meest van?' vroeg Maggie plotseling.
    'Softijs met karamelsaus,' zei mevrouw Lefkowitz prompt. 'Maar dat
mag ik niet meer eten. Alleen met yoghurtijs,' zei ze en ze trok haar
neus op om aan te geven wat ze van yoghurtijs vond. 'En met van die
vetvrije karamelsaus, die feitelijk niet zo genoemd mag worden omdat
het iets anders is. Karamelsaus,' zei ze, en schudde haar hoofd. Ieder
moment kon ze beginnen aan een lange verhandeling over de tekortko-
mingen van nepkaramelsaus, maar Maggie weerhield haar daarvan.
    'Wat is je lievelingskledingstuk?'

'Kledingstuk?' Mevrouw Lefkowitz keek naar beneden alsof ze verbaasd was dat ze überhaupt kleren droeg. 'O, ik kies gewoon dingen uit die lekker zitten.'

'Het allermooiste kledingstuk dat je ooit gehad hebt,' zei Maggie, een paardenstaart makend. Ella ging op het puntje van haar stoel zitten en was zeer benieuwd waar dit heen zou gaan.

Mevrouw Lefkowitz opende haar mond. Maggie stak haar hand op. 'Eerst goed nadenken,' zei ze. 'Denk goed na. Denk aan alle kleren die je ooit gedragen hebt, en vertel me dan wat je het allermooist vond.'

Mevrouw Lefkowitz sloot haar ogen. 'Mijn weekje-weg-pak,' zei ze na een minuut.

'Wat was dat?'

'Mijn weekje-weg-pak,' herhaalde ze, alsof Maggie haar niet verstaan had.

'De kleren die je na afloop van je huwelijk droeg op weg naar het vliegveld voor de huwelijksreis,' raadde Ella.

'Ja, precies ja,' zei mevrouw Lefkowitz knikkend. 'Het was zwartwit geruit en de rok zat hier heel strak,' zei ze, met haar handen langs haar heupen glijdend. 'Ik had zwarte pumps...' Met gesloten ogen zag ze het allemaal weer voor zich.

'Wat voor een jasje was het?' vroeg Maggie.

'O, kort geloof ik,' zei mevrouw Lefkowitz dromerig. 'Met gitzwarte knopen. Het was zo mooi. Wat is er eigenlijk mee gebeurd?'

'Wat als...' zei Maggie. 'Wat als we eens samen zouden gaan winkelen?'

Mevrouw Lefkowitz trok een gek gezicht. 'Naar dat winkelcentrum? Ik denk niet dat ik dat nog een keer aankan.'

Maggie wist niet zeker of zij het zelf aan zou kunnen, een rondgang maken langs al die winkels met de slakkengang waarmee mevrouw Lefkowitz zich voortbewoog. 'Ik weet het goed gemaakt,' zei ze. 'Je geeft me gewoon je maten...'

'Nu wordt ze meteen al persoonlijk!'

'...en je geeft me je creditcard...'

Ella kon zien dat mevrouw Lefkowitz haar hoofd wilde gaan schudden. Ze hield haar adem in en deed een schietgebedje.

'...en ik koop kleren voor je. Een paar setjes. Zodat je kunt kiezen. Dan houden we hier een modeshow. Je probeert alle kleren uit en kiest wat je het mooist vindt. En de rest van de kleren breng ik gewoon terug.'

Nu keek mevrouw Lefkowitz Maggie nieuwsgierig aan. 'Zoiets als een *personal shopper*?'

'Precies,' zei Maggie. 'Hoeveel mag het kosten?' vroeg ze.

Mevrouw Lefkowitz slaakte een zucht. 'Tweehonderd dollar of zo?'

Maggie kreunde. 'Ik zal mijn best doen,' zei ze.

50

HET KOSTTE MAGGIE TWEE DAGEN OM DE HUWELIJKSOUTFIT VAN mevrouw Lefkowitz bij elkaar te scharrelen. Dat was lang niet slecht, vond ze. Het was beter dan wachtend naast de telefoon te zitten, zich afvragend of Rose haar briefje al gelezen had, en of Rose zou bellen. Mevrouw Lefkowitz vormde een uitdaging – dat was zeker, dacht Maggie. Het was uitgesloten dat ze nu nog zo'n nauwsluitend pakje kon dragen als ze omschreven had, maar ze kon wel iets zoeken dat mevrouw Lefkowitz het idee zou geven dat ze dat pakje weer droeg. Een pakje zou haar goed staan en de rok kon zelfs best een beetje aan de korte kant zijn – voorzover ze had kunnen zien had mevrouw Lefkowitz best redelijke benen – maar een kort jasje kon echt niet meer. Iets langers misschien wel, tot op de heup, maar dan wel een beetje getailleerd, zodat het er gekleed uitzag, en er moest iets zijn dat deed denken aan die gitzwarte knopen. Ze had wel eens zoiets gezien. Bij Macy's of Saks? Na enige tijd herinnerde ze zich dat het niet in een winkel was, maar in Rose' kast. Rose had precies zo'n jasje.

Maggie slikte en concentreerde zich op de winkels. Ze zocht in warenhuizen, tweedehandszaakjes, vlooienmarkten en zelfs bij het kostuummagazijn van de Volksuniversiteit, waar ze de beheerder had moeten beloven dat ze haar zou helpen met de make-up voor de eerstkomende voorstelling. Uiteindelijk had ze drie setjes samengesteld. Het eerste had ze in de uitverkoop gekocht bij de *outlet*-winkel van Nordstrom. Het was een lichtroze, linnen rok tot op de knie, recht, maar niet al te strak, vol roze en rode borduursels, met een sober topje en een geborduurd vest. Mevrouw Lefkowitz voelde aan de stof, twijfelend. 'Dit lijkt helemaal niet op mijn weekje-weg-pak,' zei ze. 'Een rok met een vest? Ik weet het niet, hoor. Ik dacht eerder aan een jurk.'

'Hoe de kleren eruitzien is niet belangrijk,' legde Maggie uit. 'Het gaat erom hoe je je erin voelt.'

'Hoe ik me voel?'

'Hoe je je voelde als je een weekje wegging,' zei ze. 'Dat pak van vroeger kun je niet meer aan, nietwaar?'

Mevrouw Lefkowitz knikte.

'Dus moeten we kleren zoeken die je hetzelfde...' – ze zocht naar woorden – '...hetzelfde beeld van jezelf geven als toen.' Ze reikte mevrouw Lefkowitz de kleren aan, hangend op hun knaapjes, met daarbij een grote roze wijd gerande hoed die ze uit het kledingmagazijn van de Volksuniversiteit had meegesnaaid. 'Probeer het nu gewoon even,' zei ze, en gaf haar een duwtje in de richting van haar slaapkamer, waar ze een grote passpiegel had klaargezet.

'Ik voel me heel opgelaten!' riep mevrouw Lefkowitz naar Ella en Lewis, die hadden plaatsgenomen op de bank, klaar voor de grote modeshow.

'Laat het me gewoon even zien,' zei Maggie.

'Moet ik die hoed echt op?' antwoordde ze.

'Kom nou maar naar buiten,' riep Ella.

Aarzelend kwam mevrouw Lefkowitz uit de slaapkamer te voorschijn. De rok was te lang, dat zag Maggie in één oogopslag. En de mouwen van het vest waren zo lang dat alleen mevrouw Lefkowitz' vingertoppen te zien waren. Het topje was te wijd.

'Ze maken tegenwoordig alleen nog maar kleren voor reuzen,' klaagde ze, en schudde met een onzichtbare vuist. 'Kijk nou!'

Maggie deed een stapje naar achteren om haar creatie te bekijken. Toen liep ze op mevrouw Lefkowitz af en rolde de rok zo ver op dat hij net boven haar knieën kwam te hangen. Ze rolde de mouwen van het vest op en stak de zoom van het topje zo in de rok weg dat de maat iets beter leek. Tot slot plantte ze de hoed op mevrouw Lefkowitz' hoofd. 'Zo,' zei ze, en draaide haar naar de spiegel. 'Kijk maar eens.'

Mevrouw Lefkowitz opende haar mond om bezwaren te gaan uiten, om te zeggen dat de kleren haar vreselijk stonden en dat het helemaal geen goed idee was geweest. Ze deed haar mond weer dicht. 'O!' zei ze.

'Zie je wel?' zei Maggie.

Langzaam knikte mevrouw Lefkowitz. 'De kleur,' begon ze.

'Precies, precies!' zei Maggie, die enthousiaster, levendiger, gelukkiger leek dan Ella haar ooit had gezien. 'De maat is niet helemaal goed, maar ik dacht dat de kleur prachtig zou staan bij je ogen, en ik weet dat je van roze houdt.'

'Niet slecht, niet slecht,' zei mevrouw Lefkowitz, en ze klonk helemaal niet kattig of geïrriteerd. Integendeel, ze was verguld met haar spiegelbeeld en haar blauwe ogen schitterden tegen de achtergrond van de roze hoed. Wat zag ze nu, vroeg Maggie zich af. Misschien zag ze zichzelf als jonge vrouw, pas getrouwd, staand op de trap voor de synagoge, met de hand van haar kersverse echtgenoot in de hare.

'Dus dat is Setje Eén,' zei Maggie, mevrouw Lefkowitz zachtjes voor de spiegel vandaan trekkend.

'Dit neem ik!' zei ze.

'Nee, nee,' zei Maggie lachend, 'je moet de andere kleren die ik heb gevonden ook nog proberen.'

'Maar ik wil deze kleren hebben!' zei ze, de hoed iets steviger op haar hoofd drukkend. 'Ik wil niets anders proberen, ik wil dit!' Ze keek naar haar blote voeten. 'Wat voor schoenen moet ik hierbij aan? Kun je me daar ook mee helpen? En een ketting misschien.' Ze streek met haar hand langs haar sleutelbeenderen. 'Mijn eerste man heeft me ooit een parelketting gegeven...'

'Volgende setje,' zei Maggie, mevrouw Lefkowitz naar de slaapkamer duwend.

Setje Twee was een lange, mouwloze jurk van glanzende, synthetische zwarte stof, die zo zwaar was dat hij mooi viel. Ze had hem in de uitverkoop gevonden bij Marshalls en had er een zwart-zilveren stola bij gevonden met zwarte franje aan de uiteinden.

'Oe-la-la!' riep mevrouw Lefkowitz, terwijl ze de jurk over haar hoofd liet glijden en de slaapkamer uit liep, de uiteinden van de stola wulps ronddraaiend. 'Gewaagd! Ik lijk wel een jonge meid.'

'Pikant!' riep Ella.

'Dit staat goed,' zei Maggie, haar kritisch bekijkend. De jurk viel recht omlaag, zat niet te strak, maar liet wel de contouren van het lichaam van mevrouw Lefkowitz zien. Het model kwam haar figuur ten goede. Er moesten hoge hakken onder, natuurlijk, maar ze wist niet zeker of een 86-jarige vrouw op hoge hakken nu echt een goed idee was. Ballerina's dan?

'Wat komt er nu?' vroeg Ella, opgewonden in haar handen klappend.

Setje Drie vond Maggie zelf het mooist, waarschijnlijk omdat ze er het langst naar had moeten zoeken. Ze had het jasje ontdekt op een rek in een hoekje in een keurige winkel voor tweedehands kleren in een net iets te trendy buurtje in South Beach. 'Met de hand gemaakt,' had de verkoopster haar verzekerd, volgens Maggie om de prijs van 160 dollar te rechtvaardigen. Op het eerste gezicht leek het een doodgewoon, heuplang, zwart jasje. Maar op de mouwen was zwart borduursel aangebracht, en de zakken – ook geborduurd – zaten een beetje schuin en wekten zo de illusie van een slanke taille, terwijl de taille in werkelijkheid alle ruimte had. Het allermooiste waren de biezen van prachtige paarse stof. Maggie had er een lange paarse rok bij gezocht en een zwart topje.

'Hier,' zei ze, mevrouw Lefkowitz de drie kledingstukken op één hanger aanreikend, zodat ze het geheel kon bekijken.

Maar mevrouw Lefkowitz besteedde er nauwelijks aandacht aan. Ze griste de hanger uit Maggies handen en haastte zich terug naar de slaapkamer... verbeeldde Maggie het zich, of hoorde ze haar neuriën?

Toen ze weer te voorschijn kwam leek ze wel te huppelen, voorzover iemand die niet zo lang geleden een beroerte heeft gehad dat nog kan. 'Het is je gelukt!' zei ze en kuste Maggie op de wang. Ella zat te stralen op de bank. Maggie bekeek mevrouw Lefkowitz van top tot teen. De rok was niet zo bijzonder – hij viel niet goed en de kleur zwart week iets af van die van het jasje – en het t-shirt was goed, niet meer en niet minder dan dat, maar het jasje was het einde. Mevrouw Lefkowitz leek er langer en welgevormder in, en...

'Het staat geweldig,' zei mevrouw Lefkowitz, die zichzelf in de spiegel bekeek en er geen acht op leek te slaan dat haar linker mondhoek afhing en dat ze haar linkerhand nog altijd in een vreemde hoek ten opzichte van haar lichaam hield. Ze bekeek haar verschijning nog eens goed en pakte toen de roze hoed van het eerste setje en zette die op haar hoofd.

'Nee, nee,' zei Maggie, lachend.

'Maar hij staat me zo goed!' zei mevrouw Lefkowitz. 'Ik wil hem hebben. Mag ik hem hebben?'

'Hij is van school,' zei Maggie.

'O, van school,' zei mevrouw Lefkowitz, en keek daarbij zo teleurgesteld dat Ella in de lach schoot.

'Welk setje wordt het?' vroeg Maggie. En mevrouw Lefkowitz, die nog altijd het geborduurde jasje droeg, keek haar aan of ze gek geworden was.

'Nou, alledrie natuurlijk,' zei ze. 'Ik doe het roze setje aan naar de plechtigheid, de lange zwarte jurk naar de receptie en dit,' zei ze, zichzelf nog eens in de spiegel bekijkend, 'doe ik aan naar mijn eerstvolgende afspraak met dokter Parese.'

Ella schaterde het uit. 'Wat?' vroeg ze. 'Waarom?'

'Omdat,' zei mevrouw Lefkowitz, 'hij om op te eten is!'

'Is hij alleen?' vroeg Maggie.

'O, het is echt nog een broekie,' zei mevrouw Lefkowitz, met een wuivend gebaar, en halverwege stoppend om het borduursel op haar mouw te bewonderen. 'Dank je wel, Maggie. Je hebt het geweldig goed gedaan.' Ze liep terug naar de slaapkamer om zich weer om te kleden en Maggie hing alle kleren terug op hun hangertjes.

Ella sloeg haar enige tijd gade. 'Ik heb een idee,' zei ze. 'Je zou dit eigenlijk ook voor andere mensen moeten gaan doen.'

Maggie, die bezig was het roze vest terug te hangen, bleef staan. 'Hoe bedoel je?'

'Nou, er zijn nog veel meer oudere vrouwen die niet graag naar het winkelcentrum gaan en die heel veel moeite hebben om er leuke kleren te vinden. Maar iedereen heeft wel eens iets bijzonders nodig. Huwelijken, afstuderende kleinkinderen, verjaardagsfeestjes...'

'Nou, eh, dit was gewoon een gunst,' zei Maggie. 'Ik heb het best druk met school en de bagelshop en zo...'

'Ik durf te wedden dat mensen bereid zijn ervoor te betalen,' zei Ella.

Maggie staakte haar opruimwerkzaamheden weer. 'Denk je?'

'Ja, zeker,' zei Ella. 'Of doe je het liever voor niets?'

'Hoeveel denk je dan dat ik ervoor kan vragen?'

Ella drukte een vinger tegen haar bovenlip en tuurde naar het plafond. 'Een percentage van de kosten?' zei ze.

Maggie fronste haar wenkbrauwen. 'Ik ben niet zo'n ster in het berekenen van percentages,' zei ze.

'Je kunt ook een vast bedrag nemen,' zei Ella. 'Dat heeft als voordeel dat de krenterige types niet bang hoeven te zijn dat je extra dure kleren koopt om je inkomsten te verhogen. Hoe lang heb je erover gedaan om deze kleren bij elkaar te zoeken?'

Maggie beet nadenkend op haar onderlip. 'Tien uur of zo?'

'Nou, dan zou ik zo'n vijftien dollar per uur vragen.'

'Echt? Dat is twee keer zoveel als ik in de bagelshop krijg.'

'Dit is ook wel iets moeilijker dan broodjes smeren, vind je niet?' vroeg Ella.

337

'En geloof me, de vrouwen hier zijn niet armlastig,' zei mevrouw Lefkowitz, die de kamer weer binnenkwam in haar roze sweater, met een tevreden blik in haar ogen en blosjes op haar wangen. 'Ze klagen dan wel veel over hun inkomen, maar ze zullen graag bereid zijn te betalen voor zulke leuke kleren.'

En nu zag Ella haar kleindochters ogen flonkeren. Maggie straalde. 'Zou ik dat kunnen?' vroeg ze, 'zou het lukken? Ik zou moeten adverteren, en ik moet een eigen auto hebben...'

'Klein beginnen,' zei Ella. 'Duik er niet meteen helemaal in. Begin kleinschalig en kijk dan hoe het je bevalt.'

'Maar ik weet allang dat ik dit leuk vind!' zei Maggie. 'Ik vind het heerlijk om te winkelen, ik vind het leuk om kleren voor mensen uit te kiezen... ik kan gewoon niet geloven – zouden mensen me echt willen betalen om dit voor ze te doen?'

Mevrouw Lefkowitz glimlachte, opende haar reusachtige handtas, nam haar cheques eruit en schreef er in haar moeizame, beverige handschrift eentje uit voor Maggie Feller, ter waarde van 150 dollar. 'Ja hoor, dat denk ik wel,' zei ze.

51

ACHTERAF GEZIEN, DACHT ROSE, WAS HET EEN SLECHT IDEE OM Mimosa's te gaan drinken. Ze probeerde dit uit te leggen aan Amy, maar ze struikelde over de woorden. Ze bracht het niet verder dan een door de champagne vertroebeld gelispel: 'Mimoshjas njiet sjo'n goed idee,' zei ze. Amy, die haar klaarblijkelijk prima had verstaan, knikte haar enthousiast toe en wenkte de barman.

'Nog twee Mimosa's,' zei ze.

'Komt eraan, dames,' zei de barman. Wanneer was het fout gegaan, vroeg Rose zich af. Waarschijnlijk op de dag dat ze de uitnodiging ontvangen had voor haar vrijgezellenfeest, die Sydelle Feller al weken voor de komst van Maggies brief en het hele verhaal van haar oma gepland moest hebben.

'Ik zou de aanwezigheid van goede vrienden zeer op prijs stellen,' luidde de tekst van Sydelles uitnodiging, die in zo'n krullerige letter was gezet dat de tekst nauwelijks leesbaar was.

'Wie organiseert dit?' vroeg Amy op de dag dat ze haar uitnodiging per post ontvangen had. 'Lord en Lady Plooirok?'

'Ik heb helemaal geen zin om erheen te gaan,' zei Rose. 'Ik wil naar Florida om mijn oma te ontmoeten.'

'Heb je haar al gebeld?' vroeg Amy.

'Nog niet,' zei Rose. 'Ik weet nog niet precies wat ik moet zeggen.'

'Nou, als je oma opneemt dan zeg je "hallo",' zei Amy. 'En als Maggie opneemt, dan vertel je haar dat, als ze het nog één keer waagt om met je vriendje naar bed te gaan, dat je haar zo'n schop voor haar maatje nul-reet geeft dat ze in New Jersey terechtkomt. Je moet er alleen wel voor oppassen dat je de goede tekst tegen de juiste toehoorder zegt.'

'Eerst het vrijgezellenfeest, dan oma,' zei Rose. En op de bewuste dag verzamelde ze al haar moed, schoor haar benen en toog op het afgesproken tijdstip naar het restaurant, waar om precies te zijn één vriendin van haar en zesendertig vriendinnen van Sydelle klaarzaten om een toast uit te brengen op de aanstaande bruid.

'Rose,' zei Sydelle plechtig, terwijl ze opstond om haar te begroeten. Van de kwetsbaarheid die Rose op het gezicht van haar stiefmoeder had gezien was geen greintje meer over, die was begraven onder de vertrouwde lagen make-up, Sydelles gebruikelijke minachtende blik en dure kleren, in dit geval een pakje van Chanel en een ketting met twee zilveren bedeltjes in de vorm van twee kleine jongetjes, waar, zo zag Rose tot haar schrik, plaatjes aan hingen met 'Jason' en 'Alexander'. De strijd was dus nog niet gestreden.

'Kom mee, dan stel ik je voor aan mijn vriendinnen,' zei Sydelle, Rose meevoerend naar haar lookalikes: ze hadden allemaal hetzelfde halflange kapsel met coupe soleil en dezelfde strakgetrokken huid. Ze gaan vast allemaal naar dezelfde kapper en naar dezelfde plastisch chirurg, dacht Rose, terwijl Sydelle het rijtje vriendinnen afwerkte. 'En hier is Mijn Marcia,' zei Sydelle, die Rose naar haar stiefzusje leidde. Het was een zuur kijkende vrouw met springerig haar, die een ketting droeg waaraan een enorm gouden, met diamantjes afgezet kruis hing. Marcia wuifde afwezig naar Rose en ging door met haar vragenvuur aan de serveerster, die moest vertellen of er suiker was verwerkt in de pannenkoekjes, terwijl haar vier jaar oude tweeling onder tafel aan het stoeien was.

'Hoe gaat het?' vroeg Rose beleefd.

'Ik voel me gezegend,' zei Mijn Marcia. Sydelle vertrok haar gezicht. Rose nam een grote slok van haar Mimosa, liet haar glas bijvullen en haastte zich naar de tafel van Amy. 'Red me,' fluisterde ze, terwijl Sydelle maar doorratelde ('Ik wilde wel meer vriendinnen van Rose uitnodigen,' hoorde ze haar stiefmoeder zeggen, 'maar het lijkt wel of ze er niet meer heeft!').

Amy reikte haar nog een drankje aan. 'Lachen,' fluisterde ze. Rose grijnsde. Sydelle trok haar tegenstribbelende kleinzoons tegen haar armzalige boezem, stond op en sprak de aanwezigen toe. 'Diegenen die Rose goed kennen, gaan echt genieten vandaag!' Tot haar afgrijzen zag Rose dat twee obers een televisie naar binnen reden. Sydelle wierp haar een stralende lach toe en richtte de afstandsbediening op het toestel. Daar verscheen Rose als 13-jarige, met een norse blik, vet haar en een glinsterende beugel in haar mond. Er ging een opgelaten lachje door de zaal. Rose deed haar ogen dicht.

'We hebben zo onze twijfels gehad,' ging Sydelle door, breed lachend. 'Haar hele schooltijd hing haar haar voor haar ogen en zat ze met haar neus in de boeken.' Ze drukte een knop op de afstandsbediening in en daar was Rose als eerstejaarsstudent in een te nauwe spijkerbroek.

'Natuurlijk, was er ook plaats voor romantiek in Rose' leven...' De volgende foto toonde Rose op het eindfeest van school, met een slecht zittende roze, kanten jurk, naast een jongen met een overdreven lach, die zijn arm om haar middel geslagen had. 'Maar om de een of andere reden werd het uiteindelijk nooit iets.' Weer een klik. Daar was Rose op iemands bar mitswa, op het punt een grote hap van haar taartje te nemen. Rose met een hamburger waaruit saus op haar armen droop. Rose en profil, eind jaren tachtig, met zulke dikke schoudervullingen dat ze wel een footballspeler leek. Rose tijdens Halloween, verkleed als Vulcan, de vingers gespreid in een Mr. Spock-groet.

'O god,' fluisterde Rose. 'Mijn "voor"-foto's.'

'Wat?' fluisterde Amy terug.

Rose voelde een hysterische lachbui opkomen. 'Ik denk dat Sydelle jaren bezig is geweest met het verzamelen van mijn "voor"-foto's, zodat ze, als ik ooit op dieet zou gaan en heel slank zou worden, genoeg "voor" en "na" materiaal zou hebben.'

'Ik kan gewoon niet geloven dat ze je dit aandoet!' fluisterde Amy, terwijl Sydelle een aantal foto's de revue liet passeren. Rose te dik, Rose chagrijnig, Rose met een lelijke puist op het puntje van haar neus.

'Mammie, wat is er met die mevrouw?' vroeg Alexander of Jason aan zijn moeder, die hem tot stilte maande.

'Schiet me af,' smeekte Rose haar beste vriendin.

'Misschien kan ik je beter bewusteloos meppen,' fluisterde Amy.

'Laten we nu het glas heffen op de liefde!' besloot Sydelle de fotoreeks. Er klonk weer ongemakkelijk gelach, dat werd gevolgd door een slap applausje. Rose keek naar de stapel cadeaus en hoopte vurig dat de messenset die Simon op de lijst had laten zetten, erbij zat.

'Rose?' vroeg Sydelle, nog altijd lachend. Rose stond op en ging bij de cadeautafel staan, waar ze een vol uur enthousiasme probeerde op te brengen voor slakommen, mixers, serviesgoed en wijnglazen en een super-de-luxe keukenweegschaal van Sydelle met een briefje waarop stond: 'We hopen dat je deze veel zult gebruiken!'. Het woord 'veel' was tweemaal onderstreept.

'Tupperware!' zei Rose, op een toon die moest doen vermoeden dat ze haar hele leven al hoopte dat iemand haar een vijftiendelig setje plastic bakjes met dekseltjes cadeau zou doen. 'Wat leuk!'

'Zo handig!' zei Sydelle, Rose lachend een volgend cadeau aanreikend.

'Een slacentrifuge!' riep Rose uit, met een verkrampte lach op haar gezicht. Ik ga dood, dacht ze.

'Slacentrifuge,' herhaalde Amy, die noteerde welke gast welk cadeau gegeven had en daarna een lint door een papieren bord reeg.

'Wat enig!' zei Sydelle. Nog zo'n blik van haar en weer een mooi verpakt cadeau.

Rose zuchtte en bleef aan het uitpakken. Na een halfuur was ze drie cakevormen, een snijplank, vijf borden, twee kristallen vazen rijker en had ze aan zes verschillende vrouwen uitgelegd dat Simon en zij niet meteen een gezin wilden stichten.

Toen eindelijk ook het laatste cadeau was uitgepakt en het laatste lint aan een papieren bordje was bevestigd, werd het 'bouwwerk' van bordjes op Rose' hoofd bevestigd. Amy vluchtte weg naar de wc, en kwam even later terug met een blik op haar gezicht alsof ze daar een verschijning had gezien.

'Wat is er?' vroeg Rose, het gevaarte van haar hoofd nemend.

Amy greep Rose bij haar mouw, pakte twee Mimosa's van een blad en sleepte haar vriendin een hoek in.

'Die vrouw,' zei Amy, 'geeft borstvoeding.'

'Welke vrouw?'

'Marcia!'

Rose keek naar Marcia, die net uit de richting van de toiletten kwam gelopen, gevolgd door Jason en Alexander. 'Dat meen je niet. Ze zijn vier.'

'Ik heb het zelf gezien,' zei Amy.

'Echt? Ze kneep het zeker uit over hun Frosties.'

'Om te beginnen denk ik niet dat deze jongens ooit een Frostie van dichtbij hebben gezien,' zei Amy. 'Jezus houdt niet van dat soort dingen. En verder weet ik hoe borstvoeding werkt. Borst. Kind. Mond.'

Rose slobberde nog wat champagne met sinaasappelsap naar binnen. 'Nou, in ieder geval weet ze zeker dat het biologisch is.'
En precies op dat moment kwam Sydelle Feller erbij staan.
'Dank je wel voor het organiseren van deze middag,' zei Rose. Sydelle had haar armen over elkaar geslagen en kwam heel dicht bij haar staan.
'Je hebt een grote mond en daar zul je nog spijt van krijgen,' siste ze. Rose deinsde achteruit. 'Wat?' zei ze.
'Ik hoop dat je precies het huwelijk krijgt dat je verdient,' zei Sydelle, waarna ze zich omdraaide en naar de deur liep. Rose wankelde naar haar stoel. Ze voelde zich uit het veld geslagen en ook wel een beetje bang. 'O mijn god,' fluisterde ze. 'Ze heeft ons horen praten over Marcia, de melkfabriek.'
'O, nee,' zei Amy, 'sorry.'
Rose verborg haar gezicht achter haar handen. 'Nou, zo'n vrijgezellenfeest hadden ze me in *New Jewish Wedding* niet voorgespiegeld.'
'Laat je door haar niet opfokken,' zei Amy, de keukenweegschaal oppakkend. 'Hé,' zei ze, 'wist je dat mijn duim 120 gram weegt?'
Ze moesten een taxi nemen om al Rose' cadeaus te kunnen vervoeren. Ze legden alles op een grote hoop in de zitkamer en vertrokken direct weer. Ze streken neer in een café aan het einde van de straat en besloten de afschuwelijke middag af te sluiten met nog een paar Mimosa's. Ze vroegen zich af hoe lang Sydelle bezig was geweest met het verzamelen van al die afgrijselijke foto's van haar stiefdochter en of ze een vergelijkbare presentatie klaar had liggen voor het geval Maggie ooit mocht trouwen. Toen Rose thuiskwam, was Simon er niet. Hij had een briefje neergelegd waarop stond dat hij met Petunia was gaan wandelen en dat hij eten voor die avond zou meenemen. Ze stond midden in de keuken en deed haar ogen dicht.
'Ik mis mijn moeder,' fluisterde ze. En in zekere zin was het waar. Het was niet zozeer dat ze haar moeder miste, maar ze miste *een* moeder, wat voor moeder dan ook. Dit mislukte vrijgezellenfeest zou veel minder erg zijn geweest als haar moeder erbij was geweest. Een moeder zou Rose in haar armen hebben genomen en Sydelle hebben teruggestuurd naar de zwavelige spelonk waaruit ze was voortgekomen. Een moeder zou Rose eenmaal met haar toverstafje op haar hoofd hebben getikt en Rose' saaie jurk veranderd hebben in een prachtige trouwjurk. Een moeder zou geweten hebben hoe ze het allemaal diende aan te pakken.

'Ik mis mijn moeder,' zei ze weer, maar doordat ze het hardop zei, besefte Rose dat ze Maggie eigenlijk meer miste. Zelfs al had Maggie geen toverstafje of trouwjurk, ze zou Rose weer aan het lachen krijgen. Rose lachte even en stelde zich voor hoe Maggie, beneveld door de Mimosa's, een trouwtoast zou uitbrengen, of hoe ze Mijn Marcia zou vragen of ze een beetje moedermelk kon krijgen voor in haar koffie. Maggie zou geweten hebben hoe ze zich erdoorheen moest slaan. En Maggie, God moge haar bijstaan, was de enige die ze had.

'Ik moet hier weg,' fluisterde ze. Ze haalde haar koffer uit de kast en stopte er spullen in die ze in Florida dacht nodig te hebben – korte broeken, sandalen, een badpak en een baseballpetje, een roman die ze van Simons moeder had geleend. Tien minuten speurwerk op internet had haar een ticket voor tweehonderd dollar naar Tampa opgeleverd. Toen pakte ze de telefoon en toetste het nummer dat op Maggies kaart stond en dat ze uit haar hoofd bleek te kennen. Toen haar zusje de telefoon opnam, vergat ze de tirade die Amy haar had voorgezegd, maar zei eenvoudigweg: 'Maggie? Ik ben het.'

52

'OKÉ,' ZEI MAGGIE. 'IEDEREEN OP ZIJN PLAATS!'
Mevrouw Lefkowitz stond links van de gate. Lewis stond in het midden met Ella naast zich. Maggie reed nerveus heen en weer in mevrouw Lefkowitz' wagentje. 'Borden!' zei ze. De drie ouderen staken hun zelfgemaakte kartonnen borden in de lucht. Op dat van mevrouw Lefkowitz stond met roze letters WELKOM. Op dat van Lewis stond IN FLORIDA. Op Ella's bord, dat volgens Maggies aanwijzingen was vervaardigd, stond ROSE. Maggie zelf hield een bord vast met een collage van rozen, die ze had geknipt uit de tuintijdschriften van mevrouw Lefkowitz.

'Zojuist geland: vlucht 512 uit Philadelphia,' meldde het informatiebord.

Maggie kneep zo hard in de rem dat ze zowat van het wagentje viel. 'Weet je wat?' zei ze. 'Misschien is het beter als jullie bij de bagageband op haar wachten.'

'Wat?' vroeg Ella.

'Wat zei ze?' vroeg mevrouw Lefkowitz.

Maggie frunnikte aan haar bord en praatte heel snel. 'Het zit zo... voor ik vertrok... hebben Rose en ik ruzie gehad. En daarom is het misschien beter als ik haar eerst even kan spreken. Alleen.'

'Prima,' zei Ella, Lewis en mevrouw Lefkowitz meevoerend naar de bagageband. Maggie haalde diep adem, rechtte haar schouders, stak haar bord omhoog en bekeek de passagiers die binnen begonnen te druppelen aandachtig.

Oude vrouw... oude vrouw... moeder met peuter, met een slakken-

345

gang op haar afkomend... Waar was Rose? Maggie zette haar bord neer, veegde haar handen af aan de pijpen van haar korte broek. Toen ze zich weer oprichtte, kwam Rose net door de deur. Ze leek langer dan Maggie zich herinnerde, ze was lekker bruin en haar haar hing los over haar schouders. Ze droeg een roze T-shirt met lange mouwen en een kakikleurige short. Maggie merkte op dat haar benen gespierder waren dan vroeger.

'Hé,' zei Rose. 'Mooi bord.' Ze keek langs Maggie. 'Nou, waar is die mysterieuze oma van ons?'

Er ging een steek door Maggie heen. Zou Rose niet eens vragen hoe het met haar ging? Kon het haar dan niets schelen? 'Ella staat bij de bagageband. Zal ik je rugzak nemen?' zei ze. 'Is dat alles wat je bij je hebt? Je ziet er hartstikke goed uit. Heb je getraind?'

'Gefietst,' zei Rose. Ze liep de hal door en maakte daarbij zo veel vaart dat Maggie af en toe een paar passen moest rennen om haar bij te kunnen houden.

'Hé, rustig aan!'

'Ik wil mijn oma zien,' zei Rose, zonder haar zusje aan te kijken.

'Die gaat nergens heen hoor,' zei Maggie. Ze keek omlaag om te zien wat voor soort schoenen Rose droeg en zag iets glinsteren aan haar linkerhand. 'Zie ik het goed, is dat een verlovingsring?'

'Inderdaad,' zei Rose, haar blik stug vooruit gewend.

Maggie schrok. Er was zoveel gebeurd sinds ze was vertrokken en ze wist totaal niet wat! 'Is het...'

'Andere vent,' zei Rose. Ze waren bij de bagageband aangekomen. Ella en Lewis en mevrouw Lefkowitz keken onzeker naar Maggie. Lewis stak zijn bord omhoog.

'Daar is ze!' riep Ella, en ze snelde op haar kleindochters toe, gevolgd door Lewis en mevrouw Lefkowitz.

Rose stapte naar voren en knikte, Ella's gezicht goed in zich opnemend. 'Hallo,' zei ze.

'Het is zo lang geleden. Te lang,' zei Ella. Ze kwam op Rose af en omarmde haar. Rose liet zich stijfjes en enigszins opgelaten knuffelen. 'Welkom, lieverd. Ik ben zo blij dat je er bent!'

Rose knikte. 'Dank je. Het is wel een beetje vreemd allemaal...'

Ella bekeek haar kleindochter van top tot teen. Maggie had intussen haar positie ingenomen op het wagentje van mevrouw Lefkowitz. Continu vragen stellend aan Rose cirkelde ze om de groep heen – ze leek wel 's werelds kleinste Shriner. 'Met wie ga je trouwen?' vroeg ze.

'Waar heb je die baret gekocht? Wat zit je haar leuk!' Ze stopte vlak voor Rose' voeten en keek omlaag. 'Hé, zijn die niet van mij?' Rose volgde haar blik en glimlachte flauwtjes. 'Je hebt ze bij mij achtergelaten,' zei ze. 'Ik dacht dat je ze niet meer droeg. En ik had natuurlijk geen idee waar ik ze heen kon sturen. Bovendien passen ze perfect.'

'Kom op,' zei Maggie, van het wagentje afstappend en haar zus naar de uitgang leidend. 'Vertel me eens wat nieuwtjes. Wie is de gelukkige?'

'Hij heet Simon Stein,' zei Rose. Ze ging dicht naast Ella lopen, op de voet gevolgd door Maggie en Lewis en mevrouw Lefkowitz, die probeerden flarden van hun gesprek op te vangen. Haar zus zag er zo anders uit! Ze was niet meer zo bleek, ze was helemaal niet stijf, ze zag er nu eens niet uit alsof iemand een kever in haar kont had gestopt en ze zo snel mogelijk naar de dichtstbijzijnde wc wilde om zich ervan te ontdoen. Ze droeg kleren die Maggie hoogstpersoonlijk voor haar had kunnen uitkiezen en ze liep snel, maar niet gehaast. Rose was niet slanker dan daarvoor, maar het leek wel of ze gespierder was, alsof de samenstelling van haar lichaam was veranderd. Voor het eerst in haar leven leek ze lekker in haar vel te zitten. Maggie vroeg zich af waardoor deze transformatie in gang was gezet. Simon Stein misschien? Die naam kwam haar bekend voor. Maggie pijnigde haar hersens en kwam uiteindelijk uit op een feestje bij Dave en Buster, een vage herinnering aan een kerel met krullen in een pak met een das, die haar zus probeerde te strikken voor het softbalteam van hun advocatenkantoor.

'Hé, Rose!' riep ze, terwijl ze naast Rose kwam lopen. Rose en Ella praatten nog steeds op gedempte toon, hun hoofden dicht bij elkaar. Maggie voelde zich buitengesloten en er ging een steek van jaloezie door haar heen. Ze slikte. 'Die kerel met wie je gaat trouwen. Hij werkt bij jou op kantoor, toch?'

'Mijn voormalige kantoor,' zei Rose.

'Wat? Werk je op een ander advocatenkantoor?'

'Ik doe nu heel iets anders,' zei Rose, en keerde haar de rug toe om met Ella vooruit te lopen. Maggie keek ze verdrietig en teleurgesteld na, maar tegelijkertijd vond ze dat ze dit verdiend had. Dacht ze nu echt dat Rose haar zonder slag of stoot zou vergeven voor wat ze haar had aangedaan? Ze zuchtte, zwaaide haar zusters rugzak op haar rug en doorkruiste de hal.

53

ROSE FELLER VOELDE ZICH ALS EEN ASTRONAUT DIE ONVERWACHTS had moeten landen op een onbekende en niet in kaart gebrachte planeet. Planeet Oma, dacht ze, en veegde haar voorhoofd af. Het moest meer dan dertig graden zijn. Hoe hield iedereen het hier uit?

Ze zuchtte, trok de zonneklep die Ella haar had geleend dichter over haar ogen en liep achter Maggie aan naar buiten. 'Vergeet de zonnebrandcrème niet!' riep Ella ze na.

'Nee!' riep Maggie terug, en stak haar hand in haar zak om Rose haar tube te laten zien. Het was vreemd, dacht Rose, terwijl ze over het kokend hete trottoir dat langs de perfect onderhouden, maar ietwat smalle grasperken van Golden Acres liepen. Maar in de maanden waarin ze haar zusje niet gezien had, was Maggie erin geslaagd zichzelf te transformeren tot een redelijk geslaagde jongvolwassene. En wat nog vreemder was: ze had vriendschap gesloten met ouderen. Daar begreep Rose helemaal niets van. Haar eigen ervaringen met vijfenzestigplussers bleef beperkt tot herhalingen van *Golden Girls*, en haar pas ontdekte oma bezorgde haar een licht onbehaaglijk gevoel, met haar constante gestaar en gesnuffel. Het leek wel of ze ieder moment in huilen uit kon barsten, tenminste, op die schaarse momenten waarop ze Rose niet aan een spervuur van vragen onderwierp. Hoe woonde ze? Waar had ze Simon ontmoet? Van wat voor soort eten hield ze? Hield ze van honden of van poezen, of van geen van beide? Naar welke films was ze de laatste tijd geweest? Welke boeken had ze gelezen? Het was alsof ze een blind date had, zonder dat de kans bestond dat het op een romance zou uitlopen, dacht Rose. Het was spannend allemaal, maar ook heel vermoeiend.

Ze werden ingehaald door een klein oud vrouwtje op een iets te grote driewieler. 'Maggie!' zei ze.

'Dag mevrouw Norton,' zei haar zusje. 'Hoe gaat het met uw heup?'

'O, goed, goed,' zei de oude vrouw. Rose knipperde in het felle zonlicht met haar ogen en probeerde te begrijpen wat ze allemaal zag en hoorde, maar iets anders dan dat haar zusje gehersenspoeld was of door *body snatchers* te grazen was genomen kon ze niet bedenken. En hoe hield ze het hier uit zonder een gestage stroom mannen zónder pacemaker en achterkleinkinderen? Met wie kon ze hier flirten, wie trakteerde haar op een drankje, wie gaf haar geld voor de manicure en wie complimenteerde haar met haar uiterlijk? Rose schudde ongelovig haar hoofd, knikte mevrouw Norton vriendelijk toe en liep achter haar zusje aan naar het zwembad.

'Goed, leg het me nu nog eens uit,' zei ze.

'Dit zijn mijn zwembadvrienden,' zei Maggie. 'Je hebt Dora, die is makkelijk te onthouden, want zij is de enige vrouw en ze kletst de oren van je kop.'

'Dora,' herhaalde Rose.

'Zij was een van mijn eerste klanten,' vervolgde Maggie.

'Klanten?' vroeg Rose. 'Wat doe je precies, massages?'

'Nee, nee,' zei Maggie. '*Personal shopping.*' Uit haar zak haalde ze een van de visitekaartjes te voorschijn, die mevrouw Lefkowitz op haar computer voor haar gemaakt had. 'Maggie Feller, Personal Shopper, Your Favorite Things', stond erop. 'Zo probeer ik ze te lokken,' zei Maggie. 'Ik vraag al mijn klanten wat hun lievelingskleren zijn of zijn geweest en als ik voor ze ga winkelen, dan probeer ik iets te vinden dat dat kledingstuk benadert. Als jouw lievelingskledingstuk bijvoorbeeld een blauwe linnen zomerjurk was, dan hoeft het niet per se zo'n soort jurk te worden, maar ik probeer iets te vinden dat je hetzelfde gevoel geeft als toen je die jurk droeg.'

'Geweldig,' zei Rose. En ze moest toegeven dat het goed klonk. Als er één ding was waar Maggie altijd goed in was geweest, dan was het wel het uitkiezen van kleren. 'Wie zal er nog meer bij zijn?'

'O ja, dan hebben we Jack, die volgens mij gek op Dora is, want hij neemt haar constant in de maling. Hij is degene die vroeger boekhouder was, en hij helpt me met mijn bedrijfje. Dan hebben we nog Herman,' ging Maggie verder. 'Hij is een beetje stil, maar hij is heel aardig... en hij is geobsedeerd door tatoeages.'

'Heeft hij er zelf ook een?' vroeg Rose.

'Ik geloof het niet,' zei Maggie. 'Ik heb hem eigenlijk niet zo goed bekeken. Maar zij weten alles over jou.'

Rose vroeg zich af wat ze precies bedoelde. Wat zou Maggie ze over haar hebben verteld?

'Wat bijvoorbeeld?'

'Nou ja, waar je woont, wat je doet. Ik zou ze hebben verteld dat je verloofd was,' zei ze, 'maar dat wist ik nog niet. Wanneer is de grote dag?'

'In mei,' antwoordde Rose.

'En hoe verlopen de voorbereidingen? Alles onder controle?'

Haar zus verstijfde. 'Ja hoor,' zei ze kortaf. Maggie keek gekwetst, maar in plaats van een rel te schoppen, er kwaad vandoor te gaan, of te gaan mokken, haalde ze even haar schouders op.

'Nou, als je nog hulp nodig hebt,' zei ze, 'ik ben beroeps, moet je weten.'

'Ik zal het in gedachten houden,' zei Rose. Ze waren bij het zwembad aangekomen. Jack, een lange man met een roodverbrande huid, nam de zussen in zich op, en Dora, een korte, dikke vrouw die onophoudelijk praatte, zwaaide enthousiast naar ze. Herman liet zijn blik geïnteresseerd over Rose' armen en benen gaan om te zien of ze ergens een tatoeage had. Maggie zwaaide terug en liep hun kant op. Rose schudde vol ongeloof haar hoofd en spreidde een handdoek uit over een van de krakende ijzeren ligstoelen. Gewoon ontspannen, zei ze tegen zichzelf, terwijl ze een lach op haar gezicht toverde en over het hete beton op Maggies nieuwe vrienden af liep.

'Gaat het wel, met zijn tweeën in die kamer?' vroeg Ella. De bedbank, die voor Maggie alleen prima voldeed, leek plotseling heel klein nu ze er samen op moesten slapen.

'Ja, hoor, dat gaat prima,' zei Rose, een schoon laken over het bed uitspreidend. Aan het eind van haar eerste dag in Florida voelde ze zich nog steeds een beetje versuft en gammel (en een beetje verbrand). Maggie en zij hadden wat tijd doorgebracht bij het zwembad en waren vroeg in de avond uit eten geweest met Lewis, die erg aardig was, en Ella, die Rose de hele tijd nogal indringend had gadegeslagen. Na het eten hadden ze een uurtje televisie gekeken en nu bevonden ze zich samen in de kleine logeerkamer. Rose zag dat Maggie zich de ruimte had toegeëigend, net zo als ze dat bij Rose' appartement had gedaan. De kamer was omgevormd tot kantoor annex boudoir. Op een tafeltje lagen tal van schetsen en kladblokken en boeken over het oprichten en leiden van een eigen bedrijf. Over een paspop die Maggie ergens op de kop had weten te tikken waren verschillende lappen stof gedrapeerd – een stuk ivoorkleurig satijn, een stuk paarse chiffon. Overal lag make-up en natuurlijk lagen er hopen kleren op de grond, maar wat wel vreemd was, er lagen ook boeken. Rose nam een boek van een stapel. *Travels*, van W.S. Merwin. Ze herinnerde zich het boek van college en bladerde het door. Op veel plekken zaten ezelsoren en in de marge stonden opmerkingen in het nonchalante handschrift van Maggie.

'Lees je poëzie?' vroeg ze.

Maggie knikte trots.

'Ik ben er dol op,' zei ze. Ze pakte een boek van de stapel.

'Dit is van Rilkee.'

'Rilkuh,' corrigeerde Rose haar.

Maggie maakte een wegwerpgebaar. 'Wat je wilt.' Ze schraapte haar keel. 'Een avondgedicht,' zei ze, en droeg het gedicht in zijn geheel voor.

'"Ik zou graag iemand in slaap willen zingen,
bij iemand willen zitten, heel stil.
Ik zou je willen wiegen, een liedje voor je willen neuriën
en bij het inslapen en ontwaken naast je willen staan.
Ik zou de enige in huis willen zijn
die wist: het is koud geweest vannacht.
Ik zou alles willen horen, zowel binnen als buiten,
zowel jou, de wereld als het woud.
De slagen van de klok zeggen me hoe laat het is,
en men ziet de bodem van de tijd.
Daar beneden loopt een onbekende man
en stoort daarmee een onbekende hond.
Dan wordt het weer stil. Ik laat mijn blik
over je heen glijden;
mijn ogen rusten zachtjes op je gestalte en laten je weer los
op het moment dat er zich iets in het duister verroert."'

Toen ze klaar was knikte ze tevreden, terwijl Rose haar met open mond aangaapte. De body snatchers, dacht ze weer. Op een of andere manier was er van de hebberige, schoenenjattende, roem nastrevende

Maggie niets meer over. Al haar negatieve kanten waren vervangen door Rilke.

'Ik vind vooral die regel met de hond heel mooi,' zei Maggie. 'Het doet me aan Honey Bun denken.'

'Het doet mij aan Petunia denken,' zei Rose. 'Dat schattige hondje dat je in mijn appartement hebt achtergelaten.'

'O ja, ja, ja,' zei Maggie. 'Hoe gaat het met haar?'

'Goed,' zei Rose kortaf. Ze herinnerde zich maar al te goed hoe Maggie haar met die hond had opgezadeld, met al haar troep, en met het onuitwisbare beeld van haar zus, neukend met Jim Danvers. Ze poetste haar tanden, waste haar gezicht en stapte in bed. Ze kroop zo dicht mogelijk naar de rand van het matras van de bedbank en ging met haar rug naar haar zus toe liggen.

'Niet schoppen, hè,' waarschuwde Maggie. 'Probeer trouwens sowieso maar helemaal geen lichamelijk contact met me te maken.'

'Maak je geen zorgen.' Rose ging iets verliggen en voelde een ijzeren rand tegen haar ruggengraat drukken. Ze wist zeker dat ze de volgende ochtend rugpijn zou hebben. 'Slaap lekker,' zei ze.

'Welterusten,' zei Maggie.

Stilte, alleen wat kwakende kikkers. Rose sloot haar ogen.

'Dus!' zei Maggie opgewekt. 'Je trouwt met Simon Stein!'

Rose kreunde. Ze was vergeten dat Maggie dit altijd deed. Ze zei dat ze ging slapen, ging naar bed, deed het licht uit, gaapte, rekte zich uit, zei welterusten en gaf alle signalen af die erop wezen dat ze het meende, en dan, net op het moment dat je bijna in slaap viel, begon ze doodleuk weer een gesprek.

'Daar hebben we het tijdens het eten toch al over gehad?'

Maggie deed net of ze niets hoorde. 'Ik herinner me hem nog van dat feestje,' zei ze. 'Leuke vent hoor! Een beetje aan de kleine kant, maar toch leuk. Vertel me eens wat voor een huwelijk jullie gaan krijgen.'

'Bescheiden,' zei Rose, die dacht dat het beter was om zo kort mogelijke antwoorden te geven. 'Sydelle helpt ons.'

'O, nee. Dan wordt het echt een ramp. Kun je je dat huwelijk van Mijn Marcia nog herinneren?'

'Vaag,' zei Rose. 'Ik ben alleen naar de inzegening geweest.' Sydelle, sociaal als ze was, had het huwelijk gepland in het weekeinde voorafgaand aan de laatste tentamens van Rose' rechtenstudie. Ze had de inzegening bijgewoond en was daarna snel naar huis gegaan om te studeren.

'O mijn god,' hijgde Maggie. 'Dit wordt echt iets voor in dat programma, *America's Worst Weddings*.'

'Ik heb foto's gezien van die dag. Het zag er allemaal tiptop uit.'

Maar er begon iets te knagen. Rose kreeg meer en meer het gevoel dat er iets niet in orde was geweest met Mijn Marcia's huwelijk, maar dat haar vader en Sydelle er nooit iets over hadden gezegd. Maggie wilde het echter maar al te graag uit de doeken doen.

'Is het je wel eens opgevallen,' zei Maggie, 'dat op de foto's van die dag van geen van de gasten de voeten te zien zijn?'

Rose kon het zich niet herinneren.

'Ik zal je uitleggen hoe dat komt,' zei Maggie. 'Het huwelijk vond plaats in de tuin van een chique country club in New Jersey.'

'Silver Glen.'

'Silver Glen, Silver Lake, iets zilverigs,' zei Maggie ongeduldig. 'En het was een prachtige locatie, een mooie tuin, veel bomen, alles erop en eraan, maar het had al drie dagen keihard geregend, en er was in de feesttent geen vloer gelegd. Er was een tien centimeter dikke modderlaag ontstaan waarin alle tafels een eindje waren weggezakt...'

'Dat meen je niet,' zei Rose.

'Echt waar!' zei Maggie gniffelend. 'Sydelle is tijdens de receptie continu in de weer geweest met draagbare warmtekanonnen en Mijn Marcia stond alleen maar te huilen op de wc.' Maggie zette een hoge, hysterische stem op. 'Mijn grote dag, helemaal verpest! Verpest!'

'O god,' zei Rose, die lichtelijk misselijk begon te worden en die zelfs enig medelijden met Mijn Marcia voelde.

'O, maar dat was nog niet alles,' zei Maggie. 'Sydelle had geen speciale parkeergelegenheid geregeld, dus tijdens de receptie moest iedereen om de haverklap zijn auto verplaatsen. En,' zei ze, 'ze was vergeten om voor mij een plaatsje aan tafel te reserveren, dus moest ik bij de band zitten. We kregen een voorverpakte lunch.'

Rose was ervan overtuigd dat het geen toeval was dat er bij de tafelschikking geen rekening was gehouden met Maggie, maar besloot er maar niets over te zeggen.

'Het was echt verschrikkelijk,' zei Maggie vrolijk. 'Maar de drank was afgekocht. Dat heeft veel goed gemaakt. Ik heb heerlijk cocktails staan hijsen.'

'Dat geloof ik,' zei Rose.

'We hebben zelfs een drinkwedstrijd gehouden,' ging Maggie verder.

'Was je toen eigenlijk al eenentwintig?'

'Nee, nog niet,' zei Maggie. 'Maar vertel nog eens iets meer?'

'Er is niet zoveel te vertellen,' zei Rose aarzelend. Het was niet waar, dat wist ze natuurlijk wel, maar waarom zou ze Maggie alles vertellen over haar afschuwelijke vrijgezellenfeest, de ruzie met haar vader, de ontmoeting met Jim Danvers? Daar was het nog te vroeg voor. Ze moest er eerst achter komen hoe het kwam dat haar zusje op wonderbaarlijke wijze was veranderd in een mens met verantwoordelijkheidsgevoel, in een vrouw die niet constant de aandacht trok, die een baan had en die goed op kon schieten met de bejaarden van Golden Acres.

'Vertel nou nog eens iets over jullie huwelijk. Komen er bruidsmeisjes?'

Er viel een korte, gespannen stilte. 'Alleen Amy, denk ik,' zei Rose. 'En jij, misschien. Als je wilt.'

'Wil je mij als bruidsmeisje?'

'Het maakt me niet zoveel uit,' zei Rose. 'Als het je leuk lijkt, vind ik het best.'

'Het is jouw huwelijk,' zei Maggie. 'Het zou je wel iets uit moeten maken.'

'Dat krijg ik nou de hele tijd te horen,' zei Rose.

'Nou,' zei Maggie stijfjes. 'Slaap lekker.'

'Welterusten,' zei Rose.

'Welterusten,' zei Maggie. Stilte.

'Rose?' zei Maggie. 'Hé Rose, kun je een glas water voor me pakken, met één ijsklontje, alsjeblieft?'

'Pak zelf maar een glas water,' zei Rose. Maar terwijl ze het zei, ging ze op de rand van het bed zitten en bedacht ze zich dat ze dit ook vergeten was: zij haalde altijd water voor Maggie. Ze deed dat al sinds ze klein waren. Ook in de tijd dat Maggie in haar appartement bivakkeerde, had ze haar vrijwel iedere avond van water voorzien. En als ze later in de tachtig zouden zijn en hun echtgenoten hadden overleefd en al lang niet meer werkten en hun intrek hadden genomen in de 2060-variant op Golden Acres, dan zou ze haar jongere zus nog steeds glaasjes water brengen met één ijsklontje erin.

Toen Rose weer in bed stapte, lag er iets te glinsteren op haar kussen. Ze bekeek het aandachtig, omdat ze bang was dat het een tor of iets dergelijks was. Maar het was geen tor. Het was een chocolaatje in een stukje folie. 'Net als in een duur hotel,' zei Maggie.

'Ga slapen,' zei Rose.

'Ja, ja,' zei Maggie. Maar voor ze eindelijk haar ogen dichtdeed, legde ze het chocolaatje op het nachtkastje, zodat het het eerste zou zijn dat haar zus zou zien als ze wakker werd.

Ella, in haar eigen kamer, slaakte een diepe zucht. Het deed haar blijkbaar toch meer dan ze had beseft. Ze ging op haar bed zitten. Haar hoofd tolde van de vragen. Wat was dat allemaal met die Sydelle? Wie was Mijn Marcia? Waarom deed Rose zo afstandelijk tegen Maggie? Waarom deed Maggie zo wanhopig haar best om het haar oudere zus naar de zin te maken? Zou Rose Maggie echt niet gaan betrekken bij haar huwelijk? Zou Ella eigenlijk worden uitgenodigd?

Ze beet op haar onderlip en sloot haar ogen. Er was iets gebeurd. Dat wist Ella zeker. Er moest een reden zijn waarom Maggie Rose' appartement was ontvlucht en haar heil had gezocht op Princeton, een reden waarom ze haar zus al tien maanden niet gesproken had. Niets overhaasten, had Lewis gezegd. 'Ik zal mijn best doen,' fluisterde ze zichzelf toe, en gaf twee kushandjes richting de kamer van haar kleindochters.

54

ROSE STAK HAAR HAND IN EEN PAN MET GEKOOKTE KIPPENPOOTJES en begon het vlees van het bot te peuteren.

'Wat fijn dat je wilde komen helpen,' zei Ella, die naast Rose wortels stond te schillen in de recreatieruimte van de synagoge, waar iedere vrijdag een lunch werd klaargemaakt voor daklozen. 'Vind je het echt niet erg?'

'Nee hoor,' zei Rose. 'Liever dit dan de uien, nietwaar?'

'O, nou en of!' zei Ella, wier gezicht vertrok bij haar overenthousiaste, net iets te harde uitroep. Ze richtte haar aandacht weer op de wortels en wierp zo nu en dan een steelse blik op haar oudste kleindochter. Rose was nu drie dagen in Florida en Ella begreep nog niet veel van haar. Ze gaf beleefde en volledige antwoorden op al haar vragen, en stelde er zelf ook veel, de meeste zo goed ingekleed dat Ella kon merken dat vragen stellen een belangrijk onderdeel van haar baan was. Of was geweest, want Rose had uitgelegd dat ze tijdelijk geen juridisch werk deed.

'Hoe bedoel je, er even tussenuit?' had Maggie gevraagd.

'Nou, precies wat ik heb gezegd. Er even tussenuit,' had Rose geantwoord, zonder haar zus aan te kijken. Er zat iets helemaal fout tussen die twee, dat merkte Ella wel. Maar ze kwam er maar niet achter wat het was, en Maggie had er niets over losgelaten in de dagen dat ze als een verdwaalde pup achter haar zus aan door Golden Acres rende.

Rose trok haar rubberen handschoenen uit, zette haar handen op haar heupen en strekte haar rug, maakte haar nekspieren los. Zelfs met een haarnetje op was haar kleindochter nog beeldschoon, vond

Ella. Ze vond dat Rose eruitzag als een vrouw uit de Bijbel – lang, sterk en een beetje streng, met brede schouders en sierlijke handen.

'Gaat het nog?' vroeg ze.

Rose zuchtte. 'Nou, ik ben klaar met de kalkoen.'

'Laten we even gaan zitten,' zei Ella. Ze liepen naar een tafeltje in een hoek, waar mevrouw Lefkowitz het laatste nummer van *Hello!* zat door te bladeren (ze vond Engelse roddels per definitie interessanter dan Amerikaanse).

'De aanstaande bruid!' riep ze Rose toe. Rose glimlachte flauwtjes en nam plaats op een klapstoel.

'Vertel eens iets over je huwelijk,' zei mevrouw Lefkowitz. 'Heb je al een jurk gekocht?'

Rose kromp ineen. 'Mijn huwelijk. Uhh. Nou, Sydelle helpt ons.'

'Wie is Sydelle?'

'Mijn stiefmoeder,' zei Rose. 'De Cruella de Ville van Cherry Hill.' Ze keek Ella aan. 'Hoe was het huwelijk van mijn moeder?'

'Het was een bescheiden huwelijk,' zei Ella. 'Ze hebben het helemaal zelf georganiseerd. Ze zijn in de werkkamer van de rabbi getrouwd, op een dinsdagmiddag. Ik wilde graag helpen... er een mooie dag van maken... maar Caroline wilde het klein houden en je vader wilde niets wat Caroline niet wilde.'

'Dat verbaast me niets,' zei Rose. 'Mijn vader is niet...' Haar stem stierf weg. 'Het is geen man met een sterke persoonlijkheid.'

Behalve als het erom gaat mij uit zijn leven te bannen, dacht Ella. 'Hij hield van je moeder,' zei ze. 'Iedereen die ze samen zag, wist dat. Hij wilde voor haar zorgen, haar gelukkig maken.'

'Ik wil het over jouw huwelijk hebben!' zei mevrouw Lefkowitz, het artikel over Fergies laatste misstappen opzij leggend. 'Ik wil alles weten!'

Rose zuchtte. 'Er is eigenlijk niet zoveel te vertellen. Mijn huwelijk wordt geregeld door een monster dat me volledig negeert als ik haar vertel wat Simon en ik willen en ze blijft maar proberen ons haar ideeën door de strot te duwen. En haar incontinente kleinkinderen.'

'Een citroen,' zei mevrouw Lefkowitz en knikte.

'Hè?'

'Denk eens aan fruit,' legde ze uit. 'Wat krijg je als je een sinaasappel uitperst?'

Rose lachte. 'Rommel?'

'Nee, slimmerik. Je krijgt sinaasappelsap. Je krijgt geen grapefruitsap, je krijgt geen appelsap, je krijgt geen melk. Je krijgt sinaasappelsap. Iedere keer weer. Met mensen gaat het precies zo. Ze kunnen alleen maar geven wat er in ze zit. Dus als deze Sydelle alleen maar narigheid brengt, dan komt dat omdat haar lichaam vol narigheid zit. Ze brengt naar buiten wat er in haar hart zit.' Mevrouw Lefkowitz leunde tevreden achterover.

'Hoe kom je aan deze wijsheid?' vroeg Ella.

'Dokter Phil,' zei mevrouw Lefkowitz.

Ella nam zich voor op een later tijdstip eens na te vragen wie dokter Phil was.

'Goed,' zei Rose, 'wat voor soort vrucht is Maggie?'

'Een zoete vrucht,' zei mevrouw Lefkowitz.

Rose lachte. 'Als u dat denkt, dan kent u mijn zusje niet erg goed.'

'Is ze niet lief dan?' vroeg Ella.

Rose stond op. 'Ze eigent zich dingen toe,' zei ze. Eindelijk, dacht Ella, terwijl Rose begon te ijsberen. Eindelijk komen we tot de kern van de zaak en kan ik erachter komen wat er is gebeurd. 'Ze pikt alles,' ging Rose verder, met een onvaste stem. 'Heb je daar niets van gemerkt? Mijn zusje denkt dat ze op van alles recht heeft. Ze denkt dat ze zich alles wat van jou is zomaar mag toe-eigenen. Kleren, schoenen, geld, auto's... andere dingen.'

Andere dingen, dacht Ella.

'Je gaat me toch niet vertellen dat je in al die tijd dat ze bij jou logeert nog niets bent kwijtgeraakt?'

'Nou, volgens mij niet,' zei Ella.

'Wij hebben niets wat zij wil hebben,' zei mevrouw Lefkowitz.

Rose schudde haar hoofd. 'Het lijkt erop,' zei ze, 'dat ze nadat ze mij heeft kaalgeplukt, besloten heeft haar leven te beteren.'

Andere dingen, dacht Ella weer, en ze deed haar best om te raden wat er toch gebeurd kon zijn. 'Wat heeft Maggie je afgenomen?' vroeg ze.

Rose draaide razendsnel haar hoofd in Ella's richting. 'Wat?'

Ella herhaalde haar vraag. 'Ik krijg de indruk dat ze je iets heeft afgenomen wat veel voor je betekende. Wat was het?'

'Niks,' zei Rose. En nu klonk ze niet gewoon boos, ze klonk woedend. Ze was woedend op Maggie, dacht Ella. En misschien ook wel op haar. 'Niks, het stelde niks voor.'

'Lieverd,' zei Ella, haar hand uitstekend. Rose deed net of ze het niet zag. 'Het gaat goed met Maggie,' ging Ella verder, wanhopig stuntelend verdergaand. 'Ik weet dat ze hard aan het sparen is en ik denk dat haar bedrijfje goed zal gaan lopen. Ze heeft kleren gekocht voor een paar mensen die ik ken. Haar vriendin Dora, mijn buurvrouw Mavis Gold...'

'Wees wel voorzichtig,' zei Rose. 'Als ze nog niets van je gestolen heeft, dan wil dat nog niet zeggen dat ze dat niet alsnog gaat doen. Ze ziet er misschien aardig uit, maar dat is ze niet. Niet altijd.' Rose beende de deur uit, Ella met open mond en geschrokken achterlatend.

55

TWEE DAGEN LATER KEEK MAGGIE NAAR ROSE, DIE OP DE LIGSTOEL
naast haar in slaap was gevallen.

'Ze is moe,' zei Dora.

'Jij begrijpt ook alles,' zei Jack.

'Ze lijkt me heel aardig,' zei Herman, die het zo heel af en toe eens
niet over een tatoeage had.

'Ze is ook aardig,' zei Ella.

Maggie zuchtte. 'Volgens mij gaat ze naar huis,' zei ze. Toen ze die
ochtend uit de douche gekomen was, had ze Rose zachtjes met iemand
horen praten over de telefoon, waarschijnlijk met Simon. Ze had hem
gevraagd uit te zoeken wanneer er een vlucht naar Philadelphia ging.

Maar Rose mocht nog niet weg. Niet op deze manier. Niet voordat
Maggie haar ervan had overtuigd dat ze echt veranderd was, dat ze
haar leven gebeterd had en dat het haar werkelijk heel erg speet.

Ze rolde zich op haar zij en dacht na. Rose had behoefte aan rust
en Maggie had ervoor gezorgd dat ze iedere dag een dutje deed, rustig
aan het zwembad zat, na het eten een wandelingetje maakte. Ze had
ervoor gezorgd dat Ella haar lievelingseten in huis haalde, inclusief
de kaassnacks en het ijs waar ze heimelijk dol op was. Als ze tv-
keken, mocht haar zus altijd de afstandsbediening vasthouden en ze
had niet geklaagd toen Rose in al haar bibliotheekboeken zocht naar
gedichten die ze op college gelezen had. Het had allemaal geen effect
gehad. Rose trok naar Ella toe, vroeg haar de hemd van het lijf over
hun moeder, bekeek foto's, ging met haar mee op stap. Het waren
twee handen op één buik. En Rose leek niet van plan te zijn om ook

ruimte te maken voor Maggie. Het was zonneklaar dat ze Maggie nog niet vergeven had. Er moest iets zijn dat ze Rose kon geven, iets wat ze kon doen om haar zus ervan te overtuigen dat het haar speet en dat ze het van nu af aan beter zou doen.

Nou, dacht ze, zich van haar rug op haar buik draaiend, in ieder geval heeft Rose een nieuwe vriend. Een verloofde. En als Sydelle inderdaad de touwtjes in handen had, dan was Rose zeker al in het bezit van een complete gastenlijst en kweekte iemand op dit moment de perfecte bloemen voor haar bruidsboeket. Het leed geen twijfel dat Sydelle Rose' huwelijk met even veel afgrijselijke efficiëntie plande als haar eigen leven, en Maggies hulp zou de boel alleen maar vertragen. Maar hoe zat het met de trouwjurk? Maggie ging zo snel rechtop zitten dat haar waterglas omviel, Dora een kreet slaakte en Jack vloekte. Ella reikte haar een handdoek aan.

'Hé Rose!' riep ze. Rose schrok wakker en keek haar slaperig aan. 'Heb je al een trouwjurk?'

Haar zuster sloot haar ogen weer. 'Ik ben nog op zoek,' zei ze.

'Ga maar weer slapen,' zei Maggie. Perfect! Als ze voor Rose een mooie trouwjurk kon vinden... dan nog zou niet alles ineens koek en ei zijn, maar het zou een goed begin zijn. Meer dan een goed begin, het zou een teken zijn, een teken dat het Maggie ernst was, dat ze de beste bedoelingen had.

Hoe langer ze erover nadacht, hoe beter het werd, want als ze een goede jurk voor haar zus zou vinden zou dat ook symbolische waarde hebben. Ze herinnerde zich een college over mythen, waarin de docent gesproken had over heilige zoektochten. De held moest op reis gaan en iets mee terug brengen – een zwaard, een kelk, een glazen schoentje of magische bonen. Ridderromans, had de docent gezegd. *Sjaak en de bonenstaak. In de ban van de ring.* En waar stonden die voorwerpen symbool voor? had de docent gevraagd. Zelfkennis. Wanneer de held over voldoende zelfkennis beschikt, kan hij een gelukkig leven lijden. Zij was dan wel geen heldin, en ze wist niet zeker of ze dat hele verhaal over zelfkennis en symboliek volledig begreep, maar ze kon winkelen als de beste. Ze had smaak en, nog belangrijker, ze kende haar zus goed. Ze zou voor haar de juiste jurk weten te vinden.

Maggie sloeg haar agenda open. Ze had het best druk, met het vijftigjarige huwelijksfeest van de Liebermans en de cruise van mevrouw Gantz, maar ze kon hier en daar wel wat schuiven om tijd vrij te maken voor Rose' jurk. Waar zou ze beginnen? Eerst inspiratie opdoen op de bruidsafdeling van Saks. Ze hadden waarschijnlijk niets in Rose' maat, maar ze kon wel eens gaan kijken wat ze hadden. En zodra ze dan een idee had waarnaar ze op zoek was, zou ze naar de mooiste winkels voor tweedehands kleren gaan. Ze had bij alledrie trouwjurken zien hangen, maar had er verder niet naar gekeken omdat ze op zoek was geweest naar iets anders. Maar ze waren er, dat wist ze zeker, en...

'Hé,' riep Maggie, die probeerde nonchalant over te komen. 'Hé Rose, hoe lang denk je dat je hier nog blijft?'

'Tot maandag,' zei Rose. Ze stond op van haar ligstoel, liep langzaam naar het zwembad en dook in het water. Nog vier dagen. Zou het Maggie lukken om in vier dagen een trouwjurk te vinden? De perfecte trouwjurk? Ze twijfelde. Ze had geen moment te verliezen.

'Wat is het allerleukste kledingstuk dat je ooit gehad hebt?' vroeg Maggie aan haar zus.

Rose zwom naar de rand van het zwembad en legde haar armen op de rand. 'Ik was altijd dol op die blauwe capuchontrui. Kun je je die nog herinneren?'

Maggie knikte. De moed zonk haar in de schoenen. Ze herinnerde zich die blauwe capuchontrui maar al te goed, omdat Rose hem bijna een jaar lang non-stop gedragen had. 'Ik wil hem aanhouden,' had ze koppig volgehouden als haar vader hem in de was wilde doen.

'Je hebt die trui gedragen tot de gaten erin vielen,' zei Maggie.

Rose knikte. 'Lavendelblauw,' zei ze dromerig, alsof ze het over een hond of een persoon had in plaats van over een trui. Maggie was moedeloos. Hoe moest ze in vredesnaam een trouwjurk vinden die aansloot bij een verwassen blauwe trui met een rits?

Ze zou het helemaal op eigen kracht moeten doen. En ze had hulp nodig, want ze had maar vier dagen de tijd. Terwijl Rose baantjes trok, wenkte Maggie Dora, Ella en Lewis. 'Jullie moeten me helpen met een plan,' fluisterde ze.

Dora's ogen glinsterden en ze trok haar stoel iets dichterbij. 'Dat is geweldig nieuws!' zei ze.

'Zal ik niet eerst even vertellen wat het is?' vroeg Maggie.

Dora keek naar Lewis. Lewis keek naar Ella. Het drietal keek Maggie vragend aan.

'Oké,' zei Maggie, een lege bladzijde in haar kladblok opzoekend en intussen een plan beramend, 'we gaan als volgt te werk.'

56

'BEN JE ZOVER?' VROEG ELLA, ZOEKEND IN HAAR MAP MET PAPIE-
ren. 'Misschien moet je even gaan zitten.'

'Ik ben een oude man,' zei Lewis. 'Ik ga er altijd graag even bij zitten.' Hij nam plaats op de stoel achter zijn bureau op de redactie van
de *Golden Acres Gazette* en keek Ella vol verwachting aan. Ella
schraapte haar keel en keek even opzij naar Maggie. Maggie lachte
haar bemoedigend toe en Ella begon het gedicht dat Maggie en zij
samen geschreven hadden voor te dragen. Het heette 'De senioren-
schreeuw'.

'Ik zag de beste geesten van mijn generatie
kapotgaan aan bejaarde momenten,
dyspepsie, vergeetachtigheid, een en al polyester
zichzelf naar de invalidenparkeerplaats slepend
om vier uur, klaar voor het 65+-menu.'

'O jee,' zei Lewis, zijn lachen inhoudend. 'Je kan wel merken dat jullie Alan Ginsburg hebben ontdekt.'

'Dat is ook zo,' zei Maggie trots. 'Ik wil natuurlijk wel genoemd
worden.'

'Als coauteur,' zei Ella.

'Ja, ja, wat je wilt,' antwoordde Maggie.

'Hoe staat het met de geheime missie?' vroeg Lewis.

Maggie keek bedrukt. 'Het is moeilijker dan ik dacht,' zei ze. 'Maar
ik denk dat het wel gaat lukken. Jullie helpen me wel, hè?'

'Natuurlijk,' zei Lewis. Maggie knikte, sprong van de rand van het bureau en pakte haar tasje van de grond.

'Ik moet ervandoor,' zei ze. 'Mevrouw Gantz wacht op haar badpakken. Ik zie jullie om vier uur in het appartement.'

Ella keek haar glimlachend na.

'Zeg eens, liefje,' zei Lewis. 'Hoe gaat het oma-zijn?'

'Prima,' zei Ella. 'Nou, in ieder geval beter. Met Maggie gaat het uitstekend. De zaak begint echt te lopen. Ze heeft er haar handen vol aan.'

'En Rose?' vroeg Lewis.

'Ik geloof dat ze een beetje gek wordt van haar huwelijk. En van Maggie. Ze geven zoveel om elkaar. Daar ben ik inmiddels wel van overtuigd.' Ella herinnerde zich dat Rose in de maanden voor haar komst met enige regelmaat opdook in Maggies verhalen. Het was Ella opgevallen dat ze daarbij nooit haar naam noemde. Ze had het altijd over 'mijn zus'. 'Mijn zus en ik gingen vroeger altijd met mijn vader naar footballwedstrijden kijken.' Of: 'Mijn zus en ik sliepen samen op een kamer, omdat Sydelle de Verschrikkelijke mij uit de mijne had verjaagd, zodat er een logeerkamer zou zijn voor Mijn Marcia.' Ella was dankbaar voor ieder woord, voor iedere flard informatie, iedere glimp die ze kon opvangen van deze twee kleine meisjes, vooral in de eerste weken dat Maggie in Florida was, omdat ze toen nauwelijks iets gezegd had. Ze kon ze soms bijna voor zich zien, in de kamer met de twee bedjes, Rose op haar buik op de grond liggend, met haar neus in een boek – uit de Nancy Drew-reeks, besloot Ella. Ja, dat paste wel bij haar. En Maggie was een klein meisje met een – wat? Een rode overall, dacht Ella. Maggie sprong op en neer door de kamer, op en neer, tot haar rode benen en bruine haar niet meer van elkaar te onderscheiden waren en ze riep: 'The quick! Brown! Fox! Jumped over! The lazy dog!'

'Ik wou,' zei Ella, en sloot toen haar mond. Wat wilde ze eigenlijk? Wat wilde ze het allerliefst? 'Ik wou dat ik die twee met elkaar kon verzoenen. Ik zou Maggie zo graag het leven geven dat ze zo graag wil leiden, en Rose helpen bij de omgang met haar stiefmoeder, en gewoon...' Ze hief haar linkerhand op en maakte een gebaar alsof ze met een toverstafje zwaaide. 'Alles rechtzetten. Alles voor ze rechtzetten.'

'Dat is anders niet wat opa's en oma's meestal doen,' zei Lewis.

'Nee?' vroeg Ella somber.

Lewis schudde zijn hoofd.

'Wat doen ze dan wel?' vroeg Ella droevig, een en al spijt over al die jaren waarin ze het antwoord gaandeweg had kunnen leren.

Lewis staarde in gedachten naar het plafond. 'Ik denk dat je je kleinkinderen onvoorwaardelijke liefde geeft, en steun, en zo nu en dan een financiële injectie. Je biedt ze een plek om heen te gaan als ze daar behoefte aan hebben en je probeert ze niet te vertellen wat ze wel en niet moeten doen, want dat doen hun ouders al veel te vaak. En je geeft ze de ruimte om hun problemen zelf op te lossen.'

Ella sloot haar ogen. 'Ik vraag me af of Rose een hekel aan me heeft,' zei ze, zo zachtjes dat Lewis haar bijna niet kon verstaan. Ze had het niet tegen hem gezegd, of tegen Maggie, of tegen wie dan ook, maar toen ze Rose voor het eerst had ontmoet, was ze zowel opgetogen als doodsbang geweest. Diep in haar hart wilde ze nog steeds dat Rose haar al die vragen zou stellen waarop ze het antwoord niet zou weten.

'Hoe kan iemand nu een hekel aan je hebben?' vroeg Lewis vriendelijk. 'Je moet niet zo piekeren. Het zijn pientere meiden. Ze zullen het jou niet kwalijk nemen dat je er al die tijd niet voor ze was, omdat het jouw schuld niet was, en ze kunnen niet van jou verwachten dat je alles voor ze rechtzet. Dat kan niemand van je verwachten.'

'Is het dan stom dat ik dat blijf proberen?' vroeg Ella.

Lewis lachte naar haar en pakte haar hand. 'Nee,' zei hij, 'ik vind juist dat het je nog liever maakt dan je al was.'

57

DE VOLGENDE OCHTEND STUITTE MAGGIE OP EEN PROBLEEM BIJ het kopen van een trouwjurk in een confectiewinkel: iedere jurk hing er maar in twee maten. En geen van die twee maten paste haar zus. 'Probeermaten,' had de verkoopster verveeld uitgelegd, toen Maggie had gevraagd of er ook iets grotere jurken waren. 'Je trekt een paar jurken aan om te zien wat je leuk vindt en we bestellen ze vervolgens in jouw maat.'

'Maar wat als de probeermaten helemaal niet passen?' vroeg ze.

'Als ze te groot zijn, maken we ze met spelden op maat,' zei de verkoopster.

'En hoe moet het dan als ze te klein zijn?' vroeg Maggie, die de jurken bekeken had en zeker wist dat ze haar zus niet zouden passen. De verkoopster had haar schouders opgehaald en een naam en adres op een papiertje geschreven. 'Zij hebben grotere maten,' zei ze.

In de volgende winkel – een filiaal van een grote trouwjurkenketen – hingen inderdaad grotere maten, ondergebracht in de afdeling die heel eufemistisch 'Diva' was genoemd. Het vervelende was dat deze jurken afzichtelijk waren.

'Ik weet het niet hoor,' zei Ella, die Maggie de zoveelste trouwjurk met wijde rok en strak lijfje voorhield. Dit exemplaar had zijden bloemetjes op de voorzijde van het lijfje.

'Deze kan ermee door,' zei Maggie. 'Hij kan door de beugel, vind je niet? Maar ik zoek de perfecte jurk en ik weet niet of we die hier kunnen vinden.' Ze zuchtte en leunde tegen een vitrine met afgeprijsde kousenbanden. 'Ik weet niet eens precies hoe de perfecte jurk eruitziet. Ik heb het idee dat we het wel zien als we ertegenaan lopen, maar ik weet niet zeker of dat gaat gebeuren!'

'Nou, waar houdt Rose van?' vroeg Ella.

'Ze weet niet waar ze van houdt,' zei Maggie. 'Haar lievelingskledingstuk was een blauwe capuchontrui met een rits.' Ze zuchtte weer. 'Ik denk dat we beter eens bij een paar naaiateliers langs kunnen gaan.' Ze schudde haar hoofd. 'Misschien hebben we geluk.' Ze keek de winkel nog eens rond. 'Hier niet, in ieder geval. Waar is Lewis?'

Lewis vonden ze achter in de winkel, bij de paskamers, waar hij aanstaande bruiden hielp bij het maken van een keuze.

'Ik weet het niet,' zei een tengere vrouw met rood haar in een wijde jurk die aan een schuimkransje deed denken, 'vind je dat ik erin verdwijn?'

Lewis bekeek haar zorgvuldig. 'Doc die derde nog eens aan, die met die laag uitgesneden rug,' zei hij. 'Die vind ik nog steeds het mooist.'

Een donker meisje met kralen en schelpjes in haar vlechtjes tikte hem zachtjes op zijn schouder en draaide om haar as.

'Die staat je heel goed,' zei Lewis, instemmend knikkend.

'Lewis!' riep Maggie. 'We gaan!'

Vanuit een stuk of wat paskamers steeg een klaaglijk gejammer op. 'Nee! Nog niet! Nog één jurk!'

Lewis lachte. 'Ik heb hier echt talent voor. Maggie, misschien moet je me op de loonlijst zetten.'

'Oké,' zei Maggie. 'Maar we hebben nog twee dagen voordat Rose vertrekt en de jurk is nog niet gevonden, dus we moeten verder. Kom op.'

Later reden Maggie en Ella terug naar Golden Acres. Het was een vochtige avond en overal klonk het gesjirp van krekels, maar er hing ook teleurstelling in de lucht. De jurk waarvoor ze zo'n eind waren omgereden was een regelrechte ramp – het satijnachtige polyester glom te veel, de rug was te diep uitgesneden en de kraaltjes waren zo losjes op het lijfje genaaid dat er een paar op het neplinoleum stuiterden in de keuken van de vrouw die de jurk te koop had aangeboden.

Toen Maggie zei dat het niet precies was wat ze zocht, had de vrouw gezegd dat ze haar een groot plezier zou doen door de jurk dan maar gewoon mee te nemen.

'Heb jij hem zelf gedragen?' vroeg Maggie.

'Dat was ooit wel de bedoeling,' zei ze.

En zo reden ze terug naar huis met de jurk aan een hangertje, spookachtig zwevend boven de achterbank. Maggie had de pest in en begon langzamerhand in paniek te raken.

'Wat moet ik nu doen?' vroeg ze. En tot haar verbazing gaf Ella antwoord op deze vraag.

'Weet je wat ik denk? Ik denk dat dit zo'n typisch geval is waarin het de gedachte is die telt.'

'Ze kan toch niet in een gedachte voor het altaar gaan staan?' vroeg Maggie.

'Nee, dat kan inderdaad niet, maar het feit dat je dit allemaal voor haar doet, en dat je zo je best doet, dat betekent dat je heel veel van haar houdt.'

'Ja, maar ze weet niet dat ik dit voor haar doe,' zei Maggie. 'En ik wil zo graag iets voor haar vinden. Het is belangrijk. Het is echt heel belangrijk.'

'Je hoeft niet per se een jurk te vinden voordat Rose vertrekt. Je hebt nog vijf maanden. Je kunt nog even verder zoeken en eventueel een jurk bestellen. Of je kunt zelf iets voor haar maken.'

'Ik kan niet naaien,' zei Maggie somber.

'Nee,' zei Ella. 'Maar ik wel. Dat wil zeggen, ik kon het vroeger goed. Het is een hele tijd geleden, maar ik maakte van alles zelf. Tafelkleden, gordijnen, jurken voor je moeder toen ze nog een klein meisje was...'

'Maar een trouwjurk... is dat niet moeilijk?'

'Heel moeilijk,' zei Ella instemmend. 'Maar we kunnen het samen proberen, zodra je een idee hebt van wat je wilt.'

'Ik geloof dat ik wel weet wat ik wil,' zei Maggie. Na het zien van meer dan honderd jurken en foto's van misschien nog zo'n vijfhonderd andere modellen, begon ze een idee te krijgen hoe de perfecte jurk van Rose eruit zou moeten zien. Ze had de jurk dus wel in haar hoofd, maar had hem nog nergens zien hangen. Ze dacht aan een baljurk, omdat Rose best een goed figuur had en voldoende taille had om de jurk goed te laten vallen. Een baljurk met een decolleté, dat niet te diep mocht zijn, misschien afgezet met kraaltjes of pareltjes, maar niet te opvallend, en het mocht zeker niet kriebelen. Mouwen tot op driekwart van de arm zou de mooiste lengte voor haar zijn, in ieder geval was dat beter dan korte mouwtjes, die degelijkheid uitstraalden, en beter dan mouwloos, want ze wist zeker dat Rose dat nooit zou willen. De rok moest wijd uitstaan, het moest een sprookjesachtige rok zijn, die Rose deed denken aan de goede fee uit *De tovenaar van*

Oz, maar het mocht natuurlijk niet op een toneelkostuum lijken. En er moest een sleep komen, maar niet te lang. 'Ik denk wel dat Rose het me zou toevertrouwen. Ik weet dat ze tot nu toe niet veel plezier heeft beleefd aan het zoeken naar een jurk.'

Ze keek voor zich op de weg en maakte in gedachten een ontwerp voor de jurk.

'Als je iets gaat naaien,' vroeg ze, 'werk je dan altijd met een gedetailleerd patroon van wat je wilt maken?'

'Zo gaat het meestal wel, ja.'

'Maar wat als je iets wilt maken waarvan je geen patroon kunt vinden?'

'Hmm,' zei Ella, met een vinger tegen haar onderlip tikkend. 'Nou, ik denk dat je dan delen van verschillende patronen moet nemen en die moet samenvoegen. Dat is alleen wel moeilijk. En duur, als je alle stof er ook nog bij rekent.'

'Dus het gaat wel een paar honderd dollar kosten?' piepte Maggie.

'Iets meer, denk ik,' zei Ella. 'Maar ik heb wel wat geld.'

'Nee,' zei Maggie. 'Nee, ik wil alles betalen. Ik wil haar de jurk geven.' Ze reed door de donkere avond, en hoorde in de verte de donder rommelen. Het was tijd voor Florida's dagelijkse portie regen.

Ze werd overspoeld door alle onzekerheden uit haar jeugd, alle plagerijen die ze op school over zich heen had gekregen, alle chefs die haar hadden ontslagen, alle huisbazen die haar het huis uit hadden gezet en alle kerels die haar hadden verteld dat ze dom was. Je kan het niet, zeiden ze. Je bent dom. Het lukt je nooit.

Haar handen omklemden het stuur. Ik kan het wel, dacht ze. Ze dacht aan al die middagen die het haar had gekost om haar folders te verspreiden in Golden Acres, met een tekening van een jurk op een hangertje met de woorden *Your Favorite Things*, en *Maggie Feller, Personal Shopper*. De telefoon had in de twee daaropvolgende weken zo vaak gerinkeld dat ze besloten had een eigen nummer te nemen. Ze dacht aan de keer dat ze haar geldzaken met Jack had besproken en dat hij het haar steeds weer opnieuw had uitgelegd, zonder zijn geduld te verliezen. Hij had haar uitgelegd dat ze zich moest voorstellen dat het geldbedrag dat ze spaarde voor haar eigen winkel een taart was, en dat ze het grootste deel van de taart zou moeten opeten om het hoofd boven water te kunnen houden. Hij doelde op het geld dat ze nodig had voor de huur en voor eten en de rekeningen voor gas en zo. Als ze iedere maand een klein bedrag opzij zou zetten, ook al was het maar een klein reepje taart, dan zou ze uiteindelijk ('Het zal even duren,' had hij haar gewaarschuwd, 'maar uiteindelijk...') genoeg geld hebben voor de grote dingen waarop ze haar zinnen had gezet. Ze zou haar financiën nog eens onder de loep nemen en een stukje van de taart voor Rose reserveren.

Ze dacht aan het winkeltje dat ze had gezien, om de hoek bij de bagelshop, dat al drie maanden leegstond. Het had een groen-wit gestreepte luifel en een etalageruit vol vliegenpoep. Ze dacht aan al die keren dat ze er tijdens haar pauze langsgelopen was en zich voorstelde dat ze de ramen zou lappen, de muren roomwit zou schilderen en in het achterste deel pashokjes zou maken van witte doeken en gaas. Ze zou beklede bankjes neerzetten in alle pashokjes, zodat haar klanten even konden gaan zitten, en er zouden plankjes komen waar ze hun handtas op konden zetten. Ze zou goedkope oude spiegels op de kop tikken op veilingen en alle kleren zouden een afgeronde prijs hebben. Het was wel iets anders dan Hollywood, maar ze zou iets doen waar ze goed in was. Ze zou doen wat ze het beste kon. Wat ze het liefste deed. De zaken liepen al goed en dat betekende dat er geen enkele reden was waarom dit niet ook zou lukken. Ze zou niet op haar bek gaan en ze hoefde ook niet gered te worden. Sterker nog, ze zou ditmaal zelf de reddende engel zijn.

'Zullen we het proberen?' vroeg ze na een hele poos. De jurk op de achterbank bewoog ruisend heen en weer, alsof hij aan het dansen was.

'Ja,' zei Ella. 'Ja, liefje, we gaan het zeker proberen.'

58

'HUIZE STEIN, MET SIMON.'

'Weten ze wel dat je de telefoon zo opneemt?' vroeg Rose, die zich op het bed op haar rug rolde. Het was tien uur 's ochtends. Ella was naar het ziekenhuis om crackbaby's te knuffelen en Maggie was op een van haar geheime missies, hetgeen betekende dat ze alle vier de kamers van het appartement voor zichzelf had.

'Ik wist dat jij het was. Nummerherkenning,' zei Simon. 'Hoe is het daar? Lekker aan het luieren?'

'Zoiets,' zei Rose.

'Zon, cocktails, zo nu en dan wat pret met een knappe jongeling op het strand?'

Rose zuchtte. Simon zat haar te plagen, zoals altijd, en hij was grappig, zoals altijd, maar ze vond nog steeds niet dat hij helemaal zichzelf was. Het Jim-verhaal, dacht ze. En het hele geheime-oma-verhaal, en Rose' plotselinge vertrek naar Florida. Ze moest snel naar huis om daar de boel recht te zetten. 'De enige jongens hier zijn tachtigplussers met pacemakers.'

'Kijk maar uit,' zei Simon, 'die oudjes weten je vaak toch te verrassen. Hoe gaat het met je?'

'Het gaat goed. Ook met Ella. En Maggie...' Rose fronste. Maggie was veranderd en Rose vertrouwde de zaak niet helemaal. Ze stond op en liep met de telefoon in haar hand van de slaapkamer naar Ella's zitkamer. 'Maggie is opeens een zakenvrouw,' zei ze. 'Ze is personal shopper geworden en ze is er heel goed in. Ze heeft echt een goede smaak. Ze draagt altijd de juiste kleren en ze weet ook wat andere

371

mensen goed staat. En de meeste mensen hier rijden geen auto meer en degene die nog wel naar het winkelcentrum rijden weten niet waar ze moeten zijn...'

'Ik weet ook nooit waar ik moet zijn,' zei Simon. 'Het is aangeboren. De laatste keer dat mijn moeder bij Franklin Mills was, heeft ze de politie gebeld omdat ze dacht dat haar auto gestolen was. Uiteindelijk bleek dat ze vergeten was waar ze hem geparkeerd had.'

'Aha,' zei Rose. 'Dus daarom heeft ze twintig speelgoedbeesten op de hoedenplank gelegd en al die linten aan de antenne bevestigd!'

'Nee,' zei Simon, 'ze vindt die linten gewoon mooi. En die speelgoedbeesten ook.' Er viel een stilte. 'Ik was best kwaad op je toen je vertrokken was, weet je dat?'

'Over Jim Danvers?' Rose slikte, ook al had ze dit gesprek al zien aankomen.

'Ja,' zei Simon. 'Over hem, ja. Het gaat er niet om dat jullie iets hebben gehad, maar ik wil wel dat je weet dat je dat soort dingen aan me kunt vertellen. Je kunt me alles vertellen. Ik ben straks je man. Ik wil dat je op mij vertrouwt. Ik wil dat je afscheid van me neemt als je ergens naartoe gaat.' Rose hoorde dat hij het aan de andere kant van de lijn even moeilijk had. 'Toen ik thuiskwam en zag dat je vertrokken was...'

Rose sloot haar ogen. Ze kon zich dat gevoel maar al te goed herinneren. Ze wist hoe het was om een leeg huis binnen te lopen en te ontdekken dat degene van wie je hield zonder een woord te zeggen vertrokken was.

'Het spijt me,' zei Rose. 'Ik zal het proberen.' Ze slikte en liep naar de boekenkast, waarop foto's van haar en Maggie stonden, en een van haar moeder in haar trouwjurk. Ze lachte als iemand die haar hele leven nog voor zich had, een lang en heel gelukkig leven. 'Sorry dat ik zomaar vertrokken ben en dat ik je niets over Jim heb verteld. Het was niet leuk voor jou om er op zo'n manier achter te komen.'

'Nee, niet echt,' zei Simon. 'Maar ik heb je misschien iets te hard aangepakt. Ik weet hoe veel je aan je hoofd hebt, met het huwelijk en zo.'

'Nou,' zei Rose, 'ik ben wel degene met de meeste vrije tijd.'

'Trouwens, nu we het er toch over hebben,' zei Simon, 'je bent gisteren gebeld door een headhunter.'

Rose' hart begon sneller te kloppen. Toen ze nog bij Lewis, Dommel en Fenick werkte, werd ze een paar keer per week door headhunters gebeld. Ze vonden haar naam en cv in een gids voor juridisch personeel en belden haar op om haar over te halen naar een ander ad-

vocatenkantoor over te stappen, waar ze ongetwijfeld nog meer overuren zou moeten draaien. Maar sinds ze met verlof was gegaan, hadden ze niets meer van zich laten horen.

'Iemand van de Women's Association for Women's Alternatives.'

'Echt waar?' Rose probeerde te bedenken of ze ooit van deze groep
had gehoord en wat ze deden. 'Hoe kwamen ze aan mijn naam?'

'Ze hebben een jurist nodig,' zei Simon. Hij ontweek de vraag en
verried daardoor dat hij zelf gebeld had. 'Ze behandelen juridische
zaken voor vrouwen met een krappe beurs. Voogdij, alimentatie, be-
zoekrecht, dat soort dingen. Veel rechtszaken, denk ik, en het salaris
is niet zo hoog omdat je eerst parttime zou werken, maar ik dacht dat
je het misschien wel leuk zou vinden.' Hij was even stil. 'Maar als je
er nog niet aan toe bent dan...'

'Nee! Nee,' zei Rose, die haar best moest doen om niet te schreeuwen. 'Het klinkt... ik ben, het lijkt me... hebben ze hun telefoonnummer achtergelaten?'

'Ja,' zei Simon, 'maar ik heb ze verteld dat je op vakantie bent, dus
er is geen haast bij. Geniet jij nu maar! Trek je badpak aan, bezorg die
oude mannetjes maar een hartaanval!'

'Ik moet eerst Amy bellen. Ze heeft me iedere dag geprobeerd te bereiken en we bellen steeds langs elkaar heen.'

'Ah,' zei Simon. 'Amy X.'

Rose grinnikte. 'Je weet best dat ze zich alleen de eerste drie weken
op de universiteit zo heeft genoemd.'

'Ik dacht dat ze zich daar Ashante liet noemen.'

'Nee, Ashante was op school,' zei Rose, die zich herinnerde dat haar
beste vriendin haar 'slavennaam' halverwege de behandeling van de va-
derlandse geschiedenis door meneer Halleck plotseling had laten vallen.

'Doe haar de groeten,' zei Simon. 'Niet dat dat goed genoeg zal zijn.'

'Amy vindt je heel aardig.'

'Amy vindt niemand goed genoeg voor jou,' zei Simon. 'En ze heeft
gelijk, maar over het algemeen ben ik helemaal niet zo'n slechte
keuze. En weet je wat?'

'Wat?'

Simon fluisterde de volgende zin. 'Ik houd heel veel van je, mijn
uitverkorene.'

'Ik ook van jou,' zei Rose. Ze hing op en glimlachte toen ze zich
voorstelde hoe hij daar aan zijn rommelige bureau zat, en belde daarna haar beste vriendin.

'Meisje!' riep Amy, 'vertel! Hoe is je oma? Is ze aardig?'

'Ja,' zei Rose, tot haar eigen verbazing. 'Ze is slim en aardig en... vrolijk. Ik heb het idee dat ze heel lang ongelukkig is geweest en dat ze heel blij is dat Maggie en ik bij haar zijn. Ze zit me soms alleen een beetje lang aan te staren.'

'Hoezo?'

'Nou ja,' zei Rose, die zich opgelaten voelde. 'Omdat ze Maggie en mij niet heeft zien opgroeien. Ik heb haar verteld dat ze niet veel gemist heeft.'

'Au contraire, dametje. Al die prijzen die jij hebt gewonnen, al die keren dat je als Vulcan meeliep in de halloweenoptocht...'

Rose kromp ineen bij de gedachte.

'Ze heeft ons niet gezien met beenwarmers en stoere sweatshirts,' zei Amy. 'Maar goed, ik geef het toe, ik wou dat wij dat ook gemist hadden.'

'Maar dat was toen hip!' zei Rose.

'We liepen er verschrikkelijk bij,' wees Amy haar terecht. 'Ik moet echt een keer met je oma praten! Ik zal eens een boekje over je opendoen!'

'Vergeet het maar!' zei Rose, lachend.

'Maar vertel eens... komt Maggie naar je huwelijk?'

'Ik geloof van wel,' zei Rose.

'Neemt ze mijn plaats in?' vroeg Amy streng.

'Geen denken aan,' zei Rose. 'Jouw jurk-met-strik is veilig.'

'Mooi zo,' zei Amy. 'Drink maar een cocktail op me.'

'En doe jij maar rustig aan,' zei Rose. Ze hing op en dacht na over de dag die voor haar lag. Geen honden die moesten worden uitgelaten, geen huwelijkscrisis die moest worden weggewerkt. Ze liep haar oma's zitkamer in en pakte een fotoalbum van de stapel die op de salontafel lag. 'Caroline en Rose' las ze op het etiket dat op de voorzijde was geplakt. Ze opende het boek en daar was ze, één dag oud, gewikkeld in een witte doek. Ze had haar ogen stijf dicht en haar moeder keek onzeker glimlachend in de camera. Tjee, dacht Rose, wat was ze nog jong! Ze bladerde het boek door. Rose als baby, Rose als peuter, Rose op een fiets met zijwieltjes, met achter zich haar moeder met een kinderwagen waarin Maggie zich als een koninginnetje liet rondrijden. Rose bladerde het boek bladzijde voor bladzijde door en zag zichzelf en haar zusje met een glimlach opgroeien.

59

MAGGIE LEUNDE ACHTEROVER EN VERSCHIKTE IETS AAN HAAR paardenstaart. Ze knikte. 'Oké,' zei ze. 'Ik denk dat het zo goed is.' Ze wenkte Ella en Dora naar de tafel achter in de stoffenwinkel. 'Deze rok,' zei ze, het patroon aanwijzend. 'Dit lijfje,' zei ze, en legde er een tweede patroon zorgvuldig bovenop. 'En deze mouwen,' zei ze, op een derde patroon wijzend, 'maar dan driekwart, niet lang.'

'We maken hem eerst van mousseline,' zei Ella. 'We doen het rustig aan. Het gaat best lukken.' Ze verzamelde de patronen. 'We beginnen morgenochtend. We zien wel hoe het gaat.'

Maggie leunde achterover en lachte tevreden. 'Het gaat vast heel goed,' zei ze.

Die avond kwam Maggie thuis van haar werk in de bagelshop en een bezoekje aan Saks, waar ze op het laatste moment toch nog drie door mevrouw Gantz afgewezen badpakken had moeten terugbrengen. De tassen van haar zus stonden netjes klaar bij de deur. Ze was teleurgesteld. Rose ging naar huis en ze wist niet eens hoe goed Maggie haar best had gedaan om een jurk voor haar te vinden. Ze wist niet hoezeer het Maggie allemaal speet. Haar zus praatte nog steeds nauwelijks tegen haar, vermeed haar blik. Het was helemaal niet gegaan zoals ze had gewild.

Maggie liep naar de slaapkamer achter in het appartement. Ze hoorde Ella en Rose praten op het balkon.

'Je zou verwachten dat de kleine hondjes het gemakkelijkst zijn,' zei Rose. 'Maar dat zijn juist de koppigste beesten. En ze blaffen ook nog het hardst.'

'Hebben jullie thuis vroeger ook een hond gehad?'

'Eén dag,' zei Rose. 'Langgeleden.'

Maggie liep de keuken in. Ze wilde koken voor haar zus, dat was tenminste iets, een klein, maar betekenisvol gebaar, waarmee ze Rose kon laten zien dat ze om haar gaf. Ze pakte de zwaardvisfilets uit de ijskast, snipperde een paar uien, een avocado en een paar tomaten en zette het mandje met broodjes vlak bij Rose' bord. Rose schoot in de lach toen ze dat zag.

'Koolhydraten!' riep ze uit.

'Speciaal voor jou,' zei Maggie, en gaf haar de boter aan.

Ella keek ze nieuwsgierig aan. 'Mijn stiefmonster,' zei Rose volle mond. Ze slikte. 'Sydelle. Sydelle had iets tegen brood.'

'Behalve toen ze dat aardappeldieet volgde.'

'Inderdaad ja,' zei Rose, instemmend knikkend. 'Later was rood vlees opeens taboe. Maar welk dieet ze ook volgde, ik mocht nooit brood eten.'

Maggie rukte het broodmandje weg en sperde haar neusvleugels zo ver mogelijk open. 'Rose, je verpest je eetlust!' zei ze.

Rose schudde haar hoofd. 'Alsof dat ooit gebeurde,' zei ze.

Maggie trok haar stoel bij en begon aan haar salade. 'Kun je je die plastic zakken nog herinneren?'

Rose sloot haar ogen en knikte. 'O god, ja, die plastic zakken.'

'Wat was er met die plastic zakken?'

'Nou,' zei Rose. 'Iedere keer als we op vakantie gingen, deed Sydelle al haar kleren in plastic zakken.'

'En daar plakte ze schilderstape op,' vervolgde Maggie. 'Ze had dan een tas voor Schoon Ondergoed, en een tas voor Vuil Ondergoed, een tas met Schone t-shirts en... nou ja, vul verder zelf maar in.'

'Sydelle slaapt nooit,' zei Rose.

'Misschien vier uur per nacht,' zei Maggie.

'Dus iedere ochtend werden we wakker van het geritsel van plastic zakken, omdat ze dan spullen van de ene in de andere zak zat te stoppen.'

'In haar steunslip!' giechelde Maggie.

Rose vertrok haar gezicht. 'Goed, dank je wel dat je dit beeld weer bij me hebt opgeroepen. Ugh! Ik was het helemaal vergeten.'

'Ik niet,' zei Maggie. 'Ik vergeet nooit een steunslip.' Met een stuk vis aan haar vork leunde ze achterover en glimlachte naar haar grootmoeder toen Rose in lachen uitbarstte.

Die nacht lagen Maggie en Rose voor het laatst naast elkaar op het dunne matrasje van de bedbank. Ze luisterden naar het kwaken van de kikkers en het ruisen van de zwoele avondwind in de palmen. Af en toe klonk het geluid van piepende remmen – niet alle inwoners van Golden Acres waren even trefzekere chauffeurs.

'Ik heb zo'n volle maag,' kreunde Rose. 'Wie heeft je zo leren koken?'

'Ella,' zei Maggie. 'Ik heb mijn ogen goed de kost gegeven. Het was lekker, toch?'

'Heerlijk,' zei Rose, en geeuwde. 'En wat zijn jouw plannen eigenlijk? Wil je hier blijven?'

'Ja,' zei Maggie. 'Ik vond het leuk in Philadelphia. En ik zou ook best naar Californië willen. Maar ik heb het hier ook heel erg naar mijn zin. Ik heb hier nu mijn werk. Ik ga mijn zaakje verder uitbouwen. En Ella heeft me nodig.'

'Waarvoor?'

'Nou, misschien heeft ze me niet nodig,' gaf Maggie toe. 'Maar ik heb het idee dat ze het fijn vindt dat ik hier ben. En ik vind het ook fijn om hier te zijn. Ik bedoel niet hier hier,' zei ze, in een armgebaar de kamer, het appartementengebouw, het Golden Acres-complex aanwijzend, 'maar in Florida. Iedereen komt ergens anders vandaan, is dat je wel eens opgevallen?'

'Zal wel.'

'Dat vind ik prettig. Als iedereen ergens anders vandaan komt, dan kom je ook niet constant mensen tegen die weten hoe je was op school, of daarna. Je kunt dus anders zijn, als je dat wilt.'

'Je kunt overal anders zijn,' zei Rose. 'Kijk maar naar mij.'

Maggie steunde op haar elleboog en bekeek haar zus, het vertrouwde gezicht, haar haar in een waaier op het kussen, en ze zag Rose niet als een bedreiging, als iemand die op haar zou gaan vitten, of haar voor de zoveelste keer zou vertellen dat ze de dingen niet goed aanpakte, maar als een bondgenote. Een vriendin.

Even lagen de zusjes naast elkaar in bed zonder iets te zeggen. In haar kamer spitste Ella haar oren en hield haar adem in.

'Het gaat me lukken, weet je,' zei Maggie. 'Your Favorite Things. Ik weet zelfs al waar.'

'Ik kom wel over voor de opening,' zei Rose.

'En ik wil je nog zeggen...'

'Dat het je spijt,' vulde Rose in. 'Je bent veranderd.'

'Nee! Nou, ik bedoel, ja. Het is echt zo.'

'Maar dat wilde ik niet zeggen. Ik wilde je vragen geen jurk te kopen.'

'Wat?'

'Koop geen trouwjurk. Je krijgt er een van mij als huwelijkscadeau.'

'O, Maggie... ik weet het niet, hoor.'

'Vertrouw me nou maar,' zei Maggie.

'Je wilt dat ik ga trouwen in een jurk die ik nog nooit heb gezien?' Rose lachte zenuwachtig. Ze zag al voor zich waar Maggie mee aan zou komen – laag uitgesneden, een hoog split, zonder mouwen, met een blote rug en met franje.

'Vertrouw me nu maar,' zei Maggie. 'Ik weet waar je van houdt. Ik zal je foto's sturen. Je mag de jurk vooraf passen. Ik kom wel naar huis. We doen een paar pasrondes.'

'We zien wel,' zei Rose.

'Mag ik het proberen?' vroeg Maggie.

Rose zuchtte. 'Goed dan,' zei ze. 'Doe het dan maar. Leef je maar helemaal uit.'

Stilte.

'Ik houd van je, weet je dat?' zei een van de meisjes, Ella wist niet wie. Rose? Maggie?

'O alsjeblieft,' zei de ander. 'Doe niet zo sentimenteel.'

Ella wachtte in haar kamer, met ingehouden adem, hopend dat er nog meer zou komen. Maar er kwam niets meer. Toen ze een paar uur later heel voorzichtig de deur opende en de slaapkamer inliep, lagen de zussen te slapen, allebei op hun linkerzij met hun linkerhand onder hun hoofd. Ze boog zich vooover, durfde haast geen adem te halen, en kuste ze zachtjes op hun voorhoofd. Geluk, dacht ze. Liefde. Dat jullie maar heel gelukkig mogen worden. Zo stilletjes als ze kon zette ze twee glazen water, ieder met één ijsklontje, op het nachtkastje en sloop de kamer weer uit.

60

'ZIT STIL,' ZEI MAGGIE VOOR DE ACHTTIENDE KEER, EN BOOG ZICH voorover naar Rose, die haar gezicht vertrok. 'Als je niet stilzit, lukt het me nooit.'

'Ik kan niet stilzitten,' zei Rose. Ze droeg een dikke, witte badstoffen kamerjas. Haar haar was, dankzij de urenlange inspanningen van Michael van Pileggi, veranderd in een ingewikkeld opgestoken geheel met krullen, haarspelden en kleine witte bloempjes. Er zat foundation op haar gezicht en haar lippen waren gestift. Amy zag er prachtig uit. Ze droeg een eenvoudige, nauwsluitende marineblauwe jurk en op haar rug zat een enorme strik. Ze liep gehaast rond, op zoek naar iemand van de catering en de schaal met broodjes die hun was beloofd. Maggie probeerde, voorlopig zonder veel succes, om Rose' wimpers te krullen.

Michael Feller, in een splinternieuwe smoking en met zijn haar op ingenieuze wijze over zijn kale achterhoofd gekamd, stak zijn hoofd om de deur. 'Alles in orde hier?' Hij deinsde terug toen hij Maggie bezig zag met het tangetje. 'Wat is dat?' vroeg hij, met een angstige ondertoon in zijn stem.

'Een wimperkruller,' zei Maggie. 'Rose, ik doe je geen pijn. Dat beloof ik. Kijk me nu eens recht aan... hoofd stil... ja! Hebbes!'

'Agh,' zei Rose, die haar gezicht vertrok, voorzover dat tenminste ging met haar wimpers in het metaal van de tang. 'Auw... doet pijn...'

'Je doet je zus geen pijn, hoor je me!' zei Michael Feller streng.

'Het... doet... geen... pijn,' zei Maggie, die het tangetje langzaam naar het uiteinde van Rose' wimpers bewoog. 'Zo! Perfect! Nu alleen je andere oog nog!'

'God sta me bij,' zei Rose, en keek naar haar voeten. Ze zagen er mooi uit, dat moest ze toegeven. Ze had zo haar twijfels gehad bij het nut van een pedicure. 'Ik ben gewoon geen pedicuremens,' had ze gezegd. Maar Maggie, die de afgelopen maanden nogal bazig geworden was, vooral sinds Your Favorite Things was opgenomen in de *Fort Lauderdale Sun-Sentinel*, nam met 'nee' geen genoegen.

'Niemand ziet mijn voeten toch?' had Rose gesputterd, maar Maggie had daartegenin gebracht dat Simon haar voeten wel zou zien. En toen had Rose maar een afspraak gemaakt.

Maggie bracht de tang richting oog nummer twee, krulde voorzichtig de wimpers en deed een stapje achteruit om het resultaat in ogenschouw te nemen. 'Heb je mijn date gezien?' vroeg ze. 'Ik weet wel dat het jouw Grote Dag is en zo, maar...' Ze was even stil en keek haar zus aan.

'Maggie!' riep Rose uit. 'Je bloost! Zie ik dat goed?'

'Nee,' zei Maggie. 'Ik ben me er alleen van bewust dat het voor een man niet zomaar iets is om te worden uitgenodigd voor een huwelijk...'

'Charles ziet er anders heel ontspannen uit,' zei Rose. Charles zag er trouwens sowieso prima uit. Het was precies het soort man waarmee ze had gehoopt dat Maggie thuis zou komen, als ze ooit af zou weten te komen van haar voorliefde voor de basgitaar spelende barmannen van de wereld. Hij was jonger dan zij, studeerde archeologie. Ze had hem op Princeton ontmoet, maar Maggie was niet zo scheutig geweest met informatie. 'En het is duidelijk dat hij dol op je is.'

'Zou je denken?' vroeg Maggie.

'Hoe zou hij niet van je kunnen houden?' vroeg Rose. Op dat moment kwam Amy binnen met een grote schaal sandwiches op haar hoofd. Maggie schoot door de deur naar buiten.

'Gevonden!' riep ze triomfantelijk uit.

'Waar?' vroeg Rose, zwaaiend naar haar vader, die de kamer ook verliet.

'Bij Sydelle, waar anders?' vroeg Amy, die zorgvuldig een servetje om een sandwich met kalkoenfilet vouwde en hem aan Rose overhandigde. 'Ze was bezig de mayonaise van het brood te schrapen. En Mijn Marcia vroeg de rabbi of ze het onzevader mocht bidden.'

'Dat meen je niet, hè.'

Rose nam een hapje en legde de sandwich opzij. 'Ik krijg geen hap door mijn keel. Zenuwen,' zei ze, terwijl Maggie de kamer weer binnenkwam, met een grote, op een jurk lijkende bundel stof in een half doorzichtige plastic hoes.

'Wil je je jurk zien, Assepoester?' vroeg ze.

Rose slikte en knikte. Ze bestierf het van de zenuwen. Wat als de jurk niet gelukt was? Ze stelde zich voor dat ze naar het altaar liep met losse draadjes aan haar jurk, en opengesperde, half afgewerkte naden. O god, dacht ze. Hoe had ze zo stom kunnen zijn om Maggie de jurk te laten maken?

'Ogen dicht,' zei Maggie.

'Nee,' zei Rose.

'Alsjeblieft?'

Rose zuchtte en sloot langzaam haar ogen. Maggie stak haar hand uit naar de hoes, maakte voorzichtig de rits open en nam Rose' jurk voorzichtig van de hanger.

'Tadaaa!' zei Maggie, en zwaaide de jurk in het rond.

De rok viel Rose het eerste op – lagen en lagen tule. Toen Maggie de jurk goed omhoogdhield, kon ze zien hoe mooi hij was – het lijfje van roomwit satijn, bezet met zaadpareltjes, de nauwsluitende mouwen, het perfecte decolleté. Maggie had woord gehouden en haar nu en dan foto's opgestuurd en ze was naar Philadelphia gevlogen om Rose de jurk te laten passen. Maar het eindproduct was mooier dan Rose ooit had durven hopen.

'Hoe lang ben je hier wel niet mee bezig geweest?' vroeg Rose, in de rok stappend.

'Dat is niet belangrijk,' zei Maggie, die bezig was de tientallen knoopjes, die ze met de hand op de rug had genaaid, te sluiten.

'Hoeveel heeft hij wel niet gekost?' vroeg Rose.

'Dat is ook niet belangrijk. Je krijgt de jurk van mij cadeau,' zei Maggie, die de kraag gladstreek en haar zus naar de spiegel begeleidde.

'Oooh,' zei Rose, naar adem happend bij het zien van haar spiegelbeeld. 'O, Maggie!'

Amy kwam binnen met Rose' boeketje in haar hand, dat bestond uit roze rozen en witte lelies, en de rabbi stak zijn hoofd om de deur. Hij lachte Rose toe en vertelde haar dat het tijd was. Ella snelde achter hem langs de kamer binnen, haar corsage in haar ene en een schoenendoos in haar andere hand.

'Je ziet er beeldig uit,' zeiden Ella en Maggie in koor, en Rose bleef maar naar zichzelf kijken. Ze wist dat de jurk perfect was, dat ze er nog nooit zo mooi had uitgezien, en dat ze nooit gelukkiger was geweest dan op dit moment.

'Alsjeblieft,' zei Ella, de schoenendoos openend. 'Deze zijn voor jou.'

'O, ik heb al schoenen...' Rose keek in de doos en zag een schitterend paar schoenen staan – ivoorkleurig satijn, met lage hakken en geborduurd met hetzelfde draad als haar jurk. 'O, wat zijn ze mooi. Waar heb je ze vandaan?' Ze keek Ella aan en vroeg: 'Zijn dit de trouwschoenen van mijn moeder?'

Maggie keek Ella aan en hield haar adem in.

'Nee,' zei Ella. 'Ze zijn van mij geweest.' Ze bette haar ogen met een zakdoekje. 'Ik weet dat ik word geacht je oorbellen of een ketting te lenen, als je nog iets nodig mocht hebben, maar...'

'Ze zijn perfect,' zei Rose, die haar voeten in de schoenen stak. 'En ze passen me! Dank je wel,' zei ze.

Ella schudde haar hoofd, en haar ogen vulden zich met tranen. 'Ik weet het,' fluisterde ze. 'Dank je wel.'

'Er mag nog niet gehuild worden, hoor!' zei Lewis, die zijn hoofd om de deur stak. 'We zijn nog niet eens begonnen.' Hij grinnikte. 'Rose, je ziet er prachtig uit. En ik geloof dat we van start kunnen gaan als jij zover bent.'

Rose sloeg haar armen om Ella heen en knuffelde daarna haar zusje. 'Dank je wel voor de jurk. Het is ongelooflijk. De mooiste jurk die ik ooit heb gezien!'

'Niets te danken,' zei Maggie. 'Kom, we moeten gaan.'

'Zijn jullie zover?' vroeg Rose, en Maggie en Ella knikten. De deuren werden geopend. Alle gasten keken naar Rose en glimlachten. Fotocamera's flitsten. Mevrouw Lefkowitz pinkte een traantje weg. 'Mammie, waarom ziet die mevrouw eruit als een prinses?' vroeg Jason of Alexander, die snel tot stilte werd gemaand. Michael Feller kneep in zijn dochters hand en tilde haar sluier op. 'Je bent zo mooi,' fluisterde hij haar toe. 'Ik ben heel trots op je.'

'Ik houd ook van jou, pap,' zei Rose. 'Bedankt voor alles.' Ze draaide zich om. Voor het altaar stond Simon haar toe te lachen, zijn blauwe ogen glinsterend, het keppeltje op zijn kortgeknipte krullen, zijn ouders er stralend naast. Ella greep Maggies hand en kneep er even in.

'Het is je gelukt,' fluisterde ze en Maggie knikte blij. Ze keken naar Rose. We houden van je, dacht Ella met een lach om haar mond en in gedachten wenste ze Rose alle geluk van de wereld toe... en op dat moment keek Rose hen door haar sluier aan en lachte terug.

'En nu,' zei de rabbi, 'zal Margaret Feller, zuster van de bruid, een gedicht voordragen.'

Maggie stond op en liep naar voren. Zenuwachtig streek ze haar jurk (grijsgroen, mouwloos en zonder het diepe decolleté of het hoge split waarvoor haar zus bang was geweest) glad. Ze schraapte haar keel en wist zeker dat haar vader en Sydelle iets van haar verwachtten van het niveau van een limerick.

'Ik ben zo blij voor mijn zus,' zei Maggie. 'Toen we klein waren zorgde Rose altijd voor mij. Ze nam het altijd voor me op en had het beste met me voor. En ik ben zo blij vandaag, omdat ik weet dat Simon nu al die dingen voor haar gaat doen, en omdat ik weet dat we altijd een rol zullen blijven spelen in elkaars leven. We zullen altijd van elkaar blijven houden, omdat we nu eenmaal zusjes zijn. Dat is wat het betekent om iemands zus te zijn.' Ze lachte naar Rose. 'Rose, dit gedicht is voor jou.'

Maggie haalde diep adem en hoewel ze het in het vliegtuig eindeloos herhaald had en het al heel lang uit haar hoofd kende, voelde ze een zenuwachtige rilling langs haar ruggengraat gaan. Ella glimlachte haar toe en richtte haar hoofd op met een karakteristiek gebaar dat de familieband met Rose en Maggie verried. Charles lachte haar trots toe vanaf zijn zitplaats op de achterste rij. Maggie ademde uit en knikte naar haar grootmoeder. Daarna richtte ze haar blik op Rose, die de prachtige jurk droeg die Ella en zij hadden gemaakt, en begon:

'"ik draag je hart met me mee (ik draag het in mijn hart)
ik heb het altijd bij me (waar ik ga, daar ga jij
en alles wat ik doe doe ik om jou)
ik vrees mijn lot niet (want jij bent mijn lot)
ik wil de wereld niet (want mooi ben jij, mijn wereld, mijn ware)
en jij bent het, jij bent wat de maan altijd heeft bedoeld
en wat de zon steeds weer zal zingen dat ben jij"'

Het voelde alsof iemand Maggies keel dichtkneep. Michael Feller, op de eerste rij, had tranen in zijn ogen en Ella lachte haar toe. Haar vader tilde zijn bril iets op en depte zijn ogen droog. De rest van de gasten zat haar vol verwachting aan te kijken. Achter haar sluier waren Rose' ogen wijd opengesperd en haar lippen trilden. Maggie stelde zich voor dat haar moeder er ook bij was, een geest op de achterste rij, met felrode lippenstift en gouden oorbellen, wakend over haar dochters, wetend dat ze ondanks alles allebei waren uitgegroeid tot dappere, slimme en mooie vrouwen, dat ze er voor elkaar zouden zijn en bevriend zouden zijn en dat Rose altijd het beste zou willen voor Maggie en Maggie het beste zou willen voor Rose. Ademhalen, dacht Maggie en ze ging verder:

> '"dit is het grootste geheim dat niemand kent
> (dit is de wortel van de wortel en de knop van de knop
> en de hemel van de hemel van een boom die leven heet;
> die hoger groeit dan de ziel kan hopen of de geest kan verhullen)
> en dit is het wonder dat de sterren uiteen houdt
>
> ik draag je hart met me mee (ik draag het in mijn hart)"'

Ze lachte de aanwezigen en haar zus toe en even leek het of ze in de toekomst kon kijken. Ze zag het huis en de baby's die Rose en Simon zouden krijgen, de vakanties waarop ze Ella en haar in Florida zouden komen opzoeken, de keren dat ze samen zouden zwemmen, Rose en Maggie en Ella en Rose' kinderen, in een groot, blauw zwembad in de zon en de keren dat ze 's avonds samen op Ella's bed tegen elkaar aan zouden gaan liggen tot ze in slaap vielen.

'e.e. cummings,' zei ze. Ze wist dat het haar gelukt was. Alle ogen waren op haar gericht geweest en ze had ieder woord perfect uitgesproken. Zij, Maggie Feller, had het er prima afgebracht.

Woord van dank

Dit boek zou niet bestaan zonder de hulp en inspanning van drie geweldige vrouwen. Mijn agent, de fantastische en liefhebbende Joanna Pulcini, is een onvermoeibare advocate en een geweldig lezer. De passie en betrokkenheid van Liza Nelligan (en haar eigen verhalen over de Sister Zone) hebben me meer geholpen dan ik kan zeggen. Greer Kessel Hendricks nam mij niet alleen onder haar hoede, en stemde erin toe om mij uit te geven, maar benoemde zichzelf ook tot de onofficiële koningin van mijn fanclub en persoonlijke tekstschrijver. Als schrijver kun je je geen betere lezers en pleitbezorgers wensen, en ik ben gezegend en gelukkig om ze tot mijn collega's en vrienden te kunnen rekenen.

Teresa Cavanaugh en Linda Michaels hielpen Rose en Maggie het licht zien. Joanna's assistente, Anna deVries, en Greers assistente, Suzanna O'Neill, handelden snel mijn telefoontjes af. Laura Mullen bij Atria kan wonderen verrichten en blijft onder alle omstandigheden koel. Ik ben hen allen dankbaar.

Het zou een boek op zich kosten om alle schrijvers te bedanken die mij hebben geïnspireerd en gestimuleerd, en vreselijk aardig voor me zijn geweest, dus ik beperk me maar tot het noemen van Susan Isaacs, Anna Maxted, Jennifer Cruise, John Searles, Suzanne Finnamore en J.D. McClatchy.

Ik dank al mijn familieleden die me liefde, steun en materiaal hebben gegeven. Vooral mijn zuster, Molly Weiner, de *quick brown fox*, dank ik voor haar goedheid en goede humeur.

Ik bedank ook mijn vrienden, die me hebben verwend en gestimuleerd, die gelachen hebben toen ze stukken van dit boek hoorden, die niets hebben gezegd over de staat van mijn huis en mijn persoonlijke hygiëne toen ik tot mijn knieën in de revisies zat, en me lieten delen in hun leven, met name Susan Abrams, Lisa Maslankowski, Ginny Durham en Sharon Fenick.

Ik wil dat iedereen weet dat Wendell, Koning van Alle Honden, nog steeds mijn muze is, en dat mijn man, Adam, nog steeds mijn reisgenoot en belangrijkste lezer, op alle fronten een fantastische man is.

Ten slotte, het allerbelangrijkste, ben ik dankbaarder dan ik kan zeggen voor al mijn lezers die naar mijn lezingen kwamen en die me schreven om te zeggen dat ze genoten hadden van *Goed in bed*, en dat ik moest opschieten met dit boek! Ik dank ze voor hun vriendelijkheid en voor hun onvoorwaardelijke steun, en dat ze de tijd namen om me te vertellen dat wat ik geschreven heb hun leven heeft geraakt. Ik zie ernaar uit om ze nog veel meer verhalen te vertellen. Mijn website is www.jenniferweiner.com en iedereen is welkom om langs te komen en gedag te zeggen!

Bedankt voor het lezen,

– Jen

Verantwoording van de gedichten

Het gedicht 'Spring and Fall' op pagina 230 is van Gerard Manley Hopkins (1844-1889).

'One Art' (zie pagina's 242-243) is geschreven door Elizabeth Bishop (1911-1979). De in dit boek opgenomen vertaling is van J. Bernlef. 'Een hele kunst' werd in 1980 gepubliceerd in *Een wonder als ontbijt*, Kwadraat.

Het gedicht 'Bij het inslapen' van Rainer Maria Rilke (1875-1926) op pagina 351 is een vertaling van 'Zum Einschlafen zu sagen'.

e.e. cummings (1894-1962) is de auteur van het gedicht op pagina 383 en 384: 'i carry your heart with me (i carry it in my heart)', vertaald als: 'ik draag je hart met me mee (ik draag het in mijn hart)'.

Alle gedichten zijn, met uitzondering van 'Een hele kunst', vertaald door *de Redactie*, boekverzorgers te Amsterdam.

Inhoud

I
In haar schoenen   5

II
Verder studeren   163

III
Ik draag je hart met me mee   269

Woord van dank   385

Verantwoording van de gedichten   387